ID0767769

La conspiration des franciscains

LA CONSPIRATION
DES FRANCISCAINS

JOHN SACK

Traduit de l'anglais par Guy Rivest

LES NTOUCHABLES

La conspiration des franciscains est une œuvre de fiction composée d'éléments historiques et d'éléments imaginaires. Les noms, personnages, lieux et événements ont été inventés. Toute ressemblance à des personnes, lieux ou événements réels est purement fortuite.

Les Éditions des Intouchables bénéficient du soutien financier de la SODEC, du Programme de crédits d'impôt du gouvernement du Québec et sont inscrites au Programme de subvention globale du Conseil des Arts du Canada.

Nous reconnaissons l'aide financière du gouvernement du Canada par l'entremise du Programme d'aide au développement de l'industrie de l'édition (PADIÉ) pour nos activités d'édition.

LES ÉDITIONS DES INTOUCHABLES
2316, avenue du Mont-Royal Est
Montréal, Québec
H2H 1K8
Téléphone : (514) 526-0770
Télécopieur : (514) 529-7780
www.lesintouchables.com

DISTRIBUTION : PROLOGUE
1650, boulevard Lionel-Bertrand
Boisbriand, Québec
J7H 1N7
Téléphone : (450) 434-0306
Télécopieur : (450) 434-2627

Impression : Transcontinental
Infographie : Mélanie Deschênes et Benoît Desroches
Conception et maquette de la couverture : Benoît Desroches
Correction : Corinne Danheux

Édition originale anglaise : The Franciscan Conspiracy
The Franciscan Conspiracy © 2005 by John Sack
Illustrations intérieures © Gary Kliewer. Tirées de *Wittenburg Bible*, 1584, collection privée.
Illustration de la couverture : Francisco de Zurbarán
(espagnol, 1598-1664), *Saint Francis of Assisi in His Tomb*, 1630-1634, huile sur toile, 80,375 X 44,625 pouces, Milwaukee Art Museum.

Avec l'aimable autorisation de l'agent Danny Baror

Dépôt légal : 2006
Bibliothèque nationale du Québec
Bibliothèque nationale du Canada

ISBN 2-89549-214-X

REMERCIEMENTS

Au Northwest Writing Institute du collège Lewis and Clark pour la résidence Walden et pour leur précieux temps, aux écrivains du Blue Mountain Café et aux lecteurs de White Cloud pour leurs conseils inestimables et leurs encouragements et, surtout, à Francis, qui a insisté pour que cette histoire soit racontée, *Grazie molte*.

Beatus fráciscus duob; ânis ante môte suâ fecit quadra
gesimâ i loco aluerne ad honorê beate virginis marie matris dei et beati
michael archâgli a festo assûptionis scê marie virginis usq. ad festû scî
michael septêb 7 facta est sup eû manŭ dñi p visionê 7 allocuti
onê seraphŷ 7 impssionê stigmatû x i corpe suo fecit has laudes ex alio
latere cartule scriptas 7 manu sua scripsit g'as agens deo de bñficio sibi
collato Benedicat tibi dñs 7 custo
diat te. ostê dat faciem
suâ tibi 7 misereatur tui
cõvertat vultû suû ad te
7 det tibi pace
Beat fráciscus scripsit manu sua ista bñdictionê mihi fri leoni
Dns benedicat f leo te
Simili modo fecit istud signû thau cû capite manu sua

La bénédiction de saint François au frère Léon.

Si Satan existait, l'histoire de l'Ordre qu'a fondé saint François lui apporterait la plus exquise des satisfactions. [...] La vie de saint François a eu comme conséquence directe de créer encore un autre ordre opulent et corrompu, de renforcer la hiérarchie et de faciliter la persécution de tous ceux qui font preuve d'ardeur morale ou de liberté de pensée. Compte tenu des objectifs et de la nature de l'ordre des Franciscains, il est impossible d'imaginer un résultat qui soit plus amèrement ironique.

BERTRAND RUSSELL (Traduction libre)

Ne me dites pas que François a échoué. L'esprit de compromis imprégnait son rêve; il a gagné ses frères à sa cause... et les a changés — comme il a essayé de le faire lui-même dès le départ —, en des moines bons mais ordinaires. L'esprit de compromis s'est emparé de son corps et l'a enterré dans l'une des plus importantes églises d'Italie. Il s'est aussi emparé de l'histoire dangereuse de sa vie et l'a transformée en biographies censurées et adaptées. Mais rien de tout cela ne l'a atteint... saint François a réussi et ce sont les autres qui ont échoué...

ERNEST RAYMOND

Fac-similé d'une lettre écrite par saint
François au frère Léon vers 1220.

LISTE DES PERSONNAGES

Les Frères mineurs (franciscains)
Ministres généraux (1212-1279)
1212-1226 saint François d'Assise
Vicaire : Pierre de Catane (1212-1221)
1221-1227 Élie de Cortone
Secrétaire : Léon d'Assise
1227-1232 Giovanni Parenti
1232-1239 Élie de Cortone
Secrétaire : Illuminato da Chieti
1239-1240 Albert de Pise
1240-1244 Haymond de Faversham
1244-1247 Crescent de Jesi
1247-1257 Jean de Parme
1257-1274 Bonaventure de Bagnorea
Secrétaire : Bernard de Besse
1274-1279 Jérôme d'Ascoli

Les frères
Conrad da Offida, ermite de la faction spirituelle
Federico, visiteur à Assise
Lodovico, bibliothécaire au Sacré Couvent
Salimbene, scribe et chroniqueur
Thomas de Celano, premier biographe de saint François
Ubertin de Casale, novice
Zefferino, compagnon du frère Illuminato

De la commune d'Assise
Angelo di Pietro Bernardone, marchand de laine
Dante, fils aîné d'Angelo
Piccardo, fils d'Angelo
Orfeo, marin, fils benjamin d'Angelo
Francesco di Pietro Bernardone (saint François d'Assise)
Giacoma dei Settisoli, veuve de la noblesse, anciennement de Rome
Roberto, intendant de Donna Giacoma
Neno, charretier
Primo, fermier
Simone della Rocca Paida, seigneur de la principale forteresse d'Assise
Calisto di Simone, fils de Simone

Bruno, mercenaire de Calisto
Matteus Anglicus, médecin anglais

De Fossato Di Vico
Giancarlo di Margherita, chevalier à la retraite, ancien maire d'Assise

De la commune de Gênes
Enrico, garçon de ferme de Vercelli

De Acona
Rosanna, amie du frère Conrad da Offida

De la commune de Todi
Du Coldimezzo
Capitanio di Coldimezzo, donateur du terrain de la basilique Saint-François
Buonconte di Capitanio, fils de Capitanio
Cristiana, épouse de Capitanio
Amata, fille de Capitanio
Fabiano, fils de Capitanio
Guido di Capitanio, frère de Buonconte
Vanna, fille de Guido
Teresa (Teresina), petite-fille de Guido

De la ville de Todi
Jacopo dei Benedetti (Jacopone), pénitent public
Cardinal Benedetto Gaetani
Roffredo Gaetani, frère de Benedetto
Bonifazio, évêque de Todi, frère de Capitanio di Coldimezzo

De Venise
Lorenzo Tiepolo, doge de Venise
Maffeo Polo, marchand de pierres précieuses
Nicolo Polo, frère de Maffeo
Marco Polo, fils de Nicolo

Les papes (1198-1276)
1198-1216 Innocent II, qui a reconnu l'ordre des Frères mineurs
1217-1227 Honorius III
1227-1241 Grégoire IX (Ugolin de Segni, ancien cardinal protecteur des Frères mineurs, 1220-1227)

1241 Célestin IV
1241-1243 Vacance de deux ans du siège apostolique
1243-1254 Innocent IV
1254-1261 Alexandre IV
1261-1264 Urbain IV
1265-1268 Clément IV
1268-1272 Vacance de quatre ans du siège apostolique
1272-1276 Grégoire X (Tebaldo Visconti di Piacenza, ancien légat pontifical à Acre en Terre sainte)

PROLOGUE

ASSISE
25 mars 1230

S imone Della Rocca Paida parcourut des yeux la ruelle par laquelle les frères allaient arriver. *Allez, venez à moi maintenant, vermines d'église. Réglons une fois pour toutes cette malheureuse affaire.* Le chevalier se redressa sur sa selle et agrippa son épée. Sa langue était devenue sèche comme la laine. La foule amplifiait sa nervosité. Tous les spectateurs matinaux s'étaient rassemblés sur la grand-place, ignorant la boue dans laquelle ils s'enfonçaient jusqu'aux chevilles et la probabilité d'une autre averse à venir. Le principal administrateur de la ville, le maire Giancarlo, avait annoncé un jour férié et rien ne pouvait refroidir leur esprit festif, qu'il s'agisse d'une simple pluie printanière ou de la barrière érigée pendant la nuit. Les gardes civils de Giancarlo avaient traîné des poutres et des blocs de marbre de la partie supérieure encore inachevée de la nouvelle basilique pour construire un mur bas sur la place. Maintenant, les gardes aiguillaient les citoyens derrière le mur comme des poissons dans un étang de retenue où ils se bousculaient et s'agitaient pour occuper le meilleur point d'observation. Le chahut s'accrut avec l'affluence. Ceux et celles qui tendaient l'oreille pour entendre le chant des frères perdaient leur temps. Ils ne pouvaient que fixer les yeux dans la même direction que Simone.

Le chevalier aperçut finalement des volutes d'encens qui montaient de la ruelle. Un grand crucifix se balançait au-dessus de la fumée et des calottes des garçons qui agitaient les encensoirs alors que la procession entrait sur la place. Trop tard maintenant pour avoir des doutes.

Simone avait ordonné à ses cavaliers de se tenir devant le porche de l'église supérieure, qui se dressait devant la grand-place. Il fit un signe de la tête aux autres cavaliers, mit son casque et en effleura l'aigrette pour attirer la chance. Sa main s'agitait d'un mouvement convulsif sur la poignée de son épée alors qu'il serrait les genoux contre les flancs de son cheval. Il avala sa salive pour tenter d'atténuer la sécheresse dans sa gorge et fit avancer lentement son cheval dans l'espace qui séparait la foule de la procession.

Les sabots émettaient un bruit de succion à chaque pas dans la boue et le grincement sourd des armures des chevaliers perturbait à peine le chant alors qu'une double file de cardinaux vêtus de leurs soutanes et de leurs chapes rouges s'avançait à petits pas, comme un mille-pattes luisant, sur les planches disposées sur la grand-place. Ni les cardinaux ni les évêques vêtus d'hermine qui les suivaient ne montrèrent de signes d'inquiétude à l'approche des chevaux, non plus que les gens qui faisaient le signe de la croix et la génuflexion devant la barricade.

Pourquoi s'inquiéteraient-ils? Ces cavaliers étaient des guerriers de la Rocca Paida, la forteresse qui protégeait la ville contre les dangers. Tous avaient entendu la rumeur selon laquelle les Pérugins se préparaient à enlever la dépouille du saint. C'est en tout cas ce que Simone espérait. L'effet de surprise allait être son meilleur allié.

Derrière les évêques venaient les frères et, au centre de leur colonne, les porteurs du cercueil. Ils traversèrent la grand-place le long du remblai qui formait sa limite sud. Le porte-croix, les cardinaux et les évêques avaient déjà disparu sur le sentier poussiéreux menant à l'église inférieure et attendaient en formation dans la cour à l'extérieur.

Le moment était venu pour Simone. Lorsque les porteurs atteignirent la cour, il cria: «Adesso! Maintenant!» en enfonçant ses éperons dans sa monture. L'animal fonça dans le rang en levant ses pattes avant comme il avait été dressé à le faire pendant les batailles. On entendit le bruit d'un os qui se brise et un frère disparut sous l'animal dans un cri de douleur, tandis qu'un autre s'élançait par-dessus le remblai pour éviter la charge de l'énorme bête. Simone sourit malicieusement sous son casque et se mit à fendre l'air de sa lame. Alors qu'il faisait tourner lentement sa monture, il vit les gardes civils s'engager dans une escarmouche avec un groupe d'hommes qui tentaient d'escalader la barricade.

– Bloquez le haut du sentier, cria-t-il au cavalier qui chevauchait près de lui.

Deux de ses hommes se dirigeaient déjà vers le cercueil en repoussant les porteurs vers le fond de la cour. Tout d'abord, les frères coopérèrent en se précipitant vers le sanctuaire de l'église pour se placer sous la protection du maire qui attendait au pied du sentier avec le reste des gardes civils. Mais, dans un ballet de mitres, de capes et de jupes, les hommes de Giancarlo se mirent à utiliser leurs piques pour éloigner les prélats de la cour afin d'atteindre le cercueil. Les frères réalisèrent trop tard qu'ils étaient piégés.

Simone engagea son cheval sur le sentier qui descendait la colline. Près de lui, un frère saisit un garde par le bras en criant d'une voix aiguë. D'un coup de son gantelet métallique, le cavalier l'envoya virevolter sur le sentier et le cheval de Simone dut sauter pour éviter le corps du moine qui dévalait la colline.

Le chevalier ne jeta un regard derrière lui que lorsqu'il eut atteint le bas de la colline. Le capuchon du moine avait glissé de sa tête, libérant une longue tresse noire. La veuve romaine ! Qu'elle soit maudite ! Elle n'avait pas le droit de marcher avec les moines. Le sang dégoulinait de sa joue au moment où elle réussit à se remettre sur pied, mais elle ne semblait nullement le remarquer ou s'en préoccuper. Elle brandit le poing et ses yeux verts jetaient des éclairs.

– Comment osez-vous, Simone ? hurla-t-elle. Comment osez-vous voler notre saint ?

Le chevalier prit une profonde inspiration en s'entendant accuser par son nom. Il souhaita de nouveau que le maire ait engagé des soldats d'une autre ville pour faire son sale boulot.

Il fit demi-tour et galopa vers la porte de l'église. Les gardes s'étaient maintenant emparés du cercueil en repoussant un dernier moine, à peine plus grand qu'un garçon, qui se cramponnait de toutes ses forces au couvercle. Ce doit être Léon le Nain, se dit Simone en observant sa taille. Le cercueil de bois une fois entouré, les hommes de Giancarlo se rassemblèrent derrière Simone pendant que les hommes d'Église les inondaient d'imprécations. Le chevalier sauta de son cheval en lançant les rênes à l'un des gardes.

– Vous irez brûler en enfer pour ça, Simone ! cria quelqu'un près de son oreille.

Il se retourna en brandissant son épée, mais l'évêque d'Assise tenait devant lui la croix qui pendait à son cou pour parer l'attaque. Simone se mordit la lèvre inférieure et s'engouffra dans l'église. Le maire le rejoignit immédiatement. À l'intérieur, près de la porte, le marchand de laine attendait aux côtés du châtelain de la commune de Todi.

– Déposez le cercueil, cria Giancarlo à ses hommes.

Puis il les renvoya à l'extérieur pour défendre la cour. Les gardes partis, lui et le chevalier posèrent une lourde poutre en travers de la porte. Le maire, haletant, s'adossa contre le panneau sculpté pendant que Simone relevait la visière de son casque et s'épongeait le front avec la manche de son gambeson matelassé. Alors que le chevalier remettait son épée au fourreau, il remarqua les coulées sanglantes sur la lame. *De pis en pis*, pensa-t-il sombrement.

La pénombre et le silence du lieu lui firent un effet apaisant. Il regarda le visage livide du châtelain, la moue de dédain sur les lèvres du marchand et la mâchoire rigide du maire en se demandant pourquoi chacun d'eux avait décidé de prendre part à ce sacrilège. Il songea que le marchand n'hésiterait sans doute pas à vendre les reliques une à une, même s'il s'agissait de la dépouille de son unique frère.

À l'autre bout de la nef, une voix tonna :

– Dépêchez-vous. Apportez-moi le cercueil ici.

Deux moines, le frère Élie, maître d'œuvre, et son laquais, attendaient de chaque côté du maître-autel. Un cercle de torches brûlait sur les étais derrière eux, rappelant à Simone la menace proférée par l'évêque au sujet des flammes de l'enfer. La lumière des torches projetait sur le plancher de l'église l'ombre du frère Élie, une ombre beaucoup plus grande que l'ossature frêle du conspirateur qui avait organisé le vol. Il se demanda si Élie pourrait entendre sa confession et l'absoudre avant qu'il ne quitte l'église, même si les deux avaient été des partenaires égaux en perpétrant ce péché. Il redoutait l'idée d'affronter la populace à l'extérieur avec une âme en état de péché mortel.

Quand les quatre hommes atteignirent le devant de la nef, le maître-autel avait été déplacé de sa base et une profonde excavation avait été faite dans le roc en dessous. Les hommes placèrent la boîte sur des câbles tendus au-dessus du trou et, avec l'aide des moines, la descendirent dans le sarcophage. Ils laissèrent tomber les câbles sur le cercueil et Élie tordit un des piliers miniatures derrière l'autel jusqu'à ce qu'il entende un déclic. Le bloc massif entreprit sa lente rotation pour se replacer au-dessus du trou. Finalement, le moine éparpilla du bout de sa sandale la poussière autour de la base de marbre.

— Les travailleurs ont commencé à poser les carreaux dans l'abside hier, dit-il. Ils recouvriront cet espace demain. Il ne demeurera aucune trace. Personne ne saura où il repose.

Il fit une génuflexion et inclina la tête en direction du sarcophage.

— Aucune trace, père François, répéta-t-il dans un murmure de satisfaction. Votre secret demeure vôtre.

Simone se remémora la rencontre au palais de Giancarlo, alors que le frère Élie avait tenté de le persuader que le corps devait être caché, même aux yeux des fidèles, pour le protéger des chasseurs de reliques. Dès le début, il avait mis en doute la motivation de l'homme. D'après le chevalier, Élie rageait encore après avoir perdu l'élection qui avait suivi la mort de saint François. La confrérie avait nommé un autre moine pour remplacer le saint comme ministre général de leur Ordre, un homme âgé, d'une grande spiritualité, mais dont les compétences administratives n'étaient rien en comparaison de celles d'Élie. Toutefois, Élie avait transformé sa défaite en avantage lorsque le pape lui avait demandé personnellement de construire cette basilique. Maintenant, il avait soutiré ce prix de consolation à ses détracteurs et caché la plus précieuse relique de l'Ordre à un endroit où ils ne la trouveraient jamais. À l'avenir, les frères y songeraient à deux fois avant de voter contre lui.

Après avoir fait disparaître les empreintes autour de l'autel, Élie fit signe à son laquais d'approcher et lui dit :

— Frère Illuminato, apportez le coffre.

Le jeune homme disparut dans la pénombre du transept. Quand il revint un moment plus tard, il tenait entre les mains un petit reliquaire doré. Élie souleva le couvercle et en tira un anneau serti d'une pierre bleu pâle. Il y glissa son doigt pendant que son assistant remettait un anneau identique à chacune des autres personnes présentes.

— En ce jour se forme la Compari della Tomba, la Confrérie de la tombe, dit Élie. Jurons sous peine de mort de ne jamais révéler le lieu où reposent ces ossements.

— Et que la mort frappe quiconque découvrirait cet endroit par hasard, ajouta Giancarlo d'un air sombre. Que Dieu en soit témoin.

— Que Dieu en soit témoin, répétèrent les autres.

Ils tendirent dans la lumière le poing qui portait l'anneau et réunirent leurs mains. Chacun ouvrit les doigts pour tenir le poignet de son voisin.

— Amen ! Qu'il en soit ainsi ! crièrent-ils à l'unisson.

L'Italie et la région environnante d'Assise, vers 1270.

PREMIÈRE PARTIE

LE GRIFFON

I

Fête de saint Rémi
1ᵉʳ octobre 1271

L e frère Conrad fronça les sourcils en atteignant la fin du sentier qui zigzaguait jusqu'à sa hutte. L'écureuil qui agitait sa queue et rouspétait sur le rebord de fenêtre l'avertit qu'un visiteur attendait à l'intérieur, quelqu'un d'autre que l'homme de Rosanna.

– Chut, frère Legris ! le réprimanda-t-il en laissant tomber le paquet de branches qu'il portait sur son épaule. Accueille l'étranger comme tu le ferais pour moi. Il pourrait être un ange envoyé par Dieu.

L'ermite prit l'écureuil dans le creux de ses mains et le plaça délicatement sur le tronc d'un pin. L'animal grimpa sur une branche alors que Conrad traversait le seuil de la hutte.

Indifférent à ce qui se passait autour de lui, le visiteur dormait, la tête appuyée sur la table de l'ermite, le visage caché sous son capuchon. Conrad émit un grognement d'approbation en constatant qu'il s'agissait d'un moine. S'il devait se montrer sociable et faire la conversation, le sujet serait au moins d'ordre spirituel. Toutefois, les sandales de cuir et la nouvelle bure gris souris de son hôte lui plaisaient moins. Il s'agissait sans doute d'un frère conventuel, un de ces religieux gâtés qui vivait davantage comme un moine noir cloîtré que comme un fils déraciné de saint François. Il se prit à espérer que la conversation ne dériverait pas vers la vieille querelle sur la nature de la vraie pauvreté. Il était à la fois agacé et prudent en ce qui concernait ce débat, qui ne lui avait jusque-là causé que des embêtements.

Il partit chercher le bois mort qu'il avait ramassé plus tôt. En cet après-midi d'automne, le soleil se couchait tôt sur les Apennins et l'air de la montagne se refroidissait déjà en soirée. Il apporta plusieurs poignées de feuilles mortes, de cônes de pin et d'aiguilles sèches et en fit un petit tas dans le cercle de pierres plates au centre de la pièce. Pendant qu'il allumait le feu avec son silex, un murmure ensommeillé lui parvint du dormeur.

– Frère Conrad da Offida ?

La voix étonnamment aiguë ressemblait à celle d'un choriste prépubère. Il devina que son visiteur était un novice, et encore, probablement trop jeune. En théorie, l'Ordre n'acceptait aucun candidat de moins de quatorze ans, mais les autorités ignoraient souvent cette interdiction.

– Oui, je suis le frère Conrad, dit-il. Que la paix soit avec toi, jeune frère.

Il demeurait agenouillé près du foyer.

– Et avec vous. Je m'appelle Fabiano.

L'enfant se frotta le nez du revers de la main en atténuant le son de ses paroles.

– Fabiano. Bon ! Bienvenue. Quand le feu sera allumé, je ferai cuire une soupe. J'ai des fèves qui trempent dans la bouilloire.

– Nous avons aussi apporté de la nourriture, dit le garçon.

Il fit un signe en direction d'un filet pendu à un chevron.

– Du fromage, du pain et des raisins.

– Nous ?

– Le serviteur de Monna Rosanna m'a mené jusqu'ici. Sa maîtresse vous envoie de la nourriture supplémentaire au cas où vous n'en auriez pas suffisamment pour vous-même et un hôte.

Conrad sourit.

– Je reconnais là la manière courtoise de la dame.

Le feu brûlait maintenant avec force, remplissant la pièce d'une odeur de pin d'Alep. La fumée s'échappait vers l'extérieur par un petit trou dans le toit noirci de suie. La lueur du feu se reflétait dans les yeux sombres du visiteur, à l'ombre de son capuchon. Conrad installa la bouilloire sur le feu et prit le sac de nourriture. Rosanna, que Dieu bénisse son cœur généreux, avait aussi mis un oignon. Il en coupa deux tranches pour les manger crues avec le fromage et trancha le reste qu'il versa dans la soupe.

– Qui t'a dit d'aller voir Monna Rosanna ? demanda Conrad.

— Mes supérieurs à Assise. Ils m'ont dit d'aller la trouver à Ancona et, près de cette ville, j'ai rencontré deux moines qui m'ont dit où était sa maison. Elle semblait tellement intriguée quand je lui ai dit que je devais vous trouver…

Il interrompit sa phrase et regarda Conrad d'un air interrogateur.

— Nous avons grandi ensemble, dit Conrad, presque comme frère et sœur. Elle et son mari prennent encore soin de moi quand ils le peuvent.

Un flot de souvenirs envahit son esprit: deux enfants partageant des gâteaux secs sur un quai pendant que le soleil se reflétait dans l'eau à leurs pieds. Comme leurs reflets s'étaient éparpillés dans les vaguelettes de ce lointain après-midi, l'image se fragmenta aussitôt, car le visiteur avait immédiatement reprit son bavardage.

— Êtes-vous orphelin? Est-ce pour cette raison que vous avez vécu dans sa famille?

Conrad expira lentement.

— Le passé de cette créature n'a pas d'importance, dit-il.

Ce n'était pas là le type de conversation sur la spiritualité qu'il avait espéré.

Il aurait volontiers abandonné le sujet à cet instant, mais Fabiano semblait si déçu qu'il ajouta:

— Oui. Mon père était pêcheur à Ancona. Dieu le rappela à lui pendant une tempête alors que je n'étais qu'un petit garçon. Les parents de Monna Rosanna m'ont recueilli. Ils pensaient que je devais recevoir une bonne éducation et m'ont envoyé chez les frères quand j'ai atteint quinze ans. Maintenant, quatorze ans plus tard, je suis ici, et voilà toute mon histoire.

Pendant qu'il brassait la soupe, de petites larmes perlèrent au coin de ses yeux. Il les essuya du revers de sa manche et allait émettre un commentaire sur la forte odeur de l'oignon quand le garçon l'interrompit de nouveau.

— Où était votre mère?

— Au paradis, sûrement. Mon père m'a dit qu'elle était morte en invoquant la Vierge Marie pendant qu'elle me donnait la vie.

L'arôme des fèves cuites remplit la hutte. L'enfant prit une profonde inspiration et se gratta la tête.

— J'adore entendre les gens parler de leur vie. J'aimerais passer ma vie à voyager dans le monde et à recueillir des histoires, comme le frère Salimbene. Connaissez-vous le frère Salimbene?

Conrad fronça les sourcils.

– Ce n'est pas un moine que tu devrais imiter, dit-il. Dis-moi plutôt pourquoi tu devais me trouver.

Il fixa de nouveau les yeux sombres de l'enfant, qui exprimaient tout à coup une intense compassion, et il comprit immédiatement.

– Le frère Léon ? dit-il en répondant lui-même à sa question.

– Oui.

– Est-il mort en paix ?

– Oui, dans la même hutte où saint François est décédé.

– Il doit avoir été heureux d'y être.

L'ermite vacilla sur ses talons. Il s'attendait certes à la mort de son ami et mentor. Après tout, Léon avait plus de quatre-vingts ans. Mais la nouvelle l'ébranlait quand même.

Les voies du Seigneur étaient impénétrables. Léon avait imploré le ciel pour qu'il l'appelle à lui avec son maître saint François, mais Dieu l'avait enchaîné à la vie pendant un autre demi-siècle de travail et d'écriture. Le petit prêtre avait été l'infirmier personnel du fondateur de l'Ordre. Il avait changé ses pansements et frotté de baumes les lésions qui apparaissaient sur ses mains, ses pieds et son côté après la terrible vision sur le mont de l'Averne. Léon avait également été le confesseur et le secrétaire du saint, probablement les fonctions les plus puissantes de l'Ordre si le pouvoir l'avait intéressé. Mais François avait précisément choisi son compagnon pour sa merveilleuse simplicité. En amoureux des surnoms, il l'avait rebaptisé Léon le Lion – Fra Pecorello di Dio, frère Petit Agneau de Dieu.

Même les plus jeunes moines comme Conrad avaient entendu le célèbre récit de sa dispute avec Élie après la mort de François, lorsque Léon avait réduit en miettes le grand vase dans lequel le ministre général recueillait les dons pour la nouvelle basilique. Élie l'avait fait battre puis l'avait banni d'Assise pour ce geste de rébellion. Léon était retourné dans l'obscurité et avait commencé à écrire des pamphlets dénonçant le laxisme et les abus au sein de l'Ordre. Se disant inspiré par la lettre et l'esprit de saint François, il devint la conscience des frères, et la faction conventuelle le détestait pour cette raison.

Conrad se demanda si le frère Bonaventure, le dernier dans la lignée des successeurs d'Élie, s'était élevé au-dessus de cette vieille querelle.

– Le ministre général a-t-il inhumé le frère Léon avec dignité ? demanda-t-il.

– Oh ! oui ! Dans la basilique, aux côtés de ses compagnons. Ils disent que c'est le plus grand des honneurs.

– C'est ce qu'il méritait, dit Conrad.

Le garçon retira son capuchon pendant que Conrad remuait la soupe. Ses cheveux noirs, épais, pendaient jusqu'à la pointe de ses oreilles. Ses yeux en forme d'amandes dégageaient une impression de naïveté que rehaussaient ses longs cils. La peau laiteuse des joues et des tempes était si translucide, même dans la lumière diffuse, que Conrad pouvait en voir les veines. Son sourire était large, son nez, long et droit, avec des narines dilatées. *Un nez noble*, pensa Conrad. *Cet enfant est trop beau pour vivre avec de vieux moines, en particulier des frères qui souhaitent imiter les moines noirs.* Dieu seul savait lequel parmi les nombreux vices de la vie monastique ils imitaient maintenant.

Quand Conrad arrêta un moment de brasser leur repas, le garçon tira de son sac qu'il avait laissé sous la table un parchemin enroulé.

– Mon maître de noviciat m'a demandé de vous remettre cette lettre. Le frère Léon a dit qu'il était extrêmement urgent qu'on vous la remette après sa mort.

– L'ermite déroula le document de vélin près du feu et le parcourut des yeux plusieurs fois.

– Que dit-il ? demanda Fabiano.

– Il n'est pas scellé. Je suis étonné que tu ne l'aies pas lu. Ton maître de noviciat ne t'a-t-il pas encore appris à lire ?

– Un peu. Je ne peux déchiffrer que quelques mots. J'ai demandé aux moines que j'ai rencontrés sur la route de me le lire, mais ils ont seulement dit que c'était… sans intérêt.

Conrad leva les yeux vers le ciel. Le garçon n'avait aucune pudeur, et sa naïveté était peut-être dangereuse.

– Ces moines t'ont-ils dit leur nom ? demanda-t-il.

– Non. Mais l'un d'eux était très âgé, et l'autre avait les cheveux blonds, si cela peut vous aider.

Conrad fit une moue.

– Non, ça ne m'aide pas.

Ces moines pourraient en fait être des fauteurs de troubles. Conrad espérait que le manque de jugement du garçon se révélerait inoffensif.

À nouveau, il parcourut des yeux le manuscrit.

– Peut-être pourrais-tu me dire si la lettre est intéressante ou non, dit-il. Elle me conseille d'être bon, comme Léon l'aurait sûrement fait, mais ce message ne ressemble pas à un message du prêtre que j'ai connu.

En tenant le parchemin plus près de la lueur du feu, il lut à voix haute :

– À Conrad, mon frère dans le Christ, le frère Léon, son indigne compagnon, offre sa loyale vénération envers Notre-Seigneur.

– Jusqu'ici, ça ressemble à Léon. Mais écoute ça :

– Rappelle-toi comment nous t'avons conseillé d'étudier et d'apprendre. Lis avec tes yeux, discerne avec ton esprit, éprouve en ton cœur la vérité des légendes. *Servite pauperes Christi*.

Conrad brandissait le parchemin devant Fabiano.

– Servir les pauvres du Christ ?

Il s'arrêta un moment pour laisser au garçon le temps de comprendre les mots, comme si celui-ci pouvait en saisir la signification, puis balaya l'air de sa main.

– Rédigé à Assise durant la quatorzième année de l'administration de Bonaventure di Bagnoregio, ministre général de l'ordre des Frères mineurs.

L'ermite se gratta la nuque.

– Léon ne me demanderait jamais d'étudier, pas même les récits de la vie de saint François – si ce sont vraiment les «légendes» dont il parle. François prêchait que les érudits perdaient un temps précieux qu'ils auraient dû consacrer à la prière. Pour ce qui est de servir les pauvres, c'est Léon qui m'a envoyé dans ces montagnes. Maintenant, il veut que je me consacre au service des pauvres ? Ça me semble étrange.

Il frappa de l'ongle le parchemin de vélin.

– Ça n'est même pas l'écriture de Léon, ajouta-t-il. Elle est trop ample et trop maladroite. Léon était un habile calligraphe.

L'ermite approcha la lettre de la lumière une dernière fois. Elle était encadrée d'une bordure ovale mais, dans la semi-obscurité, il ne pouvait y déceler aucune cohérence. Léon n'était pas du genre à qualifier d'inintéressante une lettre urgente mais, d'après ce qu'il venait de lire, Conrad devait convenir que les deux frères itinérants avaient raison.

Il laissa tomber le parchemin sur la table où celui-ci s'enroula à nouveau pour former un cylindre. Ce pourrait être davantage que le babillage d'un vieillard gâteux. Mais l'esprit de Léon renfermait tant de secrets. Compte tenu de l'écriture différente, le message pourrait même être une ruse de Bonaventure, mais jusqu'à quel point ? Pourtant, le garçon venait du Sacré Couvent, la maison mère de l'Ordre, et cela seul suffisait à soulever les craintes de Conrad.

– Tu vas manger et retourner dormir, dit-il finalement. Tu as eu une rude journée.

Il pourrait réfléchir au message pendant qu'ils se reposeraient, en espérant trouver l'inspiration avant l'aube.

Il remplit deux bols de bois avec le contenu de la bouilloire. Pendant ce temps, Fabiano passait lentement ses doigts dans sa chevelure d'un air pensif.

– Étiez-vous triste de la quitter ? demanda-t-il finalement.

Mais Conrad n'allait pas rouvrir cette blessure d'enfance. Il toucha ses lèvres du bout de l'index.

– Nous devrions observer le silence pendant que nous mangeons, petit frère. Notre fondateur souhaitait que ses frères recherchent le silence du soir jusqu'au matin. Nous avons assez parlé pour aujourd'hui.

❧

Léon, le bâtard futé, savait tout depuis longtemps. Pendant les quarante-cinq dernières années, il avait protégé son secret comme une louve protectrice, trop entêté même maintenant pour quitter la tanière et emporter ses secrets dans la tombe comme tout homme raisonnable l'aurait fait. Il avait plutôt choisi de refiler ses louveteaux mort-nés à un des ermites rebelles.

Le frère Illuminato écrasa un moustique sur son poignet en souhaitant pouvoir écraser aussi facilement l'ermite. Il tira sur les rênes de son âne et épongea de sa manche la sueur qui inondait son front. Même en octobre, une journée passée au soleil pouvait affaiblir un voyageur, en particulier un voyageur de son âge. Avec la mort de Léon, il était devenu le dernier survivant de la première génération de frères qui avaient partagé la vie de saint François.

– Je dois me reposer, frère Zefferino, dit-il à son compagnon. Mes vieux os fragiles ne peuvent plus chevaucher aujourd'hui.

– Comme vous voulez, mon père.

Le jeune moine passa la jambe par-dessus le cou de l'âne et glissa jusqu'au sol, puis il aida le prêtre à descendre de sa monture.

Illuminato posa ses mains sur ses hanches et arqua son dos en s'étirant comme un vieux matou. Il secoua les épaules, puis marcha en boitillant jusqu'au sommet de la colline.

– C'est magnifique, dit-il finalement en faisant du bras un geste qui englobait la vallée sculptée par la rivière Tescio.

Des rangées de peupliers de Lombardie, brillants dans leurs couleurs automnales, bordaient la route en contrebas. D'autres taches jaunes marquaient l'emplacement de chênes verts dispersés parmi les conifères des forêts environnantes. Au bas de la colline, quelques immeubles en bois étaient rassemblés autour du campanile de brique d'une église et, quelque part dans cet amas, la route se divisait en deux : au nord-ouest vers Gubbio, au sud-ouest, vers Assise.

Le compagnon d'Illuminato tenait d'une main les rênes des deux ânes, pendant que de l'autre il chassait une mouche qui tournait autour de sa tonsure blonde.

– Allons-nous dormir à Fossato di Vico ce soir ? demanda-t-il. J'y ai un ami parmi les chanoines de la cathédrale.

– Dormir ? Non, Zefferino, répliqua le prêtre. Tu ne dormiras pas avant demain.

Illuminato scruta les yeux étonnés de l'homme.

– Nous ne pouvons perdre de temps, dit-il. Je veux que tu te rendes immédiatement au village. Sur la colline en face de la cathédrale, tu verras un *palazzo*. Demande à voir le seigneur Giancarlo et dis-lui que « Amanuensis » aimerait demeurer chez lui ce soir.

– Amanuensis ?

– Il saura ce que ça signifie. Implore-le aussi, pour l'amour de ce même nom, d'échanger ton âne contre une monture reposée, un cheval rapide si possible.

Le vieux prêtre montra du doigt l'embranchement en contrebas.

– Suis la route du nord aussi vite que possible jusqu'à la maison des frères de Gubbio. Dis au frère prieur que, si l'ermite Conrad quitte les montagnes et s'arrête chez lui pour se reposer, il doit le retenir – par la force, si nécessaire. Je vais continuer jusqu'à Assise et en avertir le ministre général.

– Et comment le prieur reconnaîtra-t-il l'ermite ?

Illuminato fronça son nez velu et ses yeux brillèrent.

– Bah ! C'est un zélote, un de ces *zelanti* puants, fier comme Satan de ne jamais prendre de bain. Ils sentiront son odeur bien avant de le voir. Il porte aussi une barbe noire, tout comme ces païens de Sarrasins, et une crinière hirsute où il y avait auparavant une tonsure de prêtre.

Il cracha sur la route poussiéreuse pour montrer son dégoût et ajouta :

– Le garçon pourrait être avec lui aussi, mais il ne devrait pas causer de difficulté. Demande au prieur de le retenir aussi.

Illuminato reprit ses rênes des mains de l'autre moine.

– Va maintenant, mon frère, et que Dieu t'accompagne. Chacun d'entre nous recevra une récompense pour ce travail.

Il regarda Zefferino s'éloigner en fouettant son âne le long de la colline jusqu'à ce qu'homme et bête disparaissent à un tournant de la route. Puis il partit dans la même direction à une allure plus tranquille en conduisant son propre animal. Ses tendons flasques et ses hanches maigres avaient suffisamment souffert en une journée.

N'avait-il pas prévenu Élie, tant de décennies auparavant, de ne pas fustiger ce sale gnome Léon ? *Laisse-le tempêter !* lui avait-il conseillé. Mais cela se passait en 1232, et Élie, imbu de son nouveau pouvoir – ministre général de l'Ordre, enfin –, avait harcelé Léon à partir d'Assise et, du même coup, il avait ouvert la fissure qui béait maintenant comme l'abysse de l'enfer, prête à avaler les deux factions de l'Ordre.

Le prêtre serra les dents, encore une fois en colère contre Élie et, tout à coup, contre lui-même aussi. Il aurait dû confisquer la lettre que détenait le garçon. Son intelligence n'était plus aussi vive qu'auparavant. Lorsqu'il arriverait au *palazzo*, il demanderait du parchemin au vieux *signore*. Il devait à tout prix coucher sur le papier tout ce dont il pourrait se souvenir du message. Le vieux Giancarlo portait l'anneau de la confrérie ; il n'épargnerait aucun effort pour éliminer la dernière menace à la réalisation de leur serment.

II

Conrad et Fabiano étaient couchés, recroquevillés dans leur manteau, de chaque côté du feu. La respiration du garçon se fit régulière pendant que l'ermite regardait la couleur du plafond passer du rouge vif au gris. Des souris parcouraient la hutte à la recherche de miettes de pain et de restes de nourriture. Des prédateurs nocturnes plus gros fouillaient dans les buissons à l'extérieur et un chant régulier de centaines de grenouilles lui parvenait d'un étang lointain. Une brise fraîche traversant la fenêtre le fit frissonner. La plupart des autres nuits, profondément immergé dans un sommeil serein, il n'aurait remarqué ni la brise ni les créatures de la nuit.

Dans son esprit, il relisait sans cesse la lettre de Léon. Tout ce que comportait le message semblait faux – l'écriture, les mots et même le vélin sur lequel il était écrit. Léon vénérait la Madone Pauvreté avec autant de passion que saint François lui-même. S'il avait eu quelque argent, il ne l'aurait pas dépensé en se procurant une dispendieuse peau d'agneau. Non, il l'aurait donné à des pauvres.

Conrad se demandait aussi quoi penser du messager. Il ne pouvait croire que Léon aurait transmis un message important par l'intermédiaire de ce diablotin du Sacré Couvent. Son mentor ne faisait confiance à personne au sein de la maison mère. Ces dernières décennies, il avait scrupuleusement caché l'existence de ses pamphlets aux autres frères par crainte de les voir confisquer. Il n'avait même confié qu'un seul de ses parchemins à Conrad, qu'il considérait comme son fils spirituel. Quant au reste, il le laissait aux Pauvres Dames de Saint-Damien. Dans leur couvent où aucun homme ne pouvait pénétrer à l'exception du père confesseur, ces manuscrits étaient en sécurité, hors d'atteinte des fouines de Bonaventure.

Par contre, ce Fabiano avait survécu à une dangereuse randonnée à travers les Apennins et réussi à retracer Conrad jusque dans son lieu d'ermitage. Le garçon était sûrement plein de ressources. Il avait même parlé avec familiarité du frère Salimbene, bien que Conrad ne pût imaginer ce que ce têtard avait en commun avec ce vieux crapaud. Il lui revint en mémoire la visite du chroniqueur obèse au Sacré Couvent pendant une de ses incessantes tournées. Salimbene gardait toujours autour de lui un groupe de frères qui ricanaient en écoutant ses histoires paillardes pendant la majeure partie de l'après-midi. L'image des traits enflés et des joues flasques du frère – témoignant d'une vie de festins dans les cours de la noblesse –, sa tête chauve dégoulinant de sueur sous les chauds rayons du soleil, le fit encore grincer des dents, comme elle l'avait fait alors.

Jetant un regard de l'autre côté du feu, l'ermite vit que Fabiano frissonnait aussi. L'enfant devait être peu habitué à l'air froid des montagnes. Il se tourna sur le côté et souffla sur les tisons jusqu'à ce qu'ils émettent une pluie d'étincelles orange. Puis, il ajouta du bois et remua les braises jusqu'à ce qu'il croie que le feu brûlerait de lui-même pendant un moment.

– Arrêtez ça! cria soudainement Fabiano.

Conrad s'immobilisa. Qu'avait-il fait pour alarmer le garçon?

– Arrêter quoi? demanda-t-il doucement.

Fabiano ne répondit pas et Conrad réalisa que le novice était toujours endormi. Son cri avait été provoqué par quelque cauchemar. Les pieds du garçon s'agitaient sous son manteau, comme s'il tentait de s'éloigner de quelque chose ou de quelqu'un.

Conrad regarda Fabiano jusqu'à ce que celui-ci se calme de nouveau, puis l'ermite ferma finalement les yeux. Son sentiment de frustration s'atténua, les battements de son cœur ralentirent, et son esprit tourmenté s'apaisa.

Il n'avait aucune conscience du temps qui s'était écoulé et ne savait pas s'il était endormi ou éveillé lorsqu'une lueur pâle, bleuâtre, se profila derrière ses paupières closes. Deux frères pauvrement vêtus, leurs silhouettes indistinctes dans la lueur bleutée, étaient penchés au-dessus de lui. Le plus jeune des deux posa une main lacérée sur l'épaule de l'autre.

– Conrad, appela le plus âgé en remuant à peine les lèvres.

La douceur et l'affection qui transparaissaient dans sa voix parvinrent à réveiller tout à fait l'ermite. Il reconnut son mentor et, constatant les blessures sur la main du jeune frère, il sut qui devait être le compagnon de Léon. *Frère Léon! Père François!* Il voulait parler, mais aucun son ne s'échappait de sa gorge.

– Découvre la vérité des légendes.

Léon répéta l'essentiel du message. Ses paroles se répercutaient dans l'esprit de Conrad, même si Léon semblait penser plutôt que parler.

– Alors le message est vraiment de vous? Il semblait si peu probable que…

– Traite la messagère avec courtoisie. Elle a exécuté une tâche difficile ici. Ne te préoccupe pas de sa jeunesse et de son inexpérience. Tu auras besoin de son aide pour ce que tu dois accomplir.

Conrad ouvrit brusquement les yeux. Il fixait de nouveau l'ouverture sombre du plafond.

Elle? Son aide?

Il se redressa et examina Fabiano à travers les flammes. Son dos étroit était orienté vers le feu. Y avait-il, vis-à-vis de la ligne des hanches, une courbe qu'il n'avait pas remarquée auparavant?

Il faut prendre au sérieux les visions des saints. Les voix entendues en prière ou dans un sommeil profond révélaient toujours la vérité. Pour l'instant, elles disaient qu'il ne pouvait demeurer dans la hutte avec ce Fabiano. Saint Chrysostome n'avait-il pas émis une mise en garde: «C'est par les femmes que le démon pénètre le cœur des hommes»?

Conrad déposa la dernière branche morte sur le feu. Il enleva son manteau et l'étendit sur la silhouette endormie puis, sur la pointe des pieds, il marcha dans la paille jusqu'à la porte. Les souris s'enfuirent vers les coins de la hutte jusqu'à ce qu'il soit passé.

L'ermite sentit immédiatement l'air froid sur ses oreilles et ses joues. Il se recroquevilla contre le mur près de la porte, ses bras enlaçant ses genoux, et leva les yeux vers le ciel.

Léon, que m'as-tu fait? Tu sais que je n'ai aucune expérience des femelles. Il n'était encore qu'un adolescent lorsqu'il avait quitté la famille de Rosanna et n'avait eu depuis pratiquement aucun contact avec des femmes. Pendant le dernier été qu'ils avaient passé ensemble, même elle, d'un simple sourire suggestif ou d'un clignement délibéré de ses yeux sombres, pouvait accélérer son pouls et déclencher une tempête dans son cœur. Au fil des années, il en était venu à accepter l'exquise douleur qu'il avait ressentie lors de leur séparation comme une bénédiction salvatrice de Dieu. Il n'avait même pas eu la possibilité de lui faire réellement ses adieux. La mère de Rosanna lui avait dit que la jeune fille était trop malade pour se joindre au déjeuner familial le jour où son père l'avait si brusquement envoyé à la maison des frères à Offida.

La lueur dans les yeux d'une biche qui broutait à quelques pas de la hutte attira son attention. Il l'avait prénommée « Chiara » alors qu'elle n'était qu'un faon, en raison de la pure légèreté de ses mouvements. Heureux que quelque chose dans ce monde demeure constant, Conrad sourit pour la première fois depuis qu'il avait lu le message de Léon.

Il tendit la main et l'animal vint à lui. Il gratta les poils raides de son cou pendant un moment, ce cou qu'il examinait chaque semaine pour voir si l'animal avait des tiques, puis le repoussa doucement. C'était là une compagne qui convenait parfaitement à un frère ermite. Que Dieu m'épargne la compagnie des femmes, supplia-t-il en tentant de nouveau de trouver le sommeil.

❧

En temps normal, Conrad se réjouissait du lever du jour, moment où il respirait à pleins poumons l'air pur et froid et ajoutait sa prière du matin aux voix des moineaux et des tourterelles. Mais aujourd'hui, alors que les premiers rayons de soleil filtraient à travers les cimes des arbres, son cerveau fourmillait encore de pensées sur les femmes.

Si Fabiano est une fille, se dit-il, cela pourrait expliquer ses questions frivoles. Mais comment Léon pouvait-il affirmer qu'il aurait besoin de cette créature bavarde ?

Il se rappela à quel point Léon avait aimé et louangé sainte Claire. Avec une attitude encore plus déterminée que n'importe lequel des frères, la fondatrice de l'ordre des Clarisses avait démontré une force indomptable en s'astreignant à la pauvreté après la mort de François. Clouée au lit et brisée par le jeûne et l'austérité, elle s'accrocha à la vie pendant trois autres décennies, jusqu'à ce que le Saint-Père donne finalement son approbation à la règle stricte des Clarisses. Léon s'était agenouillé à côté de sa paillasse à Saint-Damien, deux jours après qu'elle eut reçu la sanction pontificale, la regardant avec tristesse alors qu'elle embrassait le décret et qu'elle rendait finalement l'âme. Mais ce Fabiano indiscipliné et la vénérée Claire n'avaient rien en commun, sinon leur sexe.

Léon avait également parlé en bien d'une autre femme, la riche veuve qui avait réconforté François sur son lit de mort. Au fil des décennies, elle avait également aidé Léon en versant à l'Ordre de l'argent pour qu'on lui achète une nouvelle bure après que la sienne fut réduite en lambeaux et l'avait hébergé pendant ses années d'exil. Donna Giacoma de… quelque endroit, quelque district de sa Rome natale.

Conrad frotta ses joues engourdies en réfléchissant à une nouvelle possibilité. Donna Giacoma – bienfaitrice de Léon – aurait certainement pu, et avec plaisir, lui avoir fourni le dispendieux vélin si elle était toujours en vie. Cependant, elle devait avoir environ l'âge de Léon, et elle était déjà veuve lorsque saint François la rencontra pour la première fois. Mais si elle lui avait réellement procuré le vélin pour la lettre, ce fait ajouterait une certaine logique à toute cette mystérieuse affaire.

Conrad entendit le novice, ou la novice, si c'est ce qu'elle était, marcher dans la paille. Il pencha la tête et fit semblant de dormir alors que Fabiano passait la porte en chancelant de sommeil et se dirigeait vers les arbres. Il fut tenté de suivre son hôte des yeux pour voir s'il allait se tenir debout ou s'accroupir, mais sa pudeur l'en empêcha.

Toutefois, cette pensée présentait un autre indice éventuel, bien qu'il s'agît d'un indice que Conrad n'était pas tenté de vérifier. Comme la plupart des séminaristes, il avait lu le *De Contemptu Mundi* du pape Innocent III. Il se souvenait encore du passage qui décrivait en détail l'horreur que ressentait le grand pontife en ce qui concernait le sang menstruel. Si [le sang de la femme] touche des fruits, ils ne mûriront pas. La moutarde perd sa saveur, l'herbe se dessèche et l'arbre perd ses fruits avant terme. Le fer rouille et l'air s'assombrit. Lorsque les chiens en mangent, ils attrapent la rage. Si Fabiano était une fille, et qu'elle avait atteint l'âge de la puberté, et si, par chance, elle était en période de menstruation en ce moment, il n'aurait qu'à aller vérifier l'endroit plus tard.

Toutefois, le simple fait de se rappeler ce texte engendra chez l'ermite un profond malaise, et il ressentit un haut-le-cœur, la même réaction qu'il avait eue lorsqu'il avait appris de la bouche de Rosanna l'existence de la malédiction féminine, et plus tard lorsqu'il avait rencontré les sorcières du Sud dont on disait qu'elles versaient du sang caténal dans leurs philtres d'amour. Il venait d'avoir onze ans quand Rosanna, d'un an plus âgée que lui, lui expliqua pourquoi elle ne pourrait courir dans les collines cet après-midi-là avec lui. Elle semblait s'être transformée de fillette en femme en l'espace d'une nuit et, par la suite, il ne put que la regarder avec un respect mêlé de crainte.

Conrad prit finalement sa décision. Il n'était tout simplement pas en mesure de faire face à cette féminité brute, primaire. Il se redressa et s'éloigna de la hutte dans la direction opposée à Fabiano. Il devrait trouver une autre tactique pour découvrir l'identité sexuelle du novice.

Quand ils revinrent à la hutte et se saluèrent d'un signe de tête à l'entrée, Fabiano semblait maussade. Conrad lui fit signe d'approcher de la table en décrochant le filet de nourriture qui pendait au chevron. Il prit une cruche de terre cuite et versa de l'eau dans deux tasses, trancha une miche de pain sur la longueur avec son couteau et y plaça des tranches de fromage et des raisins. Il parla d'une façon décontractée en tendant le tranchoir à Fabiano.

– Le frère Hilarion est-il encore maître des novices au Sacré Couvent? demanda-t-il.

– Oh! nous brisons le silence maintenant?

Fabiano semblait surtout ennuyé par la question du moine.

– Frère Conrad, s'il y a quelque chose que vous voulez savoir, vous n'avez qu'à me le demander. Il est évident que vous avez découvert que j'étais une femme. Vous n'avez pas à jouer ces jeux stupides.

– Que veux-tu dire? demanda-t-il.

Il se sentit soudain extrêmement malhabile.

– Je me réveille avec un deuxième manteau sur moi et vous dormez à l'extérieur. Qu'est-ce que je devrais penser? Un homme courtois a découvert qu'il partageait sa hutte avec une femme et lui donne sa cape. Je l'en remercie. Par contre, un homme sans cervelle décide qu'il préférerait geler plutôt que d'attraper quelque perversion féminine comme on attrape la petite vérole, alors il s'enfuit pour protéger son âme si pure. Et de cela, je ne le remercie pas!

Elle déchira de ses dents un morceau de pain comme si elle souhaitait qu'il s'agisse de la chair de Conrad.

– Est-ce que j'ai raison? demanda-t-elle.

La peau pâle de son visage et de son cou avait pris une teinte rosée et ses yeux sombres brillaient d'un éclat menaçant.

Le visage de Conrad s'était également empourpré. Le discours direct de la jeune fille l'embarrassait et le stupéfiait tout à la fois. Elle avait mis au jour son astuce maladroite – très bien – mais, en le faisant, elle avait montré un manque total de respect envers sa qualité de prêtre. Il se devait vraiment d'être furieux contre elle, dans l'intérêt de sa fonction, sinon dans le sien propre.

– Mon vrai nom est Amata, poursuivit-elle avant qu'il ne puisse protester. Fabiano est – ou était – le nom de mon frère.

Elle jouait négligemment avec le parchemin de Léon pendant qu'elle mangeait, mâchait et parlait tout à la fois.

– Je devrais dire sœur Amata. Je suis une sœur servante à Saint-Damien. Le serviteur d'une grande dame a apporté ce message à notre Mère supérieure qui me l'a confié. Je fais souvent des courses pour elle.

Elle le fixa du regard.

– Savez-vous, mon frère, à quel point il est dangereux, même pour un homme, même pour un frère, de traverser seul ces montagnes ? Si une bande de *banditi* avait découvert qu'ils avaient attrapé une femme… et non pas seulement une bourse d'argent ou une paire de nouvelles sandales, je préférerais plutôt avoir la gorge tranchée. La vie serait pire que la mort, même la mort éternelle en enfer.

– Prends garde à ce que tu dis, mon enfant ! Tu blasphèmes ! dit Conrad en haussant le ton. Rien ne pourrait être pire que d'être séparé pour l'éternité de la vision béatifique.

Amata lui décocha un regard oblique, cinglant.

– Je sais de quoi je parle, mon frère, bien que je ne sache pas si c'est aussi votre cas. Ça s'appelle le monde réel, un endroit que vous n'avez pas vu depuis des années, il me semble. Et autre chose : ne m'appelez plus « mon enfant » ! J'ai presque dix-sept ans. Si je n'étais pas rattachée à un couvent, je serais en train de diriger une maison pleine de nourrissons pendus à mes jupes.

Elle sourit, mais ses yeux ne laissaient transparaître aucune joie.

– Votre Rosanna n'était-elle pas mariée à mon âge ? poursuivit-elle.

Conrad lui lança à son tour un regard rageur. Rosanna ne la regardait en rien. Il lui en avait déjà trop dit.

En fait, son amie s'était mariée tardivement : elle venait d'avoir seize ans. Il était chez les frères depuis deux mois quand la lettre lui était parvenue. Ses parents l'avaient fiancée au marchand Quinto, écrivait-elle, et elle lui demandait de prier pour elle et de la bénir. Il jeûna pendant plusieurs jours pour expier les sentiments qu'il avait éprouvés à la lecture de cette nouvelle. Les prières ne vinrent que beaucoup plus tard.

Du coude, Amata déroula le message de Léon sur la table pendant que, de sa main libre, elle enfilait des raisins dans sa bouche. Une expression perplexe surgit dans ses yeux. Sa colère disparut aussi soudainement que celle d'un bébé turbulent auquel on aurait donné un nouveau jouet.

– Est-ce que ce sont des mots ? demanda-t-elle en parcourant du doigt la bordure qui entourait le message de Léon. Je vois un M ici et ce qui ressemble à un A.

– Où ? Laisse-moi voir.

Conrad lui arracha le parchemin et se précipita vers l'entrée. La bordure représentait effectivement une série de petites lettres, une écriture minuscule que Conrad reconnut comme étant celle de Léon. Il chercha un point de départ à partir duquel il pourrait trouver des séries formant des mots et des phrases, mais il ne discerna que des fragments sans lien apparent entre eux. La bordure commençait avec le même commandement qui terminait le message principal, *Servite pauperes Christi*. Il murmurait les mots en lisant.

– Mets-toi au service des pauvres du Christ. Frère Jacoba connaît bien la soumission parfaite. Qui a mutilé le compagnon ? D'où vient le séraphin ? Le Premier de Thomas marque le début de la cécité ; le testament jette une première lueur. Les ongles du lépreux mort sont incrustés de vérité. *Servite pauperes Christi*.

Il avait fait le tour complet de la bordure, mais sa signification lui échappait autant que lorsqu'il avait commencé.

– Pourquoi écrit-il par énigmes ? demanda Amata.

– Je suppose que si je ne peux pas le comprendre, alors Bonaventure ne l'aurait pas pu non plus si ce document était tombé entre ses mains.

Il roula le parchemin et le mit dans sa tunique.

– Mais il y a une chose que je comprends. C'est que je dois entendre les légendes et voir le testament que Léon mentionne ici, et la bibliothèque du Sacré Couvent possède ce qu'il me faut.

Conrad se crispa au seul fait de prononcer ces mots. Les frères comme lui, qui pratiquaient la pauvreté complète, n'étaient pas les bienvenus à la maison mère. Lorsqu'il y vivait, alors qu'il était un jeune prêtre, il s'était attiré de graves ennuis en signalant le mauvais usage que faisaient les frères de la « propriété ».

Les frères ne doivent rien posséder : ni maison, ni terrain, ni quoi que ce soit. Il avait cité la Règle de saint François.

– Regardez-nous, avec nos vêtements de soie, nos visages resplendissants et notre nourriture fine, avait-il clamé. Nous possédons des livres. Nous possédons ce luxueux monastère. Il ne nous manque ici que des épouses.

Cela s'était produit sept ans auparavant, en 1264, peu après son retour de Paris et après que le frère Bonaventure eut remplacé Jean de Parme au poste de ministre général. Bonaventure se montrait peu tolérant envers les frères récalcitrants comme Conrad. Il fit connaître immédiatement au nouveau prêtre les donjons humides creusés dans les profondeurs du Sacré Couvent. Si Conrad n'avait pas promis, comme Léon le lui demandait avec insistance, de vivre dans l'isolement et de renoncer à prêcher, il se languirait encore à cet endroit – comme Jean lui-même.

– Jean de Parme est un martyr vivant, dit-il.

Conrad avait tellement pris l'habitude de se parler à voix haute ou de parler à son ami écureuil, le frère Legris, qu'il en oubliait la présence d'Amata. Quand il leva les yeux, il vit que sa tête était inclinée dans la position querelleuse que l'animal adoptait souvent.

– Tout se déroulera selon la volonté de Dieu, dit-il, comme si cela expliquait son autre commentaire. Je dois partir pour Assise, ma sœur. Ce matin même.

– Je peux venir avec vous ? Nous serions plus en sécurité si nous voyagions ensemble.

Conrad hésita. Un autre cas de conscience. Saint François avait demandé à ses premiers disciples de ne jamais voyager avec des femmes, et même de ne pas manger à la même assiette comme il était à la mode de le faire dans la noblesse. Il avait peut-être déjà repoussé les limites de cette règle en partageant son repas du matin.

– Je promets de me comporter avec la plus grande modestie, ajouta la jeune fille.

Elle fit une moue, mais Conrad vit également un éclair dans ses yeux. *Elle se moque de moi*, pensa-t-il. *Mais elle a raison pour ce qui est de la sécurité lorsqu'on voyage à deux.*

Puis l'ermite se rappela que la deuxième version de la Règle de François disait seulement que les frères ne devaient pas avoir avec les femmes des familiarités suspectes. Qui soupçonnerait un frère voyageant avec un novice du nom de Fabiano ? En fait, saint François avait ordonné à ses frères de voyager par paire ; un frère voyageant sans un compagnon éveillerait sûrement les soupçons, comme Amata l'avait sans doute fait lorsqu'elle avait rencontré les deux frères sur la route. Et il n'enfreindrait même pas l'esprit de la règle, car il ne ressentait aucune affection pour cette gamine effrontée. La tentation de la chair ne représenterait pas un problème.

– Fais en sorte de tenir ta promesse, dit-il.

Il scruta la pièce des yeux en tentant de décider ce qu'ils devraient apporter et ce qu'il fallait régler avant de partir. Il hésita de nouveau.

– As-tu remarqué si les frères qui ont lu le message de Léon s'étaient aussi intéressés à la bordure ?

– C'est possible. Le vieux moine a retourné la lettre en tous sens. Est-ce que j'ai mal agi en la leur montrant ?

– J'ai bien peur que oui ! Mais je ne sais pas si son message risque de nous mettre en danger puisque j'ignore ce qu'il signifie. Mes frères conventuels soupçonnent que tout ce que Léon a écrit contient des germes de sédition… et ils pourraient bien avoir raison.

Il se pencha dans l'ombre derrière la table et déposa une urne sur le banc.

– Il faut que tu prennes connaissance du manuscrit de Léon – au cas où je ne reviendrais pas ici.

Il enleva le couvercle de l'urne et en tira un paquet de forme cylindrique. Une forte odeur de poisson en décomposition envahit la pièce, un arôme réconfortant pour Conrad qu'il associait toujours à son père et aux quais d'Ancona. L'ermite enleva délicatement la gaine de toile cirée verdâtre et plusieurs couches de tissu décoloré. Il dégagea finalement un épais manuscrit qu'il étendit sur la table. Amata frotta le matériel entre ses doigts.

– Ça s'appelle un parchemin de papier, expliqua Conrad. Le frère Léon disait que c'était un nouveau matériau importé d'Espagne par la même dame qui a apporté sa lettre à Saint-Damien, je crois. Il adorait ce matériau. Aucune peau à gratter et à assouplir, et les pages demeuraient toujours en ordre. Le printemps dernier, sachant qu'il était au seuil de la mort, il m'a fait appeler. Il m'a demandé de faire des copies de cette chronique pour les frères spirituels qui se terrent à Romagna et dans les Marches. Nous ne sommes plus que quelques-uns et nous sommes les seuls qui puissions garder vivante la vérité.

– Quelle vérité ?

– La véritable histoire des Frères mineurs depuis la mort de saint François. Malheureusement, notre Ordre s'est transformé en un monstrueux griffon. À moitié aigle, il s'élance vers le ciel sur les ailes de la sainteté et de la dévotion. Je pourrais te nommer des dizaines de frères qui prennent ainsi leur essor. Mais il est aussi à demi-lion, et dissimule les griffes de la cruauté et de l'injustice. Léon avait été témoin des épreuves atroces subies par ces frères demeurés fidèles à la Règle. Lorsque Élie est devenu ministre général, il a emprisonné et torturé nombre d'entre eux et il a même assassiné le frère César de Spire ; plus tard, lorsque Crescent a succédé à Élie, il les a dispersés. Certains sont devenus par sa faute des martyrs en Petite-Arménie. Bonaventure…

– Mais le frère Élie a construit la basilique, interrompit Amata. Le monde entier se rassemble à Assise pour voir ça !

Conrad soupira d'impatience. De toute évidence, cette Amata connaissait peu de choses sur le schisme au sein de l'Ordre. Elle avait beaucoup à apprendre avant de pouvoir lui apporter l'aide que Léon avait promise. Il adopta le ton indulgent d'un maître d'école.

– Même si Élie était aussi proche de saint François que les autres frères à l'exception de Léon, il n'a rien compris de la vie de notre fondateur. Dans son humilité, François avait demandé d'être enterré hors des murs de la ville, sur la Colle d'Inferno, où on déversait les déchets d'Assise et où on enterrait les criminels de droit commun. Mais qu'a fait le frère Élie ? Il a fait en sorte que toute la colline soit donnée à l'Ordre, un Ordre qui ne possédait rien pendant que son maître vivait, et il y a construit la plus splendide basilique de tout le monde chrétien – un si grand mausolée pour le Poverello, comme les gens l'appelaient, le petite homme pauvre de Dieu. Voilà à quel point Élie avait mal compris François.

Le visage d'Amata s'illumina.

– Je connais la Colle d'Inferno, dit-elle. C'est mon grand-père Capitanio qui l'a donnée au frère Élie.

Conrad lui jeta un regard incrédule par-dessus la table. D'abord, elle affirmait connaître un moine mondain comme le frère Salimbene, et maintenant cette jeune femme avait la témérité de lui dire que sa famille avait fait don du terrain de la grande basilique ?

Amata se pencha sur le manuscrit.

– Ne devrions-nous pas l'apporter avec nous ? Nous pourrions demander à la Mère prieure de le cacher.

– Non. Nous serions vite la proie des inquisiteurs s'ils nous attrapaient, et le manuscrit leur servirait de prétexte. Je vais l'enterrer dans son urne. Toi et moi sommes les seuls à savoir qu'il existe. Si je ne reviens pas ici…

– Oh non !

Amata agita les mains comme une cuisinière éloignant les mouches de sa nourriture.

– Je ne peux vous aider en cela. Je ne suis pas libre d'aller et de venir à ma guise. C'était la première fois de ma vie que je traversais ces montagnes.

– Dieu seul sait pourquoi tu es impliquée dans cette affaire, ma sœur, mais s'Il veut que tu sois Son instrument, Il t'en donnera les moyens.

Pour remettre le manuscrit dans l'urne, Conrad devait d'abord enlever un enrobage de tissus attaché avec une ficelle. L'objet lui glissa des mains et tomba sur la paille après avoir éparpillé sur la table des plumes, une corne à encre, une pierre ponce, une règle, un poinçon et un bout de craie. Il rougit de sa maladresse pendant qu'il se penchait pour ramasser son bazar.

– Tu vois, j'ai tout ce qu'il faut pour faire des copies, sauf le parchemin. J'avais l'intention de demander à Monna Rosanna de commencer à m'envoyer quelques feuilles chaque fois qu'elle me fait parvenir de la nourriture.

Amata éclata d'un grand rire, mais non pas, comme il l'imaginait, à cause de sa maladresse.

– Et c'est vous qui proclamiez que les érudits perdaient leur temps ? Je savais que vous ne le croyiez pas.

– N'est-ce pas ? Et comment étais-tu assez futée pour décider cela ?

– Regardez votre bure. Le siège et les coudes sont beaucoup plus usés que les genoux. Vous êtes aussi confortable sur votre derrière que n'importe quel scribe à son pupitre.

Conrad hésita entre le rire et la colère, puis choisit la première solution.

– Je l'avoue, dit-il. J'ai étudié et discuté avec les plus grands à Paris et je me suis bien défendu, aussi. Nous, les élèves, pensions comprendre les secrets de l'univers, quelque part là, à travers nos syllogismes spécieux et nos débats sur le nombre d'anges qu'on pourrait placer sur le bout d'une aiguille. Le seul fait de penser à ces années me donne la migraine.

Il souriait encore en se dirigeant vers son jardin pour y prendre une bêche. *Et je ne sais toujours pas combien d'âmes désincarnées pourraient remplir un bol de soupe*, se dit-il.

– Attendez dehors un instant, lui cria Amata par la fenêtre. Je dois m'occuper d'un… problème féminin.

Conrad tourna immédiatement le dos à la hutte. *Des affaires de femelles encore!* Il avait déjà suffisamment perdu l'appétit aujourd'hui en réfléchissant à ce sujet.

Il profita du moment pour regarder les arbres qui brillaient encore de rosée, comme un million de minuscules bûchers. À ce moment, il sentit à quel point sa forêt lui manquerait. Même si Amata semblait prendre une éternité, sa hâte de se trouver sur la route s'évanouit soudain. Il réalisa qu'il allait peut-être quitter cet endroit pour toujours, un endroit qu'il en était venu à considérer comme un avant-goût du paradis. L'ermite voulait s'abreuver une dernière fois à la quiétude, à la sérénité de l'endroit. Il décida de laisser ouverte la porte de sa hutte, au cas où ses amis de la forêt auraient besoin d'un abri. Il se demanda s'il leur manquerait, ou s'il faisait preuve d'hérésie en attribuant des sentiments humains à des animaux dépourvus d'une âme.

– Je suis prête, cria finalement Amata. J'ai aussi remballé l'urne pour vous.

L'ermite creusa un trou dans le coin où se trouvait la table. Amata le regardait attentivement alors qu'il plaçait l'urne dans le trou et la recouvrait de paille. Elle alla jusqu'à tenir fermement le couvercle en place pendant qu'il tassait la poussière autour. En essuyant sa bêche de bois, il pensa discerner dans le visage de la jeune femme une détermination qu'il n'avait pas vue auparavant. Se pouvait-il que cette jeune sotte, malgré toute son impertinence, possède une certaine part de fermeté et de courage masculins? *Elle aura besoin des deux*, pensa-t-il, *si elle doit traverser la tempête qui s'annonce.* Et la tempête, aussi inévitable que l'hiver qui approchait, viendrait sûrement.

À cet instant lui revint à l'esprit l'image de son père en train de se noyer, luttant contre la tourmente qui l'engloutissait. *Que Dieu ait pitié de nous tous*, dit-il.

III

Orfeo Bernardone essuya son visage avec la large manche de son vêtement arabe. Il passa ses doigts à travers sa chevelure emmêlée dans son cou et réajusta la calotte levantine rouge qui lui pendait au-dessus d'une oreille. Le soleil dardait ses rayons sans pitié sur le port d'Acre en ce rare matin où aucune brise ne soufflait de la mer, et la Terre sainte ressemblait davantage à une étendue sauvage brûlée par le soleil qu'à la Terre promise. Le marin plissa les yeux pour se protéger du reflet du soleil sur les maisons blanches des Maures et sur les dômes éloignés des mosquées et des palais. De grands palmiers étalaient leurs quelques feuilles au sommet de troncs maigres, comme s'ils hésitaient à étendre leur ombre sur les minuscules humains à leurs pieds.

– Tu es extraordinaire, Marco, dit-il à son compagnon. Ta calotte est aussi sèche que quand tu l'as posée sur ta tête.

Il tira sur les boucles blondes qui sortaient de sous la calotte du jeune maître Polo.

– Et maintenant il n'y a plus qu'un seul cheveu qui ne soit pas à sa place.

L'adolescent repoussa sa main.

– Un marchand en pleine ascension doit se soucier de son apparence, dit-il. Si un autre marchand te voit transpirer, il saura tout de suite qu'il vient de réaliser un meilleur profit que toi.

Ils pénétrèrent dans le labyrinthe de kiosques et de ruelles du marché. Orfeo respira profondément les odeurs mêlées de clou de girofle, de macis et de muscade, les arômes émanant des sacs de cannelle et de gingembre des Indes, du musc de Tebeth. Les princes de la cour et de l'Église payaient de petites fortunes pour ces épices à Rome mais, ici, il pouvait savourer les mêmes délices sensuelles simplement en se promenant le matin. Quel merveilleux endroit que l'Orient!

Des enfants en haillons se pourchassaient sur la place du marché et de timides femmes voilées portaient des cruches sur leurs têtes, lui rappelant ces femmes qui allaient chercher de l'eau dans les villages de son Ombrie natale. Cependant, en comparaison avec Acre, l'Ombrie était froide comme les promesses d'une vierge. Dans les rues du port, les croisés côtoyaient les Sarrasins et les Maures noirs, et les Juifs faisaient des affaires avec les Arméniens et les chrétiens nestoriens, tous étant liés comme les rayons d'une roue au moyeu de l'argent. Comme les marins échoués sur l'île des mangeurs de lotus, les races convergentes semblaient oublier leurs saintes croisades et leurs djihads, et même leur terre natale, et ne souhaitaient que demeurer pendant l'éternité sur ces côtes idylliques.

La tolérance de la ville étonnait Orfeo encore plus que ses habitants. En Ombrie, un homme pouvait se retrouver sur le bûcher du seul fait que la vue de ses vêtements dépenaillés offensait un riche évêque ou qu'il avait comparé le paradis à une meule de fromage pour illustrer quelque point de vue théologique. Mais à Acre, toutes les cultures et toutes les philosophies avaient trouvé un foyer. Les minarets d'où les muezzins appelaient les fidèles musulmans à la prière partageaient la ligne d'horizon avec les bastions de la noblesse européenne: les tours de la comtesse de Blois et du roi Henri II, les Hospitaliers, les Templiers, les chevaliers teutoniques et – là où les murs de la ville longeaient la baie – les châteaux du patriarche d'Acre et du légat pontifical, Tebaldo Visconti da Piacenza. Dans le labyrinthe de places et de ruelles, Orfeo croisait des Grecs, des Normands, des Aragonais, des Kurdes, des Turcs et, bien sûr, des marchands de Pise et de Gênes. Si les deux jeunes gens portaient des épées à leur ceinture, c'était surtout pour se protéger de ces concitoyens.

Ce matin, ils se rendaient à un endroit situé au-delà du bazar, dans un des corridors étroits qui serpentaient en s'éloignant du centre d'échanges. Dans cette ruelle, des musiciens chantaient des mélodies provocatrices au son de cithares près d'une maison où un couple de courtisanes basanées, des jumelles, attendait de les recevoir.

– Une dernière fois avant que nous ne naviguions vers Laiaissa, avaient promis les Italiens la veille.

La perspective d'une nouvelle aventure les enthousiasmait autant que le souvenir de leur dernière rencontre voluptueuse avec les deux sœurs sensuelles.

– Marco, pourquoi ne me donnes-tu pas la réponse de ton père? demanda Orfeo pendant qu'ils louvoyaient entre les échoppes. Dis-moi si je vais, moi aussi, devenir un marchand prospère.

Le visage de Marco était demeuré de marbre.

– Il traite avec la réalité, *amico*. C'est un homme de logique.

Une grimace assombrit son visage alors qu'il imitait l'expression de son père:

– Orfeo est un rameur. À l'exception des attaques en mer contre les navires des marchands génois, quelle formation a-t-il en matière d'armes? Pourquoi devrions-nous le prendre comme homme d'armes? Peut-il même monter un cheval ou encore un chameau? Les Tartares vont-ils nous ridiculiser quand ils verront ce que nous appelons un cavalier?

L'expression sombre de Marco se transposa sur le visage d'Orfeo. Alors, ça allait être comme il le craignait. Depuis qu'il avait été recruté dans l'équipage de l'élégante galère vénitienne des Polo, il rêvait de passer à l'étape suivante et de voyager avec les marchands de joaillerie, accompagnant leurs caravanes à travers la Grande et la Petite-Arménie, la Turquie et Cathay, jusqu'à la cour de Kūbilaï Khān lui-même. *Jesu*, quelle expérience ce serait! Il n'avait que quelques années de plus que Marco et peut-être pourrait-il revenir riche, lui aussi, suffisamment riche pour vivre la même vie palpitante qu'avait connue Marco dès sa naissance? Mais à mesure qu'il écoutait, par l'entremise de Marco, la sombre évaluation de Nicolo Polo, il craignait de plus en plus de passer sa vie entière comme marin. Ses économies ne suffiraient jamais pour lui permettre d'établir un commerce, et il avait depuis longtemps rompu tous ses liens avec son père et ses frères marchands. Il baissa la tête et se mit à examiner ses sandales pendant qu'ils déambulaient dans la poussière des rues.

– Oh! une dernière chose qu'il a dite! ajouta Marco. Sa conclusion a été: «Mais après tout, c'est ton ami, mon fils. Puisque tu l'aimes, nous allons lui trouver une place.»

– Quoi! C'est vrai?

Marco sourit de toutes ses dents.

– Gloire à tous les saints confesseurs! Je m'en vais à Cathay! cria Orfeo.

Il saisit l'adolescent à bras-le-corps et l'embrassa sur la joue, puis le souleva et le serra contre lui si fort qu'il grogna de douleur.

– Tu es censé me protéger et non me briser les côtes, haleta Marco.

Orfeo rit et prit tout à coup un air grave.

– Je crois que je devrai m'y mettre tout de suite, dit-il.

Il avait repéré, par-dessus l'épaule de Marco, trois hommes qui s'approchaient. Ils portaient les couleurs de Gênes.

Il prit rapidement la mesure des trois hommes. Ils n'étaient pas costauds et n'auraient probablement pas valu cent drachmes ensemble sur le marché des esclaves. Par contre, Orfeo avait une constitution de lutteur et se vantait souvent de pouvoir immobiliser un bœuf. Les années qu'il avait passées comme rameur avaient transformé son corps d'adolescent grassouillet. Malgré cela, ils étaient trois et ils allaient sans doute se servir de leurs épées plutôt que d'utiliser la force brute.

Surexcité par les bonnes nouvelles de Marco ou simplement inspiré par son nouveau rôle de garde du corps, il eut envie de leur chercher querelle. Il parla d'une voix forte alors que les hommes s'approchaient.

– N'est-il pas vrai, Marco, que Gênes est peuplée de mauviettes incroyantes et de femmes impudiques?

Tout en parlant, il regardait les hommes d'un air furieux. Ils lui renvoyèrent son regard et l'un d'eux rétorqua:

– Non, mais ce qui est vrai, c'est que tous les Vénitiens sont des lèche-bottes menteurs.

Marco se tourna vers eux, si bien que lui et Orfeo se tenaient épaule contre épaule devant les Génois. Les cinq hommes agrippèrent simultanément leurs épées.

– Sieur Polo, sieur Polo, cria une voix aiguë et essoufflée derrière eux. Venez vite. Votre père dit que vous devez retourner immédiatement au camp.

– Oh! sieur Polo! répéta un des Génois en imitant la même voix saccadée. Tu ferais mieux de courir voir ton père avant de te faire égratigner.

– S'il vous plaît, rengainez tous vos épées, hurla l'eunuque d'une voix perçante. Ceci est extrêmement important.

– Qu'y a-t-il? tonna Marco sans quitter des yeux les trois hommes et leurs lames menaçantes. Qu'est-ce qu'il y a de si foutrement important?

– Nous avons un pape, sieur Polo. Après trente et un mois, nous avons finalement un pape.

Dans le grand hall de son château, Tebaldo Visconti da Piacenza attendait de recevoir l'entourage des Polo, épongeant ses tempes moites avec un mouchoir brodé. Le soleil brillant inondait la pièce à travers les fenêtres arquées qui perçaient le mur ouest.

S'était-il déjà écoulé deux années depuis que Nicolo et son frère Maffeo étaient arrivés à Acre en qualité d'émissaires du grand Khān? Plus il avançait en âge, plus les mois passaient rapidement. Il se rappela sa première impression en voyant les deux marchands vénitiens : des hommes éduqués et discrets. Ils avaient transmis à Tebaldo, le légat pontifical d'Acre, les demandes de l'empereur.

– Kūbilaï Khān, chef suprême de tous les Tartares, demande au souverain pontife de Rome une centaine d'hommes instruits, possédant une connaissance approfondie de la religion chrétienne de même que des sept arts, en mesure de démontrer, au moyen d'arguments justes et équitables, que les dieux des Tartares et les idoles qu'ils vénèrent dans leurs maisons ne sont que des esprits malins et que la foi que professent les chrétiens se fonde sur une vérité plus évidente que toute autre. Le grand Khān souhaite aussi obtenir une fiole de l'huile sacrée de la lampe qui brûle au sépulcre du Seigneur Jésus-Christ, qu'il affirme vénérer et considérer comme le Dieu véritable.

Mais c'était en l'an de grâce 1269, et le pape Clément IV était mort l'année précédente.

– Son siège est toujours vacant, avait dit Tebaldo aux frères Polo. Retournez à Venise. Allez dans vos foyers et vos familles et attendez l'élection du nouveau pape.

C'est ce qu'ils avaient fait et Nicolo avait découvert que son épouse qu'il avait quittée enceinte quinze ans auparavant lui avait donné un fils. Elle l'avait appelé Marco, d'après le nom du saint patron de la ville. Nicolo apprit aussi qu'elle était morte en mettant le garçon au monde. Mais finalement, deux ans après leur première rencontre avec Tebaldo, les frères étaient retournés à Acre en emmenant Marco. Ils ne pouvaient pas attendre plus longtemps, avaient-ils dit. Kūbilaï Khān interpréterait leur absence prolongée comme une insulte, et les répercussions seraient graves pour tous les chrétiens.

Maintenant, alors même qu'ils se préparaient à poursuivre leur voyage, le conclave avait passé outre aux revendications de sa faction angevine en faveur d'un pape français et annoncé son choix. Les cardinaux avaient élu comme prochain pape le légat pontifical d'Acre.

Tebaldo se leva de son trône en cèdre du Liban au moment où des voix et des bruits de pas se répercutaient dans le corridor de pierres menant au hall. Maffeo Polo fit son entrée à la tête de son clan. Il fit une génuflexion et embrassa l'anneau de Tebaldo.

– Votre Sainteté, dit-il. Quelle merveilleuse surprise ! Quel nom adopterez-vous ?

– J'ai décidé de m'appeler Grégoire – Grégoire, le dixième pape de ce nom.

Il se rassit pendant que les visiteurs demeuraient debout devant le trône. Ils avaient toujours respecté son rôle de légat, mais l'extrême déférence qu'il voyait en ce moment sur leurs visages l'embarrassait. Même dans ses rêves les plus ambitieux, il n'avait jamais imaginé devenir pape. Et maintenant qu'il avait été élu chef de l'ensemble de l'Église chrétienne sur terre, il préférait mettre l'accent sur un des titres les plus humbles de la papauté : *Servus servorum Dei*, Serviteur des serviteurs de Dieu.

– La nouvelle n'aurait pu arriver à un meilleur moment, dit-il. Une journée de plus, et vous auriez été en train de naviguer vers la Petite-Arménie.

Il fit un signe de la main à l'ecclésiastique qui attendait près d'une porte latérale entrebâillée. L'ecclésiastique fit un geste à son tour et deux frères dominicains corpulents s'avancèrent dans le hall.

– *Signori*, je vous cède les frères Guielmo da Tripoli et Nicolo da Vincenza. Par la grâce de Dieu, ils se trouvaient à Acre quand la nouvelle de mon élection nous est parvenue de Rome. Ce ne sont pas les cent érudits que souhaite le grand Khān, mais ce sont des hommes de lettres et de science.

C'était vraiment le mieux qu'il pouvait faire dans un si bref délai et il espérait que la pauvreté des missionnaires ne représenterait pas un facteur décisif dans la conversion des Tartares païens au christianisme. Examinant les deux prêcheurs, il se demanda s'ils survivraient même au voyage exigeant jusqu'à Cathay.

L'ecclésiastique s'approcha du trône et remit à Tebaldo un parchemin de vélin marqué de son sceau personnel.

– Outre mes meilleurs vœux à Kūbilaï Khān, cette lettre pontificale autorise ces frères à ordonner des prêtres, à consacrer des évêques et à donner l'absolution tout autant que je le ferais moi-même.

– Je vous accorde à tous ma bénédiction pour que vous demeuriez en santé et en sécurité. Je sais que beaucoup d'obstacles se dresseront sur votre route : la glace, le sable, les inondations, les guerres, les Barbares et de nombreux autres dangers.

Il prononça ces dernières paroles en direction des deux dominicains et vit qu'ils échangeaient des regards nerveux. Il craignait que ses choix ne s'avèrent malencontreux, mais ils étaient réellement les deux seuls érudits disponibles à Acre ce jour-là. Il aurait pu tout aussi bien choisir son ecclésiastique.

S'étant débarrassé des formalités liées à la mission des marchands, Tebaldo se laissa glisser contre le dossier sculpté du trône. Il prit une profonde inspiration en épongeant de nouveau ses tempes.

– En vérité, mes amis, je ne serai pas désolé de quitter Acre. Vos collègues marchands et même vos braves croisés ont fait de ma vie ici un enfer.

En entendant ces mots, les personnes présentes parurent embarrassées, se demandant si elles devaient prendre un air coupable ou attristé, ou comment le pape s'attendait à ce qu'ils réagissent. Tebaldo eut un sourire sombre en voyant leur étonnement.

– Vous comprenez sûrement ? dit-il. Nous avons transporté ici les meilleurs guerriers de la chrétienté pour reprendre la Terre promise, mais Baybars Ier et ses mamelouks continuent de commettre leurs méfaits. Cette année seulement, ils ont pris le château des Templiers à Safed et y ont décapité les chevaliers. Ils ont rasé Antioche et massacré ses quatre-vingt mille habitants à l'exception de quelques-uns que les soldats de Baybars étaient trop fatigués pour tuer, et ceux-là sont maintenant des esclaves. Je m'attends à ce qu'au cours de la prochaine décennie ils atteignent les murs d'Acre elle-même. Et vous savez quoi ? Il prendra la ville parce que nous, les chrétiens, nous nous chamaillons tellement entre nous que nous ne faisons jamais front commun contre lui. Vos frères vénitiens vendent des armes à Baybars. Les Génois alimentent son commerce d'esclaves. Les Templiers et les Hospitaliers se querellent entre eux et nuisent à nos efforts de négociation avec les Sarrasins en refusant d'échanger leurs prisonniers musulmans. « Nous avons besoin de leurs talents d'artisans », me disent-ils. Tout le monde songe à son propre profit plutôt qu'à la volonté de Dieu, ou même à notre bien-être mutuel.

Il appuya sa tête contre le dossier et soupira bruyamment.

– Pardonnez-moi, *signori*. Vous n'êtes que des marchands de joaillerie et vous avez bien servi notre cause. Ce n'est pas de vous que je me plains. Le temps que j'ai passé ici a été difficile. Je suis seulement fatigué, et il me tarde de regagner ma terre natale.

Il se redressa de nouveau et parcourut des yeux les personnes devant lui.

– Ah! voilà votre fils Marco! Mais je ne crois pas connaître le jeune homme qui l'accompagne. Est-ce un autre de vos fils, sieur Polo?

– Non, Votre Sainteté. Permettez-moi de vous présenter Orfeo di Angelo Bernardone, un ami de mon fils et un homme d'armes dans notre expédition.

– Un autre de vos compatriotes vénitiens, alors?

– Un citoyen d'Assise, Votre Excellence.

Puis, comme pour s'extirper d'une situation embarrassante, le marchand ajouta :

– C'est un neveu du vénéré saint François de cette ville.

– N'est-ce pas?

Tebaldo examina des yeux le jeune colosse. Le nouveau pape se considérait habile à juger les personnalités. Le jeune homme se tenait convenablement, et Tebaldo appréciait l'énergie et la curiosité qui se dégageaient de ses yeux bruns. Ils laissaient supposer une ardeur et un esprit vif. *C'est dommage que celui-là n'ait pas de formation théologique*, pensa-t-il, puis une autre idée lui traversa l'esprit.

– Sieur Bernardone, dit-il, avec la permission de messieurs Polo, j'aimerais que vous naviguiez avec moi jusqu'à Venise. Avec vous à bord, nous pourrons nous assurer de la protection de votre saint oncle. Je ne doute pas qu'il se trouve plus près du trône de Dieu que tout autre saint, à l'exception de la Sainte Mère de Notre-Seigneur.

Les frères Polo s'inclinèrent rapidement en signe d'assentiment, mais Tebaldo discerna l'ombre d'une déception sur le visage du jeune homme. Il semblait bien peu honoré d'avoir été choisi entre tous par le pape. Marco fit une grimace en direction de son ami et lui murmura quelque chose à l'oreille. Le jeune homme fit un signe de tête affirmatif et s'avança, le corps rigide. Il s'agenouilla devant le trône, s'inclina jusqu'à ce que son front effleure la mule de soie blanche de Tebaldo et embrassa l'ourlet de la robe du légat.

– Je suis votre serviteur et celui de Dieu, Votre Sainteté. Tout ce que je suis et tout ce qui m'appartient sont à votre disposition.

IV

Assis parmi les rochers éparpillés de l'ancien éboulis, Conrad mit leur sac de nourriture par terre et attendit Amata. Le soleil n'avait pas encore atteint son zénith, mais les rochers étaient déjà chauds et allaient sans doute le devenir davantage. C'était une de ces curieuses journées d'octobre qui s'accrochent obstinément à l'été. Ils avaient laissé l'ombre derrière eux en quittant la ligne des arbres plus d'une heure auparavant et la brise légère qui soufflait sur la colline n'offrait qu'un piètre soulagement contre la chaleur.

L'ermite s'éloignait rarement de sa forêt, qu'il s'agisse de descendre au village côtier ou de grimper jusqu'ici dans les collines nues. Lorsqu'il s'aventurait sur quelque sommet, c'était habituellement pour célébrer dans la contemplation un jour saint particulier. Les rochers escarpés offraient à la vue un pur panorama, une enfilade de montagnes bleues et pourpres, ensevelies sous la neige ou parées de magnifiques chutes, une démonstration à couper le souffle du pouvoir créateur de Dieu dans lequel Conrad rampait, aussi minuscule et gris que les araignées qui escaladaient le mur de sa hutte. Les citadins, cloîtrés dans le réseau dense de leurs propres constructions, pouvaient se sentir supérieurs à ce qui les entourait, mais les Apennins de Dieu atténuaient tout orgueil humain.

Il détourna les yeux de l'horizon et regarda le sentier qu'il venait de grimper.

– Es-tu certaine d'être en partie chèvre de montagne ? cria-t-il à Amata qui peinait sur la pente.

La jeune fille s'appuya contre un rocher et aspira l'air chaud, une main se soulevant et s'abaissant sur sa poitrine haletante. Quand elle eut repris son souffle, elle dit :

– J'ai peut-être exagéré un peu. Je ne suis pas habituée à escalader des montagnes si hautes.

– Mais tu disais vrai en affirmant que tu ne craignais pas les hauteurs ?

– Contentez-vous d'avancer. Je serai juste derrière vous. Si votre raccourci nous épargne une semaine de voyage, je vous serai reconnaissante de l'avoir pris.

– Nous arriverons bientôt à un sentier de chèvres qui traverse le devant de la montagne, expliqua Conrad. La partie la plus étroite ne fait pas plus de deux cents verges, mais un seul mauvais pas t'entraînera six cents verges plus bas dans la vallée.

Il grattait distraitement un des rochers avec une petite pierre, évitant volontairement de regarder la jeune fille lorsqu'il ajouta :

– Je serais porté à croire que seule une âme innocente qui ne craint pas le jugement de Dieu oserait prendre ce sentier.

C'était là une question qui ne concernait que la jeune fille et sa conscience, et il ne voulait pas voir l'état de son âme reflété dans ses yeux.

– Si vous n'avez pas peur, moi non plus, dit Amata. Mais ce serait beaucoup plus facile de grimper sans ces longues robes. L'ourlet de la mienne s'accroche constamment aux rochers et me fait trébucher. J'ai entendu une rumeur qui disait que l'Ordre projette de retourner aux tuniques courtes comme celles que portaient les premiers frères. J'aimerais qu'il l'ait déjà fait.

– Les premiers frères travaillaient pour gagner leur pain comme des ouvriers ordinaires, dit Conrad. Comme tu l'as souligné ce matin, notre propre génération de frères passe la majeure partie de leur temps couchés. Les frères du Sacré Couvent reçoivent maintenant des commissions pour copier des manuscrits, tout comme les moines noirs. De plus, même si l'Ordre rétablit le port de la tunique pour ses frères, toi et tes sœurs cloîtrées continuerez de porter la robe au nom de la décence.

– C'est une honte, ne croyez-vous pas ? dit Amata derrière lui.

Conrad se retourna brusquement. Elle se tenait debout, lui souriant avec sa robe remontée bien au-dessus des genoux. L'ermite plaça vivement sa main devant ses yeux et détourna son visage de la jeune fille.

– Ma sœur ! Pour l'amour de la Vierge Marie, couvre-toi !

– Qu'y a-t-il ?

Sa voix avait pris un ton espiègle.

– Si vous étiez un laboureur, et moi, votre maîtresse, je m'habillerais de cette façon tous les jours en travaillant à vos côtés – et vous donnerais ainsi beaucoup de plaisir.

– Mais je ne suis pas un laboureur et tu n'es certainement pas ma maîtresse. Je suis un moine et un prêtre qui se consacre au service de Dieu. Si, ne serait-ce que pendant un instant, je prenais plaisir à la vue de tes longues jambes, cet instant pourrait être le premier maillon de la chaîne qui m'entraînerait dans l'abysse. Respecte la promesse que tu as faite dans la hutte au sujet de la modestie.

Il n'avait pas voulu dire « longues » jambes. Il n'avait pas voulu non plus regarder, mais le coup d'œil qu'il avait jeté l'avait fait tressaillir. Non pas qu'il eût dû être surpris. Son vêtement ample pourrait avoir caché à la vue tout indice de forme féminine. C'est seulement que, jusque-là, il n'avait pas pensé à elle en termes de membres ou de torse – ou de longueur de jambes.

Si Amata avait remarqué le glissement dans son propos, elle fut assez gentille pour ne pas le souligner, ce qui fit croire au moine qu'elle ne s'en était pas aperçue. Il avait déjà réalisé qu'elle n'était pas du genre à laisser passer une occasion de l'asticoter. À son grand soulagement, elle changea de sujet alors qu'ils reprenaient la route.

– Vous êtes un drôle de prêtre, n'est-ce pas ? Vous n'avez pas encore ouvert votre bréviaire une seule fois et il est presque midi.

Conrad sourit. Est-ce que rien n'échappait donc à cette enfant ? Si elle n'était pas née femme, elle aurait pu devenir un étudiant décent du droit canon ou du droit civil.

– Les voies qui mènent au paradis sont nombreuses, ma sœur, répliqua-t-il.

Il prit de nouveau le ton pédagogique qu'il avait utilisé en lui racontant l'histoire d'Élie et de la basilique.

– Certains, par exemple, choisissent la voie physique en utilisant leur corps pour obtenir le salut. Le croisé trouve Dieu en décapitant des Sarrasins ou en devenant un martyr. Les *flagellanti* se flagellent avec des fouets de cuir pendant qu'ils récitent les psaumes pénitentiels.

Le visage d'Amata se tordit en une grimace.

– Ouach ! J'ai vu un groupe de flagellants une fois, quand j'étais petite. Ils avaient traversé notre commune pour se rendre à Todi. Leur chair sanguinolente éclaboussait tout ce qui se trouvait à proximité. J'ai fermé les yeux tellement ils étaient dégoûtants.

– On les a vus partout, ces onze dernières années. Beaucoup de gens croyaient que 1260 serait l'année de l'apocalypse.

Conrad pensa de nouveau à Jean de Parme, isolé dans sa cellule, pour le seul motif d'avoir continué à croire aux prophéties de l'abbé Joachim de Flore après qu'elles furent passées de mode au sein de la hiérarchie de l'Église. Il fit une pause pour réorganiser ses pensées et poursuivit :

– Par contre, les religieux cloîtrés comme les moines noirs de saint Benoît ont choisi la voie de la dévotion en chantant et en priant selon la règle.

Il tira un bréviaire de l'intérieur de sa robe et se mit à en tourner les pages.

– Sept fois par jour et au milieu de la nuit, comme l'a recommandé le roi David. Pour ma part, j'ai d'abord essayé la voie de l'intellect en commençant par le trivium et le quadrivium.

– C'est-à-dire ?

– Les sept arts qu'il faut maîtriser avant d'étudier la théologie : le trivium, c'est-à-dire la grammaire, la rhétorique et la dialectique, et le quadrivium, c'est-à-dire la musique, l'arithmétique, la géométrie et l'astronomie.

Il ralentit le pas pour reprendre son souffle, car le sentier devant eux grimpait toujours. Il poursuivit :

– Puis, après avoir suivi des leçons particulières en théologie à Paris, je suis retourné à la maison mère, à Assise, où j'ai commencé à mettre en pratique les formalités de dévotion de la vie conventuelle. Curieusement, après plusieurs années d'études et de prières routinières, je me suis senti de plus en plus éloigné non seulement de Notre-Seigneur, mais aussi de mes frères. À mes yeux, il manquait quelque chose à la vie de couvent. C'est alors que j'ai commencé à me poser des questions sur les frères ermites et que je me suis demandé s'ils vivaient plus près de Dieu que le reste d'entre nous.

Il s'enthousiasmait au fur et à mesure de son discours. Il pouvait enseigner tant de choses à Amata.

– Ce n'est que dans ces montagnes, ma sœur, que j'ai finalement commencé à voir Dieu – toujours « au travers d'un verre, obscurément » comme disait saint Paul, mais peut-être aussi clairement qu'une personne puisse l'espérer sur cette terre. Et comment y suis-je arrivé ? En demeurant assis. Rien de plus. Je m'adosse contre le mur de mon ermitage et je laisse

Dieu venir à moi. Si je ferme les yeux, Il m'apparaît. Si je les ouvre, je Le vois dans chaque créature qui marche ou rampe devant ma porte. Il est dans chaque arbre et dans chaque buisson, dans chaque…

Amata l'interrompit d'un geste de la main. Elle s'arrêta au milieu du chemin, posa les mains sur ses hanches en le jaugeant comme une femme de la noblesse sur le point de décider si elle achète ou non un esclave.

– Comme je l'ai dit, vous êtes un drôle de prêtre – et qui se transforme en un vrai moulin à paroles. Je ne suis pas certaine que vous soyez fait pour devenir ermite. Ce n'est peut-être pas vraiment votre vocation. Peut-être auriez-vous dû vous joindre aux Frères prêcheurs de saint Dominique plutôt qu'aux Frères mineurs.

Conrad était demeuré bouche ouverte, comme au moment où il avait été interrompu au milieu de sa phrase. *Pourquoi ai-je jeté mes perles à ce cochon? La plupart des érudits ne prendraient même pas la peine d'éduquer une femelle et encore moins une femme engagée.*

Ils étaient parvenus à un endroit où le sentier débouchait sur un précipice. Loin en bas, un ruban lumineux serpentait à travers un tapis de verdure. Malgré la perversité d'Amata, Conrad ne pouvait ignorer la leçon qu'offrait cette scène.

– Voici un exemple de la vie d'ermite dans ce qu'elle a de mieux. Le puissant Hercule ne pourrait lancer une pierre au-delà de cette rivière en bas. Les arbres sur ces rives, qui d'ici semblent de simples bosquets, sont en réalité plus hauts que dix hommes. À cette altitude, nous voyons le monde à travers les yeux de Dieu, dans toute son insignifiance, un point d'observation qui vaut à lui seul toute la philosophie du monde. Profites-en, ma sœur, pendant que tu en as l'occasion.

Il ne pouvait vraiment dire si elle en profitait mais, au moins, elle ne le contredisait pas. Il la mena jusqu'au bord d'une falaise, sur une étroite saillie qui traversait l'escarpement vers l'ouest.

– C'est le sentier que nous devons suivre. Tu devrais accrocher tes sandales à ton cou pour avoir une meilleure prise avec tes orteils.

Puis il ajouta :

– Nous n'allons perdre qu'une journée de voyage si nous faisons marche arrière ici et repartons de la hutte demain.

Amata grimaça en regardant le sentier des chèvres et en mesurant des yeux sa largeur. Ses lèvres bougèrent, et Conrad se demanda si elle priait ou si elle rassemblait son courage. Il pensa lui demander si elle se sentirait plus en sécurité en se tenant à sa ceinture, mais il changea d'idée en songeant que ça ne ferait que provoquer un contact physique.

– Es-tu prête ? demanda-t-il finalement.

La jeune fille avala sa salive, prit une profonde inspiration et hocha la tête en signe d'assentiment pendant qu'elle enlevait ses sandales.

– Ne regarde pas en bas, lui dit-il pendant qu'elle nouait ses sandales autour de sa taille.

Il attacha leur sac de nourriture à l'arrière de sa propre ceinture.

– Appuie-toi contre le mur et avance lentement de côté en cherchant des prises pour tes mains. Ne t'inquiète pas du temps que cela prendra. Concentre-toi seulement sur ton prochain pas.

Il étudia le visage de la jeune fille. La couleur de sa peau avait pris une teinte encore plus blanchâtre que son teint normal mais, si elle se mordait la lèvre inférieure, ses yeux affichaient la même détermination qu'il y avait discernée avant qu'ils ne quittent l'ermitage.

– Bon. Allons-y. Que Dieu nous protège, dit Conrad.

Ils firent le signe de la croix et, côte à côte, se mirent à avancer au bord du précipice.

❧

Même s'il eût souhaité bénéficier d'un vent frais un peu plus tôt, Conrad remercia Dieu pour l'air calme qui régnait maintenant. La sueur coulait le long de son cou et dans son dos, et il devait cligner des yeux pour en éloigner les moucherons. Mais il savait qu'une poussée d'air ascendant de la vallée pourrait gonfler leurs bures comme des voiles et les arracher de la paroi rocheuse aussi facilement que des graines de pissenlit.

Avançant à pas d'escargot, il repoussait du pied les pierres instables pour faciliter la progression d'Amata. Elle le suivait de près, plus silencieuse que les pierres qui plongeaient vers l'abîme. Il savait qu'elle éprouvait, autant que lui, des démangeaisons. Sa nouvelle robe devait être plus lourde que la sienne, usée jusqu'à la corde. Il se demanda à quoi elle pouvait penser en ce moment, mais ne voulait pas perturber sa concentration. Quand il parla, ce fut pour exprimer un murmure de soutien afin de l'aider à garder sa concentration :

– Un pas… un pas.

Ils arrivèrent à un tournant qui marquait le milieu de la piste. Il savait qu'après ce tournant le sentier s'élargissait et était protégé par un surplomb – une cavité dans laquelle ils pourraient se reposer un moment et relâcher la tension dans leurs bras et leurs épaules. Il se tourna pour en informer Amata au moment où la pierre à laquelle elle s'agrippait se détacha de la falaise. Elle émit un cri aigu et commença à vaciller. Conrad étendit rapidement le bras pour attraper la manche de la jeune fille et stabiliser sa position. Il entendit une série de bruits au-dessus de leurs têtes et une pluie de cailloux s'abattit sur eux.

– Dépêche-toi! Nous devons atteindre le tournant, dit-il.

Amata semblait paralysée. Les fragments de roches qui tombaient étaient de plus en plus gros maintenant, et de plus en plus nombreux. Une pierre de la taille de sa tête lui heurta l'épaule. Elle cria alors que Conrad l'agrippait par la taille, et la tirait vers lui.

– Reste avec moi! cria-t-il. N'abandonne pas maintenant!

Les jambes d'Amata commencèrent à se mouvoir. Utilisant sa main libre pour trouver des prises, Conrad la conduisit lentement au-delà de l'escarpement, jusqu'à la large cavité sur le sentier. Il l'aida à s'asseoir, le dos contre la falaise, puis il se laissa glisser à ses côtés, lui entourant les épaules de son bras pendant que le corps tout entier de la jeune fille était secoué d'un violent tremblement. Elle tenta de parler, mais ses dents qui claquaient l'en empêchèrent, et elle ne pouvait que sangloter.

Il avait déjà vu un tremblement semblable auparavant, lorsqu'un renard s'était précipité dans sa hutte pour échapper à une meute de chiens hurlants. Le renard avait une confortable avance sur la meute et Conrad referma la porte avant que les chiens ne puissent suivre l'animal dans l'ermitage. Il avait tenu la porte fermée pendant que le renard tremblait sur ses pattes arrière jusqu'à ce qu'une troupe de cavaliers émergent du sentier à la suite des chiens.

– C'est un sanctuaire, cria-t-il aux chasseurs. Le frère Renard a demandé asile dans cet ermitage.

Par un trou de nœud dans la porte, il garda un œil sur le clan de nobles, une bande de brutes en général, et espéra que sa réputation locale de saint homme excentrique puisse les arrêter. Pourquoi risqueraient-ils sa malédiction et mettraient-ils leurs âmes en péril pour un simple renard? Les regards qu'ils lancèrent vers la hutte variaient du ressentiment à l'exaspération. Ils se mirent à discuter entre eux en grommelant, mais finalement ils tournèrent la bride de leurs chevaux. Ils appelèrent les chiens et se dirigèrent vers le bas de la montagne.

– Le tremblement va passer, ma sœur, dit-il. C'est la danse de San Vito. Les plus vaillants guerriers éprouvent des tremblements semblables après la bataille.

Il commença à la bercer doucement comme un père calme son enfant effrayé et, à son propre étonnement, commença à fredonner une berceuse. Il avait le sentiment de tenir entre ses bras un élément de sa propre jeunesse car, lorsqu'il clignait des yeux, il imaginait tenir Rosanna – Rosanna comme il se souvenait d'elle à seize ans, et non la trentenaire potelée qui avait survécu à huit grossesses et trois naissances et qui lui faisait parvenir de la nourriture une fois par semaine. Il se dégageait même d'Amata une légère odeur de poisson qui lui rappelait les enfants d'Ancona, odeur qu'elle avait probablement captée en manipulant l'emballage du parchemin de Léon.

Ils avaient maintenant un point de vue différent après avoir tourné le coin de la piste. Conrad pointa du doigt l'autre versant de la vallée. Ici et là, des affleurements rocheux couleur d'ambre s'amoncelaient les uns sur les autres.

– C'est le village de Sassoferrato et, là-bas, sur la droite, on peut apercevoir Fossato di Vico. Il nous aurait fallu quatre jours pour s'y rendre par la route du sud.

Il éprouva tout à coup un sentiment de tendresse, une émotion à laquelle il aurait pu raisonnablement s'attendre pendant une méditation sur l'Enfant Jésus. Mais il n'était pas préparé à ressentir de l'affection pour une femelle en chair et en os. Conrad s'inquiéta soudain que Dieu puisse l'arracher de son perchoir s'il succombait même à la plus faible impulsion. Il tenta de faire ressurgir en lui l'antagonisme qu'il avait ressenti avant de s'engager sur le sentier étroit, mais la vulnérabilité de la jeune fille avait évacué ce limon de son âme. Malgré toute son outrecuidance et ses airs de bravade, elle avait besoin de sa protection.

Elle cessa finalement de trembler et il retira son bras de ses épaules.

– Je crois que tu iras mieux maintenant.

Il lui avait parlé sur un ton délibéré, en laissant fuser les mots qu'il savait devoir prononcer. Il fallait qu'il change l'atmosphère, et rapidement.

– Comment va ton épaule ? Peux-tu lever le bras ? demanda-t-il.

Impatient de lui porter secours, il lui saisit l'avant-bras pour l'aider à le soulever, mais plutôt que de sentir un muscle, ses doigts rencontrèrent quelque chose de solide sous la manche, comme une attelle, plus épaisse qu'un os. Amata éloigna vivement son bras en grimaçant.

– Il n'est pas cassé, dit-elle, mais je ne crois pas qu'il me sera utile pour les vendanges quand je retournerai à Saint-Damien.

Elle modifia la position de ses jambes pour se relever.

– Nous devrions repartir.

En touchant ce qu'Amata cachait dans sa manche, il l'avait incitée à se remettre en mouvement. Il voulut demander ce qu'elle cachait, mais décida que le moment était mal choisi.

– Tu es certaine de t'être suffisamment reposée? La plupart des gens n'oublieraient pas si vite après avoir frôlé la mort. En particulier quelqu'un qui a été aussi couvé que toi.

Il avait voulu se faire rassurant, mais le visage de la jeune fille rougit et ses yeux se durcirent.

– Couvée? Que savez-vous de ma vie? dit-elle.

Elle lui tourna le dos et dirigea son regard vers la piste.

– Vous agissez parfois comme un idiot, mon frère, mais vous venez de me rappeler que j'ai une autre raison de revenir à Assise saine et sauve.

Elle tenta de se relever à l'aide de son bras valide.

– Reste ici un moment de plus, ma sœur, dit-il. Dis-moi de quoi tu parles.

Il s'agissait d'excuses maladroites. Il avait voulu dire: «Si je te connaissais mieux, je ne ferais pas de remarques stupides.»

– Si nous arrivons au bout de cette piste sains et saufs, je vous le dirai peut-être, murmura la jeune fille.

Le ciel avait commencé à s'ennuager et des éclairs fusaient au sud-est. Les crêtes éloignées prirent une allure hostile alors que l'obscurité augmentait et s'étendait sur elles. Ces nuages annonçaient peut-être la pluie ou, pis encore, l'air qui refroidissait allait créer les courants ascendants que Conrad craignait plus tôt. Ils devaient vraiment se remettre en route.

Il soutint le bras d'Amata pendant qu'elle se relevait. Lorsqu'elle eut retrouvé son équilibre, il détacha sa ceinture de corde et la lui tendit.

– Attache-la à ta ceinture avant que je la renoue autour de ma taille, dit-il.

– Ne craignez-vous pas que je vous entraîne avec moi si je glisse?

– Quoi qu'il se produise, nous arriverons ensemble, ma sœur. Dieu nous a unis dans cette entreprise. Je crois qu'Il veut que nous continuions ou que nous arrêtions ensemble.

– Voilà un joli discours pour un frère, dit Amata avec un sourire. Venant d'un prétendant, ce serait absolument romantique.

Puis elle ajouta sérieusement :

– Je vous remercie de vous inquiéter pour moi. J'ai été dure avec vous. J'éprouve peu d'affection pour l'habit religieux que nous partageons et pour quelques hommes que j'ai rencontrés par le passé. Vous êtes une bonne personne et vous m'avez bien traitée. Je tiens à vous faire mes excuses avant que nous nous engagions à nouveau sur cette piste dangereuse.

– Veuille aussi m'excuser pour les jugements sévères que j'ai pu avoir à ton endroit.

Elle sourit de nouveau, mais ses yeux devinrent tristes.

– Mon frère Fabiano avait l'habitude de dire : « Un baiser d'adieu au cas où je mourrais. »

Conrad vit qu'elle était au bord des larmes. Il se pencha vers elle et frôla des lèvres le front de la jeune fille.

– Au cas où nous mourrions, petite sœur, dit-il.

Amata rougit et baissa les yeux. Elle serra un moment entre ses doigts la ceinture du moine, puis la lia à la sienne.

V

Parvenus à l'endroit où le sentier de chèvres débouchait sur un vaste plateau nu, Amata et Conrad s'effondrèrent. Amata était étendue sur le dos dans la poussière, agitant l'air de ses mains et riant à gorge déployée. Toujours lié à la jeune fille par leurs ceintures, Conrad s'étirait à ses côtés. Son cœur battait à tout rompre, mais son anxiété diminuait graduellement.

– Nous avons réussi ! dit Amata.

– Dieu soit loué, haleta l'ermite à son tour.

Une percée lumineuse dans les nuages montrait l'endroit où le soleil se couchait derrière les plus hauts sommets.

– Nous devrions vite trouver un endroit où établir notre camp, ajouta-t-il. Nous avons suffisamment travaillé pour aujourd'hui.

La vue s'étendait maintenant vers le nord et l'est à partir du plateau, de même que vers le sud. Ici et là, on pouvait deviner sur le flanc des montagnes des hameaux et de petites fermes. Ils étaient encore loin d'un véritable village, mais ils pouvaient s'attendre à croiser des gens le lendemain.

– L'endroit où nous allons se trouve juste après la chaîne la plus éloignée, dit Conrad. S'il y a une ouverture dans les nuages ce soir, regarde le soleil se coucher. Il marque notre parcours vers Gubbio. De là, nous suivrons les rives de la Chiagio jusqu'à Assise. Nous y serons dans deux jours, trois au plus.

Amata se redressa et porta son regard au nord, vers les crêtes montagneuses.

– Allons-nous apercevoir le château des Malatesti ? J'adorerais le voir, même de loin.

Conrad rit.

– C'est impossible, dit-il. Le château se trouve à plusieurs lieues d'ici, presque sur la côte.

Amata frémit.

– Je déteste les seigneurs. En particulier quand ils sont vieux, difformes et méchants comme Gianciotto Malatesta.

Conrad connaissait l'histoire qui avait engendré des commérages si savoureux que même le serviteur de Rosanna n'avait pu résister à lui en faire part lorsqu'il lui apportait de la nourriture. Le clan Malatesta de Rimini et les seigneurs Polenta de Ravenne souhaitaient former une alliance. Ils avaient arrangé un mariage entre Gianciotto et Francesca Polenta. La fiancée aurait eu à peu près le même âge qu'Amata, pensait Conrad. Sachant que Francesca rejetterait probablement Gianciotto à cause de son âge avancé et de sa laideur, les Malatesti envoyèrent son jeune frère Paolo, Il Bello, comme représentant au mariage. Quelque temps après la cérémonie, dit-on, Paolo et Francesca lisaient un récit de Lancelot dans le jardin du château. Émus par l'amour du beau chevalier pour Guenièvre, l'épouse du roi Arthur, ils commencèrent à s'enlacer et à s'embrasser. Ils ne lurent plus cette journée-là. Apparemment, leur passion l'emporta également sur leur prudence, car un des serviteurs de Gianciotto les avait surpris dans leurs ébats et en avait informé son maître. La fin se révéla tragique. C'était exactement le genre de bêtise romantique qu'une jeune femelle comme Amata trouverait émouvante.

– Gianciotto brûlera sûrement en enfer pour le meurtre de sa femme et de son frère, dit Conrad. Mais on ne peut douter que les amants expient aussi leurs péchés.

– Leurs péchés? Est-ce un péché d'aimer? Jésus ne nous a-t-il pas dit de nous aimer les uns les autres?

– Comme il nous a aimés, ma sœur. Il ne parlait pas du désir charnel en disant cela. De plus, Francesca était l'épouse du frère de Paolo.

– Comme si elle avait eu un choix dans ce mariage. Ces seigneurs choyés marient qui ils veulent, et jamais par amour. Pour un territoire ou de l'argent, ou pour conclure un traité. Jamais par amour. Ils prennent ce qu'ils veulent et assassinent ceux qui s'opposent à leurs désirs. Je les déteste du plus profond de mon âme.

– Bien sûr qu'il existe de méchants seigneurs, mais il en existe aussi de bons, tout comme tu trouveras des bons et des méchants chez les manants. Ils font tous partie du plan de Dieu.

– Je connais aussi des hommes bons.

La voix d'Amata devint rêveuse.

– Mon père était un homme honorable. Mais les hommes comme Gianciotto Malatesta…

Les muscles de sa mâchoire se contractèrent et son visage se tordit, d'abord de tristesse, puis de rage. Conrad sentit qu'elle allait se livrer maintenant.

En silence, l'ermite observa le boisé de chênes tordus qui s'étendait sur la pente en contrebas. Des oiseaux voletaient de branche en branche, leurs chants atténués et sporadiques.

Il huma l'air. Il pouvait sentir la tempête imminente et il lui semblait que les oiseaux la sentaient également. La première pluie de la saison était toujours une véritable averse. Au moins, lui et Amata auraient tout le bois dont ils auraient besoin pour contrer l'humidité. Des branches brisées par le vent gisaient par terre entre les arbres ; le bois de chêne brûlait mieux que tout autre.

Il réfléchit à la contradiction apparente que constituait un paysan d'esprit noble, ce qui, supposait-il, décrivait le mieux le père d'Amata – une supposition assez facile puisque neuf hommes sur dix labouraient le sol. Selon sa propre expérience, la plupart des manants et des métayers étaient trop occupés à travailler pour songer à des idéaux plus élevés. Leur religion se résumait à peine à des amulettes et à des formules magiques pour éloigner la maladie et leur procurer des récoltes abondantes. Lorsque les jours saints leur accordaient un répit dans leurs tâches, ils le passaient généralement à boire, à se bagarrer et à perpétrer toutes sortes de méfaits indécents. Pourtant, en tant que confesseur, Conrad avait connu quelques rares exceptions, des travailleurs qui surpassaient de loin leurs maîtres en matière de vertu.

– Ton père a-t-il été exploité par son seigneur ? demanda-t-il finalement.

Amata prit un air vexé.

– Exploité par son seigneur ? Mon père priait son Dieu, sans arme, avec sa femme et ses enfants dans la chapelle familiale lorsque le diable sous forme humaine a enfoncé les portes et l'a tué d'un coup de hache. Ma mère s'est alors jetée contre son corps inerte alors que l'un des fils du même Satan les a tous deux transpercés de son épée. Mon frère a essayé de s'enfuir en sautant par la fenêtre de la chapelle.

Elle s'arrêta un instant, puis reprit :

– Il est tombé en criant mon nom. Puis je n'ai plus rien entendu.

Elle enfouit son visage dans ses mains. Ses épaules et son dos tremblaient pendant qu'elle sanglotait en silence.

– Je ne sais même pas s'ils ont eu des funérailles convenables.

Conrad tourna les yeux vers l'ombre envahissante sous les arbres. Il craignait presque de poser la question suivante, mais il en avait suffisamment entendu sur le massacre de sa famille pour souhaiter connaître le reste de l'histoire.

– Comment as-tu réussi à survivre ?

– J'ai essayé de courir, mais j'ai glissé dans le sang de mes parents. Le carrelage du plancher de la chapelle en était inondé. Je me souviens avoir pensé que le carrelage et le sang étaient presque de la même couleur. J'avais l'impression de faire un mauvais rêve dans lequel, en réalité, les carreaux étaient seulement en train de fondre et qu'au moment où je m'éveillerais rien de tout cela ne serait en train de se produire. J'ai roulé sur moi-même et j'ai vu une hache brandie au-dessus de ma tête. J'ai pensé que j'allais être la prochaine victime… Mais je n'allais pas être libérée de mes assaillants aussi facilement. Leur chef cria au chevalier de retenir son geste. Je n'avais que onze ans et il me voulait comme servante pour sa fille. Les attaquants m'ont emmenée avec eux.

– Il s'agit de la femme qui est entrée à Saint-Damien ?

– Oui. Elle les déteste tous autant que moi.

Amata redressa son dos. Elle parlait calmement maintenant.

– La dame a décidé que je ferais partie de la dot qu'elle verserait au couvent. J'étais emballée, même si en vérité je n'avais aucune attirance pour la vie de couvent. Mais je me serais suicidée plutôt que de rester derrière avec son père et ses frères.

– Et ton suicide aurait causé la damnation de ton âme, lui rappela Conrad. Vos familles étaient-elles en guerre, Amata ? Y avait-il quelque querelle ou animosité entre vous ?

– Non. C'était simplement une question d'argent. Au moins trois vies perdues, et je ne sais pas combien d'autres parmi nos serviteurs, tout cela pour épargner le prix d'un péage. Nos terres se trouvaient à l'endroit où se touchent les frontières communales de Pérouse, d'Assise et de Todi. Nous appelions cet endroit le Coldimezzo, « le milieu de la colline ». Naturellement, nous imposions un tarif aux marchands qui traversaient nos terres. Les marchands de laine d'Assise criaient et nous menaçaient, mais mon père et son frère Guido se contentaient de rire et de les menacer à leur tour. Ma maîtresse m'a révélé plus tard que c'était un des marchands de laine qui avait payé son père pour nous assassiner.

Elle sembla scruter l'ombre qui gravissait le flanc de la colline vers eux, mais Conrad devina qu'elle revoyait la chapelle ensanglantée du Coldimezzo. Après un long silence, elle se tourna vers lui et haussa les épaules.

– C'est ça, ma vie d'enfant gâtée, dit-elle.

Toute trace de peur et de férocité avait disparu de sa voix.

Et c'est aussi la raison pour laquelle elle voulait à tout prix retourner à Assise, se dit Conrad, en même temps qu'une raison pour moi de m'en éloigner. La guerre semblait faire rage partout où les gens se rassemblaient. Les villes et les pays s'affrontaient sur des questions de routes commerciales et de territoires. Dans l'enceinte des villes, les Guelfes de la classe moyenne et les Gibelins aristocrates guerroyaient pour leur allégeance au pape ou à l'empereur romain. Les familles s'entretuaient pour régler quelque ancien conflit, et les enfants tuaient leurs parents ou s'entretuaient pour accélérer le transfert d'héritage. La mort aux mains d'un meurtrier était chose courante pour les nobles, et pour les citoyens ordinaires, les duels, les funérailles et les poursuites judiciaires qui s'ensuivaient formaient le théâtre de la vie. Les veuves, les veufs et les orphelins proliféraient, tous assoiffés de vengeance. L'étincelle de la vengeance entretenait souvent la flamme d'une vie ruinée.

– Tu n'as pas mentionné les autres membres de ta famille, dit-il finalement, ton oncle Guido et sa maisonnée. N'ont-ils pas été attaqués eux aussi ?

– Non. Les lâches étaient même au courant de ça. Ma cousine Vanna devait épouser un notaire de Todi ce mois-là. Ses parents s'étaient rendus à la ville avec elle pour préparer le festin. Nous devions les rejoindre quelques jours plus tard.

Elle se coucha de nouveau sur le dos dans la poussière et ferma les yeux. Petit à petit, elle commença à fredonner un chant lugubre populaire parmi les paysans. Elle s'était réfugiée en un lieu intime de son esprit, et Conrad comprit qu'il n'en apprendrait pas davantage.

Elle doit avoir souvent pleuré la perte de ses proches pendant ces cinq années, alors même que sa haine croissait et qu'elle préparait sa vengeance. Peut-être se demandait-elle pourquoi son oncle n'était pas venu la chercher. Peut-être ne savait-il même pas où elle avait été emmenée ou quels étaient les auteurs de ces meurtres. Il était sans doute revenu de Todi pour découvrir une scène de carnage. Les serviteurs pourraient s'être enfuis ou, s'ils étaient restés, avoir été incapables de nommer les assaillants.

Il se demanda également quel genre de chevalier embaucherait un tueur à gages. Et pourquoi Amata était-elle demeurée à Saint-Damien? Pourquoi avait-elle livré la lettre de Léon en courant de graves dangers, alors qu'elle aurait pu se sauver et faire le voyage de manière relativement facile sur de bonnes routes jusqu'au Coldimezzo? Peut-être craignait-elle qu'il ne reste rien vers quoi retourner. Plus il en apprenait sur la jeune fille, plus elle l'intriguait.

Il éprouva un désir puissant de caresser ses cheveux comme il avait caressé la fourrure du renard pourchassé. Toutefois, comme il étendait la main vers la jeune fille, il ressentit également une sensation douloureuse dans son bas-ventre qui lui fit arrêter son geste.

– Je suis vraiment désolé, Amata, dit-il.

– Je me fous de votre pitié, rétorqua-t-elle avec colère. Elle ne ramènera pas ma famille à la vie.

Elle avait gardé les yeux fermés, mais il pouvait voir des larmes perler au coin de ses paupières.

Il profita du fait que ses yeux étaient fermés pour examiner son visage en espérant y trouver quelque indice qui l'aiderait à comprendre cette mystérieuse femme-enfant. Elle serrait la mâchoire et les larmes coulaient doucement le long de ses joues, puis tombaient sur le sol. Elle lui avait révélé ce qui la faisait le plus souffrir et il se sentait presque coupable d'avoir été témoin de l'impuissance de la jeune fille. Mais, en un sens, sa réplique brutale l'avait sortie de l'ornière. Elle l'avait ramenée à la réalité. Il regarda avec une certaine crainte la main avec laquelle il avait presque caressé sa chevelure. Il avait à ce point failli perdre tout ce qu'il avait gagné sur le plan spirituel pendant ses années d'ermitage.

Pendant sa jeunesse, il plongeait souvent pour ramasser des éponges dans la baie d'Ancona. Un jour, pendant qu'il méditait, il s'était surpris à comparer ces créatures à des âmes humaines. Laissée à sécher au soleil, l'éponge devenait légère et éthérée, comme l'âme exposée aux rayons aveuglants de la grâce divine. Au moment où Amata était arrivée avec la lettre, sa propre âme avait presque atteint cet état de légèreté qu'il espérait depuis longtemps. Mais pendant les deux jours qui s'étaient écoulés depuis, il lui semblait que son esprit était devenu de plus en plus lourd et encombré à mesure qu'il prenait connaissance des préoccupations de Léon, puis de celles de la fille – à mesure que des émotions depuis longtemps oubliées l'assaillaient. Tout à coup, il souhaita désespérément être seul.

– Je vais chercher un abri, dit-il. Il va pleuvoir beaucoup cette nuit. Je reviens tout de suite.

Amata se réfugia de nouveau dans ses pensées. Il défit le lien entre leurs ceintures, se leva et balaya de la main la poussière sur sa bure. Pendant qu'il descendait du plateau vers les arbres, il se retourna une dernière fois pour regarder la silhouette solitaire étendue au sommet, puis détourna la tête et s'engouffra dans le boisé noyé d'ombre.

❧

Orfeo éprouvait encore du regret en regardant la marée emmener son ami vers l'entrée de la baie. Les rameurs manœuvraient habilement la galère à travers l'étendue d'eau protégée.

Au revoir, Marco, se dit-il en lui faisant un signe de la main. Je te souhaite une vie agréable. Je penserai à toi en traversant les places de Venise et je te rappellerai au bon souvenir des courtisanes.

Si la chose avait été possible, il aurait chassé de son esprit les histoires de l'aîné des Polo sur les dames de Kinsai, les plus belles du monde, qui se balançaient dans des litières décorées, avec des peignes d'ivoire dans leur chevelure noire et des boucles d'oreilles en jade balayant leurs joues lisses. Ou les récits sur les dames de palais qui, fatiguées de regarder les courses des chiens royaux, se débarrassaient de leurs vêtements et plongeaient nues en riant dans les lacs où elles s'ébattaient comme des bancs de poissons argentés.

– *Addio, compare*, murmura-t-il en agitant la main une dernière fois pendant que la galère dépassait la digue. *Addio*, Cathay.

Il traîna les pieds jusqu'au bout du quai, ignorant l'odeur de l'air salin et les cris aigus des mouettes jusqu'à ce qu'il arrive près d'un vaisseau de guerre anglais qu'on approvisionnait pour le voyage vers Venise. Le prince anglican, Édouard, nouveau commandant des croisés, avait mis un convoi de ses navires à la disposition du pape aussitôt qu'il avait appris l'élection de Tebaldo.

Orfeo observait le navire, et le marin en lui ne pouvait s'empêcher de s'émerveiller. Les barrots de pont faisaient saillie sur les flancs du vaisseau, tenus en place par des chevilles de bois à la manière du Sud. Contrairement aux galères vénitiennes élancées dont le rapport était de un pour cinq, le rapport entre la largeur et la longueur des poutres elles-mêmes était peut-être de trois pour un. De toute évidence, le bâtiment de guerre avait été construit pour résister aux mers agitées du Nord et à la haute mer, alors qu'une galère comme celle de Nicolo Polo fendait avec légèreté les eaux calmes de la Méditerranée. Le gaillard d'avant du navire s'élevait sur plusieurs étages, comme les caraques des Sarrasins, et un gaillard supérieur surplombait l'unique mât. Grâce à sa hauteur, les archers et les frondeurs de ce bâtiment détenaient un avantage décisif sur les galères de combat plus basses. Les constructeurs du navire avaient espacé les ouvertures des rames de seulement deux largeurs de main entre les tolets et pouvaient jeter dans la bataille deux cents rameurs dans un birème ou un trirème. Avec un fort vent arrière, le navire pouvait atteindre une vitesse de douze nœuds. Aucun pirate n'oserait attaquer une telle flotille.

Orfeo grommela en s'apitoyant sur son sort. Il espéra que les pirates pourraient au moins égayer le voyage. Il reprit le chemin de la ville le cœur serré. Il vit les hauts bastions d'Acre se refléter dans la mer, ondoyant puis disparaissant dans les vagues comme un mirage. Si le nouveau pape s'exprimait déjà avec l'infaillibilité du point de vue pontifical, ces monuments illustrant la puissance seraient réduits en miettes dans quelques années. Cependant, tout ce qu'Orfeo savait pour le moment, c'était que par le caprice de ce pape l'édifice encore fragile de ses espoirs et de ses rêves venait de s'effondrer à tout jamais.

Il releva le menton, comme pour regarder de haut les tours du port. Elles étaient droites, froides et rigides comme le père et les grands frères qui avaient dominé sa jeunesse. À cette époque, il se réfugiait dans les bras de sa grand-mère lorsque les adultes tentaient de réprimer son esprit rebelle. Durant toutes les années qui s'étaient écoulées depuis, les femmes avaient continué de le réconforter, alors que les hommes de sa famille, ses amis et ses camarades de bord étaient partis en l'abandonnant à sa souffrance.

Et cette soirée allait se passer ainsi. Ayant tourné le dos au bâtiment de guerre, Orfeo se dirigea vers la ruelle où lui et Marco s'étaient trouvés, le matin même, de si joyeuse humeur.

VI

— Maudite boue! Sale bête paresseuse!
Primo frappa de son énorme poing le siège de son tombereau. Il enleva ses galoches et les lança sur le chargement de bois de chauffage, puis descendit dans la boue épaisse du sentier. Il pesta premièrement contre le bœuf, puis contre les solides roues de bois enlisées dans la vase. La tempête qui avait fait rage dans les montagnes la nuit précédente avait transformé le sentier en un bourbier.

– Tu vas t'épargner une raclée si je n'ai pas à décharger ce chariot une fois de plus.

Il fit quelques pas sur l'étroite route et arracha furieusement quelques branches des pins les plus proches. Il les plaça devant les deux roues pour améliorer la traction et alla se cabrer contre l'arrière du tombereau.

– Hue! Tire, Jupiter! cria-t-il en grognant et en poussant sur l'arrière du véhicule. Le moyeu émit un craquement et les roues avancèrent légèrement.

– Bouge ton cul osseux!

Il se retourna pour appuyer son dos contre le chargement et enfonça ses talons dans la boue. Ses pieds glissèrent et il tomba lourdement. Avec un bruit sourd, le chariot retomba dans l'ornière.

– *Porco Dio! Putana Madonna!*

Il prit rageusement une poignée de boue et la lança sur la route en direction de deux frères qui approchaient. Ils suivaient les traces laissées par les roues du chariot. Le plus costaud des deux portait un sac attaché à son épaule avec une corde et semblait ne pas remarquer l'humidité du terrain. Il marchait droit devant avec assurance pendant que le plus petit

des deux relevait délicatement sa bure et marchait précautionneusement sur le côté de la route.

Merde! Voilà tout ce dont j'avais besoin, des prêtres qui
me dépassent sur la route et des frères mendiants en plus.
Primo avait croisé un *padre* exactement un jour avant que sa
mère n'attrape une maladie mortelle. Il était absolument
convaincu que la rencontre malchanceuse avec le prêtre avait
causé sa mort. Comme tous les habitants du village, il avait
une peur morbide des ecclésiastiques mais, contrairement à
eux, il défiait sa peur. Alors que les frères s'approchaient,
Primo les dévisagea avec une profonde animosité.

– Je n'ai pas d'argent, pas de nourriture en surplus et je ne
veux pas être sauvé, cria-t-il.

Le plus petit des deux moines éclata d'un grand rire
aigu, presque féminin. Le fermier secoua la tête d'un air
dégoûté. Pas deux prêtres. Juste un prêtre sodomite et son
enculé de novice. Primo était aussi chaud lapin que
n'importe quel homme et il ne manquait jamais une
occasion pour forniquer dans un coin sombre pendant un
festival, mais il n'avait jamais fait ça avec de jeunes garçons
comme ces païens de Grecs.

Primo attrapa le rebord de son chariot et se remit sur ses
pieds. Il essuya la vase sur sa tunique, laissant des traînées
rougeâtres qui donnaient à la laine écrue une allure bigarrée.
La glaise s'était même accumulée sur les poils épais de ses
jambes nues.

Les deux moines s'avancèrent à quelques pas du chariot.
Le plus petit des deux se fit entendre en premier.

– *Servite pauperes Christi*, *padre*. Exactement comme Léon
a dit.

– Qu'est-ce qu'il a dit? demanda Primo. S'il se paie ma
tête, je vais lui briser le crâne, novice ou pas.

– Il a dit que nous devrions vous aider, répondit le moine
plus âgé.

Primo retira sa calotte et s'en servit pour s'essuyer le visage.

– Quoi? Et vous saliriez vos doigts bénis? Je croyais que
vous ne pouviez toucher que les objets saints et l'argent.

– Vous voulez de l'aide ou non? demanda le moine.

Il parlait d'une voix monocorde et, de toute évidence, il
n'avait aucun sens de l'humour.

– Désolé, désolé, *padre*. Bien sûr que je veux que vous
m'aidiez. À cheval donné, on ne regarde pas la bride, comme
on dit.

Il lança les rênes du bœuf au novice.

– Tiens, *fratellino*. Voyons si tu peux redonner un peu d'élan à ce bœuf paresseux. Nous allons pousser par-derrière si le *padre* le veut bien.

Le moine étudiait la bête.

– Il n'est pas très gros.

– Ouais. C'est ça mon problème. Il n'a que deux ans, mais c'est tout ce qu'il me reste. Le pasteur a pris sa mère pour payer les frais d'enterrement quand ma mère est morte. Comme vous faites aussi partie de cette race de voleurs, vous savez comment tout ça fonctionne.

– Votre pasteur pouvait user de son droit de meilleur cheptel. C'est une coutume ancienne de prendre le meilleur animal du membre de la famille qui survit.

Le moine regardait directement Primo dans les yeux.

– Pour un homme qui a besoin d'aide, vous n'arrivez pas à retenir votre langue.

Primo se redressa de toute sa hauteur et était sur le point de dire à l'homme d'aller se faire foutre lorsque le garçon intervint :

– Je suis prêt. Vous n'avez qu'à commencer à pousser.

Le frère continuait de fixer Primo de ses yeux gris malveillants qui pouvaient jeter un sort à un homme seulement en le regardant. Le fermier baissa les yeux. Il ne pouvait se permettre de se faire un ennemi de ce frère en ce moment, et il fit un geste vers l'arrière du chariot.

– Après vous, *padre*.

L'homme appuya son épaule contre les larges roues. Avec un cri, le garçon entreprit de tirer devant le chariot pendant qu'il aiguillonnait le bœuf de sa main libre. Les branches de pin craquèrent sous les roues, libérant un parfum qui supplanta pendant un instant l'odeur musquée de l'animal et, petit à petit, le chariot avança en craquant. La cloche autour du cou de l'animal tintait au rythme de ses pas.

– Continuez de pousser ! cria Primo. Emmenez-moi jusqu'au sommet de cette pente et je vous offre la balade et nous pourrons rouler sans difficulté pendant plusieurs lieues.

Tous les trois redoublèrent d'effort et même l'animal semblait revigoré par leur énergie.

– C'est bien, Jupiter. T'es un bon garçon. Continue à faire tourner ces roues.

Les frères crièrent de joie en atteignant le sommet de la colline, et Primo administra une claque entre les clavicules du plus vieux des deux. Le coup surprit le moine, mais il réagit par un large sourire.

– Nous l'avons eu, dit-il.

Primo grimpa de nouveau sur son siège. Il était d'une humeur radieuse maintenant.

– Êtes-vous fatigués? Il y a de la place pour un d'entre vous ici.

– Non, nous sommes habitués à marcher, dit le moine, mais merci quand même.

– Je profiterais bien de votre offre, interrompit le novice.

Il tendit son bras droit.

– Je me suis blessé à l'autre épaule. Pouvez-vous m'aider à monter?

Primo saisit le bras tendu.

– Soulevez-lui les fesses, *padre*.

Le garçon rit de bon cœur.

– Vous l'avez entendu, frère Conrad. Soulevez-moi les fesses.

– Fabiano! Fais attention à qui tu parles.

Primo s'esclaffa. Il tira brusquement et le garçon atterrit durement sur le siège contre lui. Le moine lançait des regards furieux, en particulier lorsque le novice lui tira la langue.

– J'espère que je ne vous serre pas trop. Cette planche est très étroite, dit le garçon.

– J'ai déjà eu une vache qui faisait vingt fois ton poids, dit Primo. Je n'aurais pas osé la traire à côté d'un mur. Elle m'aurait écrasé contre lui.

Il regarda derrière le garçon.

– Je pense que ton prêtre est un peu jaloux, toutefois.

Il cligna de l'œil en souriant à son propre humour et il commença à chanter nonchalamment:

– À travers la forêt feuillue, Bovo cheminait pendant que sa Rosabella trottinait tout près.

– Fabiano! cria le frère tout à coup. Tu ne t'es pas blessé aux pieds.

– Laissez dormir le monstre aux yeux verts, *padre*, dit Primo.

Il gloussa et ajouta:

– Votre novice ne m'attire pas du tout.

Le frère tourna rapidement la tête d'un air de colère, mais le garçon parla en premier.

– Êtes-vous marié, *signore*?

– Non. Mais je suis mûr pour le mariage depuis que ma mère est morte. Ça serait bien pour mon père et moi d'avoir une femme à la maison.

– J'ai déjà espéré la même chose, répliqua le novice. Seulement me marier et faire des enfants.

– Eh bien, tu peux encore faire des bébés s'ils ne te châtrent pas et qu'ils te laissent vagabonder loin de ton monastère, dit Primo. Il y a plus d'un petit bâtard dans notre village qui a les yeux bleus du pasteur.

Il claqua si durement la cuisse du garçon que celui-ci grimaça.

Le frère en avait assez vu et entendu. Il ramena vivement son capuchon sur sa tête, accéléra le pas et s'éloigna devant eux. Ses pieds glissaient constamment dans la boue, mais par pur entêtement, il réussit à mettre une certaine distance entre lui et les deux autres.

– Hé! Attendez, *padre*, lui cria Primo. Je veux vous poser une question sérieuse.

Le frère s'arrêta et attendit que le chariot le rattrape, mais il refusa de rabattre son capuchon. Alors que Jupiter s'arrêtait à sa hauteur, Primo dit:

– Avez-vous entendu l'histoire des danseurs dans la cour de l'église?

Le fermier ne pouvait voir le visage de l'homme, mais un grognement lui confirma que le moine écoutait.

– C'était un jour férié en l'honneur de la Vierge. Tous les habitants du village étaient ivres morts et dansaient et chantaient autour des pierres tombales. Toute la nuit, ils avaient chanté en chœur «Chérie, aie pitié». Et certains ont eu pitié d'eux dans l'ombre, vous savez. Mais pendant ce temps, avec tout ce vacarme au-dehors, le vieux pasteur ne pouvait trouver le sommeil. Vous pouvez imaginer de quoi il avait l'air à la messe le lendemain matin, les yeux exorbités et se tenant des deux mains à l'autel pour rester debout. Puis il lève les yeux vers le ciel pour commencer les prières, mais plutôt que de dire «Dieu, aie pitié», il dit «Chérie, aie pitié».

Primo éclata de rire et frappa de nouveau du poing la cuisse du garçon.

– Quel scandale! J'en ris encore aujourd'hui.

Le garçon massa sa jambe douloureuse, mais réussit à rire. Toutefois, à la grande déception de Primo, le moine refusait toujours d'entrer dans le jeu. Il se remit à marcher rapidement.

– Ce n'est rien de personnel, *padre*, cria le fermier derrière lui. C'est juste que, quand je m'assois ici sur le siège de mon chariot et que je regarde le cul de Jupiter, ça me rappelle le prêtre qui avait pris sa mère. Ça n'a rien à voir avec vous.

Il se tordait de rire sur son siège.

Alors que le moine se trouvait à une centaine de pas devant, le garçon commença à s'agiter. Son regard était devenu inquiet.

– Vous êtes allé trop loin, dit-il. Vous l'avez vraiment mis en colère.

– Non. Il survivra. Il a la peau épaisse et j'avais besoin d'un bon rire après cette nuit pluvieuse.

– Malgré cela, vous n'aviez pas à le ridiculiser comme ça. Je vais aller lui parler. Nous ferions mieux de rester ensemble.

Le garçon sauta du chariot et courut vers son compagnon. Quand le novice rattrapa finalement le frère, Primo se retrouva aux premières loges pour le spectacle. *Oh! oh! Le jeune est en train de se faire frotter les oreilles maintenant*, pensa-t-il. *Et il le lui rend bien aussi.* Dans leurs longues bures boueuses, ils ressemblaient à la marionnette Puncinello et à sa femme, se lançant des insultes et agitant les bras comme des fléaux à grain. Il s'attendait à ce que celui qui ressemblait à une fille reçoive une claque, à la façon dont son propre père frappait sa mère quand elle l'asticotait. Mais peut-être que les frères n'étaient pas autorisés à claquer les oreilles de leurs petits chéris.

Finalement, le moine ralentit le pas et attendit une fois de plus que le chariot le rejoigne.

– Où allez-vous, *signore*? grommela-t-il.

Primo retira sa calotte et prit un air qu'il espérait suffisamment penaud.

– À l'abbaye de Sant'Ubaldo, près de Gubbio, mon révérend. J'apporte ce bois aux moines de l'endroit. Je dois en apporter un chargement à l'abbé avant de pouvoir couper mon propre bois dans la forêt. Nous y arriverons cet après-midi s'il ne pleut pas et si le dos de Jupiter tient bon.

– Alors vous êtes au service des moines noirs de saint Benoît? demanda le moine.

– C'est encore pire que ça: malgré les avertissements des sermons, je sers deux maîtres. Mais, je ne peux pas dire que j'en aime un et que je déteste l'autre, parce que j'aimerais bien me débarrasser des deux. Mon premier maître, c'est le comte Alessandro. Il a tué un de ses paysans parce qu'il n'avançait pas assez vite sur la route. Il a carrément lancé son cheval sur lui. Bien sûr, il a été absous parce que le paysan était un de ses serfs mais, en guise de pénitence, il a dû donner aux moines un pâturage, la moitié de son bois, et la moitié du mien. En ce moment, vous êtes en face de la moitié d'un homme. Une moitié de moi est au service de l'intendant des moines et l'autre moitié appartient au magistrat du comté, même si je ne peux pas vous dire laquelle des deux moitiés travaille le plus fort et, pendant ce temps, personne ne s'occupe de ma propre terre.

Le moine rabattit son capuchon. Il réfléchissait en marchant près du chariot, alors que le novice s'attardait à quelques pas derrière. Pendant un moment, on n'entendait que le son de la cloche du bœuf, le grincement du tombereau et le bruit de succion des sabots dans la boue.

– Saint François avait raison, dit finalement le moine. C'est un jour triste quand des hommes de Dieu décident qu'ils ont besoin de biens. Et c'est encore plus triste quand ils vendent des absolutions pour les obtenir.

– Votre saint a dit beaucoup de choses vraies, même s'il était une sorte de mendiant dégoûtant à sa façon. Vous comprenez ce que je veux dire, *padre*?

Il lança un regard au frère.

– Non. Je vois que vous ne comprenez pas, continua Primo. C'est en l'an 1225 que mon vieux père, qui avait à cette époque l'âge de votre novice, a rencontré le saint homme en chair et en os. Les frères le transportaient sur un âne. Il était aveugle comme une chauve-souris en plein jour et ses mains et ses pieds étaient tout enveloppés pour couvrir les blessures du Christ, vous savez.

– Il n'y a rien de dégoûtant dans le fait qu'il était aveugle ou qu'il était blessé, interrompit le frère. Il avait attrapé une maladie des yeux en Égypte en essayant de convertir le sultan au christianisme. Pour ce qui est des stigmates du Christ crucifié, c'était le plus grand don jamais accordé au fils d'un homme mortel.

– Bien sûr. Vous avez tout à fait raison. Mais je n'ai pas fini mon histoire. Comme je le disais, mon père le regardait quand un lépreux est sorti d'un boisé en boitillant et en agitant les bras avant de présenter son bol à aumône. « Amenez-moi mon frère », dit le saint, puis il commença à chercher des mains la tête du mendiant. Aussitôt qu'il toucha le visage et les lèvres, il l'embrassa comme si c'était la plus belle des créatures. Vous pouvez toujours parler pour vous-même, mais moi, je trouve ça dégoûtant.

– Vous ne seriez pas le seul à penser ainsi, admit le frère. Je n'aurais pas la force de faire une telle chose. Le zèle sacré est aussi un don de Dieu.

Pendant que Conrad parlait, le tombereau avait franchi une courbe sur la route détrempée. Partout dans les montagnes, la brume du matin s'élevait en volutes duveteuses. Le fermier pouvait tout juste apercevoir, plusieurs lieues au loin, les grandes tours grises monolithiques de l'abbaye sculptée à même la pente du mont Ingino. Sous l'abbaye, au pied de la montagne, nichait le village de Gubbio.

– Regardez là-bas, mes frères, dit-il. C'est la fin de mon voyage. Vous feriez mieux de vous y arrêter cette nuit, vous aussi. La table de Dom Vittorio fait honneur à ses hôtes.

Une fois la brume évaporée, le soleil assécha aussitôt la route, qui se transforma en une marne croûtée. Le chariot se déplaçait maintenant plus rapidement vers sa destination. Les trois voyageurs atteignirent le monastère entre none et vêpres.

Conrad s'arrêta un moment pour plier les genoux, appréciant l'étirement des muscles de ses cuisses. Il était heureux d'approcher de la fin d'une autre journée de marche, heureux également de se séparer du bruyant fermier, même s'il devait toujours supporter la présence d'Amata. Stimulée par le fermier, elle s'était amusée aux dépens de Conrad pendant la majeure partie de la journée. Quel fardeau elle doit être pour sa Mère prieure et ses sœurs à Saint-Damien ! Plus tôt elle se retrouverait derrière les murs du couvent et plus tôt il se retrouverait seul, mieux ce serait.

Il inspira profondément, remplissant ses poumons de l'air odorant. Une brise fraîche souffla en une bourrasque capricieuse, dispersant les feuilles jaunies de la forêt, puis s'arrêtant aussi brusquement qu'elle avait commencé.

Devant eux, un vieux moine plissait les yeux dans l'embrasure de la maison du gardien. Derrière le minuscule abri, un pont de bois surplombait les eaux de la rivière Chiagio et menait à la porte massive du monastère. Ses murs ressemblaient à ceux d'une forteresse avec leurs judas et leurs meurtrières. Conrad supposait que la porte principale cachait même une herse.

Sur l'autre berge de la rivière, une tourterelle solitaire sautillait parmi les roseaux, picorant de temps en temps les graines éparpillées au sol par la tempête. C'est ce que je ferai dans quelques jours, se dit l'ermite – fouiller parmi de vieux parchemins en essayant de trouver une seule graine qui donnerait une signification à ce voyage.

Pendant la dernière heure de marche, alors que le fermier et Amata étaient fatigués de leurs jeux, les pensées de Conrad s'étaient tournées vers le message de Léon. Il devint triste en réalisant qu'il arriverait bientôt à Assise et qu'il n'avait aucune idée de ce qu'il devait chercher, pas plus que la première fois qu'il avait lu la lettre. Découvre la vérité sur les légendes, avait écrit Léon – un indice aussi mince que la graine que cherchait la tourterelle.

– Bonjour, Primo, lui lança le portier. Tu es parti trop longtemps. Amène ton chariot jusqu'à la porte nord et demande un pichet au cellérier.

Les deux hommes échangèrent des plaisanteries pendant que le chariot passait devant le gardien. Puis le vieux moine se tourna vers les frères.

– Que la paix de Dieu soit avec vous, mon frère, dit Conrad.

– Et avec vous aussi, répliqua le moine. Passerez-vous la nuit avec nous ?

C'était, bien sûr, impossible. Le fait de laisser entrer une femelle entre les murs d'un monastère serait un grave manquement malgré le déguisement d'Amata. Et Conrad n'était pas certain non plus qu'elle puisse continuer à jouer le rôle de novice. Même s'ils passaient la majeure partie de leur temps dans des quartiers réservés aux hôtes, ils devraient à un moment ou l'autre interagir avec la communauté.

– Que Dieu bénisse votre bonté, dit l'ermite, mais nous voulons nous rendre à Gubbio tandis qu'il fait encore jour.

Pendant que Conrad refusait l'hospitalité que lui offrait le gardien, un grondement s'éleva et la route commença à trembler sous leurs pieds. Le vieux moine ne montra aucun signe d'inquiétude et pointa son index vers le flanc de la colline où une douzaine de moines lourdement armés galopaient vers eux en montant de la vallée. Ils n'étaient pas montés sur des palefrois fragiles, mais sur d'énormes chevaux de guerre, aussi hauts que les épaules d'un homme et avec des poitrines larges comme des barils. Une meute de chiens courait avec eux, longeant les abords du chemin pour éviter les sabots des chevaux. Les chevaux galopaient en ligne droite vers les voyageurs, leurs bouches écumantes et leurs oreilles aplaties. Paralysé, Conrad ne pouvait que croiser ses bras devant son visage. Au dernier moment, le chef de file tira sur les rênes tout en appuyant fortement ses pieds dans les étriers. Il semblait d'une force physique remarquable et la croix incrustée de joyaux qui s'agitait sur sa large poitrine trahissait son identité : c'était Dom Vittorio, le Père supérieur de Sant'Ubaldo.

– Bienvenue, mes frères ! cria-t-il à Conrad et Amata.

Il se tenait debout sur ses étriers et semblait leur parler du sommet des arbres qui encadraient sa tête presque chauve.

– C'est sûrement la Providence qui vous a envoyés à moi pour que cette journée ne soit pas un désastre total.

Conrad écarquilla les yeux devant la multitude de piques et de hallebardes, les carcans des flèches derrière les épaules des hommes et les massues et arbalètes qui pendaient à leurs selles. Ils pourchassaient un animal plus dangereux qu'un chevreuil.

Le Père supérieur suivit son regard.

– Ces maudits Pérugins, expliqua-t-il. Que Dieu envoie leur âme en enfer. Ils ont embauché une bande de malfrats qui nous attaquent quand nous traversons les cols, mais nous n'avons trouvé aucun de ces bâtards aujourd'hui. Conrad se rappela que le supérieur de Sant'Ubaldo possédait la majeure partie des terres agricoles et des forêts entourant Gubbio et qu'il agissait naturellement comme le seigneur d'un manoir en protégeant périodiquement son fief contre les ennemis et les prédateurs. *Une autre malédiction de la propriété*, pensa-t-il. Une raison de plus pour être reconnaissant de l'amour que portait son Ordre à la Madone Pauvreté – ou tout au moins son amour hypothétique pour la Dame.

Dom Vittorio fit signe aux autres moines de se diriger vers le monastère. L'énorme porte s'ouvrit de l'intérieur avec un bruit de chaînes et de barres. Quand le dernier cheval eut traversé le pont, il tourna de nouveau son attention vers Conrad et Amata. L'ermite s'était déjà engagé sur la route qui menait à Gubbio, alors qu'Amata traînait derrière.

– Attendez, mes frères. Je veux que vous soyez mes hôtes ce soir.

– *Grazie molte*, révérend frère, dit Conrad, mais notre Ordre possède une maison à Gubbio. C'est là que nous coucherons.

Il savait aussi qu'il y avait dans cette ville un couvent des Pauvres Dames où Amata pourrait se loger, bien qu'il eût préféré passer la nuit dans un arbre plutôt que d'envisager l'une ou l'autre possibilité. Si près d'Assise, il préférait éviter toute complication.

– C'est absurde. J'insiste pour que vous restiez.

À en juger par l'insistance du ton qu'avait pris le supérieur, il était évident que l'homme obtenait toujours ce qu'il voulait.

– Je veux que vous dirigiez les offices demain. Après tout, c'est l'anniversaire de votre fondateur.

Déjà le 4 octobre? Conrad ne pouvait croire qu'il avait oublié la fête de saint François, le jour le plus important dans le calendrier de l'Ordre. C'est ce qui arrivait quant on cessait de lire son bréviaire. Il fut tout à coup pris de remords. Il ne put que répondre faiblement :

– Nous ne connaissons pas très bien vos rituels.

– Ah! mais vous pourriez au moins lire les psaumes des vigiles! Vous me feriez une faveur en acceptant.

Le ton neutre du supérieur laissait aussi entendre qu'il considérerait tout refus comme une rebuffade.

Échec et mat! Comment pouvait-il refuser la demande du moine sans admettre qu'il avait voyagé avec une femelle ces deux derniers jours? Il dirigea son regard vers Amata, plaidant pour obtenir son soutien. Il espérait que son esprit vif puisse trouver une solution à ce dilemme, qu'elle pourrait finalement être utile, comme Léon l'avait promis.

Tournant le dos au supérieur, elle lança à Conrad un sourire espiègle.

– Passons la nuit ici, *padre*, dit-elle. Je n'ai jamais passé une nuit dans une abbaye de ces moines.

Les yeux de Conrad s'écarquillèrent alors que la jeune fille prenait un air d'innocence moqueuse. Pendant un instant, il s'imagina en train de lui donner une fessée avec la baguette la plus épaisse qu'il pourrait trouver.

Du haut de son cheval, Dom Vittorio inclina galamment la tête en direction d'Amata.

– Merci, jeune frère, dit-il. Tu seras également traité de manière aussi cordiale qu'un cardinal ou qu'un émissaire pontifical. Si ton grossier compagnon insiste pour continuer son chemin, il peut le faire sans toi.

Conrad baissa la tête pour cacher son exaspération. Ils l'avaient battu. Il ne pouvait rien faire d'autre que partir à leur suite, tandis que le supérieur conduisait son étalon sur le pont et qu'Amata trottait consciencieusement derrière lui. Il devait les rejoindre, ne serait-ce que pour garder un œil sur elle. Dieu seul savait quels ennuis elle pourrait provoquer s'il l'abandonnait à ses caprices.

VII

Conrad compta quelque cent vingt hommes et garçons alors qu'il regardait les moines entrer dans le réfectoire après les vêpres : un immense monastère. Ils prirent un siège le long de deux rangées de tables à tréteaux qui s'étiraient sur toute la longueur de la salle. Dom Vittorio mena Conrad, Amata et son prieur à une table plus petite placée sur une plateforme à l'extrémité du réfectoire. Fermant la procession, le lecteur de la semaine grimpa les marches qui menaient à son lutrin.

Conrad était heureux à la perspective de se nourrir après leur journée sur la route, même s'il ne s'agissait sans doute pas d'un repas complet. Dans un monastère strict, les moines auraient pris leur repas principal à la mi-journée. Par contre, Dom Vittorio ne lui donnait pas l'impression d'être rigide. Conrad voyait davantage le supérieur comme un châtelain de campagne, un de ces survivants hospitaliers d'une époque féodale à l'agonie – comme l'avait probablement été le père d'Amata. L'odeur savoureuse des viandes chaudes provenant de la cuisine confirma son impression.

L'air du soir s'était rapidement rafraîchi, mais le frère cuisinier avait pris soin d'alimenter le foyer qui répandait une chaleur confortable. Conrad remarqua que le réfectoire servait aussi à afficher les armoiries. Tout autour de lui, les flammes du foyer se reflétaient sur des arbalètes polies, des boucliers métalliques, des armes de fer et des plastrons accrochés au mur. À en juger par les ornements de la pièce, il aurait tout aussi bien pu se trouver dans la grande salle du duc de Spoleto.

Sur un signe de Dom Vittorio, le lecteur entama la lecture de la biographie d'un saint bénédictin tirée de la nécrologie de l'Ordre. Immédiatement, les murmures augmentèrent aux tables. Les têtes commencèrent à se tourner dans leur direction. Conrad remarqua que l'attention se fixait de plus en plus sur Amata et, pis encore, elle retournait les regards des moines avec ce large sourire irrésistible qui était le sien. Ne réalisait-elle pas que, même déguisée en garçon, elle n'était pas moins en danger parmi des moines indisciplinés qu'elle l'aurait été en tant que fille ? Il se sentait comme Lot protégeant ses anges visiteurs des citoyens de Sodome et Gomorrhe. Non pas qu'Amata puisse être considérée comme un ange, même avec une imagination débridée. Pourtant, il se sentait responsable d'elle. Il se pencha vers la jeune fille et murmura :

– La modestie, mon frère, la modestie.

Heureusement pour les nerfs de Conrad, la nourriture arriva à ce moment. Plutôt que le bouillon fade, le pain de grain et les pois secs auxquels il aurait pu s'attendre, le cuisinier et sa petite armée d'assistants apportèrent des plats de porc rôti et des tranches de fromage. Un jeune assistant coupa devant eux des tranches de délicieux pain blanc. Un autre remplit leur coupe de vin aromatique et, pendant tout ce temps, Dom Vittorio souriait à ses hôtes avec affabilité.

– Mangez, mes frères. Demain, vous reprenez la route. Il faut refaire vos forces.

Les murmures des mangeurs se transformèrent en un vacarme qui noyait complètement la voix du lecteur. Conrad regarda vers l'autre extrémité de la salle et vit que les chiens de chasse avaient envahi la pièce et arpentaient les espaces entre les tables. De temps en temps, un des moines lançait dans les airs un morceau de viande ou de pain, provoquant des batailles entre les bêtes. Aux tables des novices, le jeu semblait consister à lancer un morceau de nourriture sur le bord de la table opposée, forçant ainsi un frère novice à disputer sa nourriture à un chien sautillant.

Bien que l'ermite eût des scrupules à manger aussi voracement que les moines, son estomac rejeta ses objections. Conrad termina chacune des épaisses tranches de porc qu'on lui offrait à titre d'hôte. Amata mangeait aussi avec appétit et, à la fin du repas, elle applaudit avec les moines pendant que les tables étaient renversées sur leurs tréteaux. Les moines jetaient sur les dalles les coupes d'étain vides et les restes de nourriture ; les chiens ajoutaient alors au tumulte, jappant furieusement en se précipitant sur les restes. À travers ce chahut, Conrad voyait se mouvoir les lèvres du lecteur, jusqu'à ce que le moine ferme finalement son livre et fasse le signe de la croix.

Le repas du soir était terminé.

L'équipe des cuisines se rangea en file contre le mur en attendant que les chiens aient terminé. Les moines retournèrent en file vers la basilique de l'abbaye pour les complies, le dernier office de la journée. Comme ils entraient dans la nef et prenaient leur position désignée dans les stalles du chœur, Conrad et Amata se détachèrent du groupe. Les deux frères gris se tinrent à l'écart dans le transept nord pendant que les moines noirs priaient pour jouir d'un sommeil paisible et de la protection contre le Démon qui, les prévenaient leurs psaumes, ferait sa ronde *sicut leo rugiens*, comme un lion rugissant, pendant la nuit, en cherchant qui il pourrait dévorer. Conrad inclina la tête et souhaita qu'Amata connaisse suffisamment le latin pour prendre ce conseil à cœur.

L'ermite avait vécu si longtemps hors des communautés religieuses qu'il avait oublié la puissante résonance que pouvaient produire tant de voix masculines jeunes et âgées qui chantaient à l'unisson. Malgré leur comportement peu consciencieux, pensa Conrad, ces moines savent chanter. Les voix de basses, en particulier, faisaient vibrer sa poitrine. Alors que la basilique s'assombrissait et que les fidèles disparaissaient à la vue les uns des autres dans l'obscurité croissante, il laissa des larmes de joie couler de ses yeux et descendre le long de ses joues. Il ne savait pas si Amata le voyait, mais il ne s'en souciait pas. Pour le moment, il se trouvait aussi seul dans la basilique bondée qu'Amata l'avait été lorsqu'elle s'était réfugiée dans ses pensées sur le plateau, le soir précédent.

Une période de méditation suivit le dernier hymne, et Dom Vittorio chercha les frères des yeux et leur fit signe de le suivre. Il les mena dans une chambre à coucher attenante à son bureau.

– Normalement, c'est ici que je dors, dit-il, mais notre hôtellerie est actuellement en réfection. Je laisse mon lit à mes honorables visiteurs.

Une unique chandelle éclairait la pièce, mais elle donnait au lieu davantage de confort que Conrad ne l'aurait cru possible dans un monastère. Une chaise de lecture rembourrée était placée devant une fenêtre à carreaux sertis de plomb et un haut tabouret capitonné avait été posé près du bureau de travail du supérieur. Deux grandes tapisseries ornaient les murs de pierre. L'une d'elles représentait un sanglier pris en tenailles par des chasseurs, et l'autre, un fauconnier en train de retirer le capuchon de son oiseau. Toutefois, ce qui l'étonnait le plus, c'était le lit du supérieur. D'habitude, les moines dormaient sur un simple matelas de paille. Ce lit avait une structure de bois qui élevait le matelas bien au-dessus du plancher froid. Les rideaux liés aux colonnes de lit étaient suffisamment écartés pour révéler la présence d'un édredon de duvet et d'une pile d'oreillers aussi larges que des poches de blé. Lorsque les rideaux étaient fermés, ils protégeaient des courants d'air hivernaux ou des moustiques l'été. Le matelas était très probablement bourré de plumes d'oie. Conrad se demanda si un quelconque pape avait jamais dormi dans un tel lit.

Le supérieur s'approcha de Conrad et lui dit à voix basse :

– Le lit est assez grand pour vous deux ou je peux demander qu'on apporte un autre matelas pour votre novice.

Tout en parlant, il dévisageait Conrad. L'ermite savait que la proposition de Dom Vittorio représentait aussi bien une mise à l'épreuve qu'une suggestion.

– Oh ! non ! Non ! balbutia Conrad en reculant vers la porte. La même chambre ? Ce ne serait pas…

Le supérieur hocha la tête et leva les mains.

– N'en dites pas plus. Vous avez tout à fait raison d'éviter même les soupçons d'inconvenances. J'ai honte d'admettre qu'il se trouve dans mon monastère des gens dont l'esprit est trop préoccupé par l'impureté de la chair. Ils pourraient mal interpréter le fait que vous partagiez votre chambre. Le garçon dormira dans le dortoir des novices.

Il se tourna vers Amata.

– Viens avec moi, mon fils.

Amata haussa les épaules en direction de Conrad. Que puis-je faire ? Je n'ai pas le choix, semblait-elle dire. Elle sourit et emboîta le pas à Dom Vittorio.

– Attendez, laissa tomber Conrad.

Sans réfléchir, il saisit l'épaule blessée de la jeune fille. Amata lança un cri de douleur. Le ton aigu de sa voix les surprit tous les trois. Les joues rouges, Conrad prit la parole rapidement en tentant de couvrir la jeune fille et de détourner l'attention du moine.

– J'avais oublié de mentionner, révérend père, que Fabiano s'était blessé au bras hier.

Sa voix tremblait et, pendant un instant, il eut peur de tout révéler, mais il lui semblait que leur seul espoir résidait dans le fait qu'il continue de parler.

– Nous devrions lui céder le lit confortable. Une paillasse dans le dortoir des prêtres suffira amplement à mes besoins. D'habitude, je dors sur le sol.

Dom Vittorio fixa Amata avec curiosité pendant qu'il suivait l'ermite vers la porte.

– Comme vous voudrez, frère Conrad.

Il jeta un dernier regard en quittant la pièce.

– Ne te préoccupe pas de la cloche de la vigile, jeune frère, et repose-toi bien. Si ta blessure est encore douloureuse au matin, je demanderai à l'infirmier de l'examiner à la lumière du jour.

Amata inclina la tête – avec un peu trop d'empressement, aux yeux de Conrad. La pauvre fille semblait trop terrifiée pour parler de nouveau, de crainte que sa voix ne la trahisse.

Conrad pouvait déjà deviner qu'il n'y aurait aucun repos pour lui jusqu'à ce qu'ils quittent cet endroit. Son estomac se contracta alors que lui et le supérieur pénétraient dans le cloître ; les tranches de porc, grasses et riches, gargouillaient dans ses intestins. Le claquement des sandales de Dom Vittorio sur les dalles et même le murmure des pieds nus de Conrad se répercutaient sur les murs avec un son étrangement puissant dans le silence de l'endroit. L'ermite observa anxieusement l'espace peu éclairé. Il pouvait presque sentir les silhouettes sombres qui se tenaient accroupies en attendant impatiemment derrière chaque colonne que la lune éclairait. Je t'en prie, sois sage cette nuit, Amata, implora-t-il, mais, bien sûr, elle ne pouvait entendre sa supplication pendant qu'elle se blottissait confortablement dans son vaste lit.

❧

Habitué qu'il était à des sons comme le grattement occasionnel d'une branche de pin contre le mur de son ermitage, Conrad avait du mal à trouver le sommeil. Le dortoir avait été divisé de telle façon que chaque dormeur avait sa propre petite cellule, mais les cloisons de bois à hauteur d'homme ne diminuaient en rien la cacophonie rauque qu'émettaient des dizaines de moines ronflant.

Pourtant, même si la pièce avait été aussi calme qu'un cimetière, son inquiétude à l'égard d'Amata l'aurait tenu éveillé. Chaque bruissement de matelas, chaque craquement des lattes du plancher le faisait se redresser. Heure après heure, son imagination lui faisait voir des moines quittant leur lit et y revenant un peu plus tard. Finalement, au milieu de la nuit, la fatigue le submergea et il glissa dans un sommeil agité. Le reste de la nuit se révéla fort court. Plus tôt qu'il ne semblait humainement décent, le veilleur de nuit agita sa cloche afin d'annoncer qu'il était temps de se lever pour la vigile.

À demi endormi, Conrad répéta les paroles du roi David qu'il avait citées à Amata la veille : « Sept fois durant le jour je Te louerai et, pendant la nuit, j'invoquerai Ton nom. » Au diable le roi David et son insomnie, murmura-t-il. Mais il se reprocha immédiatement son esprit blasphémateur et son corps paresseux. De toute évidence, il avait traité son corps avec trop d'indulgence dans sa retraite forestière. Même ces moines noirs dissipés lui faisaient honte. Le frère se frotta les yeux, s'étira et suivit d'un pas mal assuré les moines qui se dirigeaient en silence vers la basilique. Il se frotta les mains et les bras pendant qu'il marchait ; l'air de la nuit avait refroidi le cloître et le soleil ne se lèverait pas avant cinq autres heures. Dans l'église, les moines noirs avaient formé quatre rangées, deux de chaque côté de la nef, et les prêtres s'étaient rangés le long des ailes surélevées tout près du mur, alors que les novices se tenaient debout sous eux, au niveau du sol. Ne jouissant d'aucune priorité d'âge dans ce groupe, Conrad prit la position la plus éloignée à la fin d'une rangée de prêtres. Il ne voyait pas Amata. Apparemment, elle avait suivi le conseil de Dom Vittorio et continuait de dormir.

L'ermite se rendormit brièvement pendant que son voisin de chorale arrangeait les signets de soie dans le grand psautier en équilibre sur le lutrin qu'ils partageaient. Quand il se força à rouvrir les yeux, il se sentit quelque peu disculpé en voyant les autres apparemment aussi fatigués que lui-même. Même Dom Vittorio paraissait avoir mal dormi. Ses yeux étaient bouffis, ses joues parsemées de rougeurs, et sa voix grinçait comme les chaînes rouillées d'un pont-levis lorsqu'il entama la bénédiction marquant le début de l'office : *Jube, Domine, benedicere*.

Un à un, les hymnes, les psaumes et les antiennes s'écoulèrent des lèvres de Conrad jusqu'à ce qu'arrive le moment de la première lecture. Sur un geste de Dom Vittorio, il fit une petite révérence et monta dans la chaire qui s'élevait derrière la stalle du Père supérieur. Un des moines avait déjà ouvert le livre aux passages que Conrad devait réciter. La formation ecclésiastique de Conrad prit le relais lorsqu'il entonna les quatre premières leçons tirées du Commun des confesseurs.

Plus il lisait, plus il se surprenait à apprécier son rôle dans l'office des moines noirs, fier que saint François soit ainsi honoré par les membres d'un autre Ordre parfois rival. Toutefois, comme il tournait la page pour amorcer la cinquième lecture, il s'interrompit soudainement. Trois fois, il parcourut des yeux le titre : *Lectio de Legenda Major Ministri Bonaventuræ*.

Est-ce pour cela que Dieu m'a infligé cette nuit de tourments ? se demanda-t-il. Le dernier texte était tiré de la *Légende majeure*, la biographie de saint François écrite par Bonaventure. Conrad aurait-il enfin trouvé un indice lui permettant de comprendre le message de Léon ? Une fois de plus, une partie de la lettre de son mentor lui revint à l'esprit pendant qu'il se tenait debout, stupéfait, s'agrippant aux côtés du lutrin : Lis avec tes yeux, discerne avec ton esprit, éprouve en ton cœur la vérité des légendes.

Une quinte de toux qui s'éleva du chœur le ramena à sa tâche. Des rangées de visages pâles et contrariés le fixaient, et, une fois de plus, Dom Vittorio se racla la gorge ostensiblement. Conrad inclina la tête pour s'excuser et reprit sa récitation. *Franciscus, Assisii in Umbria natus*, psalmodia-t-il, François, né à Assise en Ombrie… et il se laissa de nouveau entraîner par le récit. Cependant, au milieu de la septième leçon, Conrad s'interrompit encore une fois. Le passage décrivait comment, deux ans avant la mort de François, un séraphin muni de six ailes flamboyantes apparut au saint et imprima sur ses mains, ses pieds et son flanc, les blessures du Christ crucifié.

De toute façon, Conrad aurait dû faire une pause à cet endroit. Le moment où l'ange imprimait les stigmates sacrés sur le corps de saint François était le plus dramatique et le plus émouvant des chroniques de l'Ordre. N'importe quel frère aurait été touché. Mais alors même que son cœur s'émouvait à cette pensée, une des questions de Léon tenaillait son esprit. Qu'en est-il du séraphin ? Était-ce le séraphin dont Léon parlait ? Fort probablement que non, puisque l'ange venait de toute évidence du paradis. Alors, qu'est-ce que Léon pouvait vouloir dire par cette phrase ?

Il souhaita pouvoir s'arrêter un moment pour démêler les liens qui se bousculaient pêle-mêle dans sa tête, mais il devait continuer à chanter. Quand il eut enfin terminé le passage, il tenta à nouveau de rassembler ses pensées pendant que les moines chantaient le responsorium et le versicule qui suivaient, mais un mouvement qu'il perçut à l'entrée de la basilique l'éloigna encore davantage de ses réflexions. Un des novices venait d'arriver et il s'était prosterné devant le maître-autel pour expier son retard. Pendant qu'il prenait sa place dans le chœur, il murmura quelque chose à l'oreille d'un autre novice et les deux gloussèrent. Conrad suivit leur regard et vit, dans la nef sombre, qu'Amata venait également d'arriver. Elle marcha jusqu'à la stalle au bout de la rangée de novices qui faisait face aux traînards et (était-ce possible?) elle sembla sourire à la dérobée au jeune homme. Conrad plissa les yeux en essayant de mieux voir dans la pénombre de la basilique. L'avait-il vraiment vue sourire, ou était-ce ses yeux qui lui jouaient des tours? Dans la lumière faible et vacillante des bougies et de l'endroit où il se trouvait, il ne pouvait en être certain.

Le chœur le rappela à nouveau à sa tâche. Presque comme si cela faisait partie de l'office, les moines commencèrent à tousser à l'unisson, un peu plus fort et d'une manière un peu plus irritée que la première fois, réalisa Conrad. Il amorça la dernière leçon. Encore à demi éveillé, et la tête encombrée de tant de nouvelles questions, il avait l'impression que son cerveau était aussi lent que le bœuf de Primo.

Pourquoi devrait-il se préoccuper de ce que faisait Amata? Une colère inattendue le saisit alors qu'il psalmodiait le passage final. La scène de la mort de saint François ne pouvait rivaliser avec le fourmillement de pensées qui s'entrechoquaient dans son cerveau.

Ma colère n'est-elle pas juste? Je suis responsable d'elle, après tout.

Mais pas vraiment. Dieu lui a donné le libre arbitre, comme à n'importe quel autre être humain. De plus, elle n'aurait pas dormi ici la nuit dernière n'eût été sa propre supercherie.

Mais la femme est plus faible. Elle a besoin de ma force. J'aurais dû trouver une façon de la protéger.

Il réussit tant bien que mal à terminer l'office et commença à descendre les marches de la chaire. C'est à ce moment que la voix querelleuse suggéra: Frère Conrad, serais-tu jaloux?

C'est grotesque! Il lança à Amata un regard furieux en passant devant elle dans la nef alors qu'il retournait à son siège. Il vit la jeune fille tressaillir, mais il détourna son regard.

Quand il eut rejoint son voisin de chorale, il se laissa glisser contre le mur de sa stalle et fixa la rangée de têtes rasées sous lui. La nuque de la jeune fille avait pris une teinte pourpre et ses frêles épaules tremblaient d'une manière à peine visible. L'ermite laissa échapper un profond soupir pendant que le chant grégorien s'amplifiait autour de lui. Il tourna tristement les yeux vers le tabernacle d'or monté sur le maître-autel.

Que Dieu me pardonne mes soupçons, pria-t-il. Je l'ai mal jugée. Je l'ai terriblement mal jugée.

VIII

— **C**onrad, prenez cette nourriture! Mon épaule est endolorie.

Amata et l'ermite venaient tout juste de traverser le pont de bois devant le monastère, tandis que le vieux gardien les suivait toujours des yeux.

– *Mi scusi*, ma sœur. Sois patiente. Nous devons montrer à Dom Vittorio que ta blessure guérit. Autrement, il voudra t'envoyer à l'infirmerie.

– Je suis sûre qu'il ne le ferait pas, répondit la jeune fille d'un ton neutre.

– Comment peux-tu dire ça? Tu as entendu ce qu'il a dit la nuit dernière.

– Et je crois toujours qu'il ne m'aurait pas envoyée à l'infirmerie ce matin. De toute façon, nous sommes sortis de l'abbaye maintenant.

Elle grimaça en laissant glisser de son épaule le sac de nourriture qu'elle tendit à l'ermite. Le cellérier les avait généreusement approvisionnés.

À l'endroit où le sentier se mettait à descendre vers la ville, Amata s'arrêta et pointa son index vers Sant'Ubaldo qui se détachait comme un rempart sombre contre le ciel rosé.

Au-dessus de l'abbaye, les nuages gris comme des toisons boueuses avaient commencé à s'éclairer d'un rose éclatant.

– Ne trouvez-vous pas étrange, dit la jeune fille, que le soleil se lève toujours à l'est?

– Quoi, qu'est-ce que ça a à voir...

– N'avez-vous jamais réfléchi à cela? Le soleil se couche à l'extrémité ouest du monde chaque soir mais, au lever du jour, il est revenu d'où il était parti. Comment est-il revenu là pendant la nuit ? Ça ne suscite pas des questions dans votre esprit ?

– Non. Je sais que tout est possible avec Dieu, et cela me suffit.

– Et pendant que vous chantiez dans l'obscurité, le soleil réchauffait déjà notre nouveau pape. Dom Vittorio disait qu'il devrait être en mer maintenant et voguer de la Terre promise à Venise. Avez-vous prié pour sa sécurité et celle de tous les jeunes marins ce matin ?

– Je n'avais même pas entendu parler de l'élection jusqu'à ce que nous brisions le silence après Prime. Évidemment, je souhaite que le Saint-Père fasse un bon voyage. Et tous ceux qui voyagent avec lui également.

Amata sourit de cet air à la fois sage et satisfait que Conrad avait appris à connaître au fil des jours. Depuis la vigile, il s'était montré gracieux, essayant de se racheter pour la supposition qu'il avait émise plus tôt. Elle ne posait pas de question sur son changement de comportement, mais répondait avec exubérance. Toutefois, elle persistait à éviter les questions de l'ermite sur sa nuit dans la chambre de Dom Vittorio. Conrad soupçonnait qu'elle le taquinait volontairement, ce qu'il méritait, bien sûr, pour avoir imaginé le pire à propos de la jeune fille. Il savait qu'il ne servirait à rien de lui poser des questions sur le jeune novice qui était arrivé en retard en sa compagnie.

L'angélus du matin se fit entendre au loin, signalant aux gardiens de nuit de la cité que le moment était venu d'ouvrir les portes. La ville de Gubbio s'étendait comme un pied basané au fond de la vallée, son gros orteil enfoncé dans la gorge créée par le mont Calvo à l'ouest et le mont Ingino où ils se trouvaient maintenant. Au-delà des murs de la ville, Conrad pouvait apercevoir les ruines d'un ancien amphithéâtre romain. Apparemment, Iguvium, comme se nommait la ville à l'époque de César, s'était jadis étendue jusqu'à la plaine de la rivière Chiagio, avant que des siècles de guerre entre cités-États rivales ne l'aient forcée à reculer jusqu'à ses limites actuelles.

Le grincement horrible des portes de la cité qui s'ouvraient pour accueillir le jour nouveau déchira la quiétude de l'aube. L'ermite se souvint de la dernière fois où il avait traversé le Gubbio, ce printemps où il avait reçu le parchemin du frère Léon.

– Connais-tu la Corsa dei Ceri, ma sœur? demanda-t-il.

Amata secoua la tête.

Conrad s'arrêta et posa son fardeau par terre.

– Je l'ai vue une fois. Chaque 15 mai, à la veille de la fête de leur saint patron, les habitants de Gubbio organisent une course sur le mont Ingino, à partir de cette barrière un peu plus loin jusqu'à l'abbaye. Trois équipes de dix hommes portent trois énormes chandelles de bois sur ce sentier. Les chandelles ont la taille de six hommes et sont lourdes comme le fer, et chacune est couronnée d'une figure en cire représentant un saint – saint Ubald, bien sûr, ainsi que saint Georges et saint Antoine Abbé. C'est magnifique de voir les équipes courir avec leur fardeau pendant l'escalade, les saints se balançant sur leurs colonnes, et toute la ville à leur poursuite.

– Quel saint a remporté la victoire l'année où vous étiez ici?

Conrad eut un haussement d'épaules.

– La course n'a pas vraiment d'importance. En tant que saint patron de la ville, saint Ubald doit toujours gagner. Saint Georges finit toujours second, et saint Antoine, toujours dernier.

Amata éclata de rire.

– Alors pourquoi font-ils cette course?

L'ermite reprit le sac de nourriture et se remit à descendre le sentier.

– Tu dois comprendre, ma sœur, que le rite n'existe que pour accroître la dévotion des paysans. Comme ils ne savent pas lire, ils ne peuvent tirer une inspiration des écritures comme le font les évêques et les prêtres. Les fidèles ont besoin d'une image ou d'un spectacle pour se rassembler et, grâce à cette course, ils ravivent chaque printemps leur foi endormie. Cette course annuelle a sur leur âme le même effet qu'a le retour de la chaleur sur leurs champs.

Parvenus à la fin du sentier, ils saluèrent le gardien et pénétrèrent dans la ville. Un jeune garçon, les jambes maigres couvertes d'égratignures, les dépassa en poussant devant lui un troupeau de chèvres. Les clochettes des chevreaux s'agitaient bruyamment pendant qu'ils sautillaient autour des biques saturées de lait ou s'amusaient à donner des coups de cornes en des combats insouciants. Conrad leur lança un regard inquiet. Malgré toute son affection pour les créatures qui hantaient la forêt autour de son ermitage, y compris les chèvres sauvages, il partageait le sentiment populaire à l'endroit de leur version domestiquée. Il ne s'agissait pas vraiment de démons, bien qu'une lueur satanique se cachât derrière ces yeux jaunes. Leur puissance secrète ressemblait davantage à celle des anciens satyres, avec leurs cages thoraciques saillantes, leurs cornes recourbées, leurs tétines ou leurs testicules pendants, leurs barbiches au poil clairsemé, et leur sang si chaud qu'il pouvait, disait-on, faire fondre des diamants. Il frissonna et fit le signe de la croix.

À cette extrémité de la ville, plusieurs maisons étaient construites en pierre. Tout autour de Conrad et d'Amata, les portes et les volets s'ouvraient alors que les servantes entreprenaient leurs tâches matinales. Du monastère jusqu'aux murs de la ville, le sentier descendait en pente raide. Les rues de la ville, également étroites et abruptes, étaient encore glissantes de la pluie qui était tombée deux nuits auparavant, et ils devaient avancer prudemment pour éviter de glisser ou de marcher sur les détritus que les habitants jetaient par les fenêtres.

Conrad connaissait bien les rues de Gubbio. Il avait l'intention de traverser la grand-place, de suivre la rue Paoli jusqu'à la Piazza del Mercato, de prendre un raccourci par le marché et de quitter rapidement la ville par la Porta Marmorea. Il était pressé de quitter Gubbio. Les maisons serrées les unes contre les autres et les rues qui s'animaient le rendaient claustrophobe. Toutefois, Amata n'avait jamais vu Gubbio. Elle posait des questions sur chaque immeuble, qu'il s'agisse de la cathédrale de Santi Mariano e Jacopo Martire, bizarrement construite, avec son mur arrière encastré dans une colline, ou du palais Praetorio. Les tours sans fenêtres des forteresses de la noblesse tranchaient la ligne d'horizon, les masures de bois des classes inférieures s'entassaient de chaque côté des rues, et tout cela fascinait la jeune fille. Au moment où ils atteignaient la Piazza del Mercato, plusieurs marchands avaient déjà ouvert leur éventaire et commencé à crier les mérites de leurs marchandises, détruisant irrévocablement les derniers vestiges d'un matin calme.

– *Buon giorno*, frères, leur dit d'une voix chantante une femme qui les dépassait en tenant une cruche en équilibre sur sa tête. Une fillette, maigre et timide, la suivait, portant une miche de pain aussi longue qu'elle était grande. Sans doute pour respecter quelque vœu que ses parents avaient fait, l'enfant portait l'habit et la guimpe d'une nonne. Ses pieds nus étaient rouges de froid, et Conrad se demanda pourquoi la mère n'avait pas donné à sa fille des bottes comme les siennes. Peut-être l'enfant n'était-elle qu'une servante.

Le boulanger du village étalait habituellement ses produits avant les autres marchands, et l'arôme du pain fraîchement cuit fit venir l'eau à la bouche de Conrad. Amata jeta un regard suppliant dans sa direction et joignit les mains en signe de prière, mais Conrad se contenta de hausser les épaules.

– Tu sais que nous n'avons pas un sou, ma sœur. Et nous n'avons pas besoin de mendier avec toute la nourriture qu'on nous a donnée.

Le visage d'Amata se tordit en une grimace espiègle que Conrad fit de son mieux pour ignorer. Elle était si frivole ce matin !

L'ermite traversa la piazza dans la direction générale du Convento di San Francesco situé à l'autre extrémité. Plus tôt dans sa carrière, il aurait peut-être prolongé son voyage afin de visiter ses frères moines de Gubbio mais, après avoir passé des années dans la solitude, il se sentait maintenant trop étranger. Un frisson lui parcourut l'échine, né d'un étrange sentiment d'anxiété, pendant qu'ils passaient sous les murs du monastère. Plus loin, il aperçut la Porta Marmorea maintenant ouverte, et la route déserte qui menait à Assise. Pressé par la clameur qui se faisait de plus en plus bruyante autour d'eux, il accéléra le pas.

Ils avaient presque franchi la place du marché lorsque trois sonneries de trompette retentirent en provenance d'un coin éloigné de la place, atténuant le babillage des marchands.

– Repentez-vous ! Repentez-vous ! criait un homme d'une voix tonitruante. *Penitentiam agite* ! Le royaume de Dieu est plus près que vous ne le croyez.

Les clients matinaux qui grouillaient autour des éventaires en marchandant s'interrompirent brusquement et se dirigèrent vers le vacarme.

– C'est Jacopone ! crièrent des voix aux gens qui sortaient la tête par les portes et les fenêtres.

Un groupe de petits garçons, frustrés de n'avoir pas réussi à lapider un chat sur un toit où il s'était réfugié, ramassèrent d'autres cailloux et se glissèrent parmi leurs aînés. En lançant des pierres à un fou, ils pourraient compenser pour le chat. De plus, comme l'homme dépassait d'au moins une tête les gens qui l'entouraient, il constituait une cible plus facile que le chat.

– Partons pendant qu'ils se divertissent, dit Conrad par-dessus son épaule.

N'entendant pas la réplique d'Amata, il se tourna pour découvrir qu'elle avait suivi les garnements.

Il l'aperçut dans la foule et joua des coudes pour se rendre jusqu'à elle. Elle avait réussi à se glisser au premier rang du cercle. Le dénommé Jacopone se tenait sur la base d'une fontaine de marbre au centre de la place et regardait la foule d'un air furieux. Toutes les fenêtres entourant la place étaient maintenant ouvertes et quelques pâles *nobildonnas* étaient même sorties sur leur balcon – une rare apparition publique, réalisa Conrad. Ces femmes de la noblesse ne descendaient dans la rue que pour se rendre à la messe du dimanche, de peur d'éclabousser de boue leur splendide traîne. Normalement, seules les servantes et les femmes du commun sortaient en public.

Jacopone leva les bras vers le ciel et tourna lentement sur lui-même en scrutant les spectateurs de ses yeux bruns injectés de sang. Ses joues, à peine dissimulées par une barbe en bataille, faisaient saillie sous son crâne étroit. Il ne portait qu'un pagne et une cape noire de peau de mouton ornée d'une grande croix peinte en rouge qui s'étalait dans son dos du col à l'ourlet et d'une épaule à l'autre.

– Je reviens tout juste de Rome, commença-t-il. Je suis allé voir la cour pontificale.

Quelques spectateurs gloussèrent, mais leur rire était embarrassé et leurs voisins leur firent rapidement signe de se taire. Pas plus de deux ou trois spectateurs auraient pu affirmer avoir visité la Ville éternelle. Jacopone ignora les murmures.

– Laissez-moi vous parler de la journée de travail des cardinaux de Rome, les *cardinales carpinales*. Chaque matin, après le consistoire pontifical pendant lequel ils débattent des affaires des rois et de poursuites judiciaires ainsi que d'autres affaires mondaines, ces *grabinales* mangent et boivent comme des pourceaux. Ensuite, ils titubent jusqu'à leur lit pour la sieste du midi. Tout l'après-midi, ils paressent dans leurs appartements, fatigués par l'inactivité, ou ils s'amusent avec leurs chiens ou leurs chevaux favoris, leurs bijoux et leurs nobles neveux et nièces.

Jusqu'à ce moment, il avait parlé calmement. Il se tut un instant puis, pointant un doigt accusateur vers l'église de San Giovanni Battista de l'autre côté de la piazza, il lança d'une voix tonitruante :

– Devrions-nous nous étonner que les Francs aient découvert une horrible lettre, une lettre rédigée avec du sang issu des profondeurs de l'enfer par Lucifer lui-même et affectueusement adressée à ses chers amis, les prélats de l'Église ? « Nous vous remercions chaleureusement, disait la lettre, car toutes les âmes confiées à vos soins nous sont envoyées. »

Conrad n'avait jamais entendu parler de cette lettre. Il fut pris d'une terreur soudaine qui l'immobilisa sur place, comme si quelque esprit malin venu de l'enfer avait traversé son corps, le laissant dans un état de *rigor mortis* effroyable. Une tension presque palpable s'empara de la foule.

Une fois de plus, Jacopone cria sa condamnation :

– Est-ce que ce n'est qu'une coïncidence que les mots Praelatus et Pilatus se ressemblent tant, lorsque les riches et nobles prélats crucifient, par leurs actions, le pauvre Christ aussi sûrement que l'exécrable Pilate l'a fait il y a douze siècles ?

Il fit une nouvelle pause, mais cette fois une femme de la noblesse vêtue d'une robe pourpre cria à la foule d'une voix tremblante :

– Tu mens, tu n'es jamais allé à Rome, sinon tu ne parlerais pas de manière si irrévérencieuse de ces saints hommes.

Elle plaça sa main sur sa poitrine d'un air outré en manipulant la broche en filigrane attachée à son vêtement. Un serviteur apparut sur le balcon derrière elle et déposa sur ses épaules nues un manteau d'hiver bordé de fourrure noire.

– Continue, Jacopone, lança une femme dans la foule. Son oncle est un de ces cardinaux bien engraissés.

Jacopone referma lui aussi sa cape sur son torse maigre. Il jeta un coup d'œil vers le balcon, puis ferma les yeux.

– Laissez-moi vous parler des femmes et de la *vanitas feminorum*.

Il parlait d'une voix chantante, ses paupières toujours fermées, comme s'il prononçait de mémoire les mots d'une chanson ou d'un poème.

– Femme, tu as le pouvoir de porter des coups mortels. Comme le fait de regarder un plant de basilic, ton propre regard peut être mortel. Mais à moins qu'un homme marche par hasard sur du basilic, la plante ne fait de mal à personne, alors que toi, tu te déplaces ouvertement, librement, avec ton regard empoisonné. Tu peins ton visage pour ton mari en disant qu'il se plaît à te regarder. Mais tu mens. Il ne ressent aucune joie devant ta vanité, sachant que tu te pares pour quelqu'un d'autre. Mais tu es maligne, diablement maligne. Avec tes chaussures à talons hauts, tu transformes ta petite personne en une grande dame. Ton teint pâle devient rosé et tes cheveux noirs blondissent grâce à un postiche de fibres malodorantes. Tu adoucis ton visage en y appliquant une crème qui convient mieux aux vieilles bottes usées. Et quand tu donneras naissance à une fille, si son nez est mal formé, tu le pinceras et le tireras jusqu'à en changer la forme. Il te manque la force pour combattre, mais la faiblesse de ton bras est plus que compensée par la vigueur de ta langue.

Le visage de Jacopone exprimait la sérénité pendant qu'il chantait, et ses yeux demeurèrent fermés, même quand la femme hurla :

– C'est un fou! Chassez-le hors des murs!

Un garçon qui se tenait à côté de Conrad saisit l'occasion que lui présentait la femme.

– Pazzo! Pazzo! c'est un fou! cria-t-il.

– Il leva le bras pour lancer une pierre au prêcheur, mais Conrad l'attrapa au poignet et la pierre tomba de sa main.

– Ce n'est pas un fou. C'est un saint *bizzocone*, dit Conrad en utilisant le terme pour désigner les pénitents publics itinérants. Il y a de la sagesse dans ses paroles, même pour les gamins imbéciles.

Jacopone ouvrit les yeux et parut voir Conrad et Amata pour la première fois. Lentement, un voile de tristesse s'étendit sur son visage. Il inclina la tête et recommença à chanter, mais, cette fois, sa voix avait adopté le ton déprimé d'un chant funèbre.

– Frère Rinaldo, où étais-tu passé? Es-tu au paradis ou en enfer? Tu es maintenant allé là où la Vérité est évidente, tes cartes sur la table, le bien et le mal en pleine clarté. Il est trop tard pour les sophismes, la prose ou les rimes. Seule la vérité triomphera. À Paris, tu as obtenu ton doctorat. L'honneur était grand et le coût élevé, mais maintenant que tu es mort, le dernier examen commence. Il ne demeure pour toi qu'une seule question : as-tu vraiment eu le sentiment qu'être un moine pauvre et méprisé représentait le plus grand honneur?

Le chant ébranla Conrad. Décrier la vanité des femmes était une chose, mais déprécier un frère décédé en était une autre.

– Tu fais injure à la mémoire d'un homme bon, sieur Jacopone, interrompit-il d'une voix forte. Le frère Rinaldo et moi suivions le même cours à Paris. Il n'a jamais recherché les honneurs en soi. Dieu lui avait fait don d'une grande intelligence.

Jacopone ne répondit pas. Il ferma seulement les yeux de nouveau et joignit les mains en un geste de prière. À la grande surprise de Conrad, une voix semblable à la sienne s'éleva humblement de la bouche du pénitent.

– Je suis un frère. J'ai étudié les Écritures. J'ai prié, supporté la maladie avec patience. J'ai aidé les pauvres, respecté mes vœux d'obéissance, de pauvreté et même de chasteté…

Jacopone ouvrit un œil et fit un clin d'œil en direction d'Amata.

– … autant que je l'ai pu, accepté calmement la faim et le froid, me suis levé tôt pour la vigile et les laudes.

Tout à coup, la voix du pénitent s'amplifia alors que son visage devenait rouge de colère.

– Mais quand quelqu'un me lance des paroles dures, je crache rapidement le feu. Vois maintenant tout le bien que j'ai fait dans cette bure de frère. Quand j'entends des paroles cruelles qui me sont adressées, je peux difficilement pardonner et oublier.

Jacopone regarda Conrad d'un air neutre pendant que les gens huaient. Quelqu'un poussa Conrad dans le dos et il trébucha jusqu'au centre du cercle, pratiquement contre le prêcheur.

– J'ai composé d'autres laudes en hommage à l'humilité, murmura Jacopone à l'oreille de Conrad. Souhaites-tu les entendre ?

Conrad tremblait de fureur, et sa gorge était tellement nouée qu'il ne pouvait émettre une réplique. Une main le saisit sous le bras et tenta de le tirer à travers la foule.

– Il a raison, *padre*, dit Amata. Vous êtes colérique.

La jeune fille souriait, tentant de le cajoler. Finalement, il se laissa entraîner par Amata.

Il entendit à peine le reste du sermon. Les paroles de Jacopone et d'Amata le remplissaient de remords. Autour de lui, les gens avaient commencé à sangloter et à se frapper la poitrine en demandant que Dieu leur pardonne, alors que Conrad priait silencieusement afin d'obtenir le pardon pour son orgueil. Le bruit des lamentations s'accrut, puis cessa brusquement.

Jacopone, épuisé, s'assit sur le rebord de la fontaine.

– Allez-vous-en, les enfants, dit-il en les éloignant d'un geste de la main. Je suis fatigué maintenant. Allez en paix et servez Dieu.

Il prit de l'eau dans le creux de sa main et la lécha. Les habitants de la ville retournèrent aux éventaires des vendeurs d'un pas plus lent et d'un air plus réfléchi qu'à leur arrivée, car le prêcheur leur avait amplement donné matière à réflexion.

Quand la foule eut déserté le centre de la place, Conrad s'approcha du pénitent.

– Pardonne-moi, sieur Jacopone. Je ne sais pas ce qui m'a pris. Je n'ai pas perdu patience ainsi depuis des années. J'ai encore tant de travail à accomplir.

Un petit rire moqueur interrompit ses excuses. Amata se tenait devant lui, les poings sur les hanches.

– Frère Conrad, lui dit-elle sur un ton de reproche, vous n'aviez personne contre qui perdre patience pendant des années.

Elle se tourna vers Jacopone et leva les yeux au ciel en signe d'exaspération.

– Je viens tout juste de le faire sortir des montagnes.

– Tu es un ermite ? demanda Jacopone.

Conrad inclina la tête.

– Et tu choisis de revenir à la ville ?

– Pour l'instant. Je dois remplir une mission à Assise et je ne sais pas combien de temps j'y serai.

– Je préférerais être un ermite aussi, mais je semble destiné à cette vie publique. Tu dois garder à l'esprit, frère Conrad, que si un homme agit bien, Dieu l'habite réellement et qu'Il est avec lui partout, dans la rue et parmi les gens tout autant que dans une église, dans un désert ou dans la cellule d'un anachorète. Cet homme n'a que Dieu. Il ne pense qu'à Dieu. Toutes les choses et tous les êtres ne sont que Dieu à ses yeux. Personne ne peut non plus le distraire, car il ne cherche rien d'autre que Dieu. Un homme qui doit Le chercher de manière particulière ou dans des endroits particuliers n'a pas encore atteint Dieu.

Conrad inclina la tête et rougit comme un enfant réprimandé par son tuteur.

– Et je suis un tel homme, confessa-t-il.

– Et il en est ainsi de tous les hommes que j'ai rencontrés, et de moi-même aussi, dit le pénitent.

– Où vas-tu ensuite ? demanda Conrad.

Jacopone haussa les épaules.

– Partout. Nulle part.

– Alors, accompagne-nous. Il y a longtemps que je n'ai parlé de spiritualité.

– Comme tu veux. Il semble que le dessein de Dieu pour cette journée ne soit pas entièrement accompli.

Il se leva avec raideur et ramena vers lui les pans de son épaisse cape.

Un adolescent aux cheveux blonds avait examiné les hommes pendant qu'ils parlaient. Alors qu'ils s'apprêtaient à partir, il s'avança vers eux d'un air embarrassé. Comme il ne parlait pas, Conrad dit :

– Que la paix soit avec toi, mon fils. Que désires-tu ?

– Je m'appelle Enrico, dit-il.

Il hésita, ayant déjà dit plus qu'il ne l'aurait cru, avala sa salive, puis se força à parler de nouveau.

– Avez-vous dit que vous alliez à Assise ?

– Oui.

– Est-ce que je peux voyager avec vous ? Je m'y rends aussi pour entrer chez les frères au Sacré Couvent.

IX

Enrico tira de sous sa ceinture une feuille de parchemin.
– J'ai une lettre de l'évêque de Gênes. Il demande au ministre général des frères de m'accepter comme novice.

– Je savais que tu venais de quelque part dans le Nord, dit Amata.

Le garçon sourit et se détendit un peu.

– Oui, je viens de la paroisse de Vercelli. Il n'y a pas beaucoup de garçons blonds en Ombrie, je crois.

Elle lui rendit son sourire.

– On en voit à peu près aussi souvent que nous avons un nouveau pape, bien que j'aie rencontré un moine aux cheveux blonds et aux yeux bleus il y a seulement quatre jours.

Elle aimait son allure. Ses bottes de feutre, sa courte tunique de laine et sa houppelande ornée d'un capuchon trahissaient ses origines paysannes. Il avait certainement connu le dur travail, comme en témoignaient ses mains crevassées et ses jambes robustes. Comme beaucoup de gens venus du Nord, son corps était imposant. Adulte, il serait sans doute aussi gros et grand que Dom Vittorio. Elle trouvait aussi son sourire agéable, bien que trop complaisant. Toutefois, c'étaient ses yeux azurs, pâles et beaux, qui l'intriguaient le plus. Mais il leur manquait quelque chose aussi, une étincelle d'intensité. Sans cette étincelle, ils trahissaient sa timidité, la volonté molle d'un suiveur-né.

Les yeux bleus faibles d'un fils à maman, pensa-t-elle. Il aura toujours besoin d'une femme pour lui dire quoi faire dans la vie. Et si jamais il quitte l'Ordre, il fera un mari bien peu fiable.

Amata sourit intérieurement. *Voilà un garçon qui deviendra novice dans deux jours, et je l'imagine déjà trompant sa femme.*

Conrad rendit la lettre à Enrico.

– Je n'ai pas besoin de la lire. Tu es le bienvenu si tu veux nous accompagner, bien sûr. Nous pourrons parler de l'Ordre en marchant, mais tu devrais savoir qu'Assise n'est pas le meilleur endroit pour suivre la Règle de saint François.

Amata bâilla. Ce bon vieux Conrad. Toujours fidèle à son obsession. Toujours sur le point de monter en chaire et de vociférer contre la scission entre les frères conventuels et les frères spirituels. Jacopone marchait à leur rythme et semblait intéressé également, mais elle ne l'était pas. Alors qu'ils quittaient la ville, elle laissa les hommes marcher devant à une certaine distance. Elle préférait regarder le matin s'épanouir, les paysans travailler dans les vignobles avoisinants. À en juger par le meuglement persistant des bœufs à longues cornes, les enfants des petites fermes étaient lents à nourrir les animaux aujourd'hui. Dans les champs, le foin fraîchement coupé, placé en piles coniques autour de poteaux et maintenu en place par des branches, dégageait une douce odeur. Les gourdes mûrissaient sur les toits des fermes et le grain séchait dans des sacs pendus aux arbres. Au loin, on entendait le bruit de clapets de bois et des cris de colère alors que les fermiers chassaient les chevreuils de leurs champs. L'hiver arriverait bientôt. Comment son père décrivait-il cette période ? La saison qui séparait la satisfaction de la récolte de l'impatience des semailles.

Quand Amata fut lasse de regarder le paysage, elle profita de sa position derrière les hommes pour imaginer leurs trois corps mâles en mouvement sous leurs vêtements. Jacopone avait l'apparence d'un cadavre, mince comme une tunique de mendiant, à l'intérieur de sa longue cape. Elle le savait déjà, parce que son pagne ne laissait rien à l'imagination – sauf pour se demander si ses parties cachées étaient proportionnelles à la taille de son corps. Cela vaudrait la peine d'être vu ! Conrad, quant à lui, était assez petit, à peine plus grand qu'Enrico et probablement plus léger. Il était sans doute puceau aussi, malgré son amitié avec Monna Rosanna. Il marchait d'un pas raide, sans aucune souplesse dans les bras et les épaules. Mais, de toute façon, il n'était probablement plus conscient qu'il vivait dans un corps. Ah ! mais Enrico. Elle admira de nouveau les mollets musclés du jeune homme et, dans son imagination, se représenta le reste de ses jambes jusqu'à ses hanches sveltes et ses fesses fermes – un fantasme agréable.

Le lendemain, elle serait de retour à Saint-Damien et redeviendrait sœur Amata. Cette pensée la déprimait. Malgré ses bizarreries et sa gravité, elle avait apprécié ces quatre jours avec Conrad. Il lui plaisait d'être en compagnie de ces trois hommes, même si elle traînait de l'arrière et ne s'intéressait nullement à leur conversation. Les hommes semblaient indifférents ou simplement inconscients face aux blessures insignifiantes qui précipitaient ces sœurs dans les bras de la Mère prieure à longueur de journée. N'eût été leur éloquence, ces trois hommes auraient pu passer pour les bonnes brutes paysannes qu'ils venaient de croiser.

Dieu du ciel, comme elle voulait quitter ce couvent! Non pas que la Mère prieure la traitât durement. Elle menait une vie choyée en comparaison de la vie austère que pratiquaient les nonnes bénévoles. Et elle n'avait vraiment nulle part où aller, n'ayant ni famille ni argent ni aucun moyen de se protéger ou de gagner sa vie.

Mais la sainteté et l'amour divin ne l'avaient jamais attirée. L'amour humain, l'amour que sa mère avait éprouvé pour son père et pour lequel elle l'avait préparée, voilà l'expérience à laquelle Amata aspirait. L'amour véritable, et non la fourberie de son grand-oncle Boniface ou la brutale luxure de Simone della Rocca et de ses fils. Elle posa ses longues manches sur son bas-ventre et se caressa en fantasmant. Un soupir involontaire lui échappa, et Conrad s'arrêta pour se tourner vers elle. Elle rougit et releva rapidement les mains, mais il l'avait vue.

– Est-ce que tu as mal au ventre, frère Fabiano? demanda-t-il avec une inquiétude sincère.

Ce qu'il pouvait être naïf!

– Oui, *padre*, gémit-elle. J'ai vraiment une douleur à l'estomac.

Elle grimaça pour illustrer sa douleur.

– Mais ne ralentissez pas pour moi. Je suis capable de vous suivre.

Comme ils reprenaient leur marche, Jacopone poursuivit la conversation:

– Non, Enrico, dit-il, un poème n'exprime pas qu'un sentiment; il relate une expérience. Pour écrire une seule ligne, un poète doit visiter de nombreuses villes et parler à beaucoup de monde. Il doit fouiller la terre avec les animaux et s'envoler avec les oiseaux et s'étirer avec le plus petit mouvement d'un bourgeon qui s'épanouit. Il doit retourner dans le temps vers des routes étrangères et des rencontres imprévues, vers des maladies d'enfance et – pardonne-moi, *padre* – même vers des nuits d'amour, chacune différente de toutes les autres, et la peau pâle des femmes… des femmes… assoupies entre leurs draps.

Sa voix prit un autre ton alors qu'il parlait d'amour. Il détourna la tête du visage de Conrad, et Amata vit la rancœur dans ses yeux enfoncés. L'arrogance et l'indignation vertueuse qu'il avait affichées sur la grand-place s'étaient évanouies, et son teint avait pâli.

Sainte Mère de Dieu, pensa Amata. La femme sur le balcon avait raison. Il est fou, fou de douleur pour l'amour d'une dame. Elle douta que Conrad et Enrico aient remarqué quoi que ce soit.

Les voyageurs marchèrent en silence pendant un certain temps avant que Jacopone ne se racle la gorge. Quand il parla à nouveau, ce fut avec beaucoup de difficulté et d'émotion.

– Le poète doit veiller les agonisants, par la fenêtre ouverte, entendre leurs cris de douleur à l'extérieur et leur respiration intermittente dans la pièce. Et, en dernier lieu, il doit laisser ces souvenirs se dissiper, puis attendre patiemment qu'ils reviennent.

– Et c'est de ces souvenirs que naissent les vers? demanda Enrico.

– Pas encore, mon fils. Pas encore. Pas avant qu'ils ne deviennent sa chair et son sang, ses pensées sans nom, et qu'ils ne fassent qu'un avec son être. Ce n'est que dans ces rares moments de pureté que le poète peut en extraire le premier mot d'un vers.

– Goûtez et voyez comme le Seigneur est bon, cita Conrad.

Amata se rappela comment Conrad passait du coq-à-l'âne à la hutte. Le regard vide d'Enrico l'amusa. Jacopone avait aussi remarqué ce regard.

– Le frère Conrad dit que le psalmiste qu'il cite, étant un poète et un mystique, comprenait que l'expérience se trouve au cœur des deux rôles. Il ne suffit pas de lire les paroles du Seigneur dans les Écritures ou d'entendre parler de Lui par les prêcheurs. Vous devez Le goûter, faire vous-même l'expérience de Dieu. Un fermier peut vous vanter la saveur particulière de ses olives, mais ses paroles ne signifient rien jusqu'à ce que vous en ayez goûté une. L'expérience est l'essence de tout.

Quel bon moment pour lui de dire cela à Enrico, alors qu'il est sur le point de s'enfermer dans un monastère pour Dieu sait combien d'années, pensa Amata. S'il est intelligent, ils en feront un érudit, comme ils ont tenté de le faire avec Conrad. Quelle expérience va-t-il acquérir alors ? L'expérience des mots longs et imprononçables ! Il s'en tirera mieux s'il se révèle être un sot. De cette façon, au moins, il ne réalisera jamais ce qu'il manque.

Suivant la crête des montagnes Gualdo, ils grimpèrent la route surélevée menant de Gubbio à Pérouse. Par une percée entre les collines dentelées, Amata pouvait apercevoir Assise, loin vers le sud. Dans l'ensemble, Gubbio lui avait paru une ville sombre, ennuyeuse, boueuse. Mais Assise, en équilibre sur son escarpement rocheux, suspendue entre le mont Subasio et les vallées formées par les rivières Tescio et Chiagio, ressemblait à un pendentif translucide sur une toile de fond verdoyante. Les églises, les murs et les tours de marbre rose et corail resplendissaient dans le soleil matinal. Le caractère chaleureux de la ville contrastait avec l'aspect macabre de Gubbio, tout comme l'air embaumé qui montait des vallées d'Assise faisait contraste avec les vents froids qui tourbillonnaient autour des bastions montagneux de Gubbio.

Les trois hommes qui philosophaient sur la poésie et vantaient les mérites de l'expérience avaient raté la scène. Elle voulut attirer leur attention sur le spectacle, mais Conrad avait repris son thème favori.

– Je t'en prie, Enrico, va au Sacré Couvent. Découvre tout ce que tu peux sur nos traditions, apprends à lire et à écrire, va étudier à Paris s'ils veulent t'y envoyer. Mais n'oublie jamais qu'un jour tu devras choisir si tu désires être un vrai fils de saint François et vivre selon sa Règle et son Testament, ou si tu souhaites te contenter de suivre la voie plus facile du frère conventuel. Mais sache aussi qu'en décidant de te joindre aux frères spirituels, en choisissant la voie de la pauvreté totale, tu choisiras également celle de la persécution. Des frères sont déjà morts pour avoir fait ce choix.

Amata émit un grognement. Ils devraient l'appeler le frère solennel ! Elle aurait voulu s'approcher de l'ermite sur la pointe des pieds, le saisir par la taille, le soulever et le tenir ainsi jusqu'à ce qu'il promette de rire au moins une douzaine de fois par jour. La foule s'était moquée de lui, et il avait même ri de lui-même quand il lui avait parlé de ses années à l'université, mais cette scission au sein de l'Ordre avait complètement assombri son esprit. Pis encore, sa mélancolie semblait croître à mesure qu'ils approchaient d'Assise.

Peut-être est-il simplement effrayé. Peut-être qu'en parlant ainsi à Enrico, il se rappelle qu'il a déjà fait son choix et se prépare à ce qui en découlera.

Les hommes étaient parfois si étranges. Ce qui leur semblait essentiel, les choses pour lesquelles ils étaient prêts à souffrir et même à mourir lui paraissaient si distantes. Comment pouvaient-ils parler d'expérience, alors qu'ils passaient tout leur temps à penser ? *Des brutes stupides, à n'en pas douter ! Enfin, pas tous*, songea-t-elle. Jacopone est un penseur, mais, de toute évidence, il a également vécu, et sa passion l'a presque anéanti. Enrico doit savoir quelques petites choses aussi, s'il a gardé les yeux ouverts autour de la grange de son père.

Une idée tordue, fort délicieuse, lui vint à l'esprit alors qu'elle regardait osciller la tunique du garçon. Peut-être que sous le couvert de la nuit et dans l'intimité de quelque bosquet protégé…

Elle réalisa soudain que les trois autres s'étaient à nouveau arrêtés, attendant qu'elle les rejoigne.

– C'est ici que nous quittons la grand-route, dit Conrad. Le sentier nous mènera au pont romain qui se trouve au fond de la gorge.

Comme la plupart des sentiers de montagne, celui-ci était abrupt et étroit. Amata s'en réjouit silencieusement car ils marcheraient en file et, ainsi, Conrad devrait interrompre ses sermons. Ils reviendraient aussi parmi les arbres. Le chaud soleil était maintenant presque à son zénith dans le ciel sans nuages. Elle pouvait voir la rivière Chiagio serpenter au loin, rendue boueuse par la pluie de l'avant-veille, et sur ses rives, les tours de Santa Maria di Valfabbrica et le château de Coccarano. C'était une contrée qu'Amata avait connue lors de randonnées avec sa maîtresse.

Elle supposa que Conrad éviterait Valfabbrica, une autre abbaye des moines noirs, et qu'il éviterait tout autant le château. Leur halte au monastère de Sant'Ubaldo lui avait procuré plus d'émotions qu'il n'en pouvait supporter. Sans aucun doute, Conrad se sentirait plus en sécurité de dormir parmi les animaux sauvages de la forêt. Elle-même n'avait aucune objection à cela, pourvu qu'ils entretiennent un bon feu pendant toute la nuit. Et, aussi, de bien bonnes choses pouvaient se produire dans l'obscurité. Elle résista à la tentation d'appuyer ses mains sur les épaules d'Enrico pour se stabiliser – et la tentation de taquiner Conrad une fois de plus en posant un tel geste. Patience, Amata. Voyons comment la pièce va se dérouler.

Est-ce la pensée des animaux sauvages qui la fit se retourner sur le sentier et porter les yeux vers les arbres, puis derrière elle le long du sentier ? Elle eut l'intuition fugace qu'on les observait, mais la piste tournait trop fréquemment, de sorte qu'elle ne pouvait voir qu'à une courte distance dans les deux directions. Elle frissonna et allongea le pas jusqu'à ce qu'elle ait rattrapé les autres. Tout à coup, elle n'avait plus aucun désir de traîner les pieds.

Elle espérait que Conrad s'arrête pour ouvrir le sac de nourriture à un endroit plus large de la piste mais, bien sûr, il n'était pas non plus le genre de personne à remarquer la faim. Il semblait pressé de continuer. Quelque chose s'était produit à l'abbaye qui l'avait incité à presser le pas. Elle espéra seulement que cela n'avait rien à voir avec elle, non pas que l'opinion de l'ermite ait une quelconque importance à ses yeux. Après demain, elle serait de retour à Saint-Damien et il aurait poursuivi son chemin pour résoudre l'énigme de Léon.

Dieu du ciel ! Son retour à Assise lui pesait également, bien davantage qu'elle ne s'y était attendue. Le fait d'être libérée des murs du couvent et celui d'être sur la route, malgré l'inconnu et les dangers – peut-être surtout l'inconnu et les dangers – allaient lui manquer. C'était là le sel qui manquait à la vie quotidienne de Saint-Damien.

Comme elle l'avait deviné, Conrad les fit contourner Valfabbrica pendant l'après-midi. Enrico et Jacopone discutaient de droit civil, comme s'ils savaient de quoi ils parlaient, mais l'ermite s'était enfermé dans ses propres pensées. Il les fit marcher presque jusqu'à la tombée de la nuit. À ce moment, l'estomac d'Enrico criait famine. Jacopone grignotait l'écorce d'une petite branche qu'il avait ramassée le long de la route, mais semblait tout aussi immunisé contre la faim que Conrad. Il pourrait probablement vivre, comme un prophète fanatique, de sauterelles et de miel, ou même d'air, s'il le fallait.

Conrad s'arrêta finalement dans une épaisse forêt de chênes-lièges et de pins.

– Nous allons nous reposer ici, dit-il. Je connais une grotte non loin de la route. Nous avons encore le temps de ramasser du bois pour le feu avant la nuit.

Il était rayonnant de fierté.

– Nous avons parcouru une bonne distance aujourd'hui. Nous arriverons à Assise au milieu de la journée, demain.

– Je vais commencer mon récit, dit Conrad quand ils eurent terminé leur repas.

Les quatre voyageurs étaient rassemblés autour du feu. À l'extérieur de la grotte, un couple de chouettes hululait.

– Mon modèle de vertu est un saint qui a choisi la pauvreté…

Quoi d'autre ? pensa Amata.

– … non pas un Frère mineur comme vous pourriez vous y attendre, ni un quelconque membre d'un ordre religieux, dit l'ermite. Donato le banquier peut même faire honte à ceux d'entre nous qui ont fait vœu de pauvreté. Il avait été un homme riche, mais il devint si imprégné de compassion pour les autres grâce à son amour de Dieu qu'il donna tous ses biens aux pauvres. S'il s'était joint à notre Ordre, il n'aurait que suivi l'exemple du frère Bernard, le fils aîné de saint François. Mais ce banquier est même allé plus loin. Il s'est vendu lui-même comme esclave et a donné aux pauvres la somme ainsi obtenue. Je n'ai jamais entendu parler de quelqu'un comme lui.

– J'ai entendu parler de quelqu'un comme lui, murmura Jacopone. Le prêteur sur gages toscan, Luchesio da Poggibonsi.

Le pénitent inclina la tête. La fumée qui se dégageait du feu dérivait vers sa silhouette voûtée, mais elle ne semblait en rien le déranger. Il paraissait, aux yeux d'Amata, aussi immuable que le rocher sur lequel il était assis. Mais, se rappela-t-elle, elle avait déjà aperçu une fois la fissure dans ce rocher aujourd'hui.

– J'ai honte d'avouer, mes amis, que, dans mon ancienne vie, j'étais usurier, commença-t-il. Entre autres péchés, à l'encontre des lois de Dieu et de l'Église, je prêtais de l'argent à des taux exorbitants. Comme Luchesio dans sa jeunesse, j'avais entrepris de toutes mes forces de grimper l'échelle sociale, mon argent – et celui des autres – faisant office de barreaux. Je suis grimpé assez haut pour devenir un des principaux dirigeants d'associations de marchands de ma ville.

Il leva la tête avec un sourire ironique et montra sa cape usée.

– Difficile à imaginer, n'est-ce pas ?

– Mais Luchesio avait un avantage que je n'avais pas, poursuivit-il. Alors qu'il avait depuis peu adopté cette voie stupide, il rencontra saint François qui le persuada de faire pénitence. Il vendit tout ce qu'il possédait au profit des veuves, des orphelins et des pèlerins. Puis il partit vers les régions marécageuses ravagées par la peste, avec son âne chargé de médicaments. Au début, sa propre femme s'était moquée de lui et l'avait traité d'idiot, comme on pourrait s'y attendre d'une femme jadis riche qui se retrouve pauvre du jour au lendemain à cause de la générosité de son mari. Mais lorsqu'elle eut compris son objectif, elle se joignit à son œuvre et mérita elle-même le titre de *buona donna*.

Et de quelle façon êtes-vous devenu si pauvre ? se demanda Amata. C'est ça que je veux entendre. Cependant, sa curiosité ne fut pas satisfaite, car Jacopone redevint silencieux. Il regardait le feu d'un air morne jusqu'à ce que, petit à petit, la douleur qu'elle avait perçue sur la route brille de nouveau dans ses yeux.

– Je connais un exemple de justice, intervint Enrico en agitant la main comme un écolier qui veut attirer l'attention.

Conrad lui fit signe de parler.

– Mon père a déjà travaillé comme gardien aux portes de la ville de Gênes. Il m'a raconté comment les pères de la cité avaient accroché une cloche de plaignant à l'extérieur des murs. Tout homme traité de manière injuste pouvait sonner la cloche et les magistrats avaient l'obligation d'examiner son affaire. Au fil des années, la corde de la cloche s'usa et quelqu'un attacha une plante grimpante à sa place. Il arriva qu'un certain chevalier qui ne voulait pas débourser pour le fourrage de son vieux cheval de guerre laissa l'animal libre de brouter en dehors de la ville. Le cheval avait si faim qu'il mangea la plante grimpante et la cloche se mit à sonner. Les juges arrivèrent et convinrent que le cheval avait réclamé son droit d'être entendu. Ils firent enquête et conclurent que le chevalier, dont le cheval l'avait servi si loyalement dans sa jeunesse, avait l'obligation de le nourrir dans son vieil âge également. Le roi était également d'accord avec cette décision et il alla jusqu'à menacer de torturer le chevalier dans son donjon si jamais il affamait de nouveau son cheval.

Jacopone sortit de sa rêverie, leva les yeux et gloussa.

– Bien raconté, garçon, dit-il. Et voici une autre histoire de justice. En fait, c'est une énigme que je te propose.

Dis-moi quel jugement tu aurais rendu dans ce cas. Un jour, un célèbre cuisinier poursuivit en justice un de ses serviteurs – un serviteur au nez proéminent, ajouterais-je – pour avoir consommé, grâce à son énorme nez, l'arôme des aliments exquis que le cuisinier avait préparés et de n'avoir rien déboursé pour ce plaisir. Le cuisinier méritait-il d'être indemnisé ou non?

– Ils auraient dû jeter le cuisinier en prison pour avoir fait perdre du temps à tous ces gens, suggéra Amata.

Enrico leva les bras en signe d'impuissance. Conrad rejeta aussi la question du revers de la main.

– Je n'aurais jamais la prétention de comprendre le fonctionnement d'un tribunal civil, dit-il.

Jacopone les regarda avec un sourire entendu.

– C'est pourquoi certains hommes deviennent juges et d'autres non. Dans cette affaire, le juge se montra particulièrement sage – beaucoup plus sage que moi lorsque mon maître me posa cette question la première fois. Il se prononça en faveur du cuisinier.

– Non! s'écria Amata.

– Je vous le dis, affirma Jacopone en souriant. Et à titre de sentence, il ordonna au serviteur au gros nez de payer pour l'odeur qu'il avait humée en faisant cliqueter ses quelques pièces de monnaie suffisamment fort pour que le cuisinier les entende.

Enrico et Conrad applaudirent.

– Une bonne décision, dit l'ermite. Le juge était un Salomon.

– Avez-vous été juge aussi, sieur Jacopone? demanda Amata.

– J'ai été notaire, mon frère, mais jamais juge. D'accord, nous étions tous membres de la même association honorable des juristes, mais je ne peux pas dire que j'ai fait honneur à la profession.

Il changea rapidement de sujet:

– Mais qu'en est-il de toi? N'as-tu pas quelque histoire à nous raconter?

Elle observa Conrad, puis décida qu'elle ferait mieux de regarder Enrico pendant qu'elle parlait.

– Mon histoire en est une de stupidité, dit-elle.

– De stupidité?

La voix de Conrad avait pris un ton de nervosité qui ravit la jeune fille.

– Oui. La stupidité d'un marchand itinérant. C'est une histoire que m'a racontée le frère Salimbene.

– Salimbene? répéta l'ermite.

Il était vraiment nerveux maintenant.

Elle s'empressa de commencer son récit avant qu'il ne l'arrête.

– Il y avait une fois un marchand itinérant qui avait entrepris un long voyage. De retour après deux ans d'absence, il trouva un enfant nouveau-né dans sa maison. «Oh! femme, s'écria-t-il, d'où vient cet enfant? Il n'est sûrement pas de moi.»

– Oh! cher époux, dit-elle, pardonne ma négligence. Je me suis perdue seule dans les montagnes un après-midi d'hiver. Le Roi des neiges me surprit et me viola. J'ai bien peur que ce garçon n'en soit le résultat.

– Le marchand ne dit pas un mot, mais lorsqu'il se rendit en Égypte pour affaires quelques années plus tard, il prit l'enfant avec lui et le vendit comme esclave. Lorsqu'il retourna chez lui, sa femme lui demanda: «Où est mon fils?»

– Hélas, ma fidèle femme, se lamenta-t-il, nous avons transpiré pendant des semaines dans ces régions tropicales jusqu'à pratiquement en perdre la raison. Mais ton pauvre garçon, étant le fils du Roi des neiges, souffrait plus que les autres et, en fin de compte, il a simplement fondu.

Enrico éclata de rire et Conrad grommela:

– Et quelle était la morale de cette histoire d'après le frère Salimbene?

– Que le marchand était stupide d'avoir laissé sa femme seule pendant deux ans.

Conrad grommela de nouveau:

– Tu étais censée citer un exemple de vertu…

Il s'arrêta au milieu de sa phrase. De l'autre côté du feu de camp, le pénitent sanglotait, le visage enfoui dans ses mains. Amata lui toucha l'épaule.

– Qu'est-ce qui vous trouble, sieur Jacopone? demanda-t-elle. Ai-je si mal raconté mon histoire?

Il secoua la tête et s'essuya les yeux avec un coin de sa cape.

– Pardonnez-moi, mes frères, dit-il lorsqu'il eut retrouvé sa contenance. Je pensais à Umiliana de Cerchi, qui devait être mon exemple de pénitence.

Ses paroles sortaient de sa bouche par saccades.

– Elle vivait dans une chambre nue à l'arrière d'un des plus riches établissements bancaires de Florence où elle menait une vie de pénitence, jeûnant et pleurant, pour expier les transactions malhonnêtes de ses riches frères.

Il regarda à nouveau le groupe de ses yeux empreints de tristesse et Amata elle-même se retrouva au bord des larmes. Il chassait d'un air absent la fumée qui tourbillonnait autour de son visage.

– Cette femme était ma tendre épouse, une sainte de plein droit. Pendant que je récoltais des sommes énormes grâce à mes prêts usuraires, pendant que j'administrais les propriétés et l'argent de mes clients… toujours dans mon propre intérêt, pendant que je perdais mes gains au jeu et la réputation de ma famille aux dés… tout en forçant cette pieuse femme à porter les vêtements les plus extravagants et à agir comme le faire-valoir stupide de mon prestige, elle faisait pénitence, en espérant racheter mon âme perdue au prince des ténèbres.

– Et pourquoi n'êtes-vous pas encore avec elle ? demanda Amata. Où est-elle maintenant ?

– Elle est partie, mon enfant. Elle est morte depuis quatre ans. Un soir, je l'avais envoyée me représenter au mariage d'un de mes clients. Comme je devais m'occuper de mes livres de comptes et évaluer ma richesse, je lui avais dit que je la rejoindrais plus tard. Mais avant que je n'arrive, un balcon surchargé de fêtards s'est effondré alors qu'elle prenait l'air en dessous. Ils ont transporté son corps brisé jusqu'à notre maison. Lorsque sa servante et la nourrice de notre bébé ont retiré son coûteux vêtement pour laver son corps avant les funérailles, elles ont constaté qu'elle portait dessous un chemisier de laine rugueuse. Pendant toute l'année qu'avait duré notre mariage, elle avait torturé sa peau délicate à cause de mes péchés. Je n'avais jamais remarqué cet aspect de son caractère. Je n'avais même jamais imaginé qu'elle puisse faire une telle chose.

Il ferma les yeux comme il l'avait fait sur la Piazza del Mercato ce matin-là, et commença à chanter doucement :

– Je me souviens d'une femme à la peau olive, aux doux cheveux noirs et magnifiquement vêtue. Son souvenir me tourmente encore et j'aimerais tellement lui parler.

Amata se rapprocha du pénitent. Elle aurait voulu mettre son bras autour des épaules de Jacopone, dans un geste féminin de réconfort, mais elle ne le pouvait pas. Seul Conrad savait qu'elle n'était pas Fabiano, un de ces mâles stoïques. Elle ne put que murmurer en signe de sympathie :

– Je suis si désolée pour vous, sieur Jacopone.

Personne ne dit mot jusqu'à ce que l'ermite brise finalement le douloureux silence. Il murmura avec respect :

– Nous devrions nous retirer maintenant, mais l'un de nous doit rester éveillé pour monter la garde et alimenter le feu. Nous pourrions le faire à tour de rôle.

Amata avait hâte de se reposer après la marche imposée par Conrad, mais l'atmosphère de la soirée s'étant rompue, sa rêverie de l'après-midi – une dernière nuit dans une clairière isolée près du corps robuste d'Enrico – lui revint à l'esprit.

– Je ne peux pas dormir en ce moment, affirma-t-elle. Mon estomac me fait encore souffrir. Je prendrai le premier quart.

Sa rêverie aurait été encore plus douce si elle avait pu n'entrevoir qu'un indice de la passion de Jacopone chez le garçon.

À une distance sécuritaire des étincelles que projetait le feu, les voyageurs étendirent des branches de pin qu'ils avaient amassées pour former un matelas. Amata prépara sa couche puis rampa à travers celle d'Enrico pour atteindre l'entrée de la grotte.

– Essaie de demeurer éveillé, lui murmura-t-elle en passant. J'ai une autre histoire à te raconter, mais ce n'en est pas une que ces vieillards devraient entendre.

X

Orfeo quitta sa couche juste avant l'aube. Le ciel avait une couleur d'étain qui suffisait à peine à éclairer le navire. Le dortoir qu'il partageait dans le gaillard d'arrière avec le pape nouvellement élu et le reste de l'entourage de Tebaldo avait été abondamment aspergé de parfum pour contrer l'odeur écœurante qui s'élevait du pont des rameurs. Contrairement aux Vénitiens, qui embauchaient des hommes libres comme rameurs, les Angles avaient adopté la coutume génoise qui consistait à utiliser des esclaves turcs.

Enchaînés à leurs rames le jour et au pont où ils dormaient la nuit, ils se vautraient dans leurs propres détritus, se réjouissant de chaque vague qui franchissait le bastingage. Le fait que les marins du roi Édouard puissent tolérer une telle puanteur ne faisait que confirmer la piètre opinion qu'avait Orfeo des habitants du Nord.

L'esprit encore lourd de sommeil, Orfeo fit un signe de tête au timonier qui montait la garde sous une toile étendue au-dessus de la poupe du navire, puis avança sur la pointe des pieds parmi les esclaves. Il traversa la longueur de la galère et grimpa jusqu'à la plateforme située tout en haut du gaillard d'avant, où le vent soufflait sans obstacle sur son visage. La fraîche brise marine nettoya ses poumons et eut sur lui un effet revivifiant. Il s'assit le dos contre le parapet, les genoux repliés sur la poitrine.

Pendant les deux dernières heures, Orfeo s'était agité et retourné dans son lit, les poings fermés, mouillant sa couche de sueur. Il avait eu de la difficulté à respirer et, quand il avait finalement trouvé le sommeil, il avait rêvé qu'il était attaqué par une horde d'hommes sans visage, encapuchonnés, qui surgissaient d'un épais brouillard puis y retournaient aussitôt rendant vains ses efforts pour se défendre. Maintenant qu'il était réveillé, un pressentiment de danger l'oppressait encore. Pourtant, la mer était tout à fait calme et il n'y avait pas un nuage dans le ciel. Le vent soufflait tout juste assez pour garder gonflée la voile carrée. Le convoi, trois vaisseaux de guerre et une galère d'approvisionnement, demeurait intact. Un marin ne pouvait souhaiter une aube plus tranquille.

Un rayon de lumière frappa le bastingage devant lui. Il tourna les yeux vers la poupe où le soleil dessinait une bordure lumineuse sur l'horizon, vers l'est. Les premiers rayons brillèrent dans le sillage du navire. Il leva la main pour se protéger de l'éclat du soleil, regarda sa peau passer du rose au corail puis à l'orange, comme si les teintures de l'atelier de laine de son père coulaient encore de ses doigts.

Orfeo étira ses jambes et les appuya contre la masse de fer d'un crochet d'abordage. Il ferma de nouveau les yeux en tentant de se souvenir du rêve qu'il avait fait. Était-il vraiment en danger? Peut-être Dieu voulait-il le mettre en garde contre quelqu'un – peut-être cet assassin gonflé d'orgueil qu'il avait un jour appelé son seigneur. Son père avait-il mérité finalement la damnation éternelle? Il tenta en vain de se représenter les traits du vieil homme. Les visages de ses frères remplaçaient l'un après l'autre celui de son père. Mais non, ces visages n'avaient aucun lien avec son rêve. Il fixa son imagination sur Marco, qui traversait actuellement l'Arménie et allait s'engager dans des territoires inconnus, mais une fois de plus il n'eut aucune réaction.

Son esprit évoqua ensuite la silhouette d'une jeune fille – une enfant vraiment, qu'il ne connaissait même pas. À ce souvenir, le battement de son cœur s'accéléra. Encore elle!

Il n'avait vu la fille qu'une seule fois. Elle se tenait sur une des tours qui ornaient le château où elle habitait et le regardait de ses yeux en amande. Ses longs cheveux noirs descendaient sur son épaule en une longue tresse nouée par une corde de cuir. Pendant que leurs pères se querellaient à propos du péage qu'exigeait le châtelain, Orfeo détacha un linge de soie jaune de son bras et le noua pour en faire une marionnette. Puis, il y inséra son doigt et le plia en imitant un geste de révérence. Elle disparut de sa vue lorsqu'il fit suivre le geste de courtoisie de la marionnette par sa propre révérence.

Peut-être était-ce là l'origine de son cauchemar. Plus il approchait de sa terre natale, plus la raison de son départ le hantait. Il s'était souvent représenté en esprit l'image du château après l'attaque : ses murs défoncés, les dépendances en flammes, les habitants massacrés ou implorant la mort dans les affres de leur agonie, la charmante fille-enfant parmi eux. L'homme de main de son père, Simone della Rocca, avait été aussi minutieux qu'impitoyable.

Dois-je affronter tout cela de nouveau ? se demanda-t-il. Est-ce pour cette raison, Seigneur, que Tu m'as enlevé tout espoir, toute ambition ?

Il frissonna et ramena ses genoux contre sa poitrine car, soudainement, l'air salé s'était rafraîchi. Je n'ai qu'à voyager avec le pape jusqu'à l'île de Nègrepont, puis jusqu'à Venise, se rappela-t-il. Le Saint-Père ne m'a rien demandé de plus. Ensuite, je pourrai m'engager sur une galère et retourner en Palestine.

Il sursauta lorsque le gong sonna le réveil des esclaves. Les chaînes s'agitèrent au milieu de voix bourrues. En tant que rameur, Orfeo pouvait comprendre la rigidité matinale des esclaves. La vie de passager l'ennuyait et, sans souhaiter vivre la misère de leur servitude, il enviait aux esclaves leur travail.

Pauvres bougres ! Ils détestaient leur rame. Elle symbolisait leur déchéance, alors que lui y voyait un moyen d'oublier son passé. Orfeo pouvait observer les rameurs pendant des heures chaque fois qu'ils se levaient à l'unisson, projetaient aussi loin que possible vers l'avant la poignée de leurs lourdes rames, puis les tiraient lentement vers eux en retombant ensemble sur leurs bancs. Il aimait cette danse rythmée par le gong du timonier.

Il serait de retour sur la mer avant la nouvelle année, se rassura-t-il. Naviguant de nouveau, abattant chaque jour le travail qui lui était assigné, il s'endormirait d'épuisement et se trouverait finalement débarrassé de ce rêve troublant.

❧

Les deux vieillards n'émettaient aucun bruit en dormant. Les parents d'Enrico l'empêchaient souvent de dormir à cause de leurs ronflements. Le lit qu'il partageait avec ses frères se trouvait tout près de celui de ses parents, dans la même pièce où la famille cuisinait et mangeait. Certaines nuits, les ronflements étaient si puissants qu'il se levait, franchissait la porte basse qui séparait l'habitation de l'étable et se couchait dans la paille, parmi les animaux.

Il scruta l'obscurité à l'entrée de la grotte. Fabiano était allé dans cette direction, seul. La bravoure du novice l'impressionnait. Ses frères l'avaient souvent mis au défi de passer la nuit dans les bois pour démontrer son courage; il avait toujours choisi plutôt de supporter leurs railleries.

Enrico voulait demeurer éveillé et entendre la seconde histoire du garçon, mais il ne savait pas combien de temps encore il pourrait lutter contre le sommeil. Il venait de fermer les yeux lorsqu'il entendit Fabiano appeler doucement:

– Frère Conrad? Sieur Jacopone?

Puis le novice s'agenouilla près de lui en mettant un doigt sur ses lèvres. Enrico se souleva sur un coude et Fabiano lui fit signe de le suivre.

– Attends-moi ici, dit-il une fois sorti de la grotte. Je vais mettre une autre branche dans le feu et je reviens tout de suite.

La lune presque pleine et la lueur du feu provenant de la grotte projetaient une lumière crépusculaire à travers les arbres. Les feuilles bruissaient doucement dans le vent. Enrico dressa l'oreille pour entendre des pas d'animaux sauvages et scruta les fourrés pour y détecter un mouvement ou un éclair dans les yeux d'une bête. Il fut soulagé lorsque Fabiano revint. Le garçon lui saisit la manche et l'entraîna loin de la grotte.

– Ne devrions-nous pas rester près du feu? murmura-t-il.

– J'ai trouvé une clairière de l'autre côté de la route. Tu n'as pas peur de l'obscurité, n'est-ce pas?

Enrico évita de répondre.

– Tu avais dit que tu monterais la garde.

– Nous serons tout près. Ce n'est pas une très longue histoire.

La démarche d'Enrico se fit plus incertaine alors qu'ils s'éloignaient de la lumière vers l'obscurité du boisé. À un moment, une branche morte craqua sous son poids. Fabiano s'arrêta brusquement et jeta un regard inquiet vers la grotte.

– Sois prudent. Il ne faut pas les réveiller.

Dans la clairière, le novice se tourna pour lui faire face. Sous la faible lueur de la lune, Fabiano semblait beaucoup plus petit. Ils se tenaient si près l'un de l'autre que le novice devait pencher la tête vers l'arrière pour le regarder.

– C'est l'histoire d'un jeune ermite du nom de Rustico et d'une jolie fille appelée Alibech.

– Ce n'est pas l'histoire de l'ermite Conrad?

– Non, certainement pas! gloussa Fabiano.

– Même si elle était à peine une adolescente, poursuivit le novice, cette Alibech s'était enfuie de chez elle pour éviter que ses parents ne la donnent en mariage. Elle voulait seulement mener une vie sainte de prière dans le désert. Elle erra de grotte en grotte, demandant à l'ermite qui vivait dans chacune de l'éduquer sur les voies divines. Chaque fois, les vieux sages, sachant que même eux n'étaient pas à l'abri de la tentation, lui donnaient des racines et des herbes, des pommes sauvages et des dattes, et l'envoyaient chercher de l'aide auprès de l'ermite suivant. Elle aboutit finalement à la grotte de Rustico. Imbu d'orgueil juvénile, Rustico décida de mettre sa résistance à l'épreuve et reçut la jeune fille dans sa cellule. Toutefois, il sentit bientôt qu'il ne pouvait résister à sa beauté et à son innocence, car il s'était rendu compte qu'elle ne connaissait absolument rien des hommes. Après plusieurs jours, il céda finalement au feu qui faisait rage dans son bas-ventre. Il demanda à la fille de s'agenouiller devant lui afin qu'il puisse lui enseigner comment renvoyer le diable en enfer.

Fabiano tira sur la tunique d'Enrico.

– Agenouille-toi, dit le novice. Tu dois jouer le rôle de Rustico.

Enrico fit comme il lui demandait et l'autre garçon s'agenouilla également devant lui. Les feuilles sèches craquaient sous leurs genoux, mais cette fois Fabiano ne dit rien à propos du bruit. «Premièrement, dit Rustico à la jeune fille, nous devons enlever nos bures et nos sous-vêtements.»

– Faut-il vraiment faire cela? se plaignit Enrico. Il fait froid loin du feu.

– Écoute, si tu te plains sans arrêt à propos de tout, tu vas gâcher l'histoire, dit Fabiano sur un ton de colère.

– Je suis désolé. Je n'ai jamais fait ce genre de chose auparavant.

Le novice sourit.

– Je comprends cela.

Enrico retira sa bure. Il pouvait entendre le froissement de tissu alors que Fabiano faisait de même. Il frissonna dans l'air nocturne et hésita à retirer son sous-vêtement. Il regarda le novice d'un air implorant.

Ce qu'il vit lui coupa le souffle. Il avait déjà vu sa jeune sœur nue, mais ses seins n'étaient que des bourgeons, rien en comparaison des fruits mûrs qu'il avait maintenant devant les yeux, des seins presque aussi larges que ceux de sa mère lorsqu'elle allaitait un nouveau-né. Dans la semi-obscurité, il suivit des yeux la ligne de sa silhouette svelte, la courbe des hanches, le profil des cuisses, jusqu'aux épaisses boucles noires qui incitaient à l'exploration. Il tendit la main vers la peau douce de son abdomen, mais interrompit son geste pour ne pas dissiper la réalité de la jeune fille devant lui en la touchant. Il ouvrit la bouche pour parler, mais la jeune fille lui mit de nouveau un doigt sur les lèvres. Puis elle reprit le fil de son histoire comme si rien d'inhabituel ne s'était passé.

– « Rustico ! s'écria Alibech, quelle est cette chose que tu as et que je n'ai pas, et qui s'élève comme un obélisque devant toi ? »

– « Hélas, ma fille, dit-il, c'est *il diavolo*, le diable même que je viens de mentionner. Dieu m'a imposé cette bête qui me cause des souffrances jour et nuit, à un point tel que j'ai souvent pensé que cette douleur allait me tuer. Mais maintenant, Il a exaucé mes prières en t'envoyant à moi. Parce qu'Il t'a donné quelque chose que je n'ai pas, un enfer dans lequel ce diable peut plonger et soulager ma douleur. »

La jeune fille commença à caresser Enrico.

– Tu dois avoir froid, dit-elle. Je gèle aussi, mais cela me fait l'effet contraire.

Elle guida sa main vers sa poitrine et plaça le bout de son doigt sur la protubérance foncée de son mamelon.

– Je ne peux pas continuer mon histoire si tu ne coopères pas. Tu as entendu ce qu'a dit Alibech. Tu dois t'élever comme un obélisque.

Sa voix s'était faite encourageante.

– Es-tu nerveux ? Tu dois te détendre. Tu te souviens de ce que les hommes ont dit ? Tu dois faire l'expérience de la vie. Même celle des nuits avec des dames à la peau pâle.

Il pressa son mamelon entre son pouce et son index avec curiosité, mais doucement, pour ne pas lui faire mal. Sa respiration s'était accélérée, et il sentait son pouls battre contre ses tempes. Il cligna des yeux pour lutter contre l'étourdissement qu'il ressentait.

– Voilà qui est mieux, dit-elle en continuant à le caresser.

– Tout va bien, tu sais. Tu n'as pas prononcé tes vœux encore. Oh ! oui, c'est beaucoup mieux ! Je devrais te surnommer « Rico le Géant ». Et tu peux m'appeler Amata. C'est mon vrai nom.

Il rit doucement et, des deux mains, commença à masser les seins de la jeune fille.

– Rico le Géant. Comme le sieur Jacopone, dit-il.

Elle plaça sa main libre sur celle d'Enrico, tenant leurs mains sur ses seins pendant un moment.

– Jacopone? Pourquoi parles-tu de lui à un moment pareil?

Il ouvrit de nouveau les yeux.

– Jacopone. C'est un surnom; ce n'est pas son vrai nom. Il m'a dit que ça signifiait « Jacopo le Géant ». Les gens de son village l'appelaient ainsi à cause de sa grande taille.

Amata interrompit brusquement ses caresses. Ses doigts se raidirent et elle serra fortement.

– Ouch! Qu'est-ce que j'ai dit?

Elle le lâcha.

– Quels villageois? Ceux de Gubbio? demanda-t-elle.

– Non. Pas de Gubbio. Il a dit qu'il venait de Todi, dans un coin perdu de l'Ombrie.

La jeune fille se rassit sur ses talons, rompant le contact avec les mains du jeune homme. Elle serra ses bras contre son estomac et commença à gémir.

– Pourquoi, Dieu, geignit-elle, pourquoi viens-Tu chercher toutes les personnes qui me sont chères?

Elle mit son poing dans sa bouche et mordit durement ses jointures. Sa bouche s'ouvrit toute grande, comme si elle voulait crier, mais sa détresse était si profonde que même le bruit ne pouvait l'exprimer.

– Qu'est-ce qui ne va pas? demanda Enrico.

Mais elle avait oublié le jeune homme. Elle se laissa tomber sur le côté, ses pieds raclant le sol de la forêt. Elle avait encore les bras croisés sur son ventre et gémissait toujours. Tout à coup, ses poings se mirent à battre l'air en combattant quelque ennemi invisible.

– Oh! mon précieux cousin, quelle horrible manière de mourir!

Elle délire, pensa-t-il. Il commença à s'inquiéter que le bruit puisse réveiller les autres. Il remit ses vêtements. Il ne voulait pas se faire surprendre ainsi en compagnie de la jeune fille. Il envisagea de se glisser de nouveau dans la grotte, mais à ce moment, elle roula sur le dos.

Ah! *Che bella*! *Che grazia di Dio*! Sa peau brillait dans la clarté lunaire, parfaite et virginale, et ses yeux remplis de larmes irradiaient la lumière comme des pierres précieuses.

Elle ressemblait à une créature féerique, une nymphe des bois, étendue sur l'humus sombre. Il se mit à lui caresser le ventre.

– Non. Elle retira la main d'Enrico. Je ne peux pas faire ça maintenant.

– Qu'est-ce qui s'est passé ?

Elle ne répondit pas tout de suite. Enrico commença à craindre que les autres remarquent leur absence. Finalement, au moment où il pensait qu'il ne pouvait pas rester plus longtemps, elle parla de nouveau.

– *Signore* Jacopo dei Benedetti da Todi, le célèbre notaire.

Elle avait prononcé le nom lentement, sur un ton respectueux.

– C'est ainsi qu'ils l'appelaient quand il était encore sain d'esprit. L'homme le plus grand de Todi. Au moment où on m'a emmenée de chez moi, il était fiancé à ma cousine Vanna. Je ne l'avais jamais vu en personne avant ce jour-là. Enrico, c'est ma propre cousine qui a été écrasée sous le balcon. Elle était comme une grande sœur pour moi – la sœur la plus aimée qu'une fille puisse avoir, la personne qui me comprenait le mieux entre toutes.

Elle s'assit et ramassa ses vêtements autour d'elle d'un air apathique. Enrico la regarda en silence pendant qu'elle se rhabillait. Il n'était pas tant intrigué par ses vêtements que par les objets qu'elle avait sanglés sous eux – quelque chose de blanc et qui craquait contre son abdomen, un étui sombre contre son avant-bras. Elle leva les yeux vers lui et saisit son regard.

– Ce parchemin est une chronique de l'histoire des frères, dit-elle.

Sa voix avait pris un ton important.

– Je l'apporte à Saint-Damien demain. Plusieurs sœurs de ce couvent savent écrire. Je vais leur demander de le copier, pour ensuite en faire la surprise au frère Conrad. Alors ne dis rien à ce propos.

Elle leva le bras pour qu'il puisse voir.

– Et ce couteau me sert à éloigner le danger. Le dernier homme qui m'a touchée sans mon consentement ne peut plus compter jusqu'à dix sur ses doigts, dit-elle avec fierté.

Elle avait fini de remettre ses vêtements. Elle noua la ceinture autour de sa taille et prit la main du garçon.

– Je suis désolée, Enrico. Je n'avais pas prévu que ça finirait de cette façon. Peut-être pourrais-je terminer l'histoire un autre jour. Au moins, tu auras le souvenir de sœur Amata et de ce que tu as vu ce soir.

Elle sourit d'un air mélancolique.

– Amata, dit-il. La bien-aimée. Ce nom te va bien. Je sais que moi je t'aime.

– N'y pense même pas. Je te le dis, ça porte malchance de m'aimer.

Elle le fixa d'un air sombre et son sourire s'était évanoui.

– Il faut que nous retournions à la grotte, dit-elle finalement.

Il la suivit en direction de la route, vers la lueur vacillante qui émanait de la grotte. Soudain, elle s'arrêta et lui fit signe de demeurer silencieux. Il l'imita alors qu'elle s'accroupissait derrière un arbre.

Elle jura doucement et murmura :

– Il y a une bande d'hommes sur la route.

Amata compta cinq silhouettes à la forte carrure. Elle songea à la bande de chasseurs de Dom Vittorio et à leur proie – les truands embauchés par les Pérugins pour terroriser les voyageurs. Avaient-ils été suivis à partir de Gubbio ? Elle se souvint de la prémonition qu'elle avait eue sur le sentier. Elle pria pour que ce ne soit pas la même bande ou une autre semblable, mais elle savait au fond d'elle-même que ce n'était qu'un vœu pieux. Seuls les voleurs et les meurtriers avaient des raisons de se trouver sur la route au milieu de la nuit à chercher des feux de camp. Le feu qui protégeait les dormeurs des animaux et du froid attirait les hors-la-loi de cette espèce.

Les hommes s'arrêtèrent près de l'arbre où se cachaient Amata et Enrico, préparant leur plan à voix basse. Ils se dispersèrent, se tenant à quelque dix verges l'un de l'autre, de chaque côté de la route, afin de s'approcher de la grotte sous plusieurs angles. Amata pouvait voir qu'ils portaient des gourdins et des piques, et elle devina qu'ils cachaient sous leurs vêtements d'autres armes plus petites.

– Ils vont tuer Conrad et Jacopone, souffla-t-elle à l'oreille du garçon. Je dois les prévenir. Attends ici.

Elle sentit un frisson lui parcourir l'échine au moment où elle atteignit le bord de la route. Elle ouvrit grands les yeux et prit plusieurs inspirations profondes, retardant le moment inévitable où elle devrait s'élancer entre les brigands et révéler sa présence. Elle pensa à Conrad et à la façon dont il avait risqué sa vie pour l'aider à franchir la paroi montagneuse, et ce souvenir lui redonna courage.

– Réveillez-vous, mes frères! hurla-t-elle. *Banditi*! Réveillez-vous!

Elle courut aussi vite qu'elle le pouvait vers les bois de l'autre côté de la route, mais un des hommes l'attrapa par la manche. Il la fit tourner sur elle-même et leva son gourdin. Instinctivement, elle s'élança contre la poitrine de l'homme, si bien que l'arme ne frappa que l'air derrière elle. L'homme grogna puis poussa un cri de douleur en laissant tomber son gourdin. Il avait saisi des deux mains le poignet d'Amata, essayant de l'éloigner alors qu'elle tournait son couteau dans son ventre en tentant d'atteindre son cœur. Du sang chaud giclait sur son poignet. L'homme lâcha finalement prise dans un frémissement au moment où Enrico atterrissait sur son dos.

– Cours, Amata! cria-t-il, pendant que deux autres brigands se saisissaient de lui et l'entraînaient plus loin.

Son assaillant faiblissait et elle enfonça encore sa dague. Avec un regard d'infinie tristesse, il tomba à genoux puis bascula vers l'avant, le visage contre terre. Elle se pencha pour ramasser son gourdin. Dans la confusion des ombres, Enrico appela à l'aide.

Elle eut à peine le temps d'apercevoir l'homme qui fonçait sur elle avec sa pique. Au dernier moment, elle bondit vers l'arrière. Elle entendit le bruit de sa bure et du parchemin de Léon que la lame fendait alors qu'elle évitait de justesse d'être éventrée. Elle entendit des branches craquer derrière elle et, au moment où l'homme à la pique ramenait ses bras vers lui pour projeter à nouveau son arme vers l'avant, le frère Conrad fonça sur lui et le souleva de terre. L'ermite retrouva son équilibre et prit position devant Amata.

– Au nom de Dieu, laissez-la! cria-t-il aux hommes.

– Ces gens-là ne craignent pas Dieu, cria Amata. Prenez ce gourdin et battez-vous, ou recommandez votre âme à Dieu.

Elle fourra le gourdin dans la main de Conrad.

L'homme à la pique eut un moment d'hésitation et appela ses camarades.

Les deux hommes qui avaient entraîné Enrico rejoignirent leur chef. Mauvais signe, pensa Amata. Ils ne s'inquiétaient plus du garçon. Le dernier de la bande rejoignit aussi ses compagnons et, maintenant, Conrad et la jeune femme faisaient face aux quatre brigands. L'ermite se tenait immobile. L'arme qu'Amata lui avait fourrée dans la main pendait à son côté. Une trêve éphémère s'ensuivit pendant que l'homme à la pique évaluait la situation.

– C'est l'homme que nous cherchons. Finissons ce que nous sommes venus faire et partons d'ici, dit-il.

Amata recula vers les arbres. Elle saisit un pan de la bure de Conrad et tenta de le tirer vers elle.

Il résista et garda sa position.

– Pourquoi dites-vous que je suis l'homme que vous cherchez? Me connaissez-vous? Je ne suis pas d'ici.

Le beuglement de la trompette de Jacopone en provenance de la grotte brisa le moment de trêve. Voyant le regard étonné des brigands, Amata tenta à nouveau d'attirer Conrad. Pendant ce temps, Jacopone s'avançait bruyamment à travers les arbres en hurlant et en rugissant alors qu'il comblait l'écart entre eux.

– Aïe! Les anges de Dieu les protègent! hurla le chef.

– Un dragon, cria un autre.

Amata se retourna pour voir deux grands yeux enflammés avancer à toute vitesse vers le bas de la colline.

La bande demeura paralysée un instant alors que l'apparition se rapprochait de plus en plus et, pendant ce court délai, Jacopone s'était rué sur eux. Il enfonça une branche enflammée dans le visage de l'homme à la pique pendant qu'avec une autre torche il mettait le feu aux vêtements de l'homme. Le brigand hurla de douleur et, les vêtements en flammes, se sauva dans la forêt. Les trois autres, le dragon à leurs trousses, s'empressèrent de regagner la route vers Valfabbrica. Jacopone réussit à mettre le feu aux vêtements d'un autre homme avant d'abandonner la poursuite.

Une fois la bande hors de vue, Conrad s'agenouilla près de l'homme qui avait attaqué Amata. Il retourna le corps et plaça sa main sur la poitrine ensanglantée.

– Il est trop tard pour lui donner l'absolution, dit-il. Son âme est déjà en route pour sa demeure éternelle.

– Vers l'enfer, j'espère, dit Amata.

– Est-ce toi qui l'as tué?

Elle perçut un soupçon de respect dans sa question.

– Ce n'était pas un combattant très efficace, répondit-elle.

Elle laissa Conrad agenouillé à côté du hors-la-loi, rejoignit la route et courut sur une courte distance en direction d'Assise, puis elle revint sur ses pas jusqu'à l'endroit où avait eu lieu le combat.

– Enrico ! appela-t-elle. Enrico !

Alors que Jacopone revenait avec ses deux torches, Amata aperçut le corps inerte d'Enrico à l'orée du bois. Elle s'approcha du corps mais n'osa le toucher. Elle eut un haut-le-cœur.

Amata tomba à genoux près du corps.

– Non, Rico, non ! hurla-t-elle en pleurant. Pas toi aussi !

XI

Conrad accourut et plaça sa main sur la poitrine d'Enrico, comme il l'avait fait avec le brigand. Puis, il approcha son visage de celui du garçon. Amata, impuissante, joignit les mains, priant et se lamentant tout à la fois.

– Il respire encore, mais à peine. Où est le sieur Jacopone ?

– Il arrive, *padre*, dit-elle. Nous sommes ici ! cria Amata en direction de la route. Dépêchez-vous !

Le pénitent brandit ses torches et poussa un rugissement de triomphe en s'approchant d'eux.

– Je n'ai pas combattu comme ça depuis que nous avons chassé Gaetani et ses gibelins hors de Todi, lança-t-il.

– Tu nous a sûrement sauvé la vie, frère, dit Conrad. Mais nous arrivons peut-être trop tard pour aider Enrico. Il est presque mort. Nous devons l'amener ailleurs avant que les *banditi* ne reviennent.

Il fit un geste en direction de la forêt.

– Laisse une de tes torches à Fabiano et trouve quelques branches que nous utiliserons comme perches pour un brancard.

Jacopone observa le garçon, puis se précipita de nouveau entre les arbres. Conrad porta une main à son front en réfléchissant et regarda autour de lui.

– Suis-moi, ma sœur, dit-il finalement. Je n'aime pas dépouiller un cadavre de ses vêtements, mais nous avons besoin de ceux du brigand pour transporter Enrico. Nous pourrons glisser les perches à travers les manches.

Hébétée, Amata le suivit en titubant. Bien qu'elle-même ait échappé à la mort, elle ne pouvait s'empêcher de penser que, si elle était restée à la grotte avec Enrico, celui-ci ne serait pas étendu à demi mort sur la route en ce moment. Elle aurait préféré connaître le même sort. Dieu avait sûrement jeté Sa malédiction sur tous ceux auxquels elle s'attachait.

Conrad lui ordonna de se retourner pendant qu'il dévêtait le corps. Elle pivota lentement et regarda l'obscurité jusqu'à ce qu'il crie :

– *Dio mio*, ma sœur ! Qu'as-tu fait ? Tu as tué un frère.

Conrad lui avait enlevé son manteau. Elle vit que le cadavre portait une bure grise ceinte d'une corde comme la leur. Il portait au cou une grossière croix de bois attachée avec une lanière de cuir.

– Il a essayé de me tuer.

Amata se sentit défaillir, ne laissant échapper qu'un murmure rauque. Elle n'avait même plus la force de se défendre. La torche dans sa main éclaira la tête chauve de l'homme et ses traits rigidifiés.

– *Padre* ! Je le connais ! Je l'ai vu ce matin !

– À Gubbio ?

– Oui. Sur la grand-place. Il se tenait derrière la foule avec d'autres membres de notre Ordre. Il ne portait pas son capuchon et je me souviens avoir pensé qu'il semblait apprécier le froid.

– Mais pourquoi nous avoir attaqués ?

Amata leva les mains en signe d'ignorance.

– Il y en a un qui a dit qu'ils vous cherchaient.

Elle regarda de l'autre côté de la route le corps inerte d'Enrico et agrippa la manche de Conrad.

– J'ai peur pour vous, *padre*, dit-elle. S'il vous plaît, n'allez pas au Sacré Couvent. Vous vous dirigez vers un piège mortel.

– C'est à moi de décider, lui rappela-t-il, et pour l'instant je ne vois pas d'autre possibilité.

Il regarda le frère mort pendant un moment.

– Et puis, une vie est-elle si importante ? Si ces hommes m'avaient tué plus tôt, je serais déjà en train de me réjouir avec le frère Léon et saint François.

Il sourit en tapotant sa poitrine et ajouta :

– Et je connaîtrais déjà la signification de cette lettre.

– Mais Léon vous veut vivant pour rendre public ce que vous apprendrez. J'en ai la certitude.

Jacopone émergea du boisé en tirant deux arbres minces dont il avait arraché les branches. Il les laissa tomber près d'Enrico puis rejoignit Conrad et Amata.

– Nous devons d'abord enterrer ce frère, dit Conrad.

– L'enterrer? s'écria Amata. Nous n'avons pas le temps! Il faut que nous emmenions Enrico hors d'ici.

– Cet homme était un frère. Il devrait être enterré comme un chrétien et non pas abandonné pour servir de nourriture aux charognards.

Conrad enleva la croix d'autour du cou de la dépouille et la tendit à Amata.

– Tiens ceci pour marquer l'emplacement de sa tombe. Sieur Jacopone, aidez-moi à lui enlever sa bure. Nous pouvons l'envelopper dans son manteau et ériger un monticule funéraire au-dessus de son corps.

– Donnez-moi sa ceinture, dit Amata. Elle pourra me servir.

Elle attendit sur la route, la torche dans une main et la croix dans l'autre, pendant que les hommes tiraient la dépouille sous les arbres. Craignant le retour de la bande, elle ne quittait pas des yeux chaque endroit où la piste disparaissait dans une direction. Trois d'entre eux s'étaient sauvés en direction de Gubbio, mais l'homme à la pique pouvait être n'importe où. Ses cris s'étaient depuis longtemps évanouis dans le silence de la nuit. Elle dressa l'oreille pour écouter les bruits dans la forêt au-delà de Conrad et Jacopone, qui déposaient des feuilles, des aiguilles de pin et de la terre sur le cadavre. Elle écouta également en direction d'Enrico, espérant entendre quelque gémissement ou cri de douleur, ou tout autre signe de vie. Le silence dans toutes les directions accrut son inquiétude.

Après un intervalle qui lui parut interminable, Jacopone surgit des ténèbres et échangea la ceinture contre la croix qu'elle tenait. Amata se précipita du côté de la route où se trouvait Enrico et ramassa une brassée de brindilles pour former un fagot. Elle y alluma le feu à l'aide de sa torche et, à la lueur de cette flambée, elle scruta le visage du garçon. Sa peau pâle était marquée d'égratignures et d'ecchymoses, et le sang séché qui imprégnait ses cheveux blonds formait une crinière gluante. *Si jeune*, songea-t-elle. Le même âge qu'aurait maintenant son frère Fabiano. Elle s'assit par terre près de lui et caressa son front, puis passa ses doigts dans les cheveux du garçon pour les démêler.

Enrico cligna des yeux puis les ouvrit tout grands en la reconnaissant.

– Amata, murmura-t-il. Tu es toujours vivante.

– Dieu merci, Rico, dit-elle, toi aussi.

– Je n'en suis pas si sûr. J'ai mal partout et je me sens si faible.

– Tu as fait preuve de bravoure en sautant sur le dos de l'homme.

Il esquissa un sourire.

– Le premier acte de bravoure de ma vie et j'ai perdu.

– Chut. Ne parle pas comme ça. Nous sommes tout près du Sacré Couvent. Les moines de l'endroit vont te soigner.

Ses paupières se fermèrent de nouveau. Il secoua la tête d'un côté et de l'autre en essayant de demeurer conscient. Elle entendit les hommes revenir.

– Souviens-toi, je suis Fabiano, et non Amata, murmura-t-elle alors qu'il perdait conscience de nouveau.

Conrad et Jacopone avaient construit un brancard avec les perches et la bure. Le corps du garçon demeura inerte pendant que les hommes le plaçaient sur le brancard et le soulevaient sur leurs épaules. Amata se plaça devant eux pour éclairer les ornières du chemin.

– Maintenant, que la grâce de Dieu le protège et nous aussi, dit Conrad. Allons-y.

La route, bien que cahoteuse, demeura plane pendant près d'une lieue, jusqu'à ce qu'ils parviennent au carrefour de Porziano. Dans une clairière sur leur droite, ils entrevirent la façade d'une minuscule chapelle de campagne où ils pourraient se réfugier au besoin. Conrad s'arrêta, le temps de poser le brancard par terre et de jeter un coup d'œil par la porte entrebâillée. Puis il fit signe à Amata d'avancer avec la orche, et ils pénétrèrent à l'intérieur.

La lumière déclencha une agitation dans la chapelle alors qu'un petit animal s'enfuyait le long du mur. Au-dessus d'eux, l'air se remplit de battements d'ailes et une nuée de chauves-souris s'envola par un trou dans la toiture. Amata se tint immobile devant l'entrée jusqu'à ce que le bruit ait cessé, puis suivit Conrad vers l'autel. L'air sentait la chair brûlée. Elle avait entendu des histoires de juifs qui tuaient des animaux sur leurs autels et les offraient en sacrifice. *Leurs temples doivent avoir constamment cette odeur*, pensa-t-elle.

L'ermite dépoussiéra la pierre qui formait l'autel et ouvrit la porte du tabernacle.

– Ce n'est pas un endroit sûr. On n'utilise plus ce lieu comme une église. Il n'y a pas d'Eucharistie pour nous protéger.

– Nous pourrions malgré tout nous arrêter pendant un moment. Tout ce brassage risque d'achever Enrico.

– Nous pourrons nous reposer au lever du soleil. C'est trop dangereux de nous arrêter dans l'obscurité.

Un gémissement se fit entendre dans la pénombre derrière l'autel. Conrad saisit la torche d'Amata et la leva au-dessus de sa tête.

– Si tu es un homme et non une bête, identifie-toi, dit-il.

– Que le diable emporte ton âme de zélote, Conrad da Offida, dit une voix rauque. Nous n'avions pas l'intention de te blesser. Nous devions seulement te faire prisonnier.

Conrad contourna l'autel jusqu'à ce qu'il puisse discerner la silhouette affaissée contre le mur. L'homme brandit sa pique dans leur direction, mais il semblait trop faible pour pouvoir les blesser gravement.

– Jette ton arme si tu veux que nous t'aidions.

– L'aider ? Il a failli m'éventrer ! dit Amata.

L'homme garda son attitude défensive.

– Jette ton arme, dit Conrad en dessinant lentement un cercle avec la torche. Veux-tu être brûlé une fois de plus ?

La pique s'abattit sur le sol poussiéreux. Conrad s'avança, mais Amata dressa son bras devant lui.

– Soyez prudent. Il pourrait avoir un couteau.

– Alors, prends son arme et tiens-le en garde. Je pense qu'il préférerait vivre.

Amata trouva la pique dans l'obscurité et en pressa la pointe contre la poitrine de l'homme. Conrad approcha la torche.

– Le connais-tu aussi ? demanda-t-il.

– Je ne peux pas voir son visage. Abaissez son capuchon.

L'homme poussa un hurlement quand la main du prêtre frôla son visage. C'était de là que provenait l'odeur de chair brûlée qu'elle avait sentie. Ses traits carbonisés étaient indiscernables, son visage, une masse suintante dans laquelle perçait un œil méchant qui la scrutait. Conrad rabaissa le capuchon. Les cheveux de l'homme avaient la couleur de la paille et étaient rassemblés autour d'une tonsure religieuse.

Amata se pencha un peu plus en posant la main sur l'autel pour garder son équilibre.

– Je pense que c'est un des frères qui m'ont suggéré d'aller voir Monna Rosanna. En tout cas, sa chevelure lui ressemble.

– C'est impossible ! N'étaient-ils pas à pied ?

– Non. Ils avaient des ânes. Je vous l'ai dit, l'autre était très âgé. Ils pourraient avoir atteint le monastère de Gubbio hier. Dieu merci, nous n'avons pas couché là, la nuit dernière.

Conrad approcha de nouveau la flamme du visage de l'homme.

– Connais-tu la signification de la lettre du frère Léon ?

– Non.

Il toussa et des mucosités sanguinolentes giclèrent sur sa poitrine. Lorsqu'il parla à nouveau, sa voix était rauque et les mots se formaient avec difficulté.

– Mon compagnon m'a seulement dit… que le ministre général… aimerait avoir cette lettre – et vous capturer aussi.

Il tenta de lever la main, mais elle retomba sur sa poitrine.

– Le nom de ton compagnon !

Les lèvres de l'homme se courbèrent en une grimace.

– Amanuensis.

– Ce n'est pas un nom, dit Conrad, c'est un métier.

– Amanuensis, répéta l'homme d'une voix assurée.

Conrad fronça les sourcils.

– Il dit probablement la vérité. Bonaventure me considère comme un fauteur de troubles. Il n'apprécierait sûrement pas mon retour, mais ce n'est tout de même pas une raison pour m'emprisonner.

L'homme toussa de nouveau alors que du mucus se formait dans sa gorge.

– Pour l'amour de Dieu, aidez-moi, implora-t-il. Écoutez ma confession. Je dois libérer mon âme de son fardeau.

– Très bien, mon frère, dit Conrad. Attends à l'extérieur, Fabiano, et ne t'en fais pas. Je te promets de rester à bonne distance de lui.

Amata apporta la pique près de la porte, mais demeura suffisamment proche pour entendre le murmure des deux voix. Elle voyait Jacopone dans la clarté lunaire. Il s'était agenouillé près du brancard et son inquiétude s'était accrue. *Jesu Domine* ! Pourquoi Conrad attachait-il plus d'importance aux besoins des autres qu'aux leurs ? Alors qu'un long nuage passait devant la lune, elle vit la silhouette du pénitent se fondre dans l'obscurité puis revenir. Pendant ce temps, Conrad continuait d'écouter le frère blessé. Finalement, la torche repassa de l'autre côté de l'autel.

– Repose en paix maintenant, et garde ton esprit libre de péchés, l'entendit-elle dire. J'enverrai des frères t'aider aussitôt que nous serons à Assise.

L'ermite lui tendit la torche, et lui et Jacopone hissèrent de nouveau le brancard sur leurs épaules. Amata tenta de tenir d'une main la torche qui brûlait violemment, mais ses doigts commencèrent à éprouver des crampes et, avec réticence, elle jeta la pique dans les bois.

À une faible distance au-delà de la chapelle, le sentier grimpait jusqu'aux hauteurs de Nocigliano, la dernière colline à franchir avant d'atteindre Assise. La boue était durcie et presque gelée sous les sandales d'Amata, et elle s'étonna que les hommes ne semblent pas ressentir autant qu'elle le froid sur leurs pieds nus. La force que dégageaient les deux ascètes l'impressionnait aussi. Conrad ouvrait la voie, et le sentier abrupt les ralentissait à peine. Elle se souvint des histoires de son père sur les guerriers spartiates de l'Antiquité, les combattants les plus féroces de mémoire d'homme, dont la vie quotidienne était centrée sur leurs salles à manger minables et leur régime alimentaire constitué d'abats rouges, de bouillie d'avoine et d'autres aliments tout aussi misérables. Tout comme Conrad et Jacopone, ils évitaient les femmes. Amata ne voulut même pas penser à ce que cela impliquait.

La lune disparaissait derrière les montagnes à l'ouest, tandis que, devant eux, le sentier qui montait s'éclairait de plus en plus. Amata vit la silhouette des arbres au sommet de la colline et se réjouit d'entendre le chant sporadique des oiseaux.

– Continuons jusqu'au sommet, sieur Jacopone, l'encouragea Conrad. Nous pourrons nous y reposer.

Ils posèrent finalement leur fardeau à l'endroit où la route s'ouvrait sur le bassin de la rivière Tescio. La faible lueur du jour naissant s'étendit au-delà des montagnes environnantes, et Amata vit la plaine gisant sous elle comme un univers miniature avec ses villages éparpillés, ses hameaux solitaires et ses champs cultivés s'étirant jusqu'aux lointaines collines. La plus proche de ces villes était Assise, et un flot de colère surgit en elle en voyant la tour principale et les murs crénelés de la forteresse de la Rocca Paida surmontant la ville. Elle écrasa sa torche dans la boue en souhaitant pouvoir écraser Simone della Rocca et ses fils avec autant de facilité.

Les hommes s'étirèrent et secouèrent leurs bras ankylosés. Jacopone choisit un buisson convenable, glissa la main dans son pagne et allait se soulager lorsque Conrad l'attrapa par le manteau.

– Allons un peu plus loin dans les bois, mon frère. Je t'accompagne.

Amata sourit. Conrad était déterminé à poursuivre le quiproquo – et à entretenir son dilemme – jusqu'à la fin.

Elle entendit bouger derrière elle et se retourna pour voir Enrico s'agiter sur son brancard et battre l'air de ses bras.

Elle se précipita vers lui.

– Je suis là, Rico, dit-elle. Nous sommes presque à Assise.

Elle lui saisit les poignets et ramena ses mains contre sa poitrine.

Conrad revint avant que le garçon ne puisse répondre.

– Nous sommes tous là, petit frère, dit-il.

Il plaça la paume de sa main contre le front d'Enrico et le dévisagea.

– Je viens d'entendre la confession d'un homme blessé, et j'écouterai aussi la tienne si tu le souhaites.

– Oui, *padre*. Confessez-moi. Je sais que je suis en train de mourir.

– Mais ne peux-tu pas attendre d'avoir atteint le monastère ? demanda Amata.

Le garçon roula des yeux tristes dans sa direction.

– Je suis désolé. Il faut que je me confesse. Maintenant. Il sera peut-être trop tard au monastère.

– Enrico a raison, dit Conrad en se tournant vers elle. Nous ne devrions pas prendre un tel risque. Éloigne-toi un peu sur la route et attends avec le sieur Jacopone. Laisse ce garçon se confesser en privé.

Amata s'éloigna. Elle sentait que son cœur ne pourrait plus supporter la mort d'une autre personne aimée, non plus qu'une autre attaque ennemie, et elle pria pour qu'il flanche. Conrad la détesterait sûrement après avoir entendu la confession de Rico.

Elle s'efforça de retenir ses larmes. Jacopone s'approcha d'elle et posa ses énormes mains sur les épaules de la jeune fille.

– La respiration intermittente des mourants. La commission des péchés et le pardon. Tout cela fait partie de la poésie, mon frère. Toute la vie est un poème épique sans fin.

❧

Seigneur Jésus-Christ, fils de Dieu, accorde-moi, pécheur, ta miséricorde. Seigneur Jésus-Christ, fils de Dieu, accorde-moi, pécheur, ta miséricorde.

Les lèvres de Jacopone remuaient sans bruit pendant qu'il récitait cette prière qu'il avait débitée des milliers de fois ces quatre dernières années. Cela lui était devenu aussi naturel que de respirer. Il s'était assis sur une grosse pierre, les mains jointes sur les genoux, les yeux mi-clos. Sur le côté de la route, un insecte noir, luisant, se débattait dans une mare.

Conrad se dirigea à grands pas vers Jacopone.

– Où est Fabiano ?

Son visage se tordait de colère. Il avait hurlé sa question comme ce juge dyspeptique que Jacopone avait connu à Todi.

Le pénitent fit un signe du pouce en direction de la route menant à Assise. Les yeux gris de l'ermite se remplirent alors de larmes et, de la manche de son vêtement, il essuya ses joues barbues. Il tendit les poings et regarda vers le ciel. Puis il laissa retomber ses bras et inclina la tête.

– Enrico est mort, dit-il en laissant tomber chaque mot. Parce que cet égoïste, ce pervers de Fabiano n'a pas su monter la garde, ce garçon est mort.

– Les enfants lapident les grenouilles pour le plaisir, mais les grenouilles meurent pour de vrai.

Jacopone sauta de son perchoir.

– Il m'a appelé cousin.

– Qui ?

– Votre novice. « Adieu, cousin, m'a-t-il dit. Je partage votre peine. » Je ne sais pas ce qu'il voulait dire. Ma femme avait un cousin du nom de Fabiano, mais il était loin d'être un novice. Vanna a porté le deuil de ses cousins pendant des mois. Nous avons retardé notre mariage. J'aimerais que nous ne nous soyons jamais mariés. J'aimerais que nos parents n'aient jamais organisé notre rencontre. Elle serait encore vivante aujourd'hui, la pauvre.

Il leva la tête pour regarder l'ermite, mais sa vue s'était obscurcie.

– Tout est entremêlé, plein d'énigmes. Tu es un homme intelligent, frère Conrad. Comprends-tu ce que tout cela signifie ?

XII

Bien sûr, Conrad comprenait. Il savait exactement pourquoi Amata avait appelé le pénitent « cousin », et pourquoi elle portait le deuil de sa femme avec autant de tristesse que lui. Mais ce qu'il savait du lien entre Amata et Jacopone, il venait de l'apprendre par la confession d'Enrico et il devait respecter l'inviolabilité du sacrement de pénitence.

L'ermite aurait aimé éprouver plus de pitié pour la mort de la cousine d'Amata, mais la fureur qu'il éprouvait à cause du comportement de la jeune femme était si ardente qu'elle éliminait toute forme plus douce de compassion. Il essaya de se rappeler qu'Amata n'était qu'une enfant elle-même, à peine plus âgée qu'Enrico, mais cette rationalisation ne lui fut pas d'un grand secours. Conrad aurait voulu hurler. Il aurait voulu pleurer – pour le garçon mort, pour Jacopone et sa bien-aimée Vanna, pour Amata – pour l'humanité tout entière qui allait à l'aveuglette, de manière si désordonnée et si malencontreuse, vers le Jugement dernier. Et pour sa propre impétuosité. Rien de ce qui s'était passé au cours de cette nuit sinistre ne serait arrivé s'il était demeuré dans sa hutte, s'il avait refusé de se laisser entraîner dans le labyrinthe des secrets de Léon. *Chi non fa, non falla*, avait l'habitude de dire le père de Rosanna. Qui ne fait rien ne commet pas d'erreurs.

Mais pour l'instant, lui et Jacopone devaient prendre en main la pire conséquence de son choix. Ils devaient s'occuper du corps d'Enrico.

Il tapota le pénitent dans le dos.

– Viens, mon ami. Finissons notre travail ici.

Il avait adopté un ton détaché, niant pour le moment la peine qui pesait sur son esprit.

– Le garçon devrait être enterré au Sacré Couvent. Les frères pourront informer sa famille.

Les deux hommes hissèrent le brancard sur leurs épaules et poursuivirent leur route, Jacopone ouvrant maintenant la voie. Des arbres formaient une arche au-dessus du chemin menant à la ville, créant un tunnel si sombre que Conrad eut l'impression qu'ils s'étaient perdus dans quelque labyrinthe souterrain menant en enfer. Dans son imagination, les broussailles devinrent le légendaire asphodèle infecté par le noir venin qui s'écoulait lentement de la mâchoire du Cerbère à trois têtes – les trois magiciens réunis pour préparer des philtres mortels. Comme le poète antique Orphée portant sa lyre, ils étaient descendus dans les entrailles même de l'Hadès à la recherche de… de quoi ?

Le poète légendaire avait au moins son Eurydice, qui représentait une raison de faire face aux horreurs qui l'attendaient, mais Conrad n'avait personne d'aussi tangible vers qui se tourner – il n'avait tout au plus que quelques réponses nébuleuses. Pourtant, il se sentait tout aussi inévitablement emporté vers une catastrophe personnelle.

L'ermite s'inquiétait également pour le poète squelettique qui descendait le sentier devant lui. Depuis son sermon passionné sur la grand-place, Jacopone avait progressivement sombré dans une mélancolie confuse de laquelle il n'avait émergé que le temps de répliquer à leurs assaillants. Qu'adviendrait-il du pénitent quand ils auraient atteint Assise ? Si la ville l'acceptait comme un pécheur repentant, on ne lui ferait pas de mal. Mais si les gens le considéraient comme un fou, les mêmes lois qui régissent les lépreux arrêtés à l'intérieur des murs s'appliqueraient à lui. Il pourrait être lapidé, ou pire. Même les gamins de Gubbio comprenaient cela.

Conrad se demanda aussi ce qui allait lui arriver. Si les frères l'attendaient à Gubbio, ne serait-ce pas aussi le cas de ses frères du Sacré Couvent ? Mais il savait également que c'était à cet endroit qu'il avait quelque chance de trouver des réponses à l'énigme de Léon.

Il s'en voulut d'avoir peur. Il répéta le passage du *Pater Noster* qui lui avait si souvent traversé l'esprit depuis qu'il avait quitté sa hutte : « Que ta volonté soit faite sur la terre comme au ciel. Amen. » Il se rappela aussi que le pire que pourraient faire les frères serait de le faire rejoindre ceux qu'il aimait le plus – le frère Léon et saint François.

Les deux hommes laissèrent finalement la forêt derrière eux et arrivèrent sur une colline rocheuse. Sous eux, l'ermite vit la porte qui menait à la partie nord-est de la ville. C'était la route la plus directe pour entrer dans Assise, mais le spectacle d'un ermite en loques et d'un pénitent lugubre transportant un enfant mort le long des rues attirerait fatalement l'attention de la foule.

– Prends le sentier sur la droite, dit-il à Jacopone.

Le chemin, étroit et sinueux comme un ruisseau, serpentait le long de la colline au-dessus de la forteresse et des remparts nord de la ville. Lorsqu'ils atteignirent l'endroit le plus à l'ouest, où la basilique de saint François et le Sacré Couvent s'étendaient hors de la ville dans un splendide isolement, ils amorcèrent la descente, bandant les muscles de leurs jambes pour éviter de glisser sur les rares touffes d'herbe qui parsemaient le schiste instable. Alors qu'ils approchaient de la Porta di San Giacomo di Mororupto, Jacopone releva la tête et renforça sa prise sur les perches. Dans la gueule du loup, songea Conrad avec résignation.

– Que la paix du Seigneur soit avec toi, mon frère, dit l'ermite au garde civil alors qu'ils traversaient le portail.

Le gardien attrapa sa pique et s'approcha d'eux l'air inquiet, en montrant la dépouille du garçon.

– Qu'est-ce qui s'est passé ?

– Nous avons été pris dans une embuscade pendant la nuit, répliqua l'ermite. Plusieurs hommes nous ont attaqués et ont blessé mortellement notre compagnon. Nous amenons son corps au Sacré Couvent.

Les yeux mauvais du garde se mirent à scruter Jacopone, cherchant des lésions sur la peau du pénitent. Il marcha autour d'eux, se grattant la poitrine d'un air pensif de la même façon qu'un homme plus porté sur la chose philosophique pourrait palper sa barbe. Finalement, il leur fit signe d'entrer.

– Je vais m'assurer que vous fassiez votre travail, dit-il.

De sa guérite, le garde pouvait voir toute la grand-place jusqu'à l'église supérieure de la basilique et les marches qui menaient à l'église inférieure et au Sacré Couvent.

Conrad poussait pratiquement Jacopone à travers la piazza. Le silence prolongé du pénitent rendait Conrad nerveux, et le garde, soupçonneux.

Le visage qui apparut à la grille après que Conrad eut tiré la cloche du monastère affichait également un air sceptique. La tension que ressentait l'ermite s'amenuisa pourtant. Il ne reconnut pas le portier qui ne sembla pas non plus se souvenir de lui. De plus, à en juger par l'air de dédain qu'avait adopté le jeune frère, celui-ci était davantage déconcentré par les vêtements usés des deux étrangers que par le cadavre qui gisait entre eux dans la poussière.

Conrad raconta à nouveau comment ils avaient été victimes d'une attaque.

– Nous avons apporté le garçon pour qu'il soit enterré, dit-il. Il aurait dû être l'un d'entre nous. Il porte à la ceinture une lettre adressée au frère Bonaventure de la part de l'évêque de Gênes.

Le frère ignora son explication.

– Avez-vous l'intention de passer la nuit ici ? demanda-t-il d'une voix glaciale.

– Pas moi. En tout cas, pas aujourd'hui.

Conrad ne savait pas ce que les frères allaient penser de sa pauvre bure rapiécée, bien que le dédain du portier semblât un bon indice. Si les autres frères avaient l'impression que Conrad leur adressait un reproche en mettant en évidence sa pauvreté, il pourrait se retrouver à nouveau dans le donjon du monastère, sans même pouvoir jeter un coup d'œil à la bibliothèque. Maintenant qu'il était finalement arrivé à la porte du Sacré Couvent, il se rendait compte qu'il hésitait à en franchir le seuil.

– Je ne peux parler pour mon compagnon, ajouta-t-il.

Il se tourna vers Jacopone, mais le pénitent avait disparu aussi silencieusement que la rosée qui s'évaporait sur les toits de tuiles.

Il étendit les mains d'un air impuissant.

– S'il vous plaît, aidez-moi à transporter le garçon à l'intérieur, dit-il au portier. Mon compagnon…

Il s'interrompit parce qu'il n'avait aucune explication à donner sur la disparition de Jacopone.

Le portier ouvrit avec un grognement de colère. Sans un mot, il se pencha pour prendre une extrémité de la litière et tirer le corps d'Enrico à l'intérieur, sans attendre que Conrad en prenne l'autre extrémité. L'attitude du portier suggérait que le voyageur était un casse-pieds et que le plus tôt il repartirait, le mieux ce serait.

Conrad posa un dernier regard sur Enrico, les sillons qu'avait laissés le brancard dans le sol et la bure qui avait servi de brancard. Il avait été si distrait par les événements récents qu'il avait presque oublié le moine mort et l'homme à la pique !

– Un autre frère, le frère Zefferino, est blessé, dit-il. Il se trouve dans une chapelle en ruine près du carrefour de Porziano.

Le portier leva brusquement les yeux vers lui. De toute évidence, il connaissait le blessé.

– Vous avez abandonné un frère blessé et vous avez emmené cette dépouille ?

– Les deux étaient vivants quand nous avons quitté la chapelle. J'ai promis au frère que nous lui enverrions de l'aide. Vous pouvez sûrement dépêcher là-bas deux frères robustes ?

Le portier scruta le visage de Conrad en tentant de trouver de quelle manière ce mendiant pourrait être lié à Zefferino.

– Je vais m'en occuper, dit-il finalement.

Il mit la main sur la porte pour la fermer, mais Conrad arrêta son geste.

– J'ai une autre question, mon frère. Y a-t-il un frère du nom de Jacoba qui vit dans cette communauté ?

– Frère Jacoba ? Je ne connais aucun frère de ce nom. Vous ne voulez pas dire plutôt sœur Jacoba ? Jacoba est un nom de femme.

Bien sûr ! Conrad se sentit stupide d'avoir omis un élément si évident. Peut-être avait-il mal lu l'écriture minuscule de Léon. Il aurait aimé prendre immédiatement la lettre et examiner le message une fois de plus, mais il s'en abstint par prudence. Le portier continuait de le surveiller, tout comme le garde civil qui avait suivi les étrangers à travers la grand-place et qui le regardait maintenant du haut des marches. Conrad se demanda s'il se tenait là au moment où Jacopone était parti. Si c'était le cas, il pensait de toute évidence que le frère était le plus suspect des deux étranges personnages.

Il rabattit son capuchon sur sa tête.

– Je vous remercie de votre aide, mon frère, dit-il. Auriez-vous la gentillesse de transmettre au ministre général la lettre de l'évêque. Elle mérite une réponse.

– Le frère Bonaventure en décidera, dit le portier en claquant la porte.

Du labyrinthe de rues derrière Conrad monta soudainement un son de trompette. Il sourit. Le pénitent était en sûreté maintenant. Le poisson était retourné à son cours d'eau.

Soulagé quant à la sécurité de Jacopone, et quant à la sienne pour le moment, Conrad s'éloigna à grands pas vers le Sacré Couvent. Il savait qu'il devrait bientôt y revenir mais, pour le reste de cette journée, il voulait savourer sa solitude retrouvée. Il n'avait pratiquement pas fermé l'œil depuis qu'il avait trouvé Amata dans sa hutte. Laissant derrière lui le monastère et le gardien, il ralentit le pas et descendit la Via Fonte Marcella.

Mais, une fois arrivé dans la ville proprement dite, Conrad réalisa qu'il devrait se contenter d'être seul en pensées. Les rues et les ruelles s'étaient animées. Des enfants encore trop jeunes pour être embauchés comme apprentis le dépassaient en criant, le forçant à se serrer contre les maisons pour éviter d'entrer en collision avec eux. De partout surgissaient les bruits et les odeurs des commerces. Les tanneurs de cuir et les cordonniers, les orfèvres, les fabricants de laine et les ateliers connexes des teinturiers et des tisserands, leurs fouleurs et leurs feutreuses, leurs ouvrières qui travaillaient à l'empennage des flèches, leurs armuriers et leurs selliers, tous travaillaient fiévreusement. Conrad se souvint alors que la foire des récoltes devait avoir lieu bientôt et que les marchands voudraient s'assurer d'être bien approvisionnés.

Assise était devenue prospère pendant ses six années d'absence. Il croisa plusieurs équipes de maçons qui transformaient les maisons de bois en maisons de briques ou de pierres. Les principales rues avaient été pavées de pierres et on avait creusé des rigoles pour évacuer les eaux usées. Il s'émerveilla à la vue des nouveaux égouts car il n'en avait vu qu'une seule fois auparavant, pendant son séjour à Paris. C'était un concept si logique. Pourquoi avait-il fallu tant de temps pour qu'il atteigne l'Ombrie ? Et les tours ! Les tours de la noblesse s'étaient multipliées alors que les châtelains abandonnaient leurs domaines campagnards et envahissaient la ville. Elles étaient si épaisses et si hautes qu'elles jetaient constamment une ombre sur les rues.

Il suivit la pente naturelle vers la basse-ville et la Porta San Antimo. Il avait décidé de passer l'après-midi dans la vallée au sud de la ville et de dormir cette nuit-là au pied des remparts, à la Portioncule, la « petite portion », où l'Ordre avait connu ses humbles débuts. Au petit oratoire où les premiers frères avaient prié, quelques-unes des premières cellules étaient encore intactes ; en tout cas, elles l'étaient au moment où il avait quitté Assise. Le matin venu, il tenterait de voir la personne qui était le plus susceptible d'avoir donné à Léon le vélin sur lequel il avait écrit sa lettre, la veuve Donna Giacoma.

L'air se réchauffa rapidement lorsque Conrad eut quitté l'ombre des tours et des maisons. Il passa sous les murs et erra dans une oliveraie chargée de fruits. Il chercha puis trouva un arbre plus jeune à l'écorce lisse. Il s'assit à cet endroit ensoleillé, le dos contre le tronc de l'arbre, prit un morceau de pain dans son sac de nourriture et, tout en mangeant, relut lentement la lettre de Léon.

Rien de neuf.

Il tenait le vélin à bout de bras, masquant momentanément la lumière du soleil. Le frère Léon, avec l'audace qui le caractérisait, pourrait avoir utilisé une encre qui n'apparaissait que lorsqu'elle était chauffée ou éclairée par-derrière. Mais une fois encore, son mentor le déçut. Le message ne contenait rien de plus ou de moins que ce qu'il en avait déjà lu.

Lis avec tes yeux, discerne avec ton esprit, éprouve en ton cœur la vérité des légendes. Légendes. Au pluriel. Là se trouvait sans doute le point de départ. Mais quelles légendes ? La version de la vie de saint François qu'avait rédigée Bonaventure en était certainement une. Dieu avait pointé dans cette direction en le faisant s'arrêter à Sant'Ubaldo le 4 octobre. Il trouverait assez facilement la Legenda Major au Sacré Couvent.

« Le Premier de Thomas » pourrait avoir fait référence à une légende qui avait aussi circulé pendant un moment – la première biographie de saint François écrite par Thomas de Celano. Mais les ministres provinciaux l'avaient bannie cinq ans auparavant, de même que tous les documents précédant la version autorisée de Bonaventure de la vie de François. Même si la bibliothèque du Sacré Couvent en possédait encore une copie, on lui interdirait de la consulter. Il pourrait y avoir d'autres légendes encore que le frère Léon souhaitait qu'il lise, bien que la lettre ne comportait aucun autre indice apparent.

La question du frère femelle le troublait aussi. Léon avait clairement écrit « frère Jacoba ». Mais le portier avait également raison : Jacoba était un nom féminin. Peut-être Léon avait-il voulut écrire « Jacobo » ou « Jacopo » ou encore « Jacomo ». Il eut un mouvement de recul devant la multitude de possibilités. Il avait déjà si peu d'éléments à partir desquels il pouvait travailler. Il n'avait vraiment pas besoin d'une faute d'orthographe ou d'une fausse piste pour compliquer sa tâche.

À un moment donné, alors que le soleil montait dans le ciel, Conrad arrêta de chercher une signification à la lettre. Il en répéta les mots dans son esprit jusqu'à ce qu'ils lui deviennent aussi familiers qu'une prière. Finalement, il se redressa, enroula le parchemin et le remit dans les plis de sa bure.

Un coup de vent envoya tournoyer des feuilles mortes à ses pieds. Conrad marcha sans but dans le verger, s'arrêtant un moment pour ramasser une branche élaguée. Il examina l'écorchure au milieu de la branche puis enfonça le bâton dans un mélange gris-vert de feuilles d'olivier, de paille et de fumier empilés entre deux rangées d'arbres. Il détacha de larges tranches de la matière en décomposition et laissa l'air humide s'écouler dessous. Le temps venu, le fermier aurait un sol fertile ; le temps venu, Conrad obtiendrait ses réponses. Pour l'instant, ce compost et les indices de Léon devaient fermenter.

Il jeta la branche, puis se rappela un truc que son père lui avait appris pour commencer à faire fermenter un tas d'ordures. Il regarda autour de lui pour s'assurer qu'il était seul et, levant sa bure, il urina sur le monceau. Il se souvint à quel point il s'était senti grand quand lui et son père avaient uriné côte à côte dans leur jardin, un matin, alors qu'il avait cinq ans.

Conrad regrettait le sentiment de bien-être que lui avait procuré l'amour de son père, mais il n'était pas homme à rouvrir les portes du passé. Il laissa retomber sa bure et se réprimanda plutôt de n'avoir pas fait confiance à l'amour de son père céleste. Il était certain qu'au moment opportun il trouverait l'ingrédient dont il avait besoin pour amorcer la fermentation des phrases incongrues de Léon. Ses lèvres esquissèrent un demi-sourire alors qu'il réfléchissait à la forme que pourrait prendre l'urine divine.

L'ermite éprouvait un urgent besoin de passer cette journée seul. Il occupa le reste de la journée à se promener dans les lieux que vénérait la confrérie. Il se rendit premièrement à la rivière Torto et aux ruines de la masure où les premiers frères avaient subi leur dure initiation hivernale. Il escalada le mont Subasio jusqu'aux *carceri*, les caves où François se réfugiait lorsqu'il voulait jeûner et méditer en solitaire. Alors que l'obscurité gagnait la colline, il redescendit jusqu'au bassin que dominait la ville, mangeant en chemin le reste de la nourriture qu'il avait apportée, puis il pénétra dans l'oratoire de la Portioncule.

L'ermite se tint immobile dans l'allée pendant que ses yeux s'ajustaient à la semi-obscurité. Il regarda le Jésus de bois suspendu au-dessus de l'autel, qui semblait se tordre sur Sa croix dans la lueur vacillante de l'unique lampe à l'huile de la chapelle. Conrad pouvait presque voir saint François en prière, presque entendre ses paroles se mêler au courant d'air qui sifflait dans les embrasures étroites de la pièce.

Léon lui avait raconté comment le saint s'agenouillait en pleurant devant ce crucifix pendant des heures. Parfois, François s'étendait sur le sol de terre battue, les bras étendus, jusqu'à ce que ses muscles deviennent douloureux, liant sa propre douleur et sa propre solitude au spectacle sacrificiel. Les gens avaient connu François comme un saint homme joyeux errant sur les routes. Ils avaient également entendu ses appels pressants à la pénitence et à la renonciation. Mais personne ne connaissait autant que Léon la profondeur de son autopropitiation, comment il avait affamé et exploité frère Âne (comme il appelait son corps). Il malmenait sa bête au cours de longues vigiles sans sommeil, ignorant la maladie et l'épuisement, la privant de la moindre couverture pendant les nuits froides de février. Il subsistait avec de la nourriture horriblement mauvaise et la mêlait à de la cendre jusqu'à ce que, faut-il s'en étonner, la bête affaiblie s'effondre, incapable de suivre le rythme de son imagination débridée, son âme s'étant en de rares moments échappée de sa cage vers le ciel, il était finalement parti seul – enfin libre de cheminer sans son frère Âne.

Pendant qu'il se concentrait sur le crucifix, Conrad sentit une soudaine chaleur monter dans son dos. Elle se répandit le long de son épine dorsale jusqu'à ses épaules puis dans ses bras, les faisant s'élever de chaque côté jusqu'à ce qu'ils aient la position de ceux du Christ sur la croix. Sa tête s'inclina sur le côté et il demeura dans cette posture jusqu'à ce que toute la peur et l'hésitation qu'il avait ressenties à la porte du Sacré Couvent se soient évanouies – jusqu'à ce qu'il sache au plus profond de son être qu'il était prêt et qu'il ne serait jamais seul.

– Oui, Seigneur, murmura-t-il. Je ferai tout ce que vous me demanderez.

Et cette fois, son cœur et ses lèvres vibraient à l'unisson.

XIII

Conrad quitta la Portioncule dès que le ciel fut suffisamment clair pour qu'il puisse grimper le chemin jusqu'à la ville sans trébucher. Sa brève retraite dans les lieux saints de l'Ordre lui avait procuré une nouvelle énergie et compensait jusqu'à un certain point les pénibles événements des derniers jours. La silhouette floue des remparts de la ville, à peine visible à travers le brouillard matinal, adoucit encore davantage son état d'âme.

La brume s'épaissit alors qu'il approchait de l'oliveraie où il s'était reposé la veille. Il ralentit le pas pour éviter de perdre le chemin de vue. Pendant qu'il avançait, un murmure de voix masculines endormies sembla surgir tout autour de lui jusqu'à former un crescendo de grognements. L'ermite pouvait aussi entendre les hennissements des chevaux et des cliquetis de métal. Quelques pas de plus le conduisirent à l'entrée d'une tente, où il échangea des regards ébahis avec des guerriers à demi vêtus, leurs armes et leurs boucliers posés près de leurs couches.

– Que la paix de Dieu soit avec vous, mes frères, dit-il pour mettre fin à l'étrangeté de la situation. Je crois que je tourne en rond dans le brouillard.

Il n'était qu'un frère après tout. Les hommes n'avaient aucune raison de s'alarmer et ils reprirent leurs activités.

L'ancienne grande voie romaine qui menait aux États du Nord passait sous les murs d'Assise, tout près de ce verger. Conrad se souvint de la manière dont Léon avait décrit le passage triomphal de Otton IV pendant l'hiver 1209, après que le pape Innocent III l'eut couronné empereur romain. Innocent, avec sa témérité habituelle, ordonna à Otton de quitter Rome et de retourner en Germanie le lendemain du couronnement. Le pape entendait tuer dans l'œuf toute idée malveillante de la part de l'empereur et de ses six mille chevaliers qui campaient dans la Ville éternelle.

Malgré la rebuffade polie d'Innocent, les citoyens d'Assise, de bons gibelins fidèles à l'empereur pour la plupart, applaudirent vigoureusement au passage d'Otton. En cette époque de changements politiques rapides, les sages habitants de la ville soutenaient toutes les parties et rendaient également hommage au pape et à l'empereur. Les citoyens d'Assise firent un tel raffut qu'ils dérangèrent François et ses quelques disciples qui occupaient alors la masure près de la rivière Torto. Égal à lui-même, François ignora l'agitation autour du dernier des César célébrant, avec son énorme escorte, sa toute nouvelle gloire. Il envoya plutôt un de ses frères entretenir Otton de la fragilité des gains terrestres.

Mais le successeur d'Otton, Frédéric II, était mort en l'an de grâce 1250, et Charles d'Anjou avait décapité le dernier fils de Frédéric en 1268. La colonne vertébrale de l'empire s'était fracturée une fois pour toutes, pensa l'ermite. La papauté avait remporté la victoire.

Mais était-ce bien certain ? La présence de tant de soldats qui bivouaquaient près de la route principale en marmonnant et en plaisantant dans le dialecte romain le faisait réfléchir. Les princes germaniques avaient-ils réglé leurs querelles destructrices et s'étaient-ils réunis sous la houlette d'un nouveau dirigeant ?

Il jeta un regard autour de lui.

– Sommes-nous en guerre, mes amis ? demanda-t-il.

Un des soldats éclata de rire.

– Pas de ce côté-ci de la Terre promise, frère. N'avez-vous pas entendu la nouvelle ? Le nouveau pape a quitté Acre pour Venise à bord d'un vaisseau. Nous avons rassemblé les fils de chaque famille noble de Rome pour l'accueillir à cet endroit et l'escorter jusqu'à Rome. Il y aura beaucoup d'activité dans votre village quand nous repasserons par ici.

L'homme se retourna et reprit ses tâches. Puis, semblant saisi d'un doute soudain, il se tourna de nouveau et s'agenouilla devant Conrad.

– Bénissez notre voyage et priez pour que nous revenions sains et saufs, mon père.

Les autres chevaliers, entendant la demande de leur camarade, cessèrent leurs activités et s'agenouillèrent également.

– Avec plaisir, fit Conrad.

Il sortit un bréviaire de sa poche et le feuilleta jusqu'à ce qu'il trouve la prière des voyageurs. Levant la main droite au-dessus des têtes inclinées, il implora :

– Entends, Ô Seigneur, notre supplique et fasse que le voyage de tes serviteurs s'effectue en toute sécurité et qu'il soit prospère.

Puis il ajouta l'oraison *pro navigantibus*, « pour ceux qui se trouvent sur la mer ».

Après le dernier « amen », les soldats firent le signe de la croix et se relevèrent.

Au moment où l'ermite quitta le pavillon, les murs de la ville étaient complètement disparus dans le brouillard. Toutefois, il était maintenant suffisamment proche d'Assise pour ne pas avoir besoin de les voir. Il n'avait plus qu'à grimper la colline.

🕊️

Une fois à l'intérieur de la ville, Conrad n'eut pas de difficulté à trouver la maison de la noble Romaine, malgré la brume. Les citoyens se levaient tôt, martelant et sciant, construisant des stalles pour la foire à venir, montant des étalages ou plaçant des planches sur des tréteaux et, pratiquement à chaque carrefour, quelqu'un lui indiquait la direction à prendre.

Comme il s'y attendait, la maison se trouvait dans la haute-ville, à mi-chemin entre l'église de San Giorgio et la basilique. Un escalier sinueux grimpait de la Via San Paolo jusqu'à la ruelle devant la maison de Donna Giacoma. Le quadrant de pierre que formait l'enceinte était aussi solide qu'une forteresse, son toit d'ardoise descendant jusqu'à des gouttières de plomb aux coins desquelles se tenaient d'effrayantes gargouilles qui scrutaient l'ermite d'un œil hautain. Leurs bouches étaient grandes ouvertes et, lorsqu'il pleuvait à verse, l'eau qui s'engouffrait en cascades dans ces mâchoires se déversait sans doute sur les passants. Contrairement aux volets sur les fenêtres du rez-de-chaussée qui étaient ouverts sur la lumière matinale, l'étage supérieur ne comportait que d'étroites meurtrières. Un blason écarlate encastré dans le linteau rocheux au-dessus de la porte affichait un troupeau de lions sur le point de partir en chasse, des aigles aux griffes sorties, et un nœud de vipères dont les langues menaçantes semblaient viser toute personne approchant de la porte.

Conrad rentra les épaules. Il avait appris de la bouche de Léon une partie de l'histoire de la propriétaire : fille des princes normands qui avaient conquis la Sicile quelques décennies plus tôt ; mariée pendant huit ans à Graziano, l'aîné du clan romain assassin des Frangipane, qui manipulait les papes comme s'il s'agissait d'enfants au service de la famille. Héritière de guerriers et veuve de l'un des plus puissants barons de Rome, elle avait abandonné son palais dans la Ville éternelle à la mort de saint François et était déménagée à Assise pour se rapprocher de son tombeau.

Conrad n'était jamais entré dans la maison d'un personnage de si haut rang et il tenta de s'imaginer à quoi elle pouvait ressembler – peut-être courbée par l'âge mais majestueuse, ses cheveux et ses oreilles couverts d'un voile retenu par un diadème d'or, sa robe de satin pourpre, incrustée de joyaux ou de boutons décoratifs, traînant derrière elle pendant qu'elle dirigeait sa demeure et ses serviteurs, les mains croisées sur son ventre pour tenir les longues manches évasées, la toute dernière mode chez la noblesse. Il jeta un dernier regard sur le blason menaçant puis fit retentir le lourd heurtoir en cuivre de la porte. Le bruit métallique se répercuta le long de la ruelle. Conrad s'attendait à voir apparaître un autre œil soupçonneux à travers le judas, comme cela s'était produit au Sacré Couvent, mais la porte s'ouvrit toute grande. L'apparence du jeune garçon qui l'accueillit contrastait totalement avec l'aspect extérieur de l'enceinte. Son attitude était si douce et si avenante que Conrad pensa que ce devait être à cela que ressemblaient les anges lorsqu'ils adoptaient une forme humaine. Une chevelure noire, coupée en mèches droites sur son front et bouclée aux épaules, encadrait le visage immaculé du garçon. Il portait un collant bleu pâle, des mules de feutre et une tunique bleue bordée de blanc – les couleurs de la Vierge Marie. Quelqu'un avait brodé le mot latin *AMA*, « aime », tout au long de l'ourlet de son bliaud.

– Que la paix soit avec vous, mon père, dit-il. En quoi puis-je vous être utile ?

– J'aimerais parler à ta maîtresse. Je m'appelle Conrad da Offida, un ami du frère Léon.

Le garçon fit une révérence.

– Madonna est encore à la chapelle.

Pendant qu'il parlait, l'estomac de Conrad criait famine, car il était arrivé sans avoir mangé. Immédiatement, le page ajouta :

– Peut-être aimeriez-vous attendre dans la cuisine ?

Conrad acquiesça avec reconnaissance et suivit le garçon dans le hall. La maison dégageait un parfum de pin brûlé et il pouvait entendre des feux qui crépitaient dans plusieurs pièces de chaque côté du hall. Les murs étaient couverts de tapisseries et des tapis de roseaux frais atténuaient la dureté du carrelage des planchers. Des lampes à mèche de jonc brillaient dans les coins que n'atteignait pas la lumière du soleil. Les lourdes chaises sculptées placées le long des murs étaient décorées de coussins écarlates. Dans l'ensemble, la maison de Donna Giacoma dégageait une atmosphère de confort et d'hospitalité.

– Maman, un visiteur, dit le guide de Conrad à la cuisinière alors qu'ils traversaient l'arrière-cuisine dans les odeurs de pain chaud, d'épices séchées et de levure. Une montagne de pâte attendait près du pétrin à côté d'une casserole remplie d'huile. De la table où elle tranchait un fromage couleur crème, la femme leva les yeux vers Conrad. Elle semblait à peine plus âgée que lui, et avait la même pâleur que le garçon – sans doute à cause des années passées devant les chaudrons bouillants –, si l'on excepte les taches brunâtres qui apparaissaient sur ses joues et au-dessus de sa lèvre supérieure. Son tablier blanc était taché de soupe et de jus, et ses avant-bras nus, saupoudrés de farine.

– Le pain est tout juste assez froid, dit-elle. Veuillez vous asseoir avec Maestro Roberto, mon père.

Un homme plus âgé, portant la même livrée bleu pâle que le garçon et coiffé d'une calotte bleue, fit signe à Conrad de s'asseoir devant lui à la table. Il affichait la même ouverture et la même curiosité que les deux autres, mais Conrad remarqua dans son regard une pointe de soupçon.

– Je ne crois pas vous avoir déjà vu ici auparavant, mon père, dit-il après que Conrad eut placé son banc.

– C'est la première fois que je viens ici.

– Il connaissait le frère Léon, intervint le garçon.

– Ah ! Alors, vous êtes le bienvenu. Je suis l'intendant de Donna Giacoma, alors il est de mon devoir de m'inquiéter lorsque des étrangers arrivent. Parfois, notre maîtresse a le cœur trop tendre lorsqu'il s'agit de son bien-être. Il lui arrive souvent de se laisser duper par des charlatans qui veulent obtenir facilement un repas et une chambre. Les religieux sont les pires. Ils l'impressionnent avec des histoires incroyables de visions qu'ils ont eues, de voix angéliques qu'ils ont entendues, et tentent de lui vendre une dent de Jean le Baptiste ou une assiette qui aurait servi pendant la Dernière Cène. On nous a suffisamment proposé d'assiettes pour nourrir tous les apôtres et deux fois autant d'invités. Je suis sûr que vous comprenez.

Ses yeux se firent plus étroits, soulignant l'avertissement peu subtil dans sa voix.

– Elle doit être reconnaissante d'avoir un homme prudent comme vous qui protège ses intérêts, dit Conrad.

La cuisinière éclata de rire.

– Non, mon père, personne d'autre qu'elle ne protège ses intérêts. Elle nous dit ce qu'elle veut et nous le faisons de bon cœur.

La femme plaça devant chacun des hommes un bol de bois rempli d'une épaisse bouillie de farine, une chope de lait et un morceau de pain recouvert de fromage. L'intendant inclina la tête.

– Voulez-vous réciter la bénédiction, mon père ? Nous demandons à nos hôtes religieux de mériter leur repas en priant pour le bien de nos âmes.

Il avait fait cette requête sur le même ton qu'il avait proféré son avertissement, et Conrad s'exécuta volontiers.

Lorsque Conrad eut terminé sa bouillie et nettoyé son bol avec le dernier morceau de pain, il prit conscience d'une autre odeur plus sucrée que les odeurs de cuisine. Il inspira profondément et ses narines remuèrent de plaisir.

– La frangipane, bien sûr, dit l'intendant. Le parfum de la fleur de l'alpinie pourpre.

Il se leva pendant qu'il parlait et regarda derrière Conrad.

– *Buon giorno*, Giacomina.

– *Buon giorno*, vous tous.

La femme parlait d'une voix rauque qui tremblait légèrement. L'ermite se leva en vacillant, renversant presque son banc. Il était embarrassé parce qu'il n'avait pas entendu entrer Donna Giacoma dans la cuisine.

Il en comprit immédiatement la raison. La vieille femme se déplaçait sans bruit, les pieds nus, supportant son poids à l'aide d'une canne pendant qu'elle traversait la pièce en boitant. Elle portait la tunique gris-brun d'un frère. Conrad se souvint alors que Léon lui avait un jour dit qu'elle vivait comme une tertiaire. Donna Giacoma était imposante, ce qui n'avait rien de surprenant compte tenu de ses ancêtres héros et héroïnes, mais ce qui étonna Conrad, c'était l'absence de rides sur son visage arrondi, terni seulement par une cicatrice sur la joue. Elle aurait pu passer pour une femme de cinquante ans. Ses cheveux blancs le surprirent aussi ; elle les portait sans couvre-chef, rassemblés sur le dessus de la tête à la manière d'une servante, mais les peignait de façon à couvrir modestement ses oreilles. Sous ses mèches, des yeux verts brillaient avec une intensité féline.

Conrad jugea immédiatement l'attitude de la femme noble comme étant à la fois charmante et peu commune. Cela expliquait la grâce avec laquelle ses serviteurs l'avaient reçu, car il émanait d'elle un pouvoir doux qui ne pouvait manquer d'influencer ceux qui vivaient quotidiennement en sa présence. Un mot lui vint à l'esprit – *gentilezza* – un air de distinction qui allait au-delà de la noblesse acquise par la naissance ou la richesse. Il commençait à comprendre comment François et Léon en étaient venus à aimer et à révérer leur amie.

Conrad se présenta à nouveau et expliqua la raison de sa visite. Il avait quelques questions concernant une lettre qu'il avait reçue après la mort de Léon, et il apprécierait que la *madonna* lui fasse la faveur de lui consacrer quelques moments de son temps.

Le visage de la femme s'éclairait à mesure qu'il parlait.

– Vous l'avez reçue alors ? Je craignais tellement que la tâche soit trop lourde pour la Mère prieure.

– Elle l'a confiée au membre le plus… obstiné de sa congrégation.

Donna Giacoma fit signe au garçon de s'approcher.

– Pio, conduis le frère Conrad dans la partie ensoleillée de la cour. Le brouillard commence à disparaître.

Puis elle ajouta à l'intention de l'ermite :

– Je vous rejoindrai aussitôt que j'en aurai fini avec Maestro Roberto.

L'ermite suivit à nouveau le page à travers le hall et sous une arcade qui formait un cloître autour du niveau inférieur de la cour. Un balcon de bois ornait l'étage supérieur, alors que le côté le plus éloigné de la ruelle s'élevait bien au-dessus du reste de l'enceinte. C'était le donjon où pouvait se réfugier la maisonnée si la ville était attaquée. Le garçon indiqua un banc de pierre où Conrad pourrait se prélasser au soleil et écouter le gargouillement de la fontaine de marbre au centre de la cour pendant qu'il attendait.

Donna Giacoma arriva peu après. L'ermite prit la lettre dans les replis de sa bure lorsqu'il la vit venir et la déroula devant elle tandis qu'elle s'assoyait.

– J'espérais que vous pourriez lire mon écriture, dit-elle. J'ai appris à lire et à écrire lorsque j'étais enfant, mais je n'ai pas eu beaucoup d'occasions de mettre cet art en pratique. Le frère Léon a insisté pour dicter cette lettre à moi plutôt qu'à mon secrétaire.

– Il avait ses raisons, bien que, pour le moment, je n'aie aucune idée de leur nature, dit Conrad.

De son doigt, il suivit la bordure du message.

– Vous a-t-il dit ce que signifiait cette partie qu'il avait écrite lui-même ?

Donna Giacoma scruta le bord du document avec curiosité.

– Je ne savais pas que cela faisait partie de la lettre. Ses doigts étaient devenus si déformés et il lui a fallu tant de temps pour la dicter que je l'ai laissé seul pour la terminer. Il affichait une expression si paisible et si pure pendant qu'il travaillait qu'on aurait dit un enfant décorant un mot d'amour pour sa mère. Je pensais qu'il ne s'agissait que de cela, une décoration.

Elle plissa les yeux pour mieux voir l'endroit qu'il indiquait, mais elle secoua finalement la tête.

– Lisez-la-moi, s'il vous plaît. Mes yeux ne sont plus aussi bons qu'ils étaient.

– Ça commence par : « Frère Jacoba connaît bien la soumission parfaite. »

Les joues de la femme s'empourprèrent.

– Il a écrit cela ?

– C'est ce qui est écrit. Cela m'étonne. Depuis quinze ans que j'appartiens à l'Ordre, je n'ai jamais rencontré un frère Jacoba. Peut-être le connaissez-vous ? Depuis ses débuts, vous avez été aussi près de l'Ordre que quiconque.

– Oh ! ce doux homme ! Je n'ai pas entendu prononcer ce nom depuis des années.

– Alors vous connaissez frère Jacoba ?

Ses yeux gris se remplirent de larmes.

– Je suis frère Jacoba. Ou j'étais. Saint François a fait de moi un frère honoraire il y a plus de cinquante ans – pour la *virilité* de ma vertu, disait-il.

Elle éclata de rire.

– Il me comparait à Abraham et Jacob et aux autres patriarches d'Israël. Je sais que c'était à ses yeux le plus beau compliment, mais avec deux jeunes fils qui couraient dans la maison à cette époque, je ne me sentais vraiment pas virile.

Elle épongea ses yeux du revers de sa manche et sourit.

– Excusez mon étourderie, mon frère – mon manque de virilité. Votre question a libéré un flot de souvenirs.

Elle s'appliqua pendant un moment à arranger les replis de sa bure pour retrouver sa contenance. Conrad profita de cette pause pour retrouver la sienne également. Léon venait encore une fois de l'étonner.

– Eh bien, alors, renseignez-moi sur la soumission parfaite ! dit il.

Ses doigts fébriles s'immobilisèrent une fois de plus sur ses genoux. Elle les regarda brièvement d'un air pensif.

– Le frère Léon m'a parlé de la soumission – il a même insisté sur le mot – pendant sa dernière visite, la semaine où il a composé cette lettre. Je lui ai demandé pour la centième fois ce qu'il avait vu sur le mont de l'Alverne le soir où le séraphin avait imprimé sur la chair de notre frère béni les blessures du Christ. Pendant toutes les années où je l'ai connu, dans toutes les lettres qu'il m'a adressées et dans nos conversations, le frère Léon n'a jamais parlé des stigmates, même s'il accompagnait saint François au moment où cela s'est produit. Et cette fois-là ne fut en rien différente. Comme par le passé, il n'a rien dit, mais a seulement répété les mots que François employait lorsque les gens lui posaient des questions sur ses extases : *secretum meum mihi*, c'est mon secret. Ce qu'il m'a confié, toutefois, et ceci pour la première fois, c'est qu'il gardait le silence pour des raisons de sainte obéissance. Il m'a dit que le frère Élie l'avait conduit dans son bureau immédiatement après la mort de notre maître et lui avait interdit à tout jamais de discuter de cette question.

Elle se retourna sur le banc pour faire face à Conrad et inclina la tête de côté.

– Y comprenez-vous quelque chose ? J'ai trouvé cela très étrange. Le frère Élie a lui-même si souvent parlé des blessures après la mort de saint François.

Ses yeux s'emplirent de larmes de nouveau.

– Élie m'a fait quérir en personne et m'a menée à la petite hutte où notre maître venait de rendre l'âme. La tête de François reposait sur un oreiller que j'avais rapporté de Rome, mais ils n'avaient pas encore enveloppé son corps dans un linceul. Il ne portait qu'un pagne, comme le Christ sur la croix, et j'ai vu de mes yeux les marques des clous dans ses mains et ses pieds, et celle de la lance sur son flanc. Il portait toujours un bandage sur ses blessures et personne d'autre ne les avait vues à part Léon, qui prenait soin de lui et changeait ses pansements.

– Le frère Élie a soulevé son corps de la couche et m'a dit : « Celui que tu as aimé dans la vie, tu l'enlaceras dans la mort. » Miraculeusement, le corps n'était pas du tout rigide ; en fait, il semblait plus souple que lorsque François vivait encore, car ses membres étaient souvent contractés par la douleur au cours des dernières années. Je le tenais aisément ; après ses années de jeûne, son corps était devenu léger comme le duvet d'oie. J'ai compris à ce moment comment devait se sentir Marie-Madeleine lorsqu'elle a reçu le corps de Jésus contre son sein – et pendant tout ce temps, le frère Élie se tenait à mes côtés, comme l'apôtre Jean.

Conrad eut un mouvement de surprise en entendant la dernière remarque de Donna Giacoma.

– Le portrait que vous tracez d'Élie est très différent de celui qu'en faisait le frère Léon.

– Malheureusement, Élie a changé après les funérailles. Il aimait saint François et, pendant que notre maître vivait encore, il s'occupait de lui comme une mère de son enfant souffrant. Mais notre saint avait également été sa conscience. Quand sa conscience est morte, il est devenu obsédé par la puissance et la grandeur, à la fois celles de sa propre personne et celles de l'Ordre dans son ensemble.

– Si on en croit la rumeur populaire, il aurait même touché à la magie noire.

– Une pure fantaisie, j'espère. Mais vous avez raison. J'ai entendu dire qu'il cherchait la pierre philosophale. Quand le protecteur de l'Ordre, le cardinal Ugolin, est devenu pape, il s'est fait construire un palais à Assise où il pouvait demeurer lorsqu'il visitait la ville. Ce palais renferme beaucoup de pièces secrètes.

– Je l'ai vu, dit Conrad, mais seulement de l'extérieur.

– D'après ce que j'ai entendu, chaque fois que le frère Élie entendait parler de frères appartenant à l'Ordre qui s'étaient intéressés aux arts alchimiques pendant qu'ils parcouraient encore le monde, il les envoyait chercher et les gardait pratiquement comme otages dans le palais pontifical. Non seulement forçait-il ses frères à continuer de pratiquer l'alchimie, mais il consultait d'autres personnes – des devins et des interprètes des rêves.

Conrad fit une grimace.

– Ce qui revient pratiquement à faire confiance aux oracles.

Un tel homme n'hésiterait pas à pactiser avec Satan, pensa-t-il.

Donna Giacoma fronça les sourcils.

– Je peux vous raconter un incident que je tiens pour certain, dit-elle, puisque j'en ai été témoin. Élie m'avait rendue si furieuse que je refusai de lui parler par la suite ainsi qu'à plusieurs des édiles de la ville, sauf pour exprimer ma colère.

Elle se remit à manipuler les replis de son vêtement.

– Qu'ont-ils fait? demanda Conrad.

– Ils nous ont trahis, dit-elle. Tous ceux d'entre nous qui voulaient faire davantage que de rendre un culte au tombeau de saint François. Pendant des années, nous avons donné de l'argent et attendu patiemment que s'achève la construction de l'église inférieure de la basilique. Nous attendions le jour où nous pourrions enchâsser les reliques sacrées. Quand ce jour est finalement arrivé, les frères ont convergé vers Assise en provenance de chaque province, et des dizaines de cardinaux et d'évêques sont venus aussi. Nous marchions tous en procession à partir de San Giorgio et j'avais même le privilège de cheminer avec les frères du Sacré Couvent. Nous venions d'entrer sur la grand-place devant l'église supérieure quand une phalange de cavaliers s'est précipitée sur nous. Au même moment, les gardes civils ont enlevé le cercueil des mains des frères qui le portaient.

Conrad acquiesça de la tête.

– Léon m'a parlé de cet enlèvement. J'aimerais entendre votre version de ce triste événement.

– Il s'était ensuivi un désordre complet : Giancarlo di Margherita, notre maire à l'époque, hurlait des ordres à ses gardes et chevaliers ; les frères à la tête du cortège criaient à l'aide en proférant des imprécations contre les soldats et sont même allés jusqu'à les maudire. Loin derrière nous, je pouvais entendre d'autres frères chanter, car ils ne savaient rien de ce qui se passait à l'avant. Quand des frères, y compris Léon, ont tenté de défendre la dépouille, les gardes les ont assommés. Ils en ont blessé plusieurs pendant que les chevaux fonçaient sur d'autres. J'ai moi-même essayé de désarçonner un des gardes, ce qui m'a valu un coup de gantelet au visage.

Conrad regarda la cicatrice sur sa joue sous une nouvelle perspective.

– Avez-vous été gravement blessée, Giacomina?

Sans y penser, il avait employé, comme l'avait fait l'intendant, le diminutif de son nom. Il rougit de son impudence.

L'expression pensive de la femme lui fit comprendre qu'elle n'allait pas lui en tenir rigueur.

– Ma joue saignait. En fait, elle était ouverte jusqu'à l'os, mais ce qui m'a davantage blessée, c'était de voir le cercueil emporté par les gardes. Ils se sont enfermés dans l'église et ont bloqué la porte jusqu'à ce qu'ils aient caché le corps. On ne l'a jamais retrouvé. Je me sens si dupée. Je ne sais même pas où m'agenouiller pour être près de mon maître.

– Mais les prélats ont sûrement protesté.

– Oui, mais sans succès. Même le Saint-Père, qui avait toujours fait preuve d'amitié envers Élie durant les années où il était le cardinal protecteur de l'Ordre, a qualifié les voleurs de barbares insolents. Il a comparé Giancarlo au sacrilège Uzza, que Dieu avait frappé pour avoir osé toucher l'Arche d'alliance.

– Et toute cela avait été organisé par Élie?

– Par lui, Giancarlo et d'autres. Je leur ai demandé un jour, longtemps après, pourquoi ils avaient fait une telle chose. Giancarlo affirma que la foule qui formait le cortège était devenue incontrôlable et qu'il craignait que la dépouille ne soit réduite en pièces par les chercheurs de reliques. Élie a prétendu que les Pérugins voulaient voler notre saint. Leurs arguments n'avaient aucun sens! Notre cortège était tout à fait pacifique. Il était aussi calme et dévot que les fidèles à la messe du dimanche au couvent des Pauvres Dames. Et les Pérugins avaient eu toutes les occasions possibles de kidnapper le corps de saint François pendant les quatre années où il reposait à San Giorgio. De plus, ils auraient eu à affronter une levée de boucliers s'ils avaient essayé. Ils auraient dû tuer chaque homme, femme et enfant à Assise avant de pouvoir s'enfuir avec le cercueil.

– Mais vous avez dit que d'autres frères étaient impliqués?

– Pas des frères. Le *signore* de la Rocca et ses fils dirigeaient les chevaliers. J'ai vu aussi Angelo, le frère de saint François, qui se tenait avec un homme de la noblesse à l'intérieur de l'église.

– Vous connaissiez ce noble?

– Non. Je l'avais vu une fois, quand l'évêque Guido avait béni le chantier de construction avant que les travaux ne commencent à la basilique. Élie me l'avait montré et l'avait décrit comme un grand bienfaiteur. Il disait que l'homme possédait un vaste domaine dans la commune de Todi.

Conrad ferma les yeux et s'adossa contre un pilier derrière le banc. Il entrelaça ses doigts sur sa tête et pressa fortement tandis qu'il essayait de se souvenir d'un commentaire qu'avait formulé Amata dans sa hutte. Ce qu'elle avait dit concernait la colline de l'Enfer, où se trouvaient actuellement la basilique et le Sacré Couvent. Cependant, l'image des yeux sombres de Jacoba qui le regardaient innocemment l'empêchait de trouver les paroles. Il ne pouvait se les rappeler.

Bien. Peu importait. Il avait trouvé le frère Jacoba. Il comprenait un peu plus ce qu'entendait Léon par *secretum meum mihi*, et ce secret avait un lien avec la vision du séraphin qu'avait eue saint François sur le mont de l'Alverne.

XIV

Assis sous le feuillage d'automne de la cour de Donna Giacoma, Conrad tenait son bréviaire ouvert sur ses genoux. La dame ne lui avait pas donné davantage de réponses, mais elle s'était montrée plus que désireuse de l'aider d'autres façons. Aussitôt qu'il avait expliqué qu'il devait poursuivre son chemin jusqu'au Sacré Couvent, elle avait compris la signification de la misérable apparence de l'ermite. Elle fit immédiatement venir la servante qui coiffait et rasait les hommes de son domaine, mais Conrad refusa tout contact avec une femme. Il comprenait la leçon à tirer de la chute de Samson, le danger qu'il y aurait à ce qu'une femme lui touche la tête. Il comprenait toutefois la nécessité de refaire sa tonsure et s'y résigna lorsque Donna Giacoma lui offrit d'engager un barbier de la ville.

L'homme accomplit scrupuleusement son travail, rasant la tête et le cou du frère tout en accentuant sa tonsure. Par la suite, Conrad fit remarquer à Maestro Roberto et Donna Giacoma avec quel soin le barbier avait nettoyé les mèches de cheveux sur le plancher, n'y laissant pas un seul cheveu. L'intendant éclata de rire. Donna Giacoma expliqua :

– L'homme avait entendu dire que vous étiez un ami proche du frère Léon, qui suscitait l'admiration de tous et qui louangeait votre sainteté. Ne rougissez pas, frère. Léon disait le plus grand bien de vous. Ce barbier, étant une personne de condition modeste, a seulement recueilli quelques revenus éventuels en prévision de sa vieillesse. S'il arrivait que vous mouriez et soyez canonisé, ces mèches de cheveux pourraient le faire vivre pendant des années.

– Il considérerait cela comme une grande faveur si vous ne tardiez pas trop, ajouta Roberto. La canonisation peut prendre beaucoup de temps. Notre barbier a rasé la tête de nombreux frères. Il conserve toutes les mèches, au cas où, et les range dans des petits pots distincts qu'il étiquette avec des signes que lui seul comprend.

La brise qui soufflait sur la cour intérieure où lisait maintenant Conrad était fraîche sur ses joues et son cou rasés. Il referma son bréviaire et sourit en songeant à la foi simple de l'homme – et à son opportunisme. Il aperçut Donna Giacoma qui avançait vers lui en boitant, un rouleau de tissu gris sous le bras. Apparemment, elle avait attendu qu'il termine sa lecture quotidienne du bréviaire.

– Les villageois m'apportent souvent des cadeaux pour les frères, dit-elle. Ils savent que vous n'êtes pas autorisés à manipuler de l'argent. Une dame m'a donné deux soldi hier, et je m'en suis servi pour acheter du matériel afin de vous faire confectionner une nouvelle bure. En retour, elle ne demande que vos prières pour le salut de son âme.

Elle attendit sa réponse. Conrad haussa les épaules et leva les mains.

– Je suppose que je dois accepter son offrande, et je prierai pour elle.

Il empoigna sa bure usée sur sa poitrine.

– Mais s'il vous plaît, Donna Giacoma, gardez cette vieille amie ici dans votre maison pour que je puisse la reprendre à mon retour des montagnes.

Il effleura une déchirure reprisée sur sa manche avec la tendresse d'une mère soulageant la blessure d'un enfant.

Seulement si vous me permettez de la laver. Avec tout le respect que je dois à votre discipline spirituelle, frère Conrad, la vermine n'est pas aussi bienvenue dans cette maison qu'elle l'est sur votre peau.

Conrad inclina la tête et se força à sourire. Était-il possible que cette femme soit la même personne que celle dont saint François avait vanté la virilité ? Ces préoccupations pourraient avoir été émises par n'importe quelle maîtresse de maison ordinaire. Il se frotta le bras et sentit les piqûres et les escarres de centaines de minuscules morsures et blessures, ces châtiments permanents si salutaires pour la mortification de sa chair.

– Faites comme bon vous semble.

Il tenta de détendre sa mâchoire qui se resserrait chaque fois qu'il entendait une nouvelle proposition de changement.

Son cœur se rebellait, même si son esprit reconnaissait la nécessité de tout ce camouflage.

Donna Giacoma hésita une fois de plus avant de parler. Son ton était presque timide, une chose étonnante en soi, mais il en comprit la raison lorsqu'il entendit l'idiotie de son offre.

– Votre bure devrait être terminée demain, dit-elle. Si vous le désirez, à ce moment, je demanderai à mes serviteurs de vous remplir un baquet d'eau chaude.

Cette fois, elle allait vraiment trop loin !

– *Madonna*, pendant tout le temps que vous avez passé aux pieds de notre maître, vous l'avez sûrement entendu parler de la dépravation et de la corruption liées au fait de se baigner.

Conrad rougit en s'imaginant nu.

– Non seulement se trouve-t-on exposé à sa propre nudité, pardonnez-moi de prononcer ce mot, mais une âme faible pourrait être tentée de se prélasser dans l'eau chaude, de se laisser aller à la sensualité de ses mouvements contre sa peau…

– N'en dites pas plus, frère. Vous avez répondu comme je m'y attendais. Je serais aussi désolée de vous exposer à la tentation que vous le seriez d'exposer vos amis insectes à l'extermination.

Elle avait peut-être souri dans l'ombre, mais avant qu'il ne puisse voir son visage, elle s'était retournée et se dirigeait vers la résidence. C'était certainement une dame bonne et charitable, plus gentille que toute autre femme qu'il avait connue depuis Rosanna, mais combien il était décevant qu'elle soit demeurée captive des préoccupations des femmes frivoles concernant la vanité et la propreté.

꽃

Le jour de la fête de l'évêque Dionysos et du martyr Éleuthère, le troisième matin après l'arrivée de Conrad chez Donna Giacoma, la foire agricole commença dans les rues d'Assise. Le frère décida de vérifier comment il réagirait à son changement d'apparence dans la foule. Dans sa nouvelle bure et ses sandales neuves, le menton rasé et la tête presque chauve, il trépignait d'impatience comme un étranger dans un pays inconnu. En se mêlant aux gens, il pourrait s'habituer lui-même à sa transformation avant de se rendre au Sacré Couvent.

La foire durerait vingt et un jours, mais des curieux issus de toutes les classes sociales parcouraient déjà les rues aussi bondées que le ciel avec ses étoiles par une nuit sans nuages. Partout Conrad voyait des serfs dans leurs tuniques propres, leurs familles blotties contre eux, les yeux écarquillés, évitant les tombereaux et les charrettes à bras et les ânes chargés de marchandises, bouche bée devant les merveilles étalées sur les éventaires des marchands. Au cours des semaines à venir, les intendants et les magistrats auraient de la difficulté à garder les serfs au travail qui suivait les récoltes : réparer les harnais, aiguiser les faux et les pioches, rentrer le bois de chauffage et réparer les toits.

Les serfs auraient déjà inventé leurs prétextes. N'avaient-ils pas besoin de sel pour conserver la viande ? Leurs femmes ne devaient-elles pas les accompagner afin d'acheter des teintures pour les capes de laine des petits ? Pendant la foire, les femmes n'allaient pas non plus faire du reprisage ou carder la laine, ou encore fabriquer des chandelles pour la table de nuit de leur maîtresse. Et, entre leurs modestes achats, les paysans trouveraient le temps de toucher une plume de paon ou une peau rose de phénix, de se tordre de rire devant les amuseurs publics et l'ours dansant, de verser une larme avec les troubadours qui vendaient leurs rimes à ceux qui savaient lire. Les intendants, qui observaient ces scènes, ne pouvaient que déplorer la perte inévitable de travail pendant qu'ils parcouraient eux aussi la foire en achetant des provisions pour les ateliers des femmes : du vermillon et de la garance pour les vêtements de leur maître, des tondeuses à moutons, des peignes à laine, des fuseaux, des cardes et de la graisse.

Si les serfs pouvaient se dérober à leurs tâches pendant ces quelques semaines, les gardes civils, eux, seraient plus occupés qu'à l'accoutumée. Dans les ateliers et les pavillons où le vin coulait à flots du matin au soir, des bagarres éclataient inévitablement. Une discussion animée provenant d'une tente ouverte devant lui rappela à Conrad que la chose était également naturelle pendant les foires.

Il jeta un coup d'œil par l'ouverture où le marchand de vin montrait une pièce de monnaie aux spectateurs.

– Il s'assoit ici et boit mon vin tout l'avant-midi, et il me paie avec ça ? Elle a été coupée pour en réduire la taille. Tu vas me donner un vrai denier ou, par saint Nicolas, c'est moi qui vais te découper.

– *Vaffanculo*! marmonna le paysan d'une voix pâteuse. De toute façon, ton vin contenait une moitié d'eau. C'est le *vino di sotto* le plus faible que j'aie jamais avalé. Un demi-vin ne mérite qu'une demi-pièce.

L'homme à la forte carrure se releva péniblement en posant une main sur la table pour conserver son équilibre. De l'autre, il indiqua le vendeur et, sous les yeux horrifiés de Conrad, il pointa son index et son petit doigt pour imiter les cornes du diable. Regardant le vendeur entre les cornes, il entonna :

– Puissent ceux qui mettent de l'eau dans leur vin être menottés dans les profondeurs de l'enfer avec des vapeurs sulfureuses soufflées dans leurs yeux et être pris en chasse par tous les serviteurs de Satan à travers les plaines de l'Hadès avec une enclume de forgeron pendue à leurs couilles.

Les autres clients se mirent à huer, la plupart en faveur du vendeur de vin, car leur propre consommation avait été interrompue.

– Fends-lui le crâne et jette-le dehors ! cria un homme.

Mais le paysan n'avait pas terminé. Il haussa la voix au-dessus du vacarme et pointa un doigt accusateur vers les partisans du marchand.

– Et que tous ceux qui appuient les dilueurs de vin soient enchaînés avec la tête dans le cul du diable, et la chaîne cadenassée, et les clés du cadenas jetées dans le marais le plus profond, pour qu'elles soient récupérées par un aveugle sans membres…

Ses imprécations s'interrompirent au moment où le marchand de vin se précipita vers lui et lui brisa une cruche vide sur le front. L'homme tomba sur le dos, se blessant autant l'arrière de la tête sur le sol que le front à cause de la cruche. Alors que les clients criaient leur approbation, le vendeur le saisit par les chevilles et le tira hors de la tente, sa tête heurtant chaque pierre et laissant couler un filet de sang.

– *Proprio uno stronzo*, maugréa le marchand. Un parfait trou du cul.

Il laissa l'homme gémissant sur la place aux pieds de Conrad, sa tunique remontée jusqu'à son tourmentin, trop étourdi même pour s'asseoir.

Conrad se pencha pour mieux voir le visage sale et ensanglanté de l'homme. Le paysan plissa des yeux et tenta de masquer de la main le soleil qui l'aveuglait. Ses yeux s'agrandirent soudainement et il tenta de se sauver en rampant.

– Aïe ! L'Église est déjà ici. Je suis un homme mort, c'est sûr.

– Je ne crois pas. Tu auras sûrement un terrible mal de tête, mais tu vivras. Ton crâne semble aussi dur qu'un casque de croisé !

L'homme laissa retomber son corps, se heurtant à nouveau l'arrière de la tête contre un pavé. Il grimaça et ferma les yeux.

Conrad s'agenouilla près de lui et ses lèvres se tordirent en un sourire sardonique. Peut-être avait-il vraiment eu tort de s'être retiré si longtemps dans la solitude. Peut-être Amata avait-elle eu vraiment raison – n'importe qui pouvait être un saint sur le sommet d'une montagne. Les véritables saints mettaient leurs croyances à l'épreuve en aidant des hommes comme celui-ci, en « servant les pauvres du Christ », comme Léon le lui avait recommandé. L'espace d'un instant, il eut la vision d'une autre vocation pour lui-même, celle d'œuvrer parmi les masses et de prêcher, en demeurant le plus pauvre parmi les pauvres. Cette image réchauffa son cœur. Il pourrait le faire – une fois terminée son affaire au Sacré Couvent. Il pourrait dire « oui » et même accepter dans la joie les détails de ce qu'on appelait la vraie vie : le pourpoint du paysan taché de vin et de sang, la façon dont les sourcils gris et épais de Roberto se rencontraient au-dessus de son nez et jetaient une ombre sur son visage sérieux, le bec d'oiseau sculpté dans l'ivoire de la canne de Donna Giacoma, Amata et ses…

À ce moment, son esprit regimba, car l'image qui lui était venue était celle des longues jambes d'Amata, pâles, bien formées et robustes, qu'il avait entrevues l'autre matin dans les éboulis, comme Enrico les avait probablement – ou sûrement – vues la nuit de sa mort. Conrad devait se fixer une limite. S'il disait « oui » à ces jambes, ou même à leur souvenir, il était condamné aussi sûrement que le garçon de Vercelli.

XV

Conrad dormit mal cette nuit-là et, bien après le lever du soleil, il répugnait encore à songer à Amata. Il faisait les cent pas dans la grande pièce, s'arrêtant parfois pour regarder le jour nouveau entre les lattes ouvertes des volets. Maestro Roberto se faufila entre les murs des maisons étroites et disparut finalement au pied d'un escalier.

– *Buon giorno, padre* murmura Donna Giacoma derrière lui. Une fois de plus, elle l'avait surpris en approchant silencieusement, pieds nus, le long du corridor. Il avait découvert qu'en fait c'était une petite ruse de sa part, sa petite blague personnelle. Pour ne pas être entendue, elle devait faire très attention à l'endroit où elle posait sa canne. Lorsqu'elle ne se souciait pas d'être entendue, le bruit de la canne annonçait son arrivée.

Elle étudia l'expression de son visage.

– Vous demandez-vous de quelle façon on vous recevra au Sacré Couvent aujourd'hui?

Conrad se retourna pour lui faire face.

– Non, *madonna*. En fait, je me faisais du souci pour une âme qui est sûrement perdue. J'ai récemment rencontré une… brillante jeune femme. Une jeune femme trop brillante pour son propre intérêt.

Il éprouva encore une fois un élan de colère.

– Une sœur dont l'habit religieux ne freine en rien la lubricité qui lui ronge le cœur.

Il avait pratiquement craché les derniers mots.

Les yeux de Donna Giacoma s'agrandirent et elle haussa les sourcils.

– Vous avez une femme comme amie, frère? Vous devez vous inquiéter beaucoup à son sujet, pour en parler avec autant de passion.

– Je n'ai jamais dit qu'elle était une amie! objecta Conrad. Le sort nous a réunis pendant quelques jours. En fait, c'est la sœur servante qui m'a apporté la lettre de Léon.

Donna Giacoma continua de le fixer de ses grands yeux verts. Elle attendait d'en savoir plus, et Conrad réalisa qu'il souhaitait ardemment parler d'Amata. Donna Giacoma lui fit signe de s'asseoir. Quand elle se fut elle-même assise, Conrad lui raconta tout ce qu'il savait sur le passé d'Amata.

– Je ne parlerai pas de ses écarts de conduite, parce qu'ils m'ont été rapportés dans le secret de la confession. Je ne parlerai pas non plus de mes soupçons la nuit où nous avons couché à Sant'Ubaldo parce que ce ne sont que des soupçons. Mais d'après ce que j'ai vu, je crois pouvoir affirmer que sœur Amata a perdu pied sur la pente glissante de la damnation.

Donna Giacoma lissa son vêtement, un geste que Conrad en était venu à reconnaître comme un signe de malaise.

– Mon pauvre frère. Comme elle a dû vous décevoir, d'autant plus que tous les deux vous vous étiez si bien entendus au départ.

Vous deux? Conrad n'avait jamais songé à Amata et lui comme à une paire, mais sa bienfaitrice venait de marquer un point. De fait, Donna Giacoma avait touché les replis les plus sombres de son esprit et décelé un désenchantement que lui-même n'avait pas reconnu. C'était vrai. Pendant un temps, Amata l'avait littéralement enchanté. Il se rappela ses émotions quand il la tenait au bord de la falaise.

Giacoma soupira et posa une main contre sa poitrine.

– Et cette malheureuse enfant. Comme elle doit avoir souffert ces cinq dernières années pour être aussi tourmentée aujourd'hui. Sa mère lui manque si terriblement.

Conrad leva brusquement la tête. Il ne s'était pas attendu à ce que Donna Giacoma éprouve de la sympathie pour « l'enfant », comme elle l'appelait.

La femme sembla surprise de sa réaction.

– Cher Conrad, je n'ai absolument aucun doute quant à la très haute opinion que Léon avait de vous. Votre dévouement est rare, même parmi la confrérie, et seule une vieille dame extrêmement présomptueuse oserait conseiller un homme d'une spiritualité aussi profonde que la vôtre. Mais, vous avez vraiment été longtemps éloigné du monde. Je ne suis pas certaine que vous puissiez réaliser à quel point les hommes et les femmes luttent chaque jour pour survivre jusqu'au lendemain. Pouvez-vous seulement commencer à imaginer à quel point votre Amata a été brutalisée pendant sa captivité, alors qu'elle vivait sous l'emprise de ce cruel meurtrier et de ses fils ? Je connais ce type d'hommes. J'ai été mariée à l'un d'eux, et j'ai partagé une villa avec ses frères. Ces garçons laissaient leur léopard domestiqué se promener librement dans notre maison, et ils ont ri en apprenant qu'il avait tué et à demi dévoré une servante. Cette femme avait quatre enfants en bas âge qui jouaient avec mes propres fils.

Conrad grimaça.

– Je sais que sœur Amata cache un couteau sous son habit religieux.

– Pourquoi croyez-vous qu'elle agit ainsi ?

Giacoma répondit elle-même à sa question :

– Parce qu'il le faut ! Parce qu'elle n'a personne pour la protéger. Parce que, depuis l'âge de onze ans, elle a dû apprendre à se défendre elle-même.

– Ça n'excuse quand même pas son autre geste.

– Faites attention à la façon dont vous la jugez, frère. Votre Amata s'est fait voler son enfance de manière cruelle et subite. La vie lui a refusé une enfance normale entourée d'affection. Ne peut-on lui pardonner d'avoir erré dans sa quête de cette affection ? Si notre Sauveur a pu pardonner à Marie-Madeleine, qui était plus âgée et commettait des péchés en toute connaissance de cause, s'Il a pu pardonner à la femme adultère et même la défendre contre les villageois qui la lapidaient, ne pensez-vous pas que vous pourriez pardonner aussi à cette pauvre fille désillusionnée ?

Conrad remua sur sa chaise. Il savait qu'il se trouvait sur un terrain glissant et qu'il ne pourrait qu'affaiblir sa position en essayant de contredire la dame.

– Les femmes ont besoin d'amour, poursuivit Donna Giacoma. Nous avons besoin qu'on nous serre et qu'on nous touche, et qu'on nous dise que nous sommes différentes de toutes les autres femmes. Oui, vous devriez entendre ces choses, même si votre propre vie en est très éloignée. Nous ne pouvons nous nourrir de théories et d'hypothèses comme vous, les hommes, le faites avec votre esprit plus puissant. Parfois, mon mari a agi de manière monstrueuse. Il est mort il y a soixante ans et, depuis, je consacre ma vie à Dieu. Pourtant, après tout ce temps, je m'attriste encore parfois que mon lit soit vide. Le fier père de mes enfants me manque, tout comme mes fils eux-mêmes.

Donna Giacoma s'essuya les yeux avec un mouchoir qu'elle tira de la manche de sa bure. Puis elle reprit de nouveau contenance et émit un petit rire en voyant l'expression de Conrad.

– Fermez la bouche, *padre*. Vous risquez d'avaler des mouches. Je pense que vous avez mal compris mon propos. Je ne parle pas de désir charnel. À mon âge, je me souviens à peine de ces moments. Je parle de camaraderie, du lien qui permet aux femmes d'aimer le pire des hommes et de lui pardonner, un sentiment que nous avons dû apprendre de Notre-Seigneur Jésus-Christ lui-même, car Il n'en fit pas moins. Vous ne trouverez pas la description d'un tel amour dans vos livres de théologie, car les théologiens n'ont jamais éprouvé ce sentiment. Ce serait comme si j'essayais de décrire un satyre. Je n'en ai jamais vu ni touché, même si j'ai entendu dire que de tels monstres existent.

Elle prit une profonde inspiration et s'éventa brièvement le visage de la main.

– Vous devriez savoir aussi que même les rares femmes indépendantes qui jouissent de la liberté et des moyens de chercher elles-mêmes l'amour plutôt que de se voir forcées d'épouser un homme n'ont aucune certitude de faire un bon choix – en particulier quand elles n'ont pas, dans leur jeunesse, été élevées par une bonne mère. Cette perspective m'a remplie de frayeur après la mort de Graziano Frangipane ; je pense que j'ai décidé autant par peur que par dévotion que mon prochain grand amour serait notre Père céleste.

Conrad baissa la tête. Donna Giacoma, comme Amata, le stupéfiait. Probablement que toutes les femmes allaient toujours étonner un homme inexpérimenté comme lui.

Et, une fois de plus, il avait dû faire preuve d'humilité pour avoir omis de tenir compte de la faiblesse, qu'on l'appelle « désir de chair » ou « amour », qui rend les femmes (et plus particulièrement les jeunes femmes) si vulnérables aux tentations du Malin. À son avis, Amata était victime du péché mortel de la luxure, comme l'avait été Francesca Polenta avant elle. Qu'avait dit Amata pendant leur voyage, quand ils avaient parlé de Francesca et de son Paolo ? Est-ce un si grand péché que d'aimer ? Dieu du ciel, peut-être ne connaissait-elle pas la différence entre la luxure et le lien d'amour que Donna Giacoma venait de décrire. Mais il ne devait pas porter de jugement non plus. La dame avait raison sur ce point. Il devrait plutôt garder à l'esprit que Satan avait recours au péché mortel de l'orgueil pour faire trébucher ceux qui avaient la présomption de tirer des conclusions sur la conscience des autres.

Conrad avait conscience du sentiment d'impuissance dans ses yeux alors qu'il retournait le regard intense de Donna Giacoma. Malgré les dix jours seulement qui s'étaient écoulés depuis, la simplicité de sa vie d'ermite lui parut bien lointaine.

– Vous m'avez donné beaucoup à réfléchir, répliqua-t-il d'une voix faible. Que Dieu vous récompense de m'avoir ouvert votre maison et confié vos souvenirs.

Il hésita, puis demanda d'une voix légèrement tremblante :

– Si vous n'entendez pas parler de moi dans les deux semaines qui viennent, pourriez-vous vous informer de mon sort auprès du ministre général ?

Donna Giacoma sourit.

– Courage, frère. Le frère Bonaventure est sûrement au courant de votre présence chez moi, car les frères savent tout ce qui se passe dans cette ville. Il me respecte et ne permettrait jamais qu'il arrive du mal à un de mes amis entre les murs de son monastère.

Conrad eut du mal à reconnaître la Piazza di San Francesco. Comme dans toutes les autres places de la ville, celle-ci était couverte de stalles et de marchandises. Bien au-dessus du tumulte de la piazza, il pouvait discerner le clocher de l'église supérieure et le délicat travail de maçonnerie qui ornait les pétales de sa fenêtre en rosace. Il contourna la foule bruyante et passa près de la porte par laquelle lui et Jacopone avaient transporté le corps du garçon la semaine précédente. D'un geste, le garde lui fit signe de passer.

– Passez une bonne matinée, mon père, dit-il. Priez pour nous aujourd'hui.

Conrad lui retourna son salut. De toute évidence, l'homme ne l'avait pas reconnu. Il poursuivit son chemin jusqu'à l'église supérieure et descendit les marches qui menaient au Sacré Couvent. Même si une épaisse couche de nuages voilait le soleil, il sentit la sueur perler sous sa nouvelle bure. Il sentit les muscles de ses mollets et de ses cuisses devenir étrangement fatigués, comme s'il se retrouvait à patauger dans le bourbier qu'était devenue la route vers Sant'Ubaldo, alors qu'il cheminait à côté de la charrette du fermier. Il s'assit sur les marches pour contempler l'arcade du monastère.

Plutôt que d'éprouver de la joie pour son apparence respectable, l'accueil plein de déférence du garde l'avait rendu mélancolique. Ce n'était pas la joie parfaite mais plutôt son contraire.

Léon avait raconté une demi-douzaine de fois la nuit où lui et saint François avaient parcouru la route qui menait de Pérouse à la Portioncule en plein hiver. Leurs bures étaient trempées et boueuses, et il faisait si froid que de la glace s'était formée au bas de leurs vêtements et frappait leurs jambes nues à chaque pas.

– Petit Agneau de Dieu, sais-tu ce qu'est la joie parfaite ? demanda inopinément François.

Comme son mentor l'avait plus tard confié à Conrad, ils n'avaient rien mangé de la journée et Léon, qui n'était pas, comme François, doué pour le jeûne, pensa qu'un bon ragoût chaud viendrait à point à ce moment. Toutefois, il avait eu la sagesse de ne pas avouer sa fragilité au saint.

– Je ne sais pas, frère, dit-il plutôt.

– Imagine-toi, frère, qu'un messager arrive sur cette route et nous dise que tous les théologiens de Paris ont adhéré à notre Ordre. Ce ne serait pas une joie parfaite. Ou que tous les prélats ultramontains, évêques et archevêques, de même que les rois des Francs et des Angles, se seraient joints à nous. Ce ne serait pas non plus une joie parfaite. Ou que mes frères se soient rendus chez les infidèles et les aient tous convertis à notre foi, ou que je reçoive de Dieu le don de guérir les malades et de réaliser des miracles. Je te le dis, Petit Agneau de Dieu, que la joie parfaite ne se trouverait dans aucune de ces choses.

– Mais que serait la joie parfaite alors ?

François répliqua :

– Quand nous arriverons à la Portioncule, trempés de pluie et gelant de froid, que nous frapperons à la porte et que le portier viendra et nous demandera avec colère : « Qui êtes-vous ? » et que nous lui répondrons : « Nous sommes deux de tes frères » et qu'il nous contredira en disant : « Non, vous êtes deux escrocs qui se promènent en trompant et en volant les gens. Allez-vous-en ! » et qu'il ne nous ouvrira pas mais qu'il nous laissera à l'extérieur dans la neige et la pluie, gelés et affamés, alors si nous supportons avec patience toutes ces insultes et ces cruelles rebuffades, sans nous sentir bouleversés et sans nous plaindre, et si nous réfléchissons au fait qu'en réalité le portier nous connaît et que c'est Dieu qui le fait parler ainsi – Frate Pecorello, ce sera là la joie parfaite. Et si nous continuons de frapper à la porte et que le portier sorte, toujours en colère, et que j'insiste en disant : « Je suis le frère François » et qu'il me réponde : « Va-t'en, stupide personnage sans éducation. Ne reste plus près de nous car nous sommes maintenant si nombreux et si importants que nous n'avons plus besoin de toi. Va à l'hospice des croisés et demande-leur asile. » Et qu'il saisisse un lourd gourdin et qu'il nous jette par terre dans la boue et nous roue de coups jusqu'à ce que nos corps soient couverts de contusions et de blessures, et que nous supportions tous ces maux et ces insultes dans la joie et l'amour en nous disant que nous devons partager avec patience les souffrances de Notre-Seigneur Jésus-Christ pour l'amour de Lui – voilà, Petit Agneau de Dieu, la joie parfaite et le salut de notre âme !

❧

Conrad frotta le fin tissu de sa bure entre son pouce et son index. Il avait été beaucoup plus près d'atteindre la joie parfaite la semaine précédente, au moment où le portier du Sacré Couvent l'avait traité comme un pestiféré. Si Léon était fragile, lui, Conrad, agissait d'une manière tout à fait lâche. Ne ferait-il pas mieux de retourner prendre ses vieux habits chez Donna Giacoma avant de se rendre au Sacré Couvent et de s'en remettre à Dieu quant aux conséquences ? En choisissant la méthode pratique pour obtenir accès à la bibliothèque du monastère, n'agissait-il pas exactement comme ces frères opportunistes qu'il condamnait tant, ceux qui troquaient la pauvreté contre la sécurité, la simplicité contre l'érudition et l'humilité contre les privilèges ? Le frère Élie n'avait-il pas invoqué l'esprit pratique pour affaiblir la Règle de François ?

Conrad se releva en s'appuyant contre le mur qui longeait l'escalier et descendit jusqu'au bas des marches. Il se retrouva devant les doubles portes sculptées de l'église inférieure, dressées loin sous les arches. Une série de colonnes formaient un angle de chaque côté pour diriger les passants vers l'intérieur. Conrad ne put résister à l'invitation. Il allait trouver la tombe de Léon et son mentor lui dirait quoi faire. L'église inférieure, réservée à l'usage des frères, était plus sombre et plus austère que la basilique publique qui la surmontait. Les petites fenêtres aux arches arrondies avaient été conçues selon l'ancienne méthode, alors que l'architecte franc qui avait construit l'église supérieure avait choisi d'adopter le nouveau style des arches en pointes. Non pas que l'église des frères ait manqué d'ornements. Les yeux de Conrad s'orientèrent immédiatement vers le maître-autel à l'extrémité de la nef. Il avait été construit pour ressembler à une arcade miniature dont la pierre portante semblait flotter sur un cercle d'arches flanquées de colonnes sculptées. C'est là qu'il allait commencer à chercher Léon.

Il fit le tour de l'autel en cherchant sur le sol des signes récents de travaux de maçonnerie. Sa main reposait sur la surface lisse de la pierre d'autel quand il sentit sous ses doigts un endroit rugueux, un dessin ciselé dans la pierre sacrée. Conrad pensa que quelque gamin l'avait profanée. La silhouette effilée et rudimentaire ressemblait à un homme dessiné par un enfant, les bras et les jambes écartés, la tête représentée par un simple cercle – en fait, un double anneau de cercles concentriques. Un cercle plus large englobait le personnage dans son ensemble. Au-dessus de ce cercle extérieur, le vandale avait tracé deux arches dans la pierre. Quelle honte que de nos jours ces enfants ne respectent pas le plus grand saint de la ville et ne craignent même pas la colère de Dieu Lui-même !

Conrad porta son regard le long de la nef. L'artiste Giunta da Pisa avait représenté des événements de la vie de saint François du côté opposé de la nef où se trouvaient des fresques illustrant la vie de Jésus que le saint avait imitée avec plus de rigueur que tout autre homme. Pendant les années qui s'étaient écoulées depuis la dernière visite de Conrad, de grands pans des parties inférieures des fresques avaient complètement disparu. À intervalles réguliers, des travailleurs avaient abattu des murs pour libérer de l'espace et construire des chapelles latérales dotées chacune d'un autel. L'insistance accrue sur l'érudition au sein de l'Ordre avait attiré un grand nombre de prêtres et ceux-ci avaient besoin d'autels pour célébrer leurs messes quotidiennes. Conrad n'avait jamais ressenti le besoin de dire la messe, convaincu qu'il pourrait se rapprocher davantage de Dieu sans l'intermédiaire d'un rituel, mais ses frères conventuels s'en tenaient, sans qu'il en soit surpris, à la pratique courante.

Il parcourut les chapelles l'une après l'autre jusqu'à ce qu'il revienne au transept sud et à la chapelle de saint Jean l'évangéliste. Des inscriptions sculptées dans la pierre des murs identifiaient plusieurs tombes. Ici gisait le frère Angelo Tancredi – le cousin de sainte Claire – et, près de lui, le frère Rufino. Conrad s'en étonna parce qu'il n'avait pas entendu parler de la mort de Rufino. D'après la date du décès, il était mort au cours de l'année. La dernière fois que Conrad avait rendu visite à Léon, son mentor et Rufino partageaient une minuscule cellule à la Portioncule.

– Repose en paix et dans la joie, mon vieil ami, dit-il à voix haute.

Puis il vit l'inscription qu'il cherchait :

Frater Leone
Qui Omnia Viderat
Obitus
Anno Domini 1271

L'inscription était parfaite, et même ironique : « Frère Léon, qui fut témoin de tout. » Ou, comme Conrad préférait l'interpréter : « Frère Léon, qui ne ratait rien de ce qui se passait. »

Il s'agenouilla devant l'inscription et appuya son front contre la pierre froide. Il ne parla pas, non plus qu'il adressa en pensée une question précise, car Léon connaissait sûrement son dilemme sans qu'il eût besoin de recourir aux mots. Pendant que la journée progressait, il demeura dans cette position sans qu'une réponse lui parvînt. À un certain moment, il lui revint à l'esprit la phrase de Léon selon laquelle Amata lui serait utile. Peut-être le doute qui accompagnait ce souvenir était-il la cause du silence actuel de Léon.

Il se mit à songer aux apôtres en route vers Jérusalem avec leur maître. Ils l'avaient suivi, perplexes, car Jésus leur avait seulement dit qu'Il devait souffrir et mourir quand ils arriveraient dans la ville. Troublés par l'incertitude et par la futilité apparente de tout ce qui s'était produit jusqu'à ce moment, ils avaient perdu de vue leur mission. Et au moment même où ils s'étaient sentis le plus désemparés, Jésus leur était apparu, transfiguré, en compagnie de deux prophètes des jours anciens, et ils se rappelèrent alors Qui les dirigeait.

Peut-être mes attentes étaient-elles trop grandes, pensa Conrad. S'imaginait-il que Léon allait lui apparaître dans toute sa gloire, accompagné de saint François – deux fois en deux semaines ? Même les apôtres n'avaient vu qu'une fois la transfiguration.

Il se releva et s'étira. Il avait suffisamment retardé le moment fatidique. Laissons les « trois compagnons » – comme les autres frères appelaient affectueusement Angelo, Rufino et Léon – jouir ensemble de leur dernier repos comme ils avaient supporté ensemble tant d'épreuves pendant les premières années de l'existence de l'Ordre. Cette appellation s'était tellement répandue que les frères appelaient simplement les récits, maintenant interdits, de leurs jours auprès de saint François la Legenda Trium Sociorum, « La légende des trois compagnons ».

Conrad fit tout à coup demi-tour et se dirigea à grands pas vers l'inscription sur la tombe de Léon. Était-il possible que Bonaventure ou quelque autre ancien ministre général ait torturé Léon ou un de ses amis ? Qui a mutilé le compagnon ? avait demandé Léon dans sa lettre.

– S'il te plaît, petit frère, pria-t-il, dis-moi à quel compagnon tu faisais allusion ? Comment puis-je trouver qui l'a mutilé si je ne sais même pas duquel d'entre vous il s'agit ?

Une fois de plus, seul le silence lui répondit.

❧

Il fait partie des bons frères, se dit Donna Giacoma en regardant s'éloigner Conrad. Elle regrettait de l'avoir perturbé bien qu'elle crût aussi qu'il était grandement temps pour lui de sortir de son isolement. Il était si jeune – un enfant, vraiment, en comparaison de ses quatre-vingt-deux ans –, si candide. Elle avait discerné la même naïveté et le même entêtement chez saint François. Peut-être étaient-ce là les qualités qui faisaient d'eux des saints : une détermination inspirée par Dieu, qui n'acceptait aucune nuance dans leur monde divisé entre le bien et le mal.

Elle réfléchit aussi à son histoire de la jeune femme qui avait fait l'objet de tant d'abus. Les yeux de la vieille dame s'embuèrent à cette pensée ; elle aurait voulu pleurer de colère sur le sort de la fille-enfant, sur celui de toutes les femmes, hurler de rage et relâcher cette colère qui lui nouait l'estomac depuis tant d'années. Les hommes possédaient un tel pouvoir de cruauté et de destruction, alors que leurs femmes, leurs enfants et leurs serviteurs en supportaient du mieux qu'ils le pouvaient les conséquences.

Au moment où son intendant revint de ses courses, Donna Giacoma avait décidé de ce qu'elle devait faire.

– Maestro Roberto, demande à Gabriella de m'apporter ma bure bleue et ma guimpe. Nous allons à Saint-Damien. Je dois parler à la Mère prieure.

L'homme parut étonné. Il était maintenant rare qu'elle quittât sa maison.

– Je vais envoyer chercher une litière, proposa-t-il.

– Ce ne sera pas nécessaire, dit-elle. Je me sens très forte tout à coup.

XVI

À la fin de la matinée, Conrad s'était vu assigner sa cellule dans le dortoir des prêtres et il avait pris son premier repas avec la plupart des autres frères dans le réfectoire. La plupart, mais pas tous. Le frère Bonaventure et les principaux dirigeants du Sacré Couvent mangeaient apparemment ailleurs – plus probablement à la table mieux garnie de l'infirmerie –, ce qui convenait parfaitement à Conrad. Il voulait que sa présence demeure aussi discrète que le permettait la taille restreinte de la communauté, et cela signifiait qu'il lui fallait éviter tout affrontement direct avec le ministre général. Après la collation de mi-journée, les frères se dispersèrent et Conrad se dirigea vers la bibliothèque.

– Frère Conrad ! Quelle agréable surprise !

Un frère le saisit par les épaules et colla une joue sèche contre la sienne.

– Que la paix soit avec toi, frère.

– Qu'il en soit de même pour toi, Lodovico. Je suis heureux de constater que tu es encore bibliothécaire ici. J'ai vu tellement de nouveaux visages depuis mon arrivée que je pensais m'être trompé de confrérie.

– Tu trouveras également des ajouts à ma collection, dit le bibliothécaire.

Conrad jeta un coup d'œil vers les étagères. Elles couvraient deux fois la superficie dont il se souvenait. Il avait également remarqué qu'en parlant de sa collection Lodovico avait exprimé le sentiment de propriété qui semblait tant prévaloir dans le monastère.

Malgré la cordialité de son accueil, le visage parcheminé du bibliothécaire demeurait aussi impassible qu'une dalle de marbre.

Conrad avait oublié le nez plat, les paupières tombantes et le front inhabituellement haut qui donnaient à penser que la mère de Lodovico lui avait écrasé la tête avant même qu'il ne soit né. Son visage faisait songer à un masque, une conception artistique de ce à quoi pourrait ressembler un homme, davantage qu'à de véritables traits humains. À son insu, les novices l'appelaient « *Fra Brutto-come-la-Fame* », le frère Laid-comme-la-Faim. Lodovico ne se trouvait pas non plus au réfectoire, ce qui pourrait expliquer l'embonpoint qu'il avait pris pendant les six années d'absence de Conrad.

En comparaison avec les bibliothèques des plus grands monastères des moines noirs ou des universités, la pièce, située au-dessus de l'arcade nord du Sacré Couvent, semblait avoir été ajoutée après coup, ce qui était sans doute le cas. Elle servait à la fois de bibliothèque et de scriptorium, et chaque ouverture comportait son propre pupitre surélevé et son ensemble d'instruments d'écriture. Mais les minuscules fenêtres, qu'amenuisaient encore davantage leurs carreaux cerclés de plomb, ne diffusaient pas suffisamment de lumière, que ce soit pour lire ou pour copier. Personne n'occupait en ce moment les pupitres, et Conrad supposa que les copistes effectuaient la majeure partie de leur travail avant l'heure du midi, alors que le soleil du matin éclairait encore le mur de la bibliothèque qui faisait face à l'est.

Saint François n'avait pas désapprouvé la connaissance en soi, mais il avait déconseillé l'apprentissage à ses fils spirituels en croyant qu'il était à la fois inutile et dangereux : inutile parce qu'un frère pouvait sauver son âme sans cela et dangereux parce qu'il pourrait mener à l'orgueil intellectuel. Élie avait fait ériger le Sacré Couvent assez tôt après la mort de son fondateur pour que les souhaits du saint aient encore quelque influence. Même ce frère mondain n'aurait pu prédire que l'Ordre deviendrait une des institutions les plus érudites de la chrétienté en seulement vingt-cinq ans.

Conrad lui-même ne put s'empêcher de ressentir une certaine fierté en se souvenant que les conférenciers de l'Ordre à Paris, à Oxford et à Cambridge, à Bologne et à Padoue comptaient dans leurs rangs les esprits les plus distingués de l'Église : des hommes comme Odo Rigaldi, Duns Scotus et Roger Bacon qui pouvaient rivaliser même avec ces brillants frères prêcheurs qu'étaient Albert le Grand et Thomas d'Aquin. Non pas que les frères mineurs et les frères prêcheurs aient été des rivaux, malgré les tentatives séculaires des théologiens jaloux d'opposer les uns aux autres les Ordres mendiants.

Distrait par sa rêverie, Conrad n'avait pas entendu ce que venait de lui dire Lodovico. Le bibliothécaire lui prit le bras et l'entraîna vers un mur longé de boîtes surmontées d'un couvercle de verre et cadenassées, probablement des reliquaires de manuscrits anciens. Au-delà de ces boîtes, dans le coin le plus éloigné de la pièce, se trouvaient plusieurs grandes armoires de bois également munies de cadenas de fer.

– Comme vous étiez son ami intime, je suis certain que la note que je vous montrerai vous fascinera, poursuivit le bibliothécaire. Nous l'avons trouvée sous la tunique du frère Léon après sa mort. Apparemment, elle avait été rédigée juste après que le corps de notre maître béni eut reçu les stigmates du Christ.

Des paires de gants blancs étaient suspendues à des crochets de bois çà et là au-dessus des boîtes. Lodovico en enfila une et fit signe à Conrad de faire de même. Déverrouillant une des boîtes, le bibliothécaire en retira une feuille usée et la tint délicatement dans ses mains. Les décennies de contact avec les huiles corporelles de Léon avaient assombri le grossier parchemin. Apparemment, Léon avait plié deux fois le parchemin avant de le placer sous sa tunique, car le document montrait des signes d'usure le long des plis et des rebords.

Le bibliothécaire déplia avec soin le manuscrit. Celui-ci représentait un peu plus qu'un fragment, une *chartula* aussi large mais à peine plus longue qu'une main d'homme. Il était couvert des deux côtés de différentes écritures à l'encre noire et à l'encre rouge. Quand il vit que Conrad avait de la difficulté à le déchiffrer, le bibliothécaire lui lut à haute voix le texte du premier côté :

– L'Éternel te bénisse, et te garde ! L'Éternel fasse lever la lumière de sa face sur toi et t'apporte toute sa grâce ! L'Éternel lève sa face sur toi et te donne la paix !

Conrad reconnut la bénédiction tirée du Livre des Nombres ; l'évêque d'Assise avait répété les mêmes paroles lorsqu'il l'avait ordonné prêtre. Sous la formule mosaïque, le rédacteur avait ajouté un post-scriptum, « Que Dieu te bénisse, frère Léon », et signé la bénédiction en inscrivant la lettre grecque tau qui formait ainsi une grande croix entre les lettres du nom de Léon.

Conrad avança ses mains gantées vers le parchemin de peau de mouton.

– Puis-je ? demanda-t-il.

Le bibliothécaire déposa le parchemin dans ses mains aussi délicatement qu'on dépose un œuf d'oiseau dans son nid. Conrad se dirigea vers la fenêtre la plus proche. Il reconnaissait l'écriture minuscule de Léon au verso du manuscrit. Le message semblait être un hymne élogieux, probablement dicté par saint François à son secrétaire.

– Tu es saint, Seigneur, le Dieu unique. Tu fais des merveilles… Tu es trois et un… Tu es la bonté, tout le bien… Tu es l'amour, Tu es la sagesse, Tu es l'humilité, Tu es la patience, Tu es la beauté, Tu es la paix intérieure, Tu es la joie, Tu es la justice… Tu es la vie éternelle, grand et admirable… Sauveur miséricordieux.

Bien que les louanges fussent magnifiques et inspirantes, Conrad était également déçu. Aucun message ne mentionnait la vision du séraphin qui avait inspiré ce débordement d'éloges. Il retourna de nouveau la feuille et Lodovico lui indiqua la série de notes rédigées d'une écriture plus petite à l'encre rouge. Deux courtes phrases au-dessus et en dessous du tau témoignaient du fait que François lui-même avait rédigé la bénédiction et dessiné le symbole.

– Le frère Léon doit avoir ajouté ces commentaires plus tard, expliqua le bibliothécaire.

En effet, l'écriture pouvait avoir été celle de Léon, bien qu'elle fût encore plus petite que celle de son mentor. Du bout de l'index, Lodovico parcourut le fragment en attirant l'attention de Conrad sur le paragraphe le plus long composé avec la même encre rouge et de la même écriture, au-dessus de la bénédiction. Sans attendre une réaction, le bibliothécaire commença à lire à haute voix par-dessus l'épaule de Conrad.

– Le bienheureux François, deux ans avant sa mort, s'est retiré pendant quarante jours sur le mont de l'Alverne en l'honneur de la Sainte Vierge Marie, mère de Dieu, et de l'archange Michel. Et la main du Seigneur descendit sur lui. Après la vision et les paroles du séraphin, et l'impression des stigmates du Christ sur son corps, il composa ces louanges écrites au verso de cette feuille et les écrivit de sa propre main, remerciant Dieu de la bonté qui lui était prodiguée.

Lodovico prit doucement le parchemin dans les mains de Conrad et le déposa dans son reliquaire. Conrad s'interrogeait sur le paragraphe que Lodovico venait de lire et sur l'empressement avec lequel le bibliothécaire le lui avait montré.

– C'est plutôt étrange, ne crois-tu pas, frère ? dit-il.

– Quoi donc, Conrad ?

– Les louanges. Elles sont rédigées dans une écriture différente de celle de la bénédiction de Léon. De toute évidence, elles ont été dictées, et pourtant, la personne qui a ajouté cette note affirme qu'elles étaient de la propre main de saint François. Je me demande si le frère qui a pris la dictée, le frère Léon, je suppose, et le frère qui a écrit à l'encre rouge n'étaient pas deux personnes différentes.

Lodovico se raidit et se pencha au-dessus du reliquaire en scrutant de près le parchemin. Pour la première fois, Conrad crut percevoir un bref mouvement convulsif dans le masque de l'homme, une grimace qui étirait les coins des larges lèvres en un vague plissement, une minuscule brèche dans l'armure du bibliothécaire.

Avant que le frère Lodovico puisse répliquer, Conrad ajouta :

– Peut-être pourrais-tu m'indiquer où se trouvent les chroniques de notre Ordre ?

❧

La transition qu'il avait effectuée en retournant au Sacré Couvent s'était bien déroulée – presque trop bien, comme Conrad en fit la remarque deux jours plus tard à Donna Giacoma. Ils partageaient une soupe dans la cuisine de la vieille dame pendant qu'il lui racontait les événements récents. La soupe chaude et le bois qui brûlait dans le large foyer le réconfortaient. Les journées d'automne étaient devenues presque aussi froides que les nuits, et les fenêtres de toile cirée de la maison de Donna Giacoma offraient une piètre protection contre les rigueurs du temps. Maestro Roberto venait tout juste d'installer les doubles fenêtres, mais Conrad supposait que l'hiver serait rude pour la vieille femme malgré les toiles cirées, les tapisseries sur les murs et les nombreux foyers.

– Le portier qui avait été si arrogant avec le sieur Jacopone et moi la semaine dernière était on ne peut plus respectueux, dit Conrad entre deux cuillerées de potage. Je dois avouer qu'il ne m'a peut-être pas reconnu. Mais aucun des frères ne m'a posé de questions. Je me sens, comment dirais-je, invisible. Il y a quelque chose de faux dans la manière dont ils me traitaient, ou peut-être devrais-je dire, ne me traitaient pas.

– C'est absurde, dit Donna Giacoma. Je vous l'ai dit, vous vous inquiétez trop. Bonaventure ne vous causera pas d'ennuis. Mais avez-vous appris quoi que ce soit qui explique davantage le contenu de la lettre du frère Léon ? Je n'ai cessé d'y penser depuis que vous me l'avez montrée.

– Rien encore.

Il lui parla alors de la note de saint François à Léon et ajouta :

– J'ai aussi trouvé une copie de la lettre qu'Élie avait envoyée à tous les ministres provinciaux après la mort de notre maître. J'en ai copié quelques passages.

Il sortit de sa bure un rouleau de notes.

– Je dois admettre que c'est un magnifique message. Il était trop long pour que je puisse le transcrire en entier, mais j'ai trouvé ces lignes particulièrement émouvantes, car elles décrivent les effets de sa vision sur le mont de l'Alverne :

– Je profite de cette occasion pour vous transmettre une excellente nouvelle : un nouveau miracle est survenu. Jamais encore a-t-on entendu parler de signes aussi merveilleux, sauf en ce qui concerne le Christ, le Fils de Dieu. Car, longtemps avant sa mort, notre frère François a de toute évidence subi la crucifixion ; son corps portait les cinq blessures, les véritables stigmates du Christ. Ses mains et ses pieds semblaient avoir été transpercés par des clous et en portaient encore les marques. Son flanc semblait avoir été ouvert par une lance et saignait fréquemment. Pendant tout le temps que son âme avait habité son corps, il n'avait pas été beau ; il était sans attrait et tous ses membres avaient éprouvé d'intenses souffrances. […] Mais maintenant qu'il est mort, il est magnifique à regarder et tous ceux qui posent leurs yeux sur lui se réjouissent.

Conrad sentit sa gorge se serrer et il interrompit sa lecture. Se raclant la gorge, il leva la tête et vit que Donna Giacoma s'essuyait les yeux.

– C'est exactement ainsi que je l'ai vu la nuit où je le tenais dans mes bras, dit-elle. La peau aussi blanche que l'ivoire.

Puis elle ajouta :

– Entendez-vous l'amour dans ces paroles, Conrad ? Élie n'a pas toujours été un monstre.

Elle se leva en faisant signe à l'ermite de demeurer assis.

– J'ai une lettre que j'aimerais vous montrer également. Attendez ici, près du foyer, pendant que je vais la chercher.

La vieille dame revint peu après, tenant une feuille dans sa main libre et sa canne de l'autre.

– C'est aussi un mot de saint François au frère Léon. Le frère voulait me le donner pour me remercier des petits services que je lui avais rendus. Comme vous le verrez, le cadeau de Léon dépasse de loin tout ce que j'aurais pu faire pour lui.

Elle étendit le parchemin sur la table devant Conrad. Il semblait en meilleur état que la note conservée à la bibliothèque, quoiqu'il portât également des marques de doigts brunes. Au moins, la lettre confirmait – encore plus que la bénédiction – l'affection particulière qu'éprouvait le saint envers ses proches compagnons.

– Frère Léon, souhaite à ton frère François la santé et la paix. Mon fils, je te parle comme le ferait une mère. Cette lettre contient toutes les paroles que nous avons échangées sur la route. Elle est brève et tu dois la considérer comme un conseil. Et par la suite, si tu juges nécessaire de venir me consulter, je te dis : de quelque façon que tu choisisses de plaire au Seigneur et de suivre ses traces dans la pauvreté, fais-le avec la bénédiction de Dieu et la mienne. Et si tu crois nécessaire de venir me voir pour le bien-être de ton âme, ou afin pour trouver du réconfort, viens, Léon !

C'était là une véritable lettre d'amour. Conrad pouvait facilement imaginer la souffrance de Léon pendant les périodes où il était séparé de son maître, et à quel point ce message de saint François avait atténué sa souffrance.

– Le frère Lodovico serait enchanté d'avoir cette lettre dans sa collection, dit-il.

– C'est ce que j'ai pensé aussi. Je sais qu'il ne me reste plus beaucoup de temps à vivre et je veux que ce joyau soit placé à un endroit où il sera convenablement vénéré. Je songe à en faire don aux Pauvres Dames de Saint-Damien, tout en leur demandant en retour une faveur particulière.

Conrad applaudit.

– Ha ! C'est parfait, *madonna*. C'est sûrement ce qu'aurait souhaité Léon, si quelqu'un d'autre que vous devait l'avoir. La manière dont les Pauvres Dames obéissent à notre Règle devrait susciter la honte chez les frères actuels.

– Je suis heureuse que vous approuviez ce choix, frère.

Elle sourit pendant qu'elle roulait la lettre et le regarda de ses yeux verts, avec un air distrait et calme qui le laissa déconcerté.

Conrad avait envie d'éternuer tellement la bibliothèque était imprégnée d'une odeur de moisi. Quel contraste avec les odeurs de mer qui s'élevaient le long de la colline d'Ancona jusqu'à son ermitage. Pourtant, les odeurs d'encre et de colle à reliure, la douceur des couvertures de cuir des manuscrits sous ses doigts, les rangées de titres d'œuvres latines minutieusement séparées par catégories, suscitaient chez Conrad une certaine nostalgie de sa période estudiantine. Il appréciait également le silence qui régnait dans la bibliothèque où, presque seul parmi les étagères, il pouvait feuilleter les manuscrits sans être dérangé.

Étrangement, c'est alors qu'il fouillait dans un meuble rempli de divers guides que Conrad trouva le premier indice ayant un quelconque lien avec la lettre de Léon. Aux côtés de conseils pour obtenir la victoire dans les croisades se trouvaient des œuvres, comme *De inquisitione* de David von Augsburg et *Summa contra haereticos* de Jacopo dei Capelli qui décrivaient les devoirs et le comportement acceptables des centaines de moines inquisiteurs. Conrad feuilleta également des guides destinés aux prêcheurs : le *Liber* de Virtutibus et Vitiis, le *Dormi Secure* de Servasanto da Faenza et de nombreux livres d'exemples, apparemment tous inspirés de fables, de bestiaires et de romances – généralement colorés, mais peu édifiants aux yeux de Conrad. Comment les prêcheurs pouvaient-ils croire que leurs paraboles mettant en scène des unicornes, des dragons et des antilopes pussent élever l'esprit de leurs fidèles vers Dieu ? Comme Jésus lui-même, saint François évoquait des exemples tirés du réel comme celui du « semeur qui s'en allait répandre ses graines », des images que les gens du peuple pouvaient comprendre.

Toutefois, l'étagère qui avait le plus d'attrait pour Conrad était celle des guides spirituels, car il y découvrit deux livres rédigés par son maître à l'université, Gilbert de Tournai. La plupart des manuscrits de cette section avaient pour thème la crucifixion et faisaient appel aux émotions, mais certains affichaient la rationalité de l'esprit germanique, comme le *De Exterioris et Interioris Hominis Compositione* de von Augsburg. Lodovico avait réservé deux étagères complètes aux guides rédigés par le prolifique Bonaventure lui-même, et c'est parmi ceux-là que Conrad découvrit un court traité intitulé *De Sex Alis Seraphim*, « Les six ailes du séraphin ».

Fidèle à son esprit logique et à sa formation d'érudit, Bonaventure décrivait comment les six ailes représentaient une étape du développement spirituel. Conrad ne put s'empêcher d'admirer la brillante utilisation qu'il faisait d'un symbole qui avait une signification particulière au sein de la confrérie. Il fut surpris de trouver la même image utilisée à répétition dans les autres livres de Bonaventure.

– Alors que je me trouvais sur le mont de l'Alverne, […] je me souvins du miracle qu'avait vécu François au même endroit : la vision d'un séraphin ailé ayant la forme du Christ crucifié. […] Je vis immédiatement que cette vision illustrait l'extase de notre maître en contemplation et la manière d'atteindre cette extase.

L'image du séraphin fascinait de toute évidence Bonaventure. Mais que voulait-il dire en utilisant le verbe *effingere* lorsqu'il écrivait « cette vision illustrait l'extase de notre maître en contemplation » ? Saint François n'avait-il pas eu une véritable vision ? Toute l'histoire n'était-elle qu'une représentation symbolique ? Sûrement pas, mais…

S'il s'était agi d'un autre auteur, Conrad aurait pu ignorer une nuance apparemment insignifiante, mais Bonaventure était doté d'un esprit extrêmement légaliste. Il avait lui aussi, pendant un temps, occupé la fonction de conférencier à l'école du frère, à Paris, et avait été le contemporain et l'ami de Thomas d'Aquin. Il choisissait ses mots. Conrad déposa le manuscrit sur un pupitre et prit ses notes. Il se demanda combien d'*Ave Maria* il pourrait réciter cette fois avant le retour de Lodovico. Pendant sa première journée à la bibliothèque, il s'était rendu compte que le bruit de la plume sur des fragments de parchemin attirait Lodovico aussi sûrement et aussi rapidement que la magnétite attirait le fer.

Et le voilà, songea Conrad. Les sandales du bibliothécaire balayaient les carreaux derrière lui.

– Ah ! l'*Itinerarium mentis in Deum*, dit Lodovico en parcourant le pupitre des yeux, d'un air désintéressé. Une excellente œuvre. Le frère Bonaventure serait heureux d'apprendre que tu t'intéresses tant à ses écrits.

Et je suis certain que tu ne manqueras pas de le lui dire pendant le repas du soir, songea Conrad. Il ressentit soudain le besoin de relire la biographie de saint François qu'avait écrite le ministre général. Il voulait jeter un autre coup d'œil à propos de ce séraphin. Tant mieux si, ce faisant, il trouvait un passage sur l'aveugle dont parle Léon dans sa lettre.

XVII

Aux premières lueurs de l'aube, Conrad s'empressa de se rendre à la bibliothèque avec les copistes. Les heures d'ensoleillement diminuaient chaque jour alors qu'approchait la veille de la fête de sainte Lucie, la nuit la plus longue de l'année.

L'ermite se dirigea immédiatement vers les étagères qui contenaient les chroniques des débuts de l'Ordre. Il fut déçu de constater qu'elles ne renfermaient que quelques brèves vies de saints non canonisés de l'Ordre, l'histoire des premiers frères en Anglia par Thomas d'Eccleston, et une chronique semblable par Giordano di Giano, qui décrivait l'expansion de l'Ordre en Germanie. Rien sur l'Ombrie, le berceau de tout le mouvement, une lacune que le manuscrit caché de Léon comblerait parfaitement.

Des copies de la Legenda Major de Bonaventure occupaient le reste de l'étagère. Les scribes qui travaillaient aux grands pupitres reproduisaient la même œuvre – un effet secondaire du tristement célèbre édit de 1266. En plus de bannir les légendes antérieures, les ministres provinciaux avaient décrété que chaque maison de l'Ordre devrait avoir au moins une copie de l'histoire de Bonaventure. La maison mère envoyait régulièrement des frères visiteurs dans les confréries des provinces, et chacun d'eux était accompagné d'une mule transportant ces copies. D'après ce que le frère Léon avait raconté à Conrad, du temps d'Élie, les visiteurs auraient dû porter le nom de « frères extorqueurs », car ils revenaient à Assise avec leurs bêtes chargées de trésors extorqués aux ministres provinciaux qui souhaitaient garder leurs postes. Ces trésors pouvaient être constitués de n'importe quels objets de valeur et contenir aussi bien des gobelets d'or que du précieux poisson salé ficelé dans du canevas.

Lodovico avait affiché un exemplaire de l'édit sur l'étagère contenant les Chroniques. Chaque fois qu'il passait devant, Conrad bouillait d'indignation pour toute cette première génération de frères qui, dans les faits, avaient été réprimandés pour leur honnêteté.

Le chapitre général ordonne que toutes les légendes qui ont été écrites sur saint François soient effacées, puisque la Légende rédigée par le ministre général a été rapportée comme elle lui a été transmise de la bouche de ceux qui étaient constamment avec François et avaient une connaissance certaine de tout ce qui l'entourait.

De la bouche de ceux qui étaient constamment avec François? Il ne s'agissait certainement pas de Léon, ni de Rufino, ni d'Angelo Tancredi, non plus que de personne dans le cercle des intimes de François.

Conrad avait entendu parler de l'édit pour la première fois quatre ans après sa publication, alors qu'il rendait visite à Léon en 1270, année qui avait précédé la mort de son mentor. Léon pensait que la légende officielle rédigée par Bonaventure était catastrophique, car elle dressait le portrait d'un saint de plâtre éloigné du monde réel, perché dans une niche inaccessible où les gens ne pouvaient plus le toucher – une distorsion du François dont il avait suivi la trace. Ce n'était pas l'être vigoureux qui, dans sa jeunesse, dirigeait les festivités printanières dans les rues d'Assise en tant que roi des Tripudianti, qui dépensait sans compter l'argent d'un père indulgent afin d'être toujours à la mode. Le dépensier, le troubadour, le plaisantin avait été « effacé ». Il ne restait que le faiseur de miracles.

– Ils lui ont enlevé son sang et son esprit, déplora Léon. Ils lui ont fait une saignée comme les médecins avec les sangsues, comme si l'humanité était quelque poison mortel qu'on devait extraire pour préserver sa sainteté. Tous les frères spirituels en portent le deuil.

Mais ils ne faisaient pas que porter le deuil. Léon lui avait confié que plusieurs exilés avaient caché les manuscrits en leur possession et que les Pauvres Dames de Saint-Damien avaient fait de même. C'est à ce moment qu'il avait demandé à Conrad de conserver et de copier sa propre chronique de l'Ordre. Le manuscrit de Léon ne renfermait pas la réponse que Conrad cherchait maintenant, mais il s'agissait, de toute évidence, d'un lien important avec le passé de l'Ordre. Conrad fut pris d'un frisson en se souvenant que seuls lui et Amata connaissaient l'existence du parchemin. Il devait en faire part à Donna Giacoma à la première occasion, au cas où il lui arriverait malheur et ne pourrait retourner à l'ermitage.

Il ne pouvait se fier à la jeune fille et, de toute façon, elle était maintenant à nouveau confinée (Dieu merci) dans son couvent.

L'esprit rempli de tous ces éléments conflictuels, Conrad ouvrit la Legenda Major. Il adressa une prière à l'Esprit saint pour obtenir la grâce de la sagesse et de la compréhension, et ouvrit immédiatement le livre au XIIIe chapitre, celui sur le séraphin.

CHAPITRE XIII
SUR SES STIGMATES SACRÉS

Deux ans avant qu'il ne rendît l'âme, François fut conduit par la divine Providence sur une haute montagne appelée mont de l'Alverne où il entreprit un jeûne de quarante jours en l'honneur de l'archange saint Michel. […]

Par la grâce de l'inspiration divine, il apprit que s'il ouvrait les Évangiles, le Christ lui révélerait la volonté de Dieu. Après avoir prié avec une grande dévotion, il prit l'Évangile sur l'autel et demanda à son compagnon, un frère dévot et saint, de l'ouvrir trois fois au nom de la Sainte Trinité. Chaque fois, le livre s'ouvrit sur la passion du Christ et François comprit qu'il devait connaître dans sa chair la souffrance et la tristesse de la passion du Christ. […] Son corps s'était déjà affaibli en raison de la grande austérité de sa vie passée et du fait qu'il portait constamment la croix du Seigneur, mais il était plus que jamais inspiré à supporter le martyre. […]

Autour de la fête de l'Exaltation de la Sainte Croix, alors qu'il priait sur la montagne, François vit descendre des cieux un séraphin muni de six ailes flamboyantes. Le séraphin s'approcha rapidement et vint se tenir dans les airs, près de lui. Puis, François vit entre les ailes l'image d'un homme crucifié, ses mains et ses pieds cloués à une croix […] Il était stupéfait […] débordant de joie en voyant la façon dont le Christ le regardait si gracieusement sous l'apparence d'un séraphin, mais le fait qu'Il ait été attaché à une croix transperça son âme de tristesse et de compassion.

Alors que la vision disparaissait, elle laissa dans son cœur une ardeur merveilleuse et imprima les marques miraculeuses sur son corps. [...] Ses mains et ses pieds parurent transpercés en leur centre par des clous dont les têtes apparaissaient dans les paumes de ses mains et sur le devant de chaque pied, alors que les pointes en ressortaient de l'autre côté. [...] Son côté droit semblait avoir été percé par une lance et était marqué d'une blessure rouge qui saignait souvent, tachant sa tunique et ses sous-vêtements.

Quand le serviteur du Christ réalisa qu'il ne pouvait cacher les stigmates imprimés de manière si visible sur son corps, il fut saisi d'un doute immense. [...] Il appela quelques-uns de ses frères et leur demanda ce qu'il devait faire. L'un d'eux, appelé Illuminato, fut illuminé par la grâce et réalisa qu'un miracle s'était produit parce que le saint était toujours hébété. Il lui dit : « Frère, souviens-toi que lorsque Dieu te révèle ses secrets, ce n'est pas pour toi seul, mais aussi pour les autres. » Le saint homme disait souvent *Secretum meum mihi*, mon secret est mien, mais, quand il entendit les paroles d'Illuminato, il décrivit la vision en détail, ajoutant que celui qui lui était apparu lui avait confié plusieurs secrets qu'il ne révélerait à personne aussi longtemps qu'il vivrait.

Conrad leva les yeux de ses notes pour voir le frère Lodovico farfouillant dans l'étagère voisine de son pupitre.

– Peux-tu me dire, frère, demanda-t-il, pourquoi le nom « Illuminato » me semble familier ? Avait-il tenu un rôle important au début de l'histoire de notre Ordre ?

– Je pense que tu trouveras ta réponse dans le IXe chapitre, dit le bibliothécaire. Le frère Illuminato accompagnait saint François pendant son voyage en Égypte. Il était avec notre maître quand il a essayé de convertir le sultan, et l'a accompagné sur le chemin du retour à travers la Terre promise.

– C'est là que saint François a contracté la maladie qui l'a rendu aveugle ?

– C'est ce que j'ai entendu dire. La lumière éclatante de la Terre sainte doit avoir directement affecté ses yeux.

Lodovico retourna à son étagère. Conrad ajouta à ses notes une phrase de la lettre de Léon. « Le Premier de Thomas marque le début de la cécité », avait-il écrit en soulignant trois fois la phrase. Il rongea l'ongle de son pouce et tapota le pupitre du bout de sa plume. Se pourrait-il que François lui-même ait été « l'aveugle » dont parle Léon ? Mais où sa cécité avait-elle commencé, sinon en Orient ?

Pendant qu'il regardait fixement la phrase, le scribe qui occupait le pupitre devant lui, un frère de son âge, déplaça son poids énorme sur son banc et lança un bref regard à Conrad à travers ses yeux larmoyants.

– Je vous ai entendu poser une question sur le frère Illuminato, dit-il.

Pendant qu'il parlait, l'homme essuya ses yeux qui semblaient constamment irrités.

– La semaine dernière, j'ai entendu quelques frères plus âgés parler de cet Illuminato. L'un d'eux a mentionné qu'il était le secrétaire du frère Élie après que celui-ci eut été élu ministre général.

Conrad cessa presque de respirer. À l'époque d'Élie, on décrivait encore le rôle des secrétaires comme Illuminato – et Léon avant lui – sous le nom de « amanuensis ». L'âge du compagnon de route de Zefferino tel qu'Amata l'avait décrit, et le nom par lequel l'homme à la pique l'avait identifié semblaient reliés.

Lodovico, qui ne s'était éloigné que de quelques pas du pupitre de Conrad, s'empressa de se joindre à la conversation.

– Le frère a raison. J'avais oublié ce fait concernant le frère Illuminato.

Peut-être Illuminato avait-il été celui que Bonaventure avait consulté pour rédiger sa légende, songea Conrad, un de ceux qui étaient « *constamment avec François et avaient une connaissance certaine de tout ce qui l'entourait* ». Conrad trouvait extrêmement étrange que Bonaventure *le* désigne par son nom dans ce chapitre, mais qu'il ne nomme pas le frère qui a ouvert le livre des Saintes Écritures – sûrement Léon – pour François.

– Le frère Illuminato est-il toujours vivant ? demanda Conrad.

– Oui, bien que, naturellement, il soit assez âgé, répondit le bibliothécaire.

– Suffisamment âgé pour être obligé de voyager à dos d'âne ?

Le frère Lodovico sourit avec bienveillance.

– Je doute qu'il soit encore capable de voyager.

– Non, frère, interrompit le jeune moine. Il a traversé Assise il y a seulement une semaine et s'y est arrêté pour avoir un entretien avec le frère Bonaventure. C'est pour cette raison que les frères parlaient de lui. Dommage que vous l'ayez manqué, frère Conrad.

– Oui, c'est dommage, dit Conrad. Mais je vous remercie tous deux de votre aide.

– Assez de commérages, frère, ajouta le bibliothécaire. Par ton bavardage, tu empêches le frère Conrad de travailler et tu évites toi-même de le faire.

Le jeune frère baissa les yeux.

– Oui, frère.

Il se retourna de nouveau sur son banc et se pencha sur son pupitre.

Ainsi, cet Illuminato voyage encore, malgré les doutes de Lodovico. Et si c'est le vieillard qu'Amata a rencontré, ce qui semble maintenant plus que probable, Bonaventure sait déjà tout ce qu'un secrétaire expérimenté a pu se souvenir de la lettre de Léon.

La conversation étant pour le moment interrompue, le bibliothécaire retourna à ses tâches tout en gardant un œil sur le scribe bavard. Conrad retourna à ses notes sur la vision du séraphin. Il souligna un seul mot dans le long passage de Bonaventure : *Illuminato.*

XVIII

*A*vanti! Avanti! stupide animal.

Illuminato battait de ses sandales les flancs de son âne pour l'inciter à avancer plus vite. Plus ils grimpaient au-dessus du lac Trasimène et de la tranquille vallée de la Chiana, plus la bête se montrait récalcitrante. Au loin, Illuminato voyait la fière citadelle étrusque de Cortona. Sinistre dans son arrogance, isolée et menaçante parmi les montagnes glaciales, Cortona avait été un refuge approprié pour le frère Élie pendant ses dernières années d'exil. Même si Illuminato l'avait maintes fois averti de ne pas faire d'extravagances, Élie avait vécu comme un prince avec ses palefreniers gras et costauds, son jeune séculier en livrée multicolore qui lui servait comme les pages des évêques ses repas délicats préparés par son cuisinier personnel. Soutenu dans ses ambitions par son maître de donjon expert en tortures, il avait tenté d'obtenir le pouvoir absolu sur la confrérie. Dix ans plus tard, les frères, avec l'aide du pape, l'avaient forcé à se mettre à genoux.

Pendant qu'Illuminato se balançait au rythme des pas de l'âne, il se dit que Bonaventure avait sans doute enseigné à Élie l'importance de tempérer son ambition par la patience. L'actuel ministre général s'élèverait plus haut dans la hiérarchie de l'Église que tout autre frère avant lui, mais lorsqu'il s'élèverait, peut-être même jusqu'à la papauté, ce serait à la demande expresse des princes de l'Église.

Illuminato avait lui aussi attendu pendant que les années passaient de plus en plus rapidement. *Je vais moi aussi recevoir ma récompense.* Bonaventure l'avait promis au vieux prêtre lorsque celui-ci lui avait fait part du message de Léon à Conrad.

Parvenu à la grand-place de la ville, Illuminato descendit de son âne et fit signe de s'approcher à deux garçons qui jouaient près de lui. Ils semblaient ignorer le vent qui fouettait leurs tuniques en lambeaux.

– *Fratellini,* j'ai besoin que vous m'aidiez à monter cette rue, dit le prêtre. Dieu vous récompensera si vous m'aidez à me rendre jusqu'à l'église avec mon âne.

Les gamins le regardèrent avec curiosité et l'un d'eux lui adressa la parole dans un charabia incompréhensible. Illuminato répondit au dialecte local par une série de gestes, se tenant le dos, pointant l'index vers la rue abrupte et répétant « *Chiesa, chiesa* ». Les deux garçons comprirent finalement et s'approchèrent en hésitant.

Au-dessus de la ville, Élie avait fait ériger une réplique plus petite de la basilique qu'il avait fait construire à Assise. Même après que le pape l'eut banni de l'Ordre, même après qu'il se fut rendu aux confins de l'Empire et qu'il eut subi l'excommunication à l'instar de Frédéric, Élie continua de porter la tunique grise des frères, comme l'avaient fait les dizaines d'autres qui lui étaient demeurés loyaux. Quand il se retira finalement à Cortona, il tenta de faire renaître une partie de sa gloire passée en construisant un monastère et une église dotés du même nom et de la même façade que la célèbre basilique. Il se fit également construire un ermitage de pierres. Sur son lit de mort, il avait réussi à imiter un acte de contrition, avait été absous par le prêtre de l'endroit et avait été enterré dans cette église. *Je suis sans doute le premier pèlerin à me rendre au tombeau d'un ministre général déchu*, songea Illuminato.

Ce n'est pas lui qui avait eu l'idée de venir à Cortona. Il avait à contrecœur accepté la suggestion de Bonaventure selon laquelle cet avant-poste serait l'endroit idéal pour attendre sa nomination. Ç'aurait été une mauvaise idée de laisser Conrad l'interroger. Dans peu de temps, son ambition serait réalisée.

Et quelle récompense ce serait : *évêque d'Assise*. Logé dans le palais de l'évêque près du Sacré Couvent, il allait encore pouvoir satisfaire son besoin de participer aux décisions politiques de l'Ordre et obtenir les renseignements d'initiés qui étaient rattachés à la fonction. Pendant un moment, il avait sérieusement cru qu'on l'avait envoyé mourir d'ennui quand on l'avait nommé à sa fonction antérieure : père confesseur du couvent des Pauvres Dames, inclinant gravement la tête, à demi endormi, pendant que ces âmes innocentes récitaient leurs litanies de peccadilles. Mais par un coup de chance – la chance d'avoir rencontré le garçon sur la route à l'extérieur d'Ancona –, il s'était placé au centre d'un ouragan éventuel. Il pouvait sentir le sang battre avec une vigueur renouvelée dans ses vieilles artères. Bonaventure avait immédiatement saisi l'importance de la lettre de Léon, le danger qu'elle représentait pour la crédibilité de l'Ordre. Au départ, le ministre général avait réagi à la nouvelle avec le sang-froid qui le caractérisait.

– Laissez venir Conrad, dit-il, impassible, pendant qu'il faisait lentement tourner l'anneau à son doigt. Il repartira aussi ignorant que lorsqu'il est arrivé.

– Et s'il découvrait par hasard la vérité ?

– Dans ce cas, il ne repartirait pas.

Mais Illuminato fut contraint de raconter à Bonaventure le reste de son histoire, comment il avait pris la liberté d'ordonner la détention de Conrad si celui-ci traversait Gubbio. Son cœur fit un bond dans sa poitrine lorsqu'il vit le front de Bonaventure se plisser de mécontentement. Puis ses sourcils se défroncèrent. Le ministre général pianota du bout des doigts et fit tinter la cloche sur son bureau. Son secrétaire, Bernard de Besse, devait se trouver juste derrière la porte, car il entra immédiatement avec en main sa tablette de cire et son stylet.

– Frère Illuminato, répétez ce que vous venez de me dire et donnez aussi au frère Bernard les notes que vous avez prises à Fossato di Vico et qui contiennent vos souvenirs de la lettre de Léon.

Quand le secrétaire eut terminé, le ministre général réitéra ses remerciements et affirma que la réaction rapide d'Illuminato méritait compensation. L'évêque d'Assise était récemment décédé, et le poste demeurait vacant en attendant le sacre du nouveau pape. Bonaventure avait déjà sur son bureau une lettre demandant au pape qu'un de ses propres frères occupe cette fonction séculière.

– Tebaldo Visconti da Piacenza est un ami intime. Nous partageons le même point de vue sur les faiblesses et la corruption du clergé séculier. Il préférerait voir davantage de frères occuper ces postes de pouvoir, précisa Bonaventure.

Illuminato se réjouit lorsque le ministre général laissa entendre que lui, avec ses années d'expérience, sans oublier sa compréhension profonde de la nécessité de réprimer les mésententes au sein de l'Ordre, représentait le parfait candidat pour occuper la fonction. À titre de ministre général, il lui ferait plaisir de soutenir sa candidature dans un post-scriptum à sa lettre.

Mais Bonaventure avait fait cette promesse avant l'arrivée de la dépouille du garçon au portail du Sacré Couvent. L'incident aurait pu passer inaperçu si ce n'avait été un groupe de frères qui, plus tard le même jour, avait ramené le frère Zefferino à demi mort de soif, presque aveugle et délirant à propos d'un ange vengeur aux yeux flamboyants. La mort du garçon avait un lien avec cet esprit vengeur. Le frère blessé avait également déclaré que Conrad, grâce à cette intervention miraculeuse, avait réussi à s'échapper. Et, pis encore, deux autres frères arrivés au monastère de l'Ordre à Gubbio étaient à la recherche d'un frère porté disparu.

– Il est mort, dit Zefferino d'une voix éteinte, quand Illuminato avait conduit les deux frères à l'infirmerie.

De son unique œil fonctionnel, il lança un regard furieux à Illuminato.

– Il a été assassiné par ce petit messager inoffensif qui avait apporté la lettre à Conrad. C'est ainsi que nous sommes récompensés pour nos efforts de cette semaine, mon frère ?

Illuminato choisit de ne rien dire de la promesse de Bonaventure.

Pendant la semaine qui suivit, le vieux prêtre évita de rencontrer le ministre général. Bonaventure détestait tout ce qui pouvait perturber le fonctionnement du Sacré Couvent, et cela englobait la mort et la mutilation de postulants et de frères. Finalement, Illuminato ne put éviter de rencontrer son supérieur puisque Bonaventure le fit venir.

– Conrad est à Assise, dit-il. Il demeure chez la veuve Frangipane et nous nous attendons à ce qu'il se présente ici d'une journée à l'autre. Votre âne s'est bien reposé. Je vous recommande d'aller prier sur la tombe de votre maître décédé. Je ne doute pas qu'il puisse tirer avantage de vos prières.

– Mais qu'en est-il de l'épiscopat ?

– Le moment venu, je vous enverrai un mot à Cortona.

Illuminato n'avait d'autre choix que de faire une génuflexion, embrasser l'anneau de Bonaventure et partir. Toutefois, en se relevant, il toucha l'étincelant lapis-lazuli serti d'or.

– Vous comprenez sûrement que Conrad représente au moins une menace indirecte à la Confrérie de la tombe ?

– J'y ai pensé, répliqua Bonaventure, bien que la lettre, d'après ce que vous m'en avez dit, ne laisse pas supposer une telle chose.

Maintenant, alors qu'il approchait de la fin de son voyage, Illuminato avait davantage l'impression d'être un exilé qu'un futur évêque. S'appuyant sur l'épaule d'un des garçons pendant que l'autre menait l'âne et babillait sans arrêt dans son dialecte étrange, le prêtre grimpa les rues tortueuses jusqu'à l'église. Il bénit de nouveau ses aides et entra à l'intérieur pour trouver quelqu'un qui pourrait le guider jusqu'à la tombe d'Élie.

La nef de l'église était froide et sombre, et vide comme une caverne. Il avança vers l'unique lampe à huile qui brûlait dans le transept et frappa à la porte latérale qui conduisait au monastère. Le frère aux yeux de biche qui lui répondit semblait aussi usé et décrépit que l'église elle-même.

– *Per favore*, frère, montre-moi la tombe du frère Élie, demanda Illuminato.

Le frère haussa les épaules.

– *Un momento*.

Il disparut de nouveau dans le monastère, puis revint en tenant à la main une lanterne.

– Suivez-moi.

L'homme mena Illuminato derrière le maître-autel, jusque dans une pièce sombre qui semblait servir d'entrepôt. Des stalles de choristes avaient été poussées ici et là contre les murs. Des piles de manuscrits moisis recouvraient une table au milieu de la pièce. Le frère poussa du pied une pile de feuilles sous la table, soulevant un épais nuage de poussière. Puis il se mit à quatre pattes et épousseta une des grandes dalles de pierre du plancher. Sur la dalle était inscrit le nom d'Élie.

– C'est ici, dit le frère.

Ici? Cet imbécile de frère n'avait rien de plus à dire qu'*ici*? Comment était-il possible que le brillant dirigeant qu'Illuminato avait servi pendant douze ans, dont le talent politique et le génie architectural avaient autrefois suscité l'admiration de tout le monde civilisé, repose ici dans la poussière, sous une table? Le prêtre eut un haut-le-cœur en songeant au caractère indigne de la fin d'Élie.

– N'y a-t-il même pas quelqu'un qui monte la garde auprès de sa dépouille?

– Ah! cela plairait sûrement à son âme orgueilleuse de penser que sa dépouille vaudrait la peine qu'on la garde! Non.

Elle n'est pas ici de toute façon. Après sa mort, un frère *custode* l'a retirée de l'église et jetée sur la colline derrière. Les loups ont fait le reste.

Le frère eut un rire sinistre.

– Si vous voulez trouver ses saintes reliques, cherchez de la poudre blanche dans le plus proche tas d'excréments de loups.

L'homme leva les yeux vers Illuminato. Ni son visage ni sa voix ne trahissaient la moindre émotion alors qu'il ajoutait :

– *Sic transit gloria mundi.* La gloire ne dure qu'un temps, mon frère.

– Je ne peux pas dire que j'ai vraiment connu le frère Illuminato, répondit Donna Giacoma à Conrad. Il y avait tellement de frères, même aux premiers jours. Je ne me souviens pas avoir entendu son nom de la bouche de ceux qui sont venus à Rome avec saint François.

Elle était assise devant le foyer dans la pièce principale de sa maison, une peau de loup sur ses genoux, son visage heureux dans la lumière vacillante des flammes.

– Mais plus tard, demanda l'ermite, lorsqu'il a été le secrétaire d'Élie ?

– Comme je vous l'ai dit, j'ai à peine parlé au frère Élie après qu'il eut caché la dépouille de saint François.

Conrad tenait ses notes orientées vers la lumière pendant qu'il continuait à feuilleter les pages. Il leva les yeux lorsque Pio arriva en portant un plat de pâtisseries.

– Maman a insisté pour que je vous les apporte pendant qu'elles étaient encore chaudes, *madonna*.

La vieille dame sourit et fit un geste en direction de son hôte.

– Les pâtisseries préférées de notre maître, dit-elle alors que le jeune serviteur présentait le plat à Conrad.

– Des biscuits à la pâte d'amandes. J'en avais apporté avec moi, ainsi que du tissu pour son linceul, quand je suis venue à Assise après avoir entendu parler de l'état de santé de saint François. Il adorait la saveur de l'amande et je lui avais fait cuire quelques biscuits en forme de croix.

Les yeux félins de la dame brillaient de joie à ce souvenir.

– Aujourd'hui, nous allons cuire des biscuits en forme d'auréole en l'honneur de la prochaine fête de la Toussaint.

Conrad prit un biscuit et, pendant un moment, laissa fondre le sucre sur sa langue avant de commencer à mâcher. Il avait beaucoup à apprendre sur le véritable ascétisme si un saint comme François ne considérait pas comme un relâchement de sa ferveur le fait de manger des biscuits. Quant à lui, il devait admettre que la fréquence de ses visites chez Donna Giacoma était tout autant liée à l'infinie variété des mets délicats de la cuisinière qu'aux précieux souvenirs de la dame. Il aimait l'idée que ses désirs insatiables le rapprochent, d'une certaine manière, de saint François. Il jeta au feu les miettes qui étaient tombées sur ses notes et continua de chercher jusqu'à ce qu'il parvienne à une autre section de la *Légende* de Bonaventure.

– Il y a ici une deuxième description des stigmates rédigée à l'époque de la mort de François. Bonaventure mentionne un chevalier du nom de Giancarlo. Je me suis demandé s'il s'agissait du maire dont vous m'aviez parlé, celui qui avait aidé Élie à transporter le corps de François.

Il traduisit le passage qui était en latin :

– On pouvait voir dans ses mains et ses pieds bénis les clous que Dieu avait miraculeusement formés dans sa chair […] si enchâssés dans la chair que, lorsqu'on les poussait d'un côté, ils ressortaient immédiatement un peu plus de l'autre. […] La blessure sur son flanc, qui n'avait pas été infligée à son corps non plus qu'elle était le résultat d'une quelconque action humaine […] était rouge, et la chair s'était contractée en une espèce de cercle, de sorte qu'elle ressemblait à une magnifique rose. Le reste de sa peau, qui auparavant était plutôt sombre, naturellement et à cause de sa maladie, était devenue d'un blanc éclatant, préfigurant la gloire des corps des saints au paradis. […] Un chevalier instruit et circonspect du nom de Giancarlo était de ceux qu'on avait autorisés à voir le corps de saint François. Comme l'apôtre Thomas, son cœur était rempli de doute mais, sous le regard des frères et de nombreux citoyens de la ville, il n'hésita pas à toucher les clous ainsi que les mains, les pieds et le flanc du saint. Au moment où il sentit les stigmates avec ses doigts, le doute s'évanouit de son cœur et de celui des autres.

Donna Giacoma hocha la tête.

– Il doit s'agir de Giancarlo di Margherita – un homme vaniteux, même avant d'être nommé maire. Je me souviens bien de la scène : il se distinguait du groupe avec sa toge pourpre et sa cape d'hermine.

Elle ferma les yeux.

– Il avait l'allure d'un coq orgueilleux parmi les poules, tout pomponné et bouffi d'orgueil auprès des frères en tuniques grises. Pendant des années, il a parlé de cette expérience. Il était devenu le défenseur infatigable de l'authenticité des stigmates contre tous ceux qui la mettaient en doute.

– Il y avait plusieurs frères qui la mettaient en doute ? s'étonna Conrad.

– Oh ! oui, plusieurs ! Et ces doutes relevaient de la jalousie, en particulier chez les membres des autres Ordres. Mais bien sûr, ils n'avaient pas vu ce que nous avions vu.

Conrad caressa distraitement son menton imberbe.

– J'ai raté l'occasion de parler à Illuminato. Savez-vous si Giancarlo vit encore ?

– Je ne sais pas. Il s'est retiré dans son domaine de Fossato di Vico il y a presque vingt ans. Je ne l'ai pas vu à Assise depuis et il ne m'a pas donné de ses nouvelles non plus.

Conrad rassembla ses notes et les pressa des deux mains contre sa poitrine. Il ferma les yeux, attendant une inspiration, pendant que la lueur du feu continuait à danser à travers ses paupières. Rien. Rien d'autre que des questions, tout aussi déroutantes qu'auparavant.

– Je veux que vous gardiez ces notes en sécurité pour moi, dit-il finalement. Un jour, ces fragments me parleront d'une seule voix et tout sera clair. Demain, j'ai l'intention de demander au frère Lodovico le « Premier de Thomas » et je ne sais pas comment il va réagir. Je serai sur un terrain glissant ou au sommet d'un volcan. Ou, si Dieu le veut, je réussirai à combler les vides dans cette histoire.

Maestro Roberto s'était discrètement avancé dans la pièce pendant que Conrad parlait.

– *Scusami*, Giacomina. Vous pourrez inspecter la chambre aussitôt que vous serez libre.

– Excellent. *Grazie*, Roberto.

Elle tourna son regard serein vers Conrad.

– Je ne sais pas si je vous ai dit que mes deux fils étaient morts sans progéniture. Je n'ai jamais eu de petits-enfants. C'est une triste chose que de survivre à ses enfants. Pendant toutes ces années, j'ai laissé leur chambre dans l'état où elle était au moment de leur mort. J'éprouvais une infinie tristesse chaque fois que j'y entrais. Mais tout cela va changer. Je l'ai fait nettoyer et blanchir à la chaux.

Conrad attendit son explication mais, de toute évidence, elle était d'humeur énigmatique. Elle dit seulement :

– Il nous faut tous combler nos vides.

ॐ

– Le « Premier de Thomas » ? Certainement, frère.

Conrad éprouva un sentiment de stupéfaction alors que Lodovico partait chercher le texte. C'était trop facile. Le bibliothécaire avait réagi comme s'il entendait cette demande quotidiennement.

Lodovico revint en portant un énorme volume. Quand il le déposa devant Conrad, le pupitre craqua et vacilla sur ses pieds.

– J'ignore comment vous avez appris que j'avais ce livre, mais je consens volontiers à ce que vous le consultiez. C'est ma toute dernière acquisition. Nous n'avons reçu une des premières copies qu'en raison de l'amitié qui liait le frère Bonaventure et Thomas pendant qu'ils enseignaient à Paris.

Conrad demeura sceptique en entendant cette explication. Le ministre général était-il assez âgé pour avoir connu Thomas de Celano ? *Probablement.* Mais Conrad n'avait jamais entendu dire que Thomas avait enseigné, ou même passé quelque temps à Paris. Il sourit vaguement pendant que le bibliothécaire tournait les talons, puis souleva la couverture de cuir du livre et lut la page de titre :

SUMMA THEOLOGICA
auctore Thomas de Aquino
et, sous le titre, en lettres plus petites : *Liber Primus.*

Le *premier livre* de la *Somme théologique* de Thomas d'Aquin ! Conrad émit un grognement. Ce renard de Lodovico ! Il n'y avait rien d'étonnant à ce qu'il ait été si accommodant. Il s'était préparé à la requête de Conrad. Apparemment, le frère Illuminato s'était bien souvenu du message de Léon et en avait communiqué cette partie.

L'ermite écarta les doigts pour mesurer l'épaisseur de l'œuvre. Il lui faudrait le reste de l'automne pour lire tout le livre. *Mais je peux jouer votre jeu*, songea-t-il. *J'ai le temps. Et la patience.* Et qui allait affirmer que ce *premier livre de Thomas* n'était pas celui que Léon avait souhaité qu'il lise ? Il avait sûrement entendu parler de l'œuvre de Thomas d'Aquin avant de mourir. Peut-être parlait-il d'aveuglement spirituel ou théologique et nullement d'un *homme* aveugle. Avec un long soupir, il commença à lire le texte :

PREMIÈRE PARTIE
TRAITÉ SUR DIEU
Question 1
La doctrine sacrée
Qu'est-elle et à quoi s'étend-elle ?
(En dix articles)

Conrad regarda par la fenêtre. Malgré la brume qui enveloppait les champs loin en contrebas, il repéra l'embranchement où la rivière Chiagio se déversait dans le Tibre qui serpentait jusqu'à Rome. Il émit un long bâillement. Dans deux mois, il ne se poserait plus de questions sur l'identité de l'aveugle. Ce serait lui-même !

XIX

— *Hic vobis, aquatilium avium more, domus est.*
— Votre sainteté?

Orfeo s'était tourné vers le pape, debout sous un auvent de soie blanche aux côtés du capitaine du navire. Tebaldo Visconti abaissa le diffuseur de parfum qui voilait partiellement son visage.

– Connais-tu les poètes, Orfeo? demanda Tebaldo.

– Seulement ceux que j'ai appris dans mon enfance.

– Cassiodore a écrit que cette ville flottait sur les vagues comme un oiseau marin.

Le jeune homme leva la main pour se protéger les yeux du soleil et regarda la ville à l'horizon. Il ne voyait pas la ressemblance avec un oiseau marin. Si on devait comparer Venise à quoi que ce soit, il pensa que ce devrait être à un coffre au trésor amarré qui refusait de couler malgré les efforts répétés en ce sens des empereurs et des puissances voisines. Quand Pépin, le fils de Charlemagne, menaça un jour de mettre fin à l'approvisionnement en nourriture des Vénitiens, les citoyens méprisants réagirent à son avertissement en lançant des miches de pain à ses troupes.

– Voici votre comité d'accueil, dit le capitaine en pointant l'index vers la ville.

Une flottille de galères avançait contre le vent, ses espars carrés et ses voiles gonflées, s'empressant de parcourir les dernières lieues entre le convoi du pape et le port derrière elle. Les galères fendaient les vagues en rangs serrés et, comme elles approchaient, Orfeo pouvait entendre les équipages qui scandaient « *Vi-va Pa-pa! Vi-va Pa-pa!* »

Les vaisseaux de guerre, avec leurs multiples ponts et gaillards, se déplaçaient pesamment entre les galères vénitiennes, qui s'écartaient pour les laisser passer. Émergeant de dessous l'auvent et tenant toujours son diffuseur de parfum, le pape leva les bras pour répondre aux vivats des marins.

– C'est ainsi que tout commence, dit-il d'une voix calme.

Et c'est ainsi que ça se termine pour moi, pensa Orfeo. Pendant les semaines qu'ils venaient de passer ensemble, il en était venu à admirer Tebaldo, mais il avait également hâte d'en finir avec cette obligation et de redevenir un homme indépendant.

Alors qu'ils pénétraient dans le port, les galères firent place à des embarcations de moindre envergure : les petits *grippi* qui transportaient du vin de Chypre et de la Crète jusqu'à Venise ; les *sandoli* à fond plat ; les barges de pêche dotées de voiles, les *braggozzi* qu'utilisaient les pêcheurs de Chioggia. Même les radeaux qu'employaient les débardeurs pour décharger les grands navires marchands menaçaient de couler sous le poids de la foule de travailleurs qui hurlaient leur joie.

Orfeo regarda par-dessus le bastingage en souriant devant l'enthousiasme flamboyant de toute cette masse humaine qui les entourait. Venise était fière de ses 100 000 habitants, et chacun d'eux semblait se trouver soit dans l'eau, soit sur la jetée. Le navire du pape avança lentement vers le quai de San Marco où un chœur de trompettes, de cymbales et de tambours faisait concurrence aux vivats. Un battement rythmé se mêla à la clameur alors que des *gundule* surgissaient des canaux et que les gondoliers commençaient à battre l'eau de leurs rames. De magnifiques sculptures peintes ornaient la proue des traversiers, plus effilés ; de luxueuses bâches drapaient leurs *felzi,* les cabines qui protégeaient les bancs des passagers par mauvais temps.

Orfeo voyait maintenant que les gondoles escortaient le *bucintoro* du doge de Venise et là-bas, au centre de la barge protocolaire, se tenait le doge lui-même. À l'approche du vaisseau de guerre, il s'agenouilla. Les deux navires flottaient côte à côte et Orfeo distingua les traits de Lorenzo Tiepolo. Le titulaire de la fonction n'avait pas changé pendant le temps qu'il avait passé à Acre.

La fanfare céda le pas aux cloches de la basilique Saint-Marc alors que le pape et le doge débarquaient de leurs navires respectifs. La foule s'écarta comme les eaux de la mer Rouge pour laisser passer jusqu'au quai un défilé de chanoines et d'archevêques. Tandis que les ecclésiastiques approchaient, Tebaldo murmura à l'oreille d'Orfeo :

– Reste avec moi. J'ai besoin du soutien de mes amis pour traverser cette cohue.

Orfeo s'inclina et se plaça derrière le pontife. Il se sentit tout à coup trop visible alors que des milliers de paires d'yeux se tournaient dans leur direction et il souhaita pouvoir disparaître dans la foule. Tebaldo se tourna vers lui.

– Pas derrière moi. *À côté* de moi, dit-il.

Les prélats guidèrent le pape, le doge et leur entourage entre deux immenses étendards aux couleurs de saint Marc, montés sur des poteaux aussi hauts que le mât du vaisseau. Au-delà des étendards, Orfeo remarqua les cinq dômes plombés de la basilique surmontés de leurs lanternes en forme d'oignons.

Des mosaïques incrustées ornaient l'extérieur de l'église, et des saints, des anges et des héros mythiques sculptés dans le marbre couronnaient l'une des cinq portes d'arche et remplissaient les tympans entre les arches. Une forêt de statues réalisées par des maçons depuis longtemps décédés surgissait de chaque surface plane de la façade.

Le pape poussa Orfeo du coude et lui fit signe de regarder les quatre chevaux au-dessus du portique principal, leurs corps de bronze prêts à bondir à tout moment de leur terrasse comme le légendaire Pégase. D'une voix basse, Tebaldo dit :

– J'espère rendre ces statues un jour. Ce sera un faible prix à payer pour réunir les Églises.

Orfeo connaissait bien les idées du pape à ce sujet. Lorsqu'ils étaient en mer, nuit après nuit, Tebaldo Visconti avait ouvert son cœur au jeune rameur, comme l'aîné d'un clan transmettant les récits des anciens – ou peut-être par respect pour feu le saint oncle d'Orfeo, François.

– Il y a deux choses que j'espère accomplir, avait-il dit alors qu'ils étaient assis sur le pont du navire et contemplaient le ciel étoilé. Je veux réunir les Églises d'Orient et d'Occident et mettre fin aux malversations des membres du clergé séculier. J'ai l'intention de demander l'aide des moines franciscains pour réaliser ces deux objectifs, si Dieu m'en accorde le temps et la force. Leur ministre général, Bonaventure, partage mon point de vue sur cette question. Il pense que les nouveaux Ordres, de concert avec les universités, peuvent réformer notre

Sainte Mère l'Église, éliminer l'hérésie et faire un pas de géant dans la réalisation du royaume de Dieu sur terre. C'est le genre d'homme dont j'ai besoin pour ce travail.

Il parla du sac de Byzance. Bien que l'attaque ait eu lieu avant même la naissance de Tebaldo, le pape connaissait bien l'histoire. Il avait lu l'horrible récit d'un témoin oculaire, Nicétas Choniate, et raconta à Orfeo comment Enrico Dandolo, le doge aveugle de Venise, avait, en 1202, détourné la quatrième croisade au profit de sa ville.

– Quand ces prétendus croisés *chrétiens* ont pris Byzance, ils ont brûlé plus de maisons qu'il en existe dans les trois plus grandes villes de Lombardie, dit-il. Ils ont jeté les reliques des saints martyrs dans les latrines et ont même dispersé le Corps et le Sang de Notre Sauveur. Ils ont arraché les joyaux des calices de la basilique de la Sagesse Divine et ont utilisé ces vases sacrés pour boire. Après avoir détruit le maître-autel, ils ont amené des chevaux et des mules à l'intérieur de l'église pour transporter leur butin. Nicétas affirme que, lorsque des bêtes glissaient et tombaient, les croisés les faisaient avancer à coups d'épée, répandant dans l'église du sang et des ordures. Puis ces chevaliers ont placé une fille de joie sur la chaire patriarcale et l'ont fait danser de façon immodeste dans le lieu saint. Dans leurs élans de luxure, ils n'ont montré aucune compassion pour les jeunes filles innocentes ou même pour les vierges dédiées à Dieu.

Un silence lourd s'installa pendant que le pape portait son regard vers l'est.

– Une grande partie des ornements de Saint-Marc provient de cette attaque, y compris ces merveilleux chevaux qui font face à la grand-place. Ces hérauts de l'Antéchrist ont même volé le bras de saint Stéphane, la tête de saint Philippe et des morceaux de chair du corps de saint Paul. Et, fait plus important encore pour le doge, ils ont saisi des concessions commerciales dans tout l'empire d'Orient et réussi à empêcher les marchands de Gênes et de Pise de faire du commerce dans la région. Je pense qu'on peut affirmer sans se tromper que des amis vénitiens vendraient leur âme pour trouver des routes commerciales profitables.

Pendant que le défilé progressait vers le portique principal de la basilique, l'attention d'Orfeo se concentra sur le doge et ses hommes. Le jeune marin savait que le successeur d'Enrico Dandolo, sans compter les marchands qui flânaient sur le Rialto, n'hésiteraient pas à empoisonner un certain pape récemment élu s'ils avaient entendu son commentaire sur les statues. Toutefois, à en juger par leurs visages radieux, ils n'avaient rien entendu dans la clameur ambiante. Pour le moment, les Vénitiens étaient heureux d'honorer leur hôte lors d'une grand-messe à la basilique avant que Tebaldo ne se retire pour aller se reposer au palais du doge.

❧

Orfeo put finalement se libérer de l'entourage pontifical alors que la nuit tombait sur la place Saint-Marc. Laissant derrière lui les courtiers vénitiens somptueusement vêtus, et plus de plats succulents que son estomac en ingérait normalement au cours d'une année, il se faufila sur la place presque déserte. Les pavés, rendus humides par une fine bruine, réfléchissaient les lueurs des fenêtres du palais du doge. Il suivit le bord de mer jusqu'à ce qu'il parvienne à une rue bordée d'ateliers que croisaient des ruelles. Au bout de la rue, une petite bannière indiquait l'emplacement de son *ridotto* préféré. Il n'avait aucunement le goût de jouer aux cartes ou aux dés ce soir-là, mais la possibilité de partager une coupe avec un vieux camarade de bord l'attira dans la taverne. Il voulait trouver un autre emploi et il pourrait y entendre parler d'un poste de rameur aussi rapidement que sur le quai.

Il franchit la porte basse et scruta l'intérieur de la taverne remplie de fumée et d'ombres. Il n'y avait ici ni boutiquiers, ni artisans, ni dirigeants de guildes. La clientèle du Il Gransiero se composait de marins comme lui, de chiffonniers, de ramoneurs, de pêcheurs de crabe qui, moyennant un pourboire, vous aidaient à débarquer d'une gondole. En ce moment, ils parlaient en murmurant, mais ils deviendraient plus bruyants à mesure que la soirée avancerait, jusqu'à ce que le tintement de la cloche des grands buveurs annonce la fermeture des tavernes et les envoie tituber jusqu'à leurs maisons et leurs paillasses. Les hommes étaient drapés dans de simples capes et des bandes de tissu entouraient leurs jambes pour les réchauffer. Les femmes qui buvaient avec eux portaient des châles gris uni et à leur cou pendaient des chaînes de minuscules anneaux, un ornement que la coutume vénitienne réservait aux femmes des classes inférieures. Orfeo pouvait entendre à l'étage supérieur les rires et les grognements d'autres hommes et femmes. Il sourit, heureux d'être de retour chez lui, heureux d'être libéré pour le moment des festivités grandioses qui accaparaient le pape.

Dans le coin le plus éloigné de l'entrée, il repéra ce qu'il était venu chercher. Deux hommes qu'il connaissait buvaient en compagnie d'un troisième, un étranger à ses yeux, mais un marin lui aussi à en juger par son habillement. Un de ses amis leva les yeux avec étonnement pendant qu'Orfeo attrapait un banc et s'approchait de leur table.

– Orfeo! Que fais-tu ici? Les Polo sont-ils déjà de retour?

– Non! ils sont en route pour Cathay, tel que prévu. Je suis arrivé à quai ce matin avec le pape.

– *Il Papa*?

L'homme émit un sifflement admiratif.

– De mieux en mieux pour toi, n'est-ce pas?

– Je meurs d'ennui, Giuliano. Je n'ai pas touché une rame depuis deux mois. Je deviens aussi ramolli que Cécilia, ici.

Il étira le bras vers une jeune femme potelée qui passait près de leur table en portant un petit baril de vin sur l'épaule.

– Tu semblais bien heureux de cette mollesse les nuits où tu étais en manque, répliqua-t-elle.

Elle fit une moue pendant qu'il entourait de son bras la taille de la femme.

– Es-tu au port pour quelque temps?

– Je ne sais pas, répondit Orfeo. C'est ce que j'espère apprendre ce soir.

– Eh bien, si tu …

Elle passa sa main libre dans les cheveux du jeune homme puis se dégagea de son bras en riant. Il aimait bien Cécilia. *Une bonne âme et une personne joyeuse*, pensa-t-il en la regardant s'éloigner. Il aurait plein de nouvelles histoires à lui raconter sur l'oreiller plus tard.

– Es-tu au courant que le doge rassemble une armée pour partir en guerre contre Ancona? demanda Giuliano. Rien de tel que de livrer une bataille navale et détrousser quelques marchands pour guérir l'ennui. Nous partons le lendemain de la Toussaint et des festivités entourant la venue du pape. Les guildes seront en marche depuis une semaine, mais nous serons partis depuis longtemps. Deux cents navires. Ils embauchent tous les marins et les archers qu'ils peuvent trouver.

– Combien paye-t-on?

– Douze livres de biscuits, douze onces de porc salé, vingt-quatre de fèves, neuf de fromage et un baril de vin. Nous allons bien manger et bien boire, dit Giulano en s'esclaffant.

– Je parlais de ducats, de pièces que je pourrai faire tinter dans ma bourse à mon retour.

– Des pièces ? Il veut des pièces. Toujours l'esprit pratique, n'est-ce pas, Orfeo ? dit Giuliano en lançant un clin d'œil aux autres hommes. Reconnaissez-vous le fils du marchand de laine dans ces paroles ? Voyez-vous la convoitise qui brille dans ses yeux de juif ?

Il tendit la main sous la table et quand il l'ouvrit, il tenait une pièce d'or.

– Deux de ces magnifiques effigies de Lorenzo Tiepolo, *amico*. Et mieux encore, tout le butin que je pourrai ramener à bord. Il ne faut pas lever le nez là-dessus. Les habitants d'Ancona sont prospères ces temps-ci.

– Trop riches pour se sentir en sécurité, intervint l'étranger avec une grimace menaçante.

Orfeo parcourut des yeux les visages pleins d'attente autour de la table. Il pourrait s'agir d'une bonne occasion, et ils seraient de retour dans moins d'un mois. Étrangement pourtant, il se sentait hésitant.

Il leur rendit leurs regards en fronçant les sourcils.

– Je vais y réfléchir cette nuit et vous retrouverai ici demain, dit-il. Je dois obtenir la permission du Saint-Père. Il m'a demandé de l'accompagner jusqu'à Venise, mais il ne m'a pas encore libéré officiellement.

Il sourit d'un air timide.

– Je suis son porte-bonheur.

– Ah ! Pas étonnant que tu te sois ramolli, dit Giuliano. Il nous faut plus de vin, cria-t-il.

Ses deux camarades se mirent à frapper leurs coupes sur la table jusqu'à ce que Cécilia réapparaisse avec son baril.

Sa chevelure rousse effleura la joue d'Orfeo alors qu'elle se penchait au-dessus de la table. Les longues tresses rouges dégageaient une fraîche odeur de parfum, et s'il doutait qu'elle se soit parfumée pour lui, la pression du genou de la jeune femme contre sa cuisse pendant qu'elle versait le vin fit s'envoler toutes ses incertitudes. Il lui caressa la jambe alors qu'elle s'éloignait pour servir les clients de la table voisine. Ce serait la dernière coupe qu'il boirait avec ses camarades.

La plupart des Vénitiennes avaient les cheveux roux, bien que peu d'entre elles les laissassent pendre librement comme le faisait Cécilia. Sans doute quelque ecclésiastique avait-il décidé que le fait d'étaler ses cheveux ou de montrer ses oreilles manquait de modestie, mais Cécilia avait peu de rapports avec les hommes d'Église – ou, si elle en avait, ils n'étaient pas du genre à lui reprocher de ne pas porter de coiffure. Orfeo se représenta en pensée les grandes dames de la ville qui paradaient chaque jour sur les marches de marbre de leurs palais perchées sur leurs *zoccoli* à talons hauts, vêtues de robes brodées de fils d'or et surchargées de bijoux qui suffiraient à acheter la ville d'Assise tout entière. Leurs longues tresses et leur peau blanchie à la poudre de riz étaient aussi trompeuses que leur cœur et, sur ces deux plans, elles ne pouvaient rivaliser avec le charme simple de Cécilia. Orfeo la chercha des yeux. Leurs regards se croisèrent à travers la pièce et le désir qui illumina les yeux de la jeune fille lui causa une douleur exquise au bas-ventre.

❧

– J'ai appris à écrire mon nom, dit Cécilia. Un ami m'a montré comment faire.

Elle se dressa sur un coude pour mieux voir son visage. Orfeo lui adressa un sourire ensommeillé et lui caressa les cheveux pendant qu'elle traçait la lettre «C» autour du sein droit du jeune homme et continuait sur la poitrine.

– É-C-I…

Malgré sa fatigue, la faible lumière émanant des trous du drap usé qui couvrait la fenêtre l'empêchait de sombrer de nouveau dans le sommeil. Il aurait voulu poser la tête de la jeune femme sur son épaule et fermer les yeux de nouveau, mais il savait qu'il devait bientôt retourner au palais. Une vague de tristesse l'envahit. Cécilia interrompit son écriture et le regarda d'un air inquiet.

– Tu es redevenu triste, Orfeo.

– Je ne sais même pas pourquoi, répondit-il.

– Tu ne sais pas? Je peux te le dire tout de suite.

Il saisit le menton de la femme entre son pouce et son index et attira son visage vers lui pour l'embrasser.

– Alors dis-moi, ô femme perspicace, pour que je puisse moi aussi voir la lumière!

– Ne ris pas, dit-elle en faisant la moue. Les femmes comprennent certaines choses.

Elle s'étendit de tout son long contre lui et glissa sa tête dans le creux de son bras.

– Rappelle-toi quand tu m'as raconté que tu t'étais enfui de chez toi. Tu ne faisais que te vanter. « Je combattrai n'importe quel homme juste pour le plaisir, disais-tu, mais que le diable m'emporte si je tue pour de l'argent. » Si tu pars en guerre avec les autres contre Ancona et que tu sabordes les bateaux qui défendent la ville, tu ne seras pas mieux que l'homme qui a brûlé le château pour le compte de ton père. Si j'étais à ta place, je resterais un peu plus longtemps près de mon pape… Et de ma Cécilia.

Orfeo effleura de ses lèvres la joue de la jeune femme, puis laissa retomber sa tête sur l'oreiller.

– Ma Cécilia, dit-il. La femme la plus sage de toute la chrétienté. Que je sois damné si tu n'es pas le dernier des oracles.

– C'est bien, n'est-ce pas?

– Oh! oui! Dans l'Antiquité, les hommes parcouraient le monde pendant des mois pour aller entendre les prédictions des prêtresses et des oracles. Ils s'agenouillaient devant elles et les inondaient de cadeaux.

– J'aimerais bien en avoir *quelques-uns*. Pourquoi ne le font-ils plus?

Orfeo éclata de rire et l'enlaça.

– Parce que, femme qui ne sait pas *tout*, tu n'es plus autorisée à devenir prêtresse. Malheureusement, ces temps sont révolus à tout jamais.

Il l'embrassa de nouveau doucement dans le cou et le mordilla.

– Mais quand j'aurai besoin de conseils, je continuerai de venir te voir.

À un autre moment et dans une autre situation, il *pourrait* demeurer avec sa Cécilia, comme elle disait. Il savait de toute façon qu'elle serait toujours prête à l'accueillir, mais sa vie en était une d'errance. Et Cécilia, avec son cœur généreux, ne manquerait jamais d'hommes à consoler.

❧

Toujours pas de réponses, se dit Conrad en fulminant. *Il n'y a pas de réponses dans ce livre. Je perds mon temps avec ce Thomas d'Aquin.*

Sa patience n'avait pas tenu aussi longtemps qu'il le croyait. Après une semaine de lecture, sa nouvelle pile de parchemins demeurait presque inutilisée. Il n'avait retranscrit qu'un seul article décrivant la nature déficiente de la femme, et ce, seulement parce qu'il espérait pouvoir un jour lire ce passage à cette bavarde d'Amata qui, de toute évidence, comprenait fort mal la position de la femme dans la grande chaîne de la vie. Ce fut pour lui une piètre consolation que de relire ce passage et de réaliser que le brillant théologien, et même Aristote le Grec, confirmaient ses propres intuitions.

> *Question XCII, article 1, réponse à l'objection 1*
> *En effet, Aristote dit que la femelle est un mâle manqué. […] À cause de la* natura particularis [*c'est-à-dire de l'action du sperme*]*, une femelle est déficiente et produite sans avoir été voulue. En effet, le pouvoir actif du sperme cherche toujours à produire une chose complètement semblable à lui-même, quelque chose de mâle. Donc si une femelle est produite, cela peut provenir du fait que le sperme est faible ou de ce que le matériel [*produit par la partie femelle*] est inadéquat ou à cause de quelque facteur externe, tel le vent du sud qui rend l'atmosphère humide. Mais à cause de la* natura universalis [*la nature en général*]*, la femme n'est pas produite par hasard, mais est voulue par la Nature pour le travail de la genèse.*

Malgré son dégoût personnel pour la dialectique et la théologie systématique, Conrad devait avouer qu'il enviait à Thomas sa profonde compréhension de la nature. Il songea également qu'il aurait dû s'intéresser davantage à Aristote pendant ses années d'études. Même s'il avait eu des milliers d'occasions d'observer les créatures sauvages qui erraient autour de son ermitage, il n'avait jamais réussi à accéder au niveau suivant de compréhension, cette perspective plus profonde simplement née des perceptions externes. Qui aurait imaginé, par exemple, que l'humidité du vent pouvait nuire à la reproduction?

Conrad glissa de son siège et regarda avec envie les meubles cadenassés rangés comme des sentinelles le long des reliquaires de Lodovico. Si le Sacré Couvent possédait toujours des copies des biographies interdites, et en particulier la première histoire de la vie de saint François qu'avait écrite Celano, celle-ci se trouverait dans un de ces cabinets. Il s'étira le dos et effectua plusieurs flexions des genoux. Le bibliothécaire semblait très occupé à l'autre bout de la salle.

Conrad se promena tranquillement entre les rayons, prenant et feuilletant parfois un livre sur une étagère. Chaque fois qu'il replaçait un livre sur son étagère, il jetait un coup d'œil au bout de l'allée. Parvenu tout près des cabinets, il était hors de vue de Lodovico et des copistes. Les cadenas de fer étaient impressionnants, mais il vit que les placards eux-mêmes étaient faits de pin mou. Il se pencha et poussa du bout des doigts une des planches latérales du cabinet. Le bois plia légèrement. Avec l'outil convenable…

Il retira vivement sa main. Dieu du ciel! Suis-je *à ce point* désespéré? *Oui*. La véritable question était de savoir s'il avait les nerfs assez solides pour agir. Il serait facile de pénétrer dans la bibliothèque la nuit. Lodovico ne verrouillait jamais la porte. Toutefois, lorsque l'ermite aurait mis la main sur les manuscrits qu'il voulait, il devrait s'enfuir du monastère malgré la présence du portier et la porte verrouillée. Puis, il devrait échapper aux deux hommes de main que Bonaventure enverrait sans aucun doute à sa poursuite. Cependant, il pourrait éviter d'être capturé s'il réussissait à atteindre les montagnes. Cette région sauvage jouerait à son avantage. Par contre, s'il ne réussissait pas à s'échapper, son sort reposerait entre les mains du ministre général. Son débat intérieur prit fin quand il entendit le glissement de sandales dans l'allée voisine. Il s'accroupit et se prit à fixer les genoux de Lodovico à travers les rayons. Alors que le bibliothécaire continuait vers le bout de l'allée, il regagna sans bruit son pupitre. Au moment où Lodovico terminait sa ronde, Conrad avait le nez si profondément enfoui dans la *Somme* qu'il aurait pu l'utiliser comme buvard si l'encre avait encore été humide. Quand il releva la tête, il entrevit le regard sévère de Lodovico avant que celui-ci ne fasse demi-tour.

Dans deux jours, le 1er novembre, le monastère allait célébrer la fête de la Toussaint. À la fin de cette longue journée de prières et de liturgie, les frères seraient épuisés et ne songeraient qu'à se glisser sous les draps. S'il *réussissait* à se donner suffisamment de courage pour ouvrir le cabinet par effraction, c'est cette nuit-là qu'il devait agir. C'était également la nuit de la nouvelle lune. À la faveur d'un ciel nuageux qui voilerait même ce mince croissant de lumière, il pourrait se déplacer dans le monastère sans craindre d'être repéré.

XX

Le matin de la réception officielle du pape, Orfeo quitta la basilique avant Tebaldo pour aider à l'organisation de l'événement. Pendant qu'une petite armée de Vénitiens s'occupait des fleurs et des tapis, il prêta main-forte à l'équipe qui transportait un trône massif sur la place Saint-Marc où le pontife allait recevoir le doge et d'autres dignitaires. Les travailleurs apportèrent un trône plus petit pour le doge, puis Orfeo aida à installer une clôture pour l'âne albinos du pape. Par précaution, les hommes installèrent également un auvent au-dessus des trônes, car des nuages d'orage obscurcissaient le ciel au sud et à l'ouest.

Tout autour d'Orfeo, les citoyens jouaient du coude pour s'approprier l'endroit d'où ils auraient une meilleure vue. Une troupe de chevaliers était arrivée de Rome et formait maintenant un anneau protecteur autour de la place afin de garder la foule à distance respectable. À l'heure de la tierce, les cloches de Saint-Marc se mirent à sonner et, dans la basilique, un chœur de voix masculines entonna le *Te Deum Laudamus*. Les voix se firent plus fortes au moment où les chanoines traversèrent la place sur une courte distance pour se rendre au palais du doge.

Orfeo trépignait d'impatience pendant qu'il attendait Tebaldo. Les Vénitiens aimaient les événements spectaculaires. De quelle façon le pape allait-il faire son entrée ? Il n'avait connu Tebaldo que décontracté à bord du navire et se détendant au palais. Avait-il apporté dans ses coffres une garde-robe qui le ferait rivaliser avec le somptueux Lorenzo Tiepolo et sa *dogaressa* ? Pour les riches citoyens de cette ville, les apparences signifiaient tout.

Un murmure d'enthousiasme parcourut la foule qui se tenait le plus près du palais. Orfeo se dressa sur la pointe des pieds et sourit de voir Tebaldo qui approchait de son trône la tête nue et inclinée, pieds nus et vêtu de la simple soutane noire d'un prêtre de campagne. Il semblait inconscient de la présence des spectateurs alors que ses lèvres récitaient une prière silencieuse. Quand il leva finalement la tête, il vit Orfeo debout derrière le trône. Son expression semblait signifier : « La réforme commence maintenant. »

Pendant ce temps, le doge était arrivé au quai de Saint-Marc après avoir passé la nuit dans son palais familial. La barge protocolaire se rangea contre le quai et la rumeur de la foule, percée de cris d'émerveillement et d'approbation, prit un nouvel essor lorsque Lorenzo débarqua. Il avait troqué son chapeau rond contre un bandeau doré incrusté de pierres précieuses. Lui aussi portait une soutane, plus courte que celle du pape, mais elle était blanche et bordée d'hermine. Il arborait des chausses pourpres et une cape de tissu doré par-dessus sa soutane. L'épouse du doge et ses servantes quittèrent la barge à sa suite. Elle trottinait derrière lui sur la place dans une robe à traîne aux manches bordées d'hermine. Un long voile, tenu en place par une petite couronne ducale, cachait son visage et sa tête. Derrière elle, ses dames venaient, vêtues de robes indigo et de mantes écarlates, leurs têtes coiffées de chapeaux et de turbans de velours décorés de joyaux et de voiles transparents.

En approchant du pape, Lorenzo enleva sa mante dorée et s'étendit face contre terre. Il se releva par étapes, embrassant d'abord les pieds du pontife, puis ses genoux, et se redressa tout à fait. Tebaldo se leva à son tour. Il saisit à deux mains la tête du doge, l'embrassa sur les joues et l'étreignit.

– Bienvenue, fils bien-aimé de l'Église, dit-il. Prends place à ma droite.

Le doge s'assit sur son propre trône pendant que des cris d'enthousiasme fusaient de la foule.

Les cloches sonnèrent de nouveau et les chanteurs reprirent le *Te Deum*. Tebaldo prit la main du doge et le conduisit jusque dans la basilique où le pape allait célébrer la grand-messe en l'honneur de tous les saints. Aux yeux d'Orfeo, chaque mouvement du pontife exprimait l'humilité et la responsabilité solennelle qu'il éprouvait à l'égard de ses nouvelles fonctions. Ses vêtements, tout comme ses actions, étaient le reflet des paroles qu'il avait exprimées pendant leur voyage. Orfeo se sentit soudainement fier de faire partie de l'entourage d'un tel homme.

La messe dura quasiment jusqu'à l'heure du midi. Puis Tebaldo enfourcha son âne pendant que Lorenzo tenait l'étrier. Le doge le conduisit jusqu'au quai. Les marins qui devaient se rendre à Ancona étaient déjà à bord de leurs navires qui défilaient maintenant le long du front de mer.

– Voudriez-vous nous accorder votre bénédiction pour la réussite de notre expédition, Votre Sainteté? demanda Lorenzo.

Le pape répondit d'une voix douce mais suffisamment claire pour qu'Orfeo entende. Malheureusement, cela signifiait que d'autres personnes proches des deux hommes pouvaient également entendre.

– Je vais prier pour que vos hommes et vos navires reviennent sains et saufs, dit-il. Je ne peux prier pour la réussite d'une entreprise qui, à mon sens, relève de la piraterie. Les habitants d'Ancona sont aussi mes enfants.

Le visage de Lorenzo s'empourpra alors que Tebaldo se tournait, levait les bras et formait un grand signe de croix en direction du convoi.

Orfeo se sentit soudain mal à l'aise malgré les cris d'enthousiasme des marins sur les navires. Il aurait souhaité que la cérémonie soit terminée et qu'ils soient déjà sur la route en compagnie des chevaliers romains. À ce moment, il lui vint à l'esprit que le chef de l'escorte militaire s'intéressait peut-être à autre chose que la cérémonie en faisant parcourir à ses guerriers toute cette distance entre Rome et Venise.

Après que le dernier navire eut quitté le havre, le doge revint sur son âne à l'endroit où l'on avait déplacé le trône du pape pour lui procurer un meilleur point d'observation. Le défilé des guildes et la présentation des cadeaux commenceraient bientôt et, comme Giuliano l'avait prédit, se prolongeraient sans doute pendant plusieurs jours. Au moment où Tebaldo s'assoyait, le doge murmura à l'oreille d'un de ses hommes. Le message n'avait probablement rien à voir avec la rebuffade du pontife sur le quai. Malgré cela, alors que les membres de la guilde des souffleurs de verre, vêtus de robes écarlates, arrivaient sur la place en brandissant leurs bannières, leurs flasques et leurs gobelets au son des trompettes, Orfeo se glissa dans la foule et se fraya un passage vers le capitaine de la garde romaine.

❧

La nuit était finalement d'un noir profond – idéale pour commettre un vol. Des nuages sombres avaient recouvert Assise tout au long du jour, un signe précurseur des tempêtes d'hiver qui allaient ensevelir les montagnes de neige au cours des prochains mois. La bordure légèrement plus claire d'un nuage indiquait la position approximative de la nouvelle lune.

Conrad sentit sous ses pieds nus la froideur du plancher de pierre du dortoir, mais il se réjouit de cet inconfort. Un plancher de bois aurait pu révéler sa présence malgré les ronflements puissants des frères. La petite barre de fer qu'il avait trouvée près de l'atelier du forgeron formait saillie dans la poche de sa bure. Il avait l'intention d'enlever une ou deux planches des cabinets puis de les remettre en place sans laisser de traces de dommages. Mais ensuite, il aurait encore à s'enfuir du Sacré Couvent. Le vol pourrait bien passer inaperçu, mais il n'avait aucun endroit où lire, ou même cacher, le manuscrit de Celano une fois qu'il l'aurait trouvé. Toutefois, s'il réussissait à dissimuler le vol, il disposerait de suffisamment de temps pour s'éloigner en douce, en plein jour, avec le manuscrit camouflé sous sa bure.

Même au moment où il sortait du dortoir et se rendait sur la pointe des pieds jusqu'à l'arcade principale, il avait encore de la difficulté à croire qu'il allait tenter de commettre ce vol. Léon et François auraient-ils approuvé cette méthode, même en connaissant et en approuvant son but? Il longea le mur, là où l'obscurité était plus profonde, sentant du bout de ses doigts les marques de burin qu'avaient laissées les maçons sur les blocs de granit. Il éprouva une étrange sensation, comme s'il retraçait avec ses mains l'histoire de l'Ordre. Il pouvait se représenter les maçons transpirant sous la direction d'Élie pendant qu'ils creusaient les fondations, façonnaient les énormes blocs qui arrivaient quotidiennement des carrières et soulevaient les pierres et les madriers avec leur immense palan. N'était-ce pas aussi pour cette raison qu'il allait forcer les cabinets : pour retrouver les origines de l'Ordre que Bonaventure et les ministres provinciaux souhaitaient effacer des mémoires?

Quand Jean de Parme était ministre général, il avait déployé de véritables efforts afin d'accommoder les frères spirituels. Ceux qui voulaient adhérer à la règle initiale de pauvreté avaient encore l'impression de faire partie de l'Ordre. Mais Bonaventure avait un point de vue différent sur ses frères. Ils ne seraient plus désormais des évangélistes itinérants qui mendiaient ou nettoyaient les écuries pour obtenir un repas, prenaient soin des malades et des lépreux, dormaient dans des étables et s'humiliaient devant chaque être humain.

Sept ans auparavant, lorsqu'il avait banni Conrad d'Assise, le ministre général avait tenté de justifier l'opulence croissante de l'Ordre : « À l'origine, les frères étaient des gens simples et illettrés, avait-il dit. C'est ce qui m'a fait aimer la vie du bien-heureux François et les débuts de l'histoire de l'Ordre – le fait que cela ressemblait à la naissance et à la croissance de l'Église. Tout comme l'Église avait commencé avec de simples pêcheurs et avait grandi par la suite pour compter dans ses rangs des philosophes renommés, il doit en être ainsi au sein de notre Ordre. De cette façon, Dieu montre que l'ordre des Frères mineurs a été fondé non pas par la sagesse des hommes, mais par le Christ lui-même. »

Sous la houlette de Bonaventure, les frères deviendraient des prêcheurs instruits, formés dans des universités, des hommes que le grand public pourrait apprécier et respecter. Une telle mesure devrait réduire au silence ceux qui affirmaient que l'Ordre s'était éloigné de ses anciens idéaux. Et tout en créant ce frère nouveau, il avait également fait taire les intransigeants. Un Ordre idéalisé devait avoir des frères idéalisés et une image idéalisée de son fondateur. Conrad préférait penser que ces simples murs de granit représentaient davantage la véritable histoire de l'Ordre que la prose grandiloquente de Bonaventure.

Il venait tout juste de tourner le coin du dernier passage qui menait à la bibliothèque quand un éclair zébra le ciel. À cet instant, il avait vu la porte de la bibliothèque devant lui aussi clairement qu'en plein jour, ce qui signifiait qu'un garde aurait pu le repérer facilement. Un grondement sourd roula du fond de la vallée jusqu'au monastère.

Il prit une bonne respiration et attendit que ralentissent les battements de son cœur. Il s'empressa de monter les dernières marches jusqu'à la bibliothèque avant qu'un éclair ne perce de nouveau l'obscurité. Les éclairs représentaient un danger pour sa mission, mais le tonnerre lui serait utile. Une fois agenouillé près des cabinets, il pourrait attendre un éclair, placer sa barre de fer et soulever les planches au moment où le tonnerre éclaterait.

Conrad se servit des éclairs intermittents pour trouver son chemin jusqu'à son pupitre où il avait laissé une lampe à huile la veille, l'utilisant ostensiblement pour lire tard dans l'après-midi alors que la lumière diminuait dans la bibliothèque. *Une bonne astuce*, pensa-t-il jusqu'à ce qu'il promène sa main sur la surface de son pupitre et en dessous. On avait enlevé la lampe. Il était certain de n'avoir éveillé aucun soupçon chez Lodovico. Le bibliothécaire l'avait probablement enlevée pour éviter qu'elle ne soit renversée accidentellement et que l'huile n'endommage un de ses précieux manuscrits. Heureusement, Dieu lui avait, dans sa grande générosité, procuré un autre moyen de voir.

Éclair après éclair, Conrad se rapprochait de plus en plus d'un des cabinets, jusqu'à ce qu'il s'agenouille et entreprenne son travail. Il mit rapidement au point un système qui consistait à faire levier sur une planche pendant les grondements de tonnerre et à regarder autour de lui pendant les éclairs. Les formes étranges des étagères, des piles de livres, des pupitres et des bancs projetaient des ombres inattendues, tout à fait différentes de ce que suggéraient leurs formes à la lumière du jour. Certaines d'entre elles semblaient changer de position à chaque éclair.

Le tonnerre se fit entendre de nouveau, plus assourdissant à mesure que la tempête approchait de la ville. Il poussa fermement sur son levier et libéra le bas d'une planche. Il la souleva d'une main tandis que, de l'autre, il tâtonnait à l'intérieur du cabinet. Celui-ci était rempli de manuscrits. Il en tira un par l'ouverture et l'étala sur ses genoux en attendant que le prochain éclair lui révèle son titre. Il eut à peine le temps de déchiffrer un mot du titre, *Sociorum*, qu'il vit deux formes sombres se dessiner au-dessus de lui.

❧

Le frère qui l'escortait demeura silencieux sous son capuchon, mais Conrad supposa que la grande silhouette qui était demeurée derrière pour replacer le manuscrit et réparer le cabinet était Lodovico. À l'extérieur de la bibliothèque, un garçon attendait, une lanterne à la main. À la lumière qui dansait devant son visage, Conrad constata qu'il s'agissait du plus récent novice du Sacré Couvent, un enfant qui s'était présenté seulement une semaine auparavant sous le nom d'Ubertin de Casale. Leurs chemins s'étaient croisés plusieurs fois et Ubertin semblait toujours désireux de causer, considérant le vieil ermite avec un regard de vénération.

Conrad en avait ressenti de l'amusement en se souvenant de sa propre admiration envers le frère Léon quand il avait à peu près l'âge de cet enfant. Il était consterné que Bonaventure ait impliqué un garçon si jeune dans cette sale affaire. Peut-être le ministre général souhaitait-il que le novice voie de ses propres yeux ce qui arrivait aux frères désobéissants.

Conrad reconnut aussi le frère Taddeo à ses épaules voûtées et à son dos bossu. Un autre éclair illumina l'intérieur du capuchon du frère ainsi que les yeux tristes et larmoyants et les joues pendantes du vieil homme de main du ministre général. En envoyant un vieil homme et un garçon le chercher, Bonaventure avait prévu que Conrad ne résisterait pas. Le ministre général avait vu juste. Conrad avait été pris à voler un manuscrit de la bibliothèque pour tenter de contourner le règlement interdisant la lecture des premières légendes; il ne pouvait maintenant que se soumettre à la volonté de Dieu et accepter le caractère juste du châtiment qu'il allait recevoir.

La flamme des cierges du bureau du ministre général vacilla dans le courant d'air au moment où la porte s'ouvrait. Bonaventure se tenait assis derrière son bureau, une expression sévère sur ses traits habituellement sereins. Conrad remarqua que sa tonsure et ses sourcils avaient pris une teinte poivre et sel au cours des années qui s'étaient écoulées depuis leur dernière dispute et que des rides irradiaient de ses yeux bruns. Il avait également pris du poids. Quatorze ans plus tôt, Bonaventure avait été élu ministre général alors qu'il n'avait que trente-sept ans. Il avait mal vieilli, et Conrad savait que les frères récalcitrants comme lui-même jouaient un grand rôle dans les préoccupations du ministre. Conrad était également fasciné par une étrange luminescence semblable à un halo autour de la tête de Bonaventure jusqu'à ce qu'il réalise que ce n'était rien de plus que la lumière d'une bougie qui se reflétait sur son crâne lisse.

Bonaventure s'appuya contre le dossier de sa chaise et pianota sur son bureau en scrutant les frères devant lui. Ses yeux prirent finalement une expression plus vive.

– Laissez-nous seuls, frères, dit-il. Attendez sous l'arcade.

Le ministre général joignit ses index contre ses lèvres pendant que les autres quittaient la pièce. Puis il tourna son regard vers Conrad.

– Alors, c'est ici que nous en sommes, dit-il d'un air de sereine assurance. Et que vais-je faire de toi *maintenant*?

Sans mot dire, l'ermite inclina la tête comme un enfant pris en faute.

– Conrad, Conrad, tu continues de me décevoir. Ton comportement ne me surprend pas vraiment, car je sais à quel point le frère Léon t'a corrompu, mais il me déçoit quand même.

– Vous cachez quelque chose, lança Conrad soudainement.

– Tu crois?

Bonaventure était tout à fait lui-même maintenant, protégé par son calme habituel.

– Même si cela était vrai, dit-il, cela ne te concerne en rien. À titre de frère dévoué, tu dois sûrement savoir que je ne laisserai rien ni personne nuire à la sainte réputation et à la crédibilité de notre Ordre.

Conrad fut saisi d'une envie irrésistible de lancer à la figure de Bonaventure tous les renseignements qu'il possédait.

– Pourquoi avez-vous interdit le « Premier de Thomas »? laissa-t-il tomber. Pourquoi le compagnon a-t-il été mutilé? À quel moment est apparu le séraphin?

Il tremblait de tout son corps pendant qu'il parlait.

– Sers les pauvres du Christ, répliqua Bonaventure avec un sourire moqueur. Cherche le frère Jacoba.

Tout en parlant, il tournait son anneau sur son doigt.

– Je sais tout du message de Léon.

– Parce qu'Illuminato a rencontré le messager, dit Conrad.

Bonaventure conserva son sourire, mais ses sourcils se haussèrent légèrement.

– C'est tout à fait vrai. Mais, une fois encore, cette lettre n'a aucune importance dans la situation présente. Ce qui devrait avoir de l'importance à tes yeux, c'est que le Conseil de Paris et les ministres provinciaux, dans leur sagesse, et pour les raisons qu'ils jugeaient les meilleures, ont interdit les légendes de Thomas de Celano de même que celle des Trois Compagnons. Ce n'est pas ma décision mais la leur, et notre devoir, en tant que fils obéissants de saint François, est de nous conformer à leur jugement. Ceux qui ne le font pas doivent être punis de façon exemplaire.

Bonaventure l'avait réduit au silence, non à cause de la menace de châtiment, mais à cause d'autre chose qu'il avait dit. Conrad réagit comme un boulanger qui se souvient tout à coup qu'il a laissé une miche de pain au four. *Idioto*! Tu l'avais juste devant les yeux, comme le nez sur ton visage.

Le compagnon mutilé n'avait jamais été une personne – ni Angelo, ni Rufino, ni Masseo, ni aucun des autres frères enterrés sous la basilique. Léon voulait parler de l'*histoire* qu'ils avaient rédigée ensemble, leurs souvenirs et les récits sur François qui, apparemment, avaient été modifiés sans vergogne. Quelques instants plus tôt, dans la bibliothèque, il avait tenu le manuscrit entre ses mains : la *Legenda Trium Sociorum*. Il avait été si près de trouver un autre indice pour résoudre l'énigme de Léon !

Bonaventure poursuivait son discours d'un ton monocorde.

– Mais, dit-il, comme Donna Giacoma, avec la générosité de son cœur, a cru bon de se lier d'amitié avec toi, je te fais grâce cette fois-ci, mais cette fois-ci seulement. Tu vas quitter le Sacré Couvent immédiatement. J'espère ne jamais te revoir dans cette confrérie ni même dans la basilique et je ne veux pas entendre dire que tu as parlé à un seul des frères de ce monastère. Tu agirais avec sagesse si tu retournais dans ton ermitage et oubliais cette quête inutile. Si j'apprends que tu as agi autrement et que par malheur tu te retrouves à nouveau devant moi, tu connaîtras toute la portée de mon pouvoir. Fais en sorte de ne plus jamais me défier.

Bonaventure porta son index à sa joue, juste sous l'œil, et tira à peine la peau.

– *Ci capiamo, eh* ? Nous nous comprenons bien ?

Alors que le ministre général se levait lentement et contournait son bureau, Conrad se souvint de ce qu'il avait dit à Amata sur les serres cruelles du griffon. L'image venait tout juste de lui traverser l'esprit lorsque la bête déploya sa cape comme une chauve-souris et lui tendit sa main pour qu'il la baise.

Conrad sentit son cou se raidir. Il s'éloigna de la main tendue.

– Baise cet anneau, frère, dit Bonaventure d'une voix solennelle. En signe de gratitude pour la liberté que je te laisse pour le moment et en signe d'une humilité qui te fait horriblement défaut – baise cet anneau.

Un terrible coup de tonnerre fit trembler les murs de la pièce. Les flammes des cierges vacillèrent comme des fanions battus par le vent. Conrad inclina la tête. Il posa un genou par terre, prit la main du ministre général et porta la pierre précieuse à ses lèvres. Ses yeux baissés s'écarquillèrent brusquement lorsqu'il vit l'inscription sur la pierre – une silhouette mince entourée d'un cercle sous une paire d'arches.

XXI

A lors, c'est ça la joie parfaite, songea Conrad. Il réussit à sourire, malgré la pluie qui s'abattait sur lui. Il se réfugia dans un renfoncement du mur près de la porte d'entrée de Donna Giacoma, attendant le lever du jour, pendant que le vent soufflait en spirales glaciales le long de l'escalier jusqu'à la ruelle. Il avait emprunté un chemin détourné à travers les rues de la ville pour éviter la Piazza di San Francesco et le gardien de nuit. Heureusement, la pluie battante avait rendu les gardes moins désireux de faire leurs rondes.

Il était conscient de la chance qu'il avait eue d'échapper indemne aux griffes de Bonaventure. Mais il savait également qu'il ne pouvait plus retourner à son ermitage alors qu'il venait tout juste d'obtenir un autre indice de la bouche même du ministre général. Il devait, d'une façon ou d'une autre, mettre la main sur ces anciens livres.

Il était épuisé et ses paupières se faisaient plus lourdes. Il décida de s'asseoir, même si, ce faisant, il risquait d'exposer ses pieds à la pluie. Il ramena ses genoux contre lui, les entourant de ses bras en s'en servant comme d'un oreiller, et s'endormit dans cette position. Il se réveilla au moment où une femme tirait sur sa manche.

– Venez à l'intérieur, frère, dit-elle. Il y a un feu qui brûle dans l'âtre. Le voisin vous a aperçu de l'autre côté de la rue et il m'a avertie de votre présence.

Combien de temps avait-il dormi? Il vit que le jour s'était levé et que des nuages d'orage assombrissaient encore le ciel. À travers le bruissement de la pluie, il pouvait entendre l'angélus qui sonnait à la basilique Saint-François. La femme le conduisit jusqu'à la porte de Donna Giacoma. Il n'avait jamais vu cette servante auparavant. Elle enleva son manteau dans l'entrée, puis en secoua les gouttes de pluie. Elle portait une longue robe bleue et une guimpe blanche – les couleurs des serviteurs de Donna Giacoma. Elle était pieds nus, comme sa maîtresse.

– Par ici, frère, dit-elle en le conduisant vers la cuisine. Êtes-vous déjà venu ici ?

Ainsi, la femme était *bien* une nouvelle servante, ou encore, il y avait tant de frères qui passaient ici qu'elle ne l'avait tout simplement pas remarqué. Mais il ne se souvenait pas d'elle non plus.

Bien qu'elle lui ait tourné le dos, sa jeune voix lui semblait familière.

– Oui, j'y suis déjà venu, dit-il alors qu'elle lui indiquait la table.

Maestro Roberto y était déjà installé, attendant sans doute son propre bol de porridge chaud.

– Frère Conrad, lui cria-t-il. Vous ressemblez à un chat noyé. Nous pensions que vous nous aviez oubliés.

La jeune femme se retourna brusquement en entendant son nom, et le cœur de Conrad bondit dans sa poitrine. *Amata* ! Son visage qu'entourait la guimpe semblait avoir changé quelque peu. Il était lisse et beau, quoiqu'un peu blême. Mais, malgré ce regard apeuré qu'il ne lui avait jamais vu auparavant, il ne pouvait se tromper en voyant les yeux noirs en amande. Les joues de la jeune fille s'empourprèrent alors qu'il la regardait à son tour.

– Qu'est-ce que *tu* fais ici ? demanda l'ermite. Et où se trouve ton habit de sœur ?

Roberto éclata de rire.

– Ne l'as-tu pas reconnu même sans sa barbe, jeune fille ?

– *Scu… scusami*, bégaya Amata.

Elle s'enfuit de la pièce en cachant son visage dans ses mains.

Roberto rit de nouveau.

– La pauvre petite est un peu nerveuse. Mais vous le savez probablement déjà. *Madonna* dit que vous êtes de très bons amis.

– Qu'est-ce qu'elle a dit ? Ne lui avez-vous pas dit de donner à la Mère prieure la lettre de saint François et de trouver un foyer convenable pour la jeune fille ?

Conrad s'assit devant l'intendant et tenta de se souvenir de sa dernière conversation avec Donna Giacoma. *Est-ce cela que j'ai dit ?*

– C'est un matin pluvieux, *padre*, dit la cuisinière d'une voix chantante derrière lui. Je vous ai cuisiné un plat savoureux que je gardais en attendant votre retour.

Elle plaça devant lui une assiette de figues séchées.

– Elles sont fourrées aux amandes et roulées dans le sucre, mais vous ne devez pas y toucher avant d'avoir avalé quelque chose de chaud.

Conrad espérait qu'il ne paraissait pas aussi étourdi ou confus qu'il se sentait. À cause du manque de sommeil, du temps effroyable et des événements des dernières six heures, il se sentait plongé dans un monde en déséquilibre. Toutefois, la chaleur qui émanait de la cuisine le réchauffait, le porridge le fortifiait comme toujours, et les figues délicieuses qu'il put finalement manger diminuèrent quelque peu son traumatisme. Il finissait de lécher le sucre sur ses doigts quand Donna Giacoma entra en boitillant dans la pièce.

– Frère Conrad, on m'a dit que vous étiez revenu. Mais, Dieu du ciel, regardez-vous ! Je vais tout de suite faire chercher votre vieille tunique avant que vous ne preniez froid. Attendez-moi dans votre chambre quand vous aurez fini de manger.

Et avant qu'il puisse donner une quelconque explication ou lui poser des questions sur sa nouvelle servante, elle quitta la cuisine.

Conrad se tourna vers Roberto qui haussa les épaules et leva les bras en signe d'impuissance.

– J'ai du travail à faire, *padre*. Faites comme chez vous, dit-il en souriant.

Roberto partit et la cuisinière retourna à ses chaudrons. Conrad se gratta la tête, avala la dernière figue, puis partit revêtir sa vieille bure si confortable.

Il ne vit Amata nulle part en marchant dans la maison. Cependant, quand il eut revêtu ses vêtements secs, Donna Giacoma le conduisit dans le grand hall. La jeune femme était assise près d'un foyer à l'autre bout de la pièce, à demi cachée derrière un écran décoratif.

– Il faut que vous vous parliez, dit la vieille dame. Et, Conrad…

Elle s'interrompit et ajouta d'une voix grave :

– Soyez doux avec elle. La Mère prieure a dit qu'elle n'était plus la même depuis son retour d'Ancona.

Sa poitrine et ses épaules se raidirent alors que Donna Giacoma quittait la pièce. Comme ces femmes se protégeaient l'une l'autre ! Toute la colère qu'il avait ressentie à la mort d'Enrico devant l'image d'Amata étendue nue devant le garçon ou faisant la putain dans le luxueux lit de Dom Vittorio avec les moines lubriques de Sant'Ubaldo remonta une fois de plus à la surface. À l'extérieur, la tempête faisait rage. La grêle mêlée de pluie résonnait sur le toit de tuiles. Il songea qu'à son ermitage dans la montagne tout ceci se traduirait par de paisibles flocons de neige sur les pins. Dieu seul savait pourquoi il avait échangé cette quiétude bénie contre cet orage qui lui nouait les tripes.

Amata avait baissé la tête et semblait regarder ses mains qu'elle massait l'une contre l'autre avec nervosité. Conrad se dirigea d'un pas brusque vers l'âtre, ignorant la chaise en face de la jeune fille. Pour une fois, elle pourrait le regarder d'en bas, montrer du respect pour sa fonction de prêtre, plutôt que de s'adresser à lui les yeux dans les yeux, comme s'ils étaient égaux.

– Enrico est mort, tu le sais? demanda-t-il.

– Je sais.

– C'est tout ce que tu as à dire? « Je sais »?

– Que voulez-vous que je dise?

Sa voix était devenue tremblotante.

– Est-ce que je devrais vous dire à quel point la douleur de sa mort a brisé mon cœur après que je vous ai quitté, comment j'ai ressenti le moment exact où son âme a quitté son corps, comment je pleure nuit et jour depuis?

– Tes remords ne le ramèneront pas à la vie. Si tu ne l'avais pas éloigné de la grotte au départ…

Elle releva brusquement la tête. Son visage était tordu de douleur, et les larmes qui coulaient de ses yeux le surprirent. Elle répliqua avec dans la voix un soupçon du sarcasme qu'elle avait affiché auparavant:

– Êtes-vous en train de parler de quelque chose que vous avez entendu dans le secret de la confession, *padre*?

La colère envahit ses yeux sombres.

– Vous ne savez rien, frère Conrad. *Rien*!

Elle voulait le blesser – et, en un sens, elle atteignit son but – mais, en même temps, il se trouva étrangement soulagé en entendant dans sa voix l'ancienne fureur qui avait habité la jeune fille. Elle avait raison à propos de la confession d'Enrico mais, en même temps, il croyait comprendre davantage qu'elle ne le pensait. Elle avait grandi à la campagne, dans une *castella* sans doute flanquée d'un village primitif, et lui, dans le port commercial d'Ancona et dans l'atmosphère élitiste de Paris.

Mais il avait connu des villages aussi. Un jour, il avait voyagé dans l'arrière-pays, au sud de l'Ombrie, quand il avait débarqué à Naples à son retour de Paris.

Pendant deux mois, il avait parcouru à pied des vallées étroites et torrides, en direction du nord, vers Assise. Alors qu'il traversait un hameau après l'autre, les yeux noirs des femmes le suivaient par les portes ouvertes en le regardant comme si elles évaluaient sa virilité. S'il se retournait pour leur lancer un regard de reproche, elles enfouissaient leurs visages dans leurs mains et le regardaient à travers leurs doigts écartés. *N'acceptez rien à boire de ces femmes*, l'avaient averti les anciens du village, *pas de vin, ni même d'eau. Ce sont toutes des sorcières et elles y ajouteraient un élixir d'amour.* Les hommes avaient penché vers lui leurs visages jaunâtres, maladifs, et murmuré à son oreille : *du sang menstruel mélangé à des plantes.* Ils l'avertirent également de ne pas dormir dans les grottes à l'extérieur du village, car elles étaient habitées par des gnomes, les âmes des enfants de l'endroit qui étaient morts sans avoir été baptisés. Bien sûr, tous les hommes espéraient attraper une de ces créatures par son capuchon et la forcer à les conduire jusqu'à quelque trésor caché, mais le jeune frère Conrad ferait mieux de dormir dans l'église. Il s'était arrêté dans plusieurs villages de ce genre, et les femmes se précipitaient à l'église pour confesser leurs péchés dans leurs différents dialectes en affirmant qu'elles ne pouvaient confier au prêtre de l'endroit le fardeau intime de leurs âmes.

Pour autant qu'il les comprît, ces femmes considéraient l'amour charnel comme une force naturelle à laquelle ne pouvaient résister ni la volonté, ni les bonnes intentions, ni la chasteté. Si un homme et une femme se retrouvaient seuls dans quelque endroit isolé, aucune puissance céleste ou terrestre ne pouvait empêcher leur copulation, rapide et muette, comme lorsqu'un animal mâle rencontre une femelle en chaleur – et ces femmes semblaient éternellement en chaleur. Au moment où elles se confessaient à lui, il sentait leur désir à peine réprimé dans leurs paroles, dans leurs exhalations lentes, chaque respiration se terminant dans un soupir prolongé. Il soupçonnait qu'elles s'étaient déjà confessées au prêtre du village – et même souvent –, mais qu'elles avaient besoin de sa présence, comme elles le faisaient maintenant avec lui, afin d'obtenir davantage que le pardon pour leurs pulsions incontrôlables. Peut-être Amata avait-elle grandi dans une semblable atmosphère de passion incontrôlée, dominée par les mêmes pulsions primitives, dans un monde où le code moral le plus élémentaire ne s'appliquait pas?

C'était peu probable, pensa-t-il. Elle était fille de la noblesse mineure et elle avait déjà évoqué la piété de ses parents. Mais quelque chose s'était produit qui avait détruit l'innocence de son enfance.

Il prit finalement le siège devant elle. Il s'appuya fermement contre le dossier de la chaise, le dos raide et l'air sévère. La jeune fille s'était blottie sur sa propre chaise, les bras croisés sur ses genoux, la tête tournée vers le foyer.

– J'aimerais comprendre, dit-il finalement. Veux-tu me parler?

᠅

Amata remonta son châle bleu sur ses épaules. Ses yeux prirent cet air lointain qu'il lui avait vu au sommet de la montagne le jour où elle lui avait raconté le massacre de sa famille.

– Un après-midi, je jouais seule dans l'étable avec une portée de chatons. C'était environ deux mois avant l'attaque. Mon corps avait commencé à changer cet été-là, et je suppose que je pensais déjà à avoir des enfants. J'avais entrevu ce superbe garçon de notre tour de garde la veille, la journée où le marchand de laine avait eu une altercation avec mon père. Songeant parfois à lui et parfois aux chatons, j'avais passé la majeure partie de la matinée à rêver de mariage et de mes propres enfants pendus à mes seins – enfin, les seins que j'aurais un jour – comme cette chatte qui nourrissaient ses chatons. J'ai entendu le trot d'un cheval qui arrivait dans la cour et se dirigeait vers l'étable. Bonifazio, l'oncle de mon père, arrivait de Todi pour nous rendre visite. Il n'était pas venu au Coldimezzo depuis presque deux ans et, lorsqu'il est descendu de cheval, il m'a regardée d'une manière étrange, comme s'il ne m'avait jamais vraiment remarquée auparavant. Il m'a demandé ce que je faisais et je lui ai tout raconté, y compris mon rêve idiot. Il m'a scrutée des pieds à la tête d'un air extrêmement sérieux et m'a demandé si j'avais déjà commencé à saigner. Je lui ai répondu que non. Puis il m'a demandé si mon hymen était encore intact. Je lui ai répondu que oui. Je sais que j'avais rougi parce que ses questions me gênaient. *Tu es très chanceuse*, m'a-t-il dit. Puis, il m'a affirmé que si une fille donnait sa virginité à un homme d'Église comme lui, elle pouvait être certaine que son mariage serait heureux et qu'elle aurait de nombreux enfants en santé.

Conrad sentit la colère sourdre en lui en voyant la direction que prenait l'histoire de la jeune femme.

– L'oncle de ton père était un prêtre ?

– Il l'était et il l'est encore. C'est l'évêque de Todi.

– L'évêque !

Il secoua la tête en tentant de réprimer le dégoût croissant qu'il éprouvait en entendant ces paroles.

– Et tu as cru ces absurdités ? demanda-t-il.

– J'avais onze ans, Conrad ! Je ne connaissais rien. Auriez-vous cru ce que vous racontait un évêque à cet âge ?

L'ermite inclina la tête en signe d'acquiescement.

– Oui, bien sûr. Je l'aurais cru. S'il te plaît, continue.

– En tout cas, il a continué de parler de cette façon. Pendant qu'il attachait son cheval et enlevait sa selle, il m'a dit à quel point j'étais une jolie petite fille. Et ses yeux… Je me souviens qu'ils avaient un air sauvage. Quand il en a eu fini avec le cheval, ses joues étaient d'un rouge brillant et il dit *Viens avec moi*, très fermement, d'une manière telle qu'une enfant ne pouvait refuser d'obéir. Il m'a pris la main et m'a conduite derrière l'étable où l'on entassait la paille.

– Il m'a dit qu'il ne me ferait pas mal, Conrad. Mais la douleur fut si terrible que j'ai crié. Mon père était à l'extérieur de l'étable, venant accueillir son oncle. Quand il s'est précipité pour voir ce qui était arrivé, Bonifazio s'est relevé brusquement, sa grosse bitte laide comme un asticot qui pendait encore entre les boutons de sa soutane. Il a pointé son index vers moi. *Cette enfant est possédée par le diable*, dit-il. *Vois comme elle m'a séduit, même dans mes vêtements d'évêque.* Puis il a déchiré sa soutane, a jeté sa calotte dans la paille et l'a piétinée. Il a ensuite raclé son visage avec ses ongles, jusqu'à ce que des gouttes de sang coulent le long de ses joues.

– Je pleurais et j'avais peur parce que j'avais mal et que ma robe était sale et ensanglantée, et que mon grand-oncle Bonifazio agissait de manière de plus en plus insensée. J'ai lancé un regard à mon père, mais il l'a évité. *Calmez-vous, mon oncle*, dit-il. *C'est la dernière fois qu'elle agit ainsi, même si je dois la battre jusqu'à ce que le démon quitte son corps.* Il a retiré sa ceinture et, sans un mot, m'a saisi le poignet et m'a jetée dans la paille, face contre terre. Il a commencé à me fouetter, me faisant de telles marques sur le dos et les jambes que, pendant les jours qui ont suivi, j'ai eu du mal à m'asseoir. Durant tout ce temps, mon grand-oncle le pressait de continuer en hurlant pour que le démon sorte de moi.

Amata porta une main à son front. Les larmes coulaient maintenant librement sur ses joues, mais elle ne faisait aucun effort pour les réprimer. Dans le profond silence qui s'était installé, Conrad remarqua pour la première fois les gouttes de pluie, comme les larmes des anges, qui s'évaporaient dans le foyer en dégoulinant de la cheminée.

Quand Amata parla de nouveau, sa voix tremblait.

– Et, ce qui était pire que tout, mon père cessa de me parler ou même de me regarder, et ma mère craignait de me consoler à cause de lui. Cette torture silencieuse dura jusqu'au jour où il mourut. Les bandits l'ont assassiné alors que le mur de sa rage s'élevait encore entre nous. Je n'ai jamais entendu des paroles de pardon de la bouche de l'homme que j'aimais plus que tout au monde.

– C'est la honte qui l'empêchait de te regarder en face, Amata. Il savait qu'il avait été injuste. Il t'a battue parce qu'il ne pouvait battre cet oncle hypocrite. Tacite a fait remarquer un jour qu'il est dans la nature humaine de détester ceux à qui nous avons fait du mal.

Il avait prononcé ces paroles d'une voix rauque qu'il reconnaissait à peine.

– Est-ce que personne ne s'est rangé de ton côté?

– Seulement ma cousine Vanna, mais elle est partie pour Todi peu après. Elle devait épouser le sieur Jacopone. Et c'est l'évêque Bonifazio qui devait présider la cérémonie. À l'exception de mon frère, elle était ma seule amie pendant ces quelques semaines. Fabiano savait que j'avais été punie pour avoir commis une mauvaise action. Il ne savait pas de quoi il s'agissait exactement, mais cela le peinait de me voir si triste.

– Et quand les assassins t'ont emmenée à la Rocca, comment t'ont-ils traitée?

Amata essuya ses larmes du revers de sa manche.

– J'ai essayé de ne jamais me trouver seule avec les hommes de l'endroit, mais ça n'a pas toujours été possible. J'ai finalement volé un couteau dans la cuisine, celui que je portais dans ma manche pendant notre voyage. J'ai juré que je tuerais Simone della Rocca et ses fils un jour – ou que je me tuerais moi-même.

– Simone della Rocca Paida, le protecteur de cette ville?

– Oui, c'est là qu'ils m'ont retenue prisonnière, dans cette grotesque forteresse.

Simone a porté le coup d'épée qui a tué mon père et son fils Calisto a assassiné ma mère. En fait, depuis ce temps, j'ai essayé de poignarder Calisto une fois. Il m'avait coincée la veille du jour où ma maîtresse et moi devions partir pour Saint-Damien. Je suppose que c'était la dernière occasion qu'il avait d'abuser de moi. Je n'ai réussi qu'à lui taillader la main, mais la blessure était si profonde qu'il est allé se faire soigner. Nous nous sommes enfuies avant qu'il ne revienne ; autrement, je suis sûre qu'il m'aurait tuée.

Elle sombra de nouveau dans le silence. Quand elle reprit la parole, sa voix était plus assurée :

– J'ai juré qu'aucun homme ne me prendrait à nouveau sans que je pose *mes propres* conditions. Je crois que mon rêve de devenir mère n'est pas totalement disparu, même si j'aurai bientôt dix-sept ans et que j'aurai dépassé l'âge du mariage.

Elle tourna les yeux vers le foyer, scrutant les flammes qui vacillaient.

– J'ai un peu perdu la tête là-bas, sur la route, Conrad. Mon cœur souffre encore de savoir qu'Enrico a payé un tel prix pour cette folie. Je voulais tellement, juste une fois, connaître un amour charnel vraiment agréable.

Elle tourna les yeux vers le visage de l'ermite.

– Si cela peut vous aider d'entendre ces paroles – soit en tant que prêtre ou, je l'espère, en tant qu'ami –, j'ai fait le vœu à Notre-Seigneur et à Sa Sainte Mère Marie que je ne prendrai plus jamais l'amour à la légère.

Ses yeux étaient tristes, mais elle se força à sourire.

– Vous ai-je aidé à mieux comprendre ? demanda-t-elle finalement.

Pour la première fois depuis qu'il avait appris les fiançailles de Rosanna, Conrad regretta de porter sa tunique de frère. À cet instant, il ne désirait rien d'autre que d'être un homme normal, d'être libéré du carcan du célibat, de prendre cette charmante femme-enfant dans ses bras, de prononcer les paroles de pardon et d'excuse qu'elle n'avait jamais entendues de la bouche de son père, les promesses d'amour éternel qu'elle n'avait jamais entendues d'Enrico – de s'agenouiller devant elle et d'implorer son pardon.

Mais c'était, il le savait, un rêve impossible. Ses vœux étaient réels, autant que sa bure usée. Il se leva et lui tapota doucement l'épaule.

– Je suis si désolé, Amata, dit-il. Et mon propre vœu sera de prier tous les jours pour que Dieu guérisse les blessures de ton corps et de ton âme. Je m'en vais de ce pas à la chapelle de Donna Giacoma pour accomplir ce vœu. Je t'invite à prier avec moi, si tu le veux.

Le mur de la prière ainsi érigé entre eux, il espéra ne jamais subir à nouveau les assauts de ce fantasme.

XXII

La pluie tombait en cascade sur les toits, s'écoulant le long des gouttières et sur les places de Venise et jusque dans les canaux – un rare déluge prolongé dans le delta du Pô. Le défilé des guildes était retardé depuis deux jours.

L'impétueux Orfeo parcourait la ville depuis le Rialto, où les commerçants s'impatientaient et priaient pour que leurs cargaisons arrivent en toute sécurité jusqu'au marché, où les marchands à l'air sombre avaient installé leurs marchandises sous des bâches et où les acheteurs constituaient la seule rareté. Le marchandage avait même ralenti sur le marché aux esclaves païens et aux « petites âmes », ces enfants chrétiens du Levant que leurs parents avaient vendus en esclavage. Seuls le quartier juif et les ateliers couverts des artisans affichaient une certaine activité. À cet endroit, le travail ne s'arrêtait jamais. Les commerçants continuaient à fabriquer de tout, des jeux de cartes aux mosaïques, des objets de porcelaine aux armures et à la verrerie. Les sculpteurs et les graveurs décoraient des coffres de bois, des cornes d'ivoire, des manches d'épées, des ceintures de cuir et des bijoux d'or et d'argent. *Cavolo !* songea Orfeo avec ennui en regardant les travailleurs infatigables. Il regretta presque de ne pas avoir accompagné Giuliano et les autres. Au moins, il ferait quelque chose.

Le troisième matin après la Toussaint, toujours sous une pluie battante, Orfeo retourna au palais du doge après avoir passé la nuit avec Cécilia, se demandant ce qu'il ferait durant la matinée. Il déploya sa cape au-dessus de sa tête pour former une espèce de tente en se souvenant comment la femme avait drapé ses cheveux autour de son visage alors qu'elle le chevauchait dans la faible lueur de l'aube, formant avec ses longues tresses des rideaux roux à travers lesquels ils se regardaient l'un l'autre coupés du reste de l'univers. Quelle compréhension profonde brillait dans ces yeux gris sans âge, dans ce sourire ambigu qui ne reflétait aucun jugement, aucun reproche ni compassion, qui l'acceptait ni plus ni moins que comme un ami, Orfeo le rameur.

Cécilia savait tout ce qui se passait dans son quartier vénitien, les tractations intimes de chaque homme, femme et enfant et les sources cachées qui alimentaient cette agitation. Parfois, sa sagesse empreinte de simplicité la faisait paraître âgée de mille ans – un esprit de la terre comme les bêtes omniscientes, un esprit du monde souterrain comme quelque ancienne sorcière. Elle ne craignait ni le temps ni les événements. Elle pouvait faire le travail de n'importe quel homme, porter le baril de vin le plus lourd avec la démarche assurée d'un bœuf puissant.

À sa grande surprise, Orfeo était aux yeux de Cécilia encore plus extraordinaire qu'elle ne l'était pour lui, peut-être à cause de ses rêves de voyages et de réussite à grande échelle, ou grâce à ses histoires sur l'Orient. Elle le traitait comme s'il possédait des pouvoirs surnaturels et, dans sa grande patience, elle acceptait totalement ses allées et venues, même si tous deux savaient qu'un jour il partirait pour ne plus revenir.

Une idée fantasque lui traversa l'esprit alors qu'il atteignait le palais. Il recommanderait Cécilia au pape à titre de conseillère privée, ajoutant ainsi la sagesse naturelle de son amie à la spiritualité profonde de Tebaldo. Mais non. Ça ne fonctionnerait jamais. Le fait de placer un fruit aussi électable aux côtés d'un futur réformateur du clergé se révélerait sûrement désastreux. Le sel pourrait perdre davantage que sa saveur. Jonglant toujours avec cette idée, il salua le chevalier romain qui se prélassait à l'abri d'une colonne, près de l'entrée principale. À la suggestion d'Orfeo, les chevaliers demeuraient en tout temps avec le pape élu.

– Comment va notre Saint-Père ? demanda-t-il. A-t-il bien dormi dans le lit du doge ?

– Non. D'après ce que j'ai entendu, *signore*, il a passé une nuit blanche. Il a été réveillé plusieurs fois par des cauchemars. Il est encore au lit en train de prendre son petit-déjeuner. Il a demandé qu'on vous fasse venir auprès de lui dès votre retour de la ville.

– Quelque chose se prépare ?

Le garde haussa les épaules.

– J'ai transmis le message comme je l'ai entendu. Maintenant, vous en savez autant que moi.

– Espérons qu'il a décidé de partir. Je n'aime pas la façon dont les choses traînent ici.

Orfeo traversa l'immense entrée et monta à grandes enjambées l'escalier de marbre. Les hommes postés de chaque côté de la porte de la chambre s'écartèrent quand ils le reconnurent.

– Votre Sainteté, dit-il en allant s'agenouiller près du lit, attendant la bénédiction de Tebaldo.

– *Buon giorno*, Orfeo.

Enfoncé dans ses oreillers, le pape agita un filet d'anguille fumée.

– Ne te tiens pas comme dans une cérémonie. Tiens-toi seulement debout.

Orfeo se releva et attendit en silence.

– As-tu mangé?

– Oui, Votre Sainteté.

Si la question lui avait été posée par son ami Giuliano, Orfeo lui aurait fourni une réponse plus détaillée, mais on ne s'attardait pas sur les *belli fichi* et autres délices terrestres en présence d'un pape.

– C'est bien. Goûte un morceau de cette anguille. Elle est trop délicieuse pour ne pas la partager.

Orfeo plongea sa main dans le bol du pape. Imitant Tebaldo, il mordit du bout des dents la viande huileuse.

– J'ai fait un horrible rêve la nuit dernière, dit Tebaldo. Mon carrosse s'était enlisé dans un amoncellement de neige. Tu étais devant, à califourchon sur un des bœufs, et tu criais à ton oncle de venir nous sauver. Tout à coup, l'animal commença à s'agiter et à hurler alors qu'une meute de loups grands comme des chevaux apparaissait sur la montagne derrière nous. Les bœufs tiraient de toutes leurs forces, mais dans leur panique, ils s'élancèrent dans un précipice. Je pouvais sentir le carrosse voler dans les airs.

– Et ensuite?

– Et ensuite, je me suis réveillé. Un des gardes a dit que j'avais crié pendant mon sommeil.

Il tendit de nouveau le bol d'anguilles à Orfeo.

– Je viens de Piacenza. Je peux lire les signes précurseurs du temps qu'il fera dans la vallée du Pô. Mais tu as grandi dans les Apennins. Est-ce que mon rêve est prophétique? Comment se fait-il qu'il pleuve tant dans ces cols de montagnes?

– Il pourrait neiger, Votre Sainteté, bien que ce soit notre première grosse tempête de l'hiver. Au mieux, la pluie transformera en bourbier les sections de routes qui sont encore en terre. Mais l'ancienne voie romaine est presque entièrement pavée de pierres.

Il s'interrompit puis demanda :

– Vous sentez-vous contraint de supporter jusqu'à la fin l'hospitalité du doge ?

Il savait que la formulation de sa question manquait de diplomatie, mais sa patience avait atteint ses limites.

Le pape ne répondit pas immédiatement. Heureusement, la nouveauté de son rôle de pontife faisait en sorte qu'il n'était pas certain des limites de son devoir et de celles du protocole. Orfeo marcha jusqu'à la fenêtre et ouvrit les volets. Le vent était frais et humide contre son visage et il se sentit rafraîchi alors qu'il s'efforçait de voir au-delà du port. Il plaça ses mains autour de ses yeux pour les protéger de la bruine.

– *Sangue di Cristo* ! jura-t-il à voix haute.

Une galère de guerre à laquelle il manquait un mât et le gaillard supérieur avançait péniblement vers le quai sous l'impulsion des rames. Plus loin, deux autres galères à peine visibles se déplaçaient avec la même lenteur dans le sillage de la première.

Il se précipita vers le lit et retira le plateau de nourriture des genoux de Tebaldo.

– Levez-vous, Votre Sainteté, cria-t-il. Mettez vos vêtements de voyage aussi vite que possible. Je vais dire à vos hommes de rassembler vos bagages et de préparer les chevaux immédiatement.

La fière escadre que les Vénitiens avaient lancée contre Ancona avec un tel tapage, la flotte que Tebaldo avait publiquement refusé de bénir, s'était abîmée dans les eaux déchaînées de l'Adriatique.

࿇

Donna Giacoma se réjouissait du changement survenu chez Amata après sa conversation avec le frère Conrad. La jeune fille semblait plus grande, la tête droite et les épaules rejetées vers l'arrière, comme si elle s'était libérée d'un poids immense. La vieille dame avait remercié l'ermite d'avoir écouté Amata, mais il avait nié toute responsabilité concernant cette transformation. Le plaisir qu'éprouvait Amata de se trouver à nouveau en présence de son vieux camarade était évident, et Donna Giacoma pensait que Conrad éprouvait le même sentiment, même s'il passait des heures dans la chapelle et ne faisait apparemment aucun effort pour se trouver auprès d'elle. Comme toujours, il voilait ses émotions derrière un stoïcisme viril, contrairement à Pio, qui trottinait derrière Amata chaque fois qu'il le pouvait et endurait les plus durs tourments des amours de jeunesse. Amata s'amusait de son comportement et, une fois, alors qu'ils jouaient au morpion, elle l'appela involontairement «Fabiano», le nom de son propre frère cadet. *Comme son enfance a dû être heureuse*, pensa Donna Giacoma. Elle pria Dieu de l'aider à trouver un nouveau foyer pour la jeune fille.

Donna Giacoma prenait aussi un grand plaisir à observer ce qu'elle appelait «l'affection secrète du frère Conrad», et ses tentatives pour la réprimer. À cause de la fâcheuse position où il se trouvait, elle savait que l'ermite hésiterait à accepter la nouvelle tâche qu'elle prévoyait lui confier. Elle lui accorda plusieurs jours pour se réinstaller dans la routine de la maisonnée pendant qu'elle rassemblait ses accessoires et ses arguments, à commencer par un recueil de biographies de saints que son époux lui avait donné aux premiers temps de leur mariage. Bien qu'elle n'ait pas ouvert le livre depuis presque soixante ans, elle savait où le trouver. Il était enveloppé dans son voile de mariage, dans un recoin du coffre qu'elle avait rapporté de la maison de ses parents. Quatre jours après le retour de Conrad, alors que les serviteurs retournaient à leurs tâches après le souper et que les femmes s'assoyaient pour manger, elle coinça l'ermite dans le hall en surgissant de derrière une colonne pour bloquer sa retraite vers la chapelle.

– Amatina veut lire et écrire, dit-elle.

Elle avait commencé à utiliser ce diminutif en parlant de la jeune fille.

Il laissa échapper un petit rire.

– N'est-ce pas? J'espère que vous lui avez dit que ces aspirations ne convenaient pas à une femme.

– Je ne lui ai rien dit de tel, dit la dame en le fixant du regard. Vous êtes le seul dans cette maison qui puisse le lui enseigner.

Conrad secoua la tête.

– Je reconnais que la fille a un esprit vif, mais je ne voudrais pas me rendre coupable de l'inciter à l'orgueil de l'esprit – qui survient généralement lorsque les femmes dépassent leurs limites. Comme le dit si bien l'adage, *non fare il passo più lungo della gamba*, ne fais pas de plus grands pas que tes jambes ne le permettent.

Elle ignora sa raillerie.

– Venez avec moi, frère, dit-elle.

Elle conduisit l'ermite au-delà de la cour boueuse. La pluie avait finalement cessé, mais l'eau s'écoulait encore du balcon. Dans une petite pièce où on ne pouvait pénétrer que par l'extérieur se trouvaient une table, deux chaises droites et plusieurs livres.

– Lisez ceci, dit-elle en ouvrant un des livres à une section marquée d'un ruban pourpre. C'est la vie du saint anachorète Girolamo.

L'assurance de Conrad l'irritait. Il s'assit à la table, parcourut des yeux la biographie et lui lança un regard suffisant.

– Si le saint voulait enseigner l'écriture aux femmes nobles de Rome alors qu'il était secrétaire du pape Damas, tant mieux. Mais Amata n'est pas une *nobildonna* romaine.

– Son père était un comte.

– De la bourgeoisie *campagnarde, madonna*. Je doute que ses parents aient su lire. Elle m'a dit elle-même qu'elle n'avait pas commencé à apprendre l'alphabet avant d'arriver à Saint-Damien.

– Et qu'en est-il de sainte Claire, qui a *fondé* Saint-Damien ? Pensez à quel point l'Église serait moins riche sans les lettres qu'elle envoyait à Agnès de Prague – qui pouvait les lire et y répondre elle-même, soit dit en passant. Que faites-vous de Hildegarde de Bingen et de l'abbesse Jutta de Sponheim ? Aucun homme n'a jamais su aussi bien décrire de telles visions et de telles illuminations que Hildegarde.

– Oui, bien sûr. Les visions. Je suis sûr que notre Amata a plusieurs expériences de ce genre à partager avec les pieux *literati*.

Donna Giacoma serra les dents. Elle sentit son visage s'empourprer de colère.

– Et que faites-vous de Hrotsvita de Gandersheim qui, il y a trois siècles, écrivait des pièces et des récits aussi bien que n'importe quel chroniqueur mâle ?

– Je vous le dis, je ne peux pas faire ça, répéta Conrad d'un ton irrévocable en déposant le livre. Je ne *veux* pas le faire.

Donna Giacoma frappa la table de sa canne. L'ermite sursauta.

– Conrad, espèce d'idiot ! Elle veut apprendre à écrire pour copier la chronique que Léon vous a confiée, le manuscrit que vous aviez peur d'apporter à Assise.

– Que savez-vous à ce propos ? dit-il, les yeux écarquillés d'étonnement.

– Je sais que le manuscrit est en sécurité à Saint-Damien et que ce n'est pas grâce à vous. Je sais qu'Amatina a risqué sa vie sur la montagne pour l'apporter ici, quand le parchemin enroulé autour de sa poitrine s'est accroché dans un rocher et lui a fait perdre l'équilibre. Je sais aussi que, grâce à l'intervention bénie du frère Léon, le parchemin lui a sauvé la vie parce qu'il a fait dévier la pique qui visait son cœur.

Donna Giacoma se redressa de toute sa hauteur et posa ses deux mains sur la poignée sculptée de sa canne.

Conrad se leva brusquement et posa les mains sur la table.

– Vous avez répondu à mes prières, Giacomina ! dit-il. Chaque jour depuis mon retour ici, je me suis agenouillé dans la chapelle pour poser une seule question à saint François et au frère Léon : Comment puis-je m'introduire à nouveau dans le Sacré Couvent et mettre la main sur les manuscrits dont j'ai besoin ? Je n'ai même pas pensé à Saint-Damien et aux copies qui y sont cachées.

Il s'interrompit brièvement pour réfléchir à cette nouvelle option.

– Amata a-t-elle quitté les Pauvres Dames en bons termes avec elles ?

– Bien sûr. Elle n'a rien fait qui aurait pu les offenser.

– Et pour l'amour de vous, et le profond respect qu'elle éprouvait pour le frère Léon, la Mère prieure pourrait confier à Amata…

– Ne me dites pas ce que vous avez en tête, frère. Je ne mettrai pas à nouveau en danger la vie d'Amata. Maestro Roberto dit que deux frères se postent tous les matins à chaque extrémité de notre ruelle et observent tous ceux qui entrent dans cette maison ou en sortent.

– Ce sont *mes* allées et venues qu'ils surveillent, *madonna*. Leurs vœux exigent qu'ils demeurent à une distance chaste des femmes séculières. Amata pourrait livrer un cadeau, disons du tissu de lin, aux Pauvres Dames dans un panier. Elle reviendrait avec deux manuscrits qui m'intéressent particulièrement. Si elle a su si bien cacher le parchemin de Léon sans que je m'en aperçoive, elle bernera facilement les chiens de garde de Bonaventure.

Donna Giacoma fut tentée de faire remarquer à Conrad que peu de frères pouvaient l'égaler en qui concerne la naïveté et le manque d'observation, mais elle tint sa langue. En outre, son plan ne semblait pas aussi ridicule qu'il paraissait. Elle était sur le point d'admettre que ce plan méritait qu'on y réfléchisse quand elle réalisa qu'il l'avait distraite de son but.

– Qu'en est-il de ses leçons ?

Conrad sourit comme un marchand de bétail satisfait.

– Nous allons faire un marché. Si Amata peut m'apporter *Le Premier de saint François* par Thomas de Celano et la *Légende des Trois Compagnons*, je vais lui enseigner la lecture et l'écriture. En utilisant, bien sûr, les extraits qui conviennent.

Donna Giacoma indiqua les deux autres livres sur la table.

– J'ai étudié ces auteurs quand j'étais une jeune fille. Le premier est un livre de bienséance et l'autre enseigne les arts ménagers aux jeunes femmes. Ils lui apprendront à se comporter comme une dame en même temps qu'elle apprendra à lire.

L'ermite émit un grognement chargé d'arrogance.

– Vous parlez de transformer une mendiante en princesse.

Donna Giacoma serra les mains sur le pommeau de sa canne.

– Pas mal de la part d'un homme qui est arrivé ici il y a quelques semaines dépenaillé comme un barbare. Un jour, elle sera la maîtresse de cette maison et elle doit pouvoir se comporter comme telle et gérer ses affaires.

La vieille dame avait encore réussi à le surprendre.

– Je n'ai pas d'autres héritiers, poursuivit-elle, que les hommes de la famille de mon mari, des gens que je n'ai pas vus depuis des décennies. Simone della Rocca a volé à Amatina son droit de naissance et son droit à une éducation convenable, de même que la possibilité d'un mariage avantageux. Si elle le désire, quand ma fin sera venue, elle aura ma maison et mes revenus de douaire. Une femme possédant son intelligence, son charme et sa fortune se trouverait sur un pied d'égalité avec n'importe quel homme de la chrétienté – je veux dire n'importe quel homme qui ne soit pas lié par un vœu de chasteté.

Même si elle tenait rarement des propos malicieux, Donna Giacoma n'avait pu résister à l'envie de lui porter ce coup. Conrad avait persisté à dévaloriser la jeune fille et il méritait de se sentir mal à l'aise. Elle vit que l'annonce de ses intentions n'avait pas été bien reçue, et elle savait qu'elle allait raviver le conflit dans son esprit. Elle rêvait secrètement que ces deux jeunes gens se réconcilient et qu'ils admettent au moins à quel point ils avaient de l'affection l'un pour l'autre. Conrad pouvait admettre ce fait tout en respectant ses vœux. Et elle savait dans quelle mesure il les avait toujours respectés, peu importe la façon ignoble dont l'Ordre l'avait traité. Si Conrad avait de quelconques qualités héroïques, c'étaient la persistance et la détermination. Elle songea au frère Léon et à la façon dont leurs vies n'avaient cessé de s'entrecroiser pendant les cinquante-cinq dernières années. Peut-être Conrad et Amatina pourraient-ils au moins recréer ce modèle qui lui avait apporté tant de réconfort au fil des années.

Pour changer de sujet, Donna Giacoma, du bout de sa canne, fit glisser les livres vers Conrad.

– Pendant que vous jetterez un coup d'œil à ces livres, je vais parler à Amatina.

Puis, elle ajouta après une pause :

– Vous savez qu'elle risquerait tout pour vous.

Maintenant que la négociation était terminée, elle se permit un sourire.

– Et, frère Conrad, j'aimerais que vous ne lui disiez rien de cette conversation. Elle croit que j'ai simplement racheté son contrat aux Pauvres Dames. Elle ne connaît pas encore les projets que je nourris pour elle.

৵

Amata se faufila par la porte principale de la maison de Donna Giacoma. La nuit était froide sous les étoiles brillantes du Scorpion, la même constellation qui l'avait vue naître – combien de vies auparavant ? L'orage s'était finalement dissipé dans les montagnes, ne laissant qu'une mince couche de nuages en altitude à l'est. Le vent sifflait le long de l'escalier près de la maison et Amata se sentit transpercée par le froid malgré son épais manteau.

Elle regarda au bout de la ruelle dans les deux directions. Comme elle s'y attendait, elle entrevit une silhouette encapuchonnée à l'une de ces extrémités. Le frère qui gardait l'autre extrémité avait mieux réussi à se cacher dans l'obscurité et à se protéger du vent, mais elle était certaine qu'il attendait quelque part. Elle prit son panier et le posa en équilibre sur sa tête, arquant le dos à la manière gracieuse des servantes. Elle commença à descendre les marches en prévoyant atteindre la porte sud-est de la ville au moment où les gardes l'ouvriraient pour la journée.

Le vent représenterait une difficulté. Elle ne pourrait s'arrêter après une courbe de l'escalier pour écouter et savoir si quelqu'un s'était lancé à sa poursuite. *Eh bien, qu'ils essaient de me rattraper!* se dit-elle. Elle se réjouissait d'avoir à les semer, tout comme elle avait fini par apprendre à éviter ses ravisseurs dans les labyrinthes de la Rocca.

Elle avait été déçue quand Giacomina lui avait raconté comment Conrad avait négocié pour obtenir son aide. Ne savait-il pas qu'elle serait allée chercher les manuscrits avec joie, sans rien obtenir en retour? N'avait-il pas affirmé qu'ils étaient liés dans cette entreprise depuis le jour où ils avaient attaché ensemble leurs ceintures sur la paroi de la montagne? Elle était désorientée par le comportement de Conrad. Certains jours, il semblait être son meilleur ami, alors que d'autres, il pouvait se montrer tout à fait distant. Quand elle lui avait raconté comment Bonifazio l'avait violée alors qu'elle était enfant, elle avait eu l'impression de se mettre à nu devant lui. Il avait semblé comprendre sa douleur et pourtant, il n'avait cessé d'éviter sa présence depuis. Peut-être en avait-il trop entendu. Peut-être était-il trop préoccupé par cette affaire des manuscrits. Elle préférait croire, comme Giacomina le lui avait dit, qu'il était tout simplement aussi confus qu'elle en ce qui concernait ses sentiments à son égard et la façon de les montrer.

Quand elle atteignit le bout de la Via San Paolo, Amata tourna vers le nord-est et accéléra le pas jusqu'à la cathédrale Saint-Rufin. Elle se glissa rapidement derrière une colonne du porche de l'église, d'où elle pouvait voir clairement la rue derrière elle, et posa son panier.

Une lumière irrégulière éclairait la place. Le soleil pâle se levait au-dessus du mont Subasio, semblant traverser avec difficulté la couche de nuages. Amata aperçut un frère qui traversait la place en venant de la même direction qu'elle. Il dépassa la cathédrale, se dirigeant toujours vers le nord-est. La jeune fille sourit et reprit son panier. Cette expédition était trop facile. Elle pénétra dans l'église, traversa la nef à pas rapides et sortit par une porte du transept. Elle se trouva dans une ruelle qui serpentait vers la porte sud de la ville et la route qui menait à Saint-Damien.

XXIII

Conrad surveilla la ruelle tout l'après-midi. Il avait pris position à une fenêtre pendant que Donna Giacoma faisait les cent pas entre le hall et la cuisine. Chaque fois qu'elle terminait sa ronde, elle lui lançait un regard préoccupé. Amata aurait dû être de retour maintenant. Ils avaient la même idée, mais aucun d'eux ne l'exprimait.

Les ombres des maisons s'étiraient déjà au bout de la ruelle lorsque Conrad vit finalement apparaître la jeune fille au haut des marches. Elle apparut petit à petit : le panier d'abord, le capuchon de sa cape, puis son visage sérieux, à demi caché. Elle gardait les yeux fixés sur les marches, les épaules et le dos droits pour équilibrer sa charge. Il se précipita à la porte avant qu'elle n'atteigne la dernière marche. Il entendit derrière lui la canne de Donna Giacoma qui martelait le plancher. Amata pénétra dans le vestibule et sourit de toutes ses dents. Elle se pencha pour déposer le panier, rejeta son capuchon sur son dos et se releva avec raideur.

– Comment vas-tu ? Est-ce que tout s'est bien déroulé ? demanda la vieille dame.

Conrad s'agenouilla et souleva le tissu qui recouvrait le contenu du panier. Du pain. Seulement des miches de pain fraîchement sorties du four des Pauvres Dames. Il posa un regard perçant sur la jeune fille sans cacher sa déception.

Amata ignora son attitude.

– Tout s'est bien passé, dit-elle. Touchez mon dos.

Donna Giacoma posa la main sur le dos de la jeune fille et éclata de rire en sentant une surface solide.

Les manuscrits sont reliés, expliqua Amata. Je n'ai pas pu les attacher autour de ma taille comme je l'avais fait pour le parchemin du frère Léon, et je pensais qu'ils ne seraient pas en sécurité dans le panier. Je me suis dit que les gardes civils étaient de mèche avec Bonaventure. Ils savaient sûrement que deux frères surveillaient notre ruelle après le couvre-feu. Comme je m'y attendais, les sentinelles ont examiné le contenu de mon panier. Ce panier était une brillante idée, frère Conrad. Comme je devais le tenir en équilibre sur ma tête, personne ne ne se douterait que je n'aurais pu courber l'échine même si je l'avais voulu.

– Nous étions si inquiets à ton sujet, Amatina, dit Donna Giacoma. Tu as été absente si longtemps.

Amata sourit.

– J'ai dû attendre que le pain soit cuit. Les miches sont peut-être encore chaudes, même si le vent était froid à l'extérieur. En attendant, j'ai pu rendre visite à sœur Agnès. C'était ma meilleure amie pendant mon noviciat.

Elle regarda le frère Conrad qui était toujours agenouillé devant le panier.

– La connaissez-vous ? C'est la nièce du frère Salimbene. Elle m'a dit que son oncle était retourné à la Romagna et qu'il arriverait peut-être en Ombrie bientôt.

Trop énervée pour attendre sa réponse, elle gloussa de rire.

– Vous n'imaginez pas les histoires qu'il nous a racontées la dernière fois qu'il est venu voir Agnès ! J'étais si contente qu'elle me demande de l'accompagner jusqu'à la porte des visiteurs en tant que chaperon. Je n'aurais manqué ce moment pour rien au monde. J'espère que vous offrirez au frère Salimbene de demeurer ici, *madonna*, plutôt qu'au Sacré Couvent. Il fera se tordre de rire toute la maisonnée.

Elle s'éloignait dans le corridor tout en continuant de parler.

– Je vais vous raconter le reste au dîner. Il faut que j'enlève ces livres de mon dos.

Malgré les bonnes nouvelles concernant le manuscrit, Conrad affichait un air sombre. Il se prit à penser : *Ce n'est pas ma faute si je ne suis pas un bon conteur. Ça ne correspond pas à ma nature. J'ai toujours eu un tempérament mélancolique ; Salimbene a un humour irrésistible. En plus, quelle perte de temps pour l'esprit que de titiller les jeunes filles écervelées.*

Donna Giacoma sourit à l'ermite alors qu'Amata disparaissait dans le vestibule.

– Je ferai apporter sa tablette de cire et ses livres dans le grand hall à la première heure demain. Maestro Roberto ira chercher du parchemin et des instruments d'écriture aussitôt que vous me direz qu'elle est prête à se servir d'encre.

– Mais qu'en est-il de mon propre travail ? Léon a dit qu'il était urgent que je remplisse cette mission.

– Bien sûr que c'est urgent. Vous n'avez qu'à enseigner à Amata jusqu'à l'heure du midi et vous utiliserez le reste de la journée comme bon vous semble.

Il admit que la solution était équitable, mais il avait terriblement hâte de lire les manuscrits. Il pourrait commencer après le repas du soir. Mais dans le passé, sa vision s'était affaiblie à force de lire des écritures fines à la lueur d'une chandelle ou d'une torche et depuis, sa paupière gauche papillotait sans cesse. À Paris, son maître avait attribué la cause de son problème à la couleur gris pâle de ses iris. Vu la situation, il ferait mieux d'attendre le retour du soleil. Il ramassa le panier de pains et suivit Donna Giacoma jusqu'à la cuisine.

☙

Une fois l'orage passé, une brume stagnante avait recouvert les vallées des Apennins. Les pics des montagnes, comme des îles flottantes dans une mer informe, surmontaient la brume. Le carrosse du pape, tiré par des bœufs, avançait péniblement dans le brouillard telle une gigantesque malle fantomatique pendant que, tout autour, la boue et l'argile ruisselaient sur les flancs des collines, un écoulement gris-brun dans un monde liquéfié.

Plusieurs jours s'étaient écoulés depuis que le pape et son entourage avaient fui Venise. Les derniers chevaliers romains venaient de rejoindre le convoi. Tebaldo était parti si précipitamment que plusieurs des guerriers avaient été laissés derrière, éparpillés dans les bordels de la ville. Leur capitaine avait posté une arrière-garde au palais du doge, pour indiquer la route aux traînards et présenter des excuses au doge et à son épouse. Les retardataires décrivaient des scènes de chaos et de violence croissante dans la ville à mesure que les rumeurs sur le désastre militaire prenaient de l'ampleur.

– Au début, les gens sont demeurés hébétés, cria un des chevaliers retardataires en passant devant la fenêtre du carrosse du pape. Ils se sont rassemblés toute la matinée sur le quai à compter les navires et à chercher leurs amis ou parents parmi les marins survivants. La ville a perdu la majeure partie de ses deux cents galères.

Orfeo, qui chevauchait à côté du carrosse, fit une prière silencieuse pour la sécurité de Cécilia. Elle lui avait sauvé la vie lorsqu'elle l'avait convaincu de ne pas participer à l'expédition. Il pria aussi pour que Dieu ait épargné Giuliano, même s'il avait le sentiment profond que son ami gisait déjà au fond de la mer.

– La barge du doge est arrivée au milieu de la matinée, juste après tierce, poursuivit le chevalier. Il est demeuré avec la foule sur le quai pendant un moment, puis il s'est rendu à son palais en cherchant Votre Sainteté. Son visage était blanc comme le marbre. En apprenant que vous étiez déjà parti, il est devenu encore plus nerveux. Je l'ai entendu envoyer un de ses hommes dire à la *dogaressa* de demeurer à la maison. Puis il est entré dans le palais et je ne l'ai plus revu.

– Ouais, au milieu du jour, la foule avait perdu tout espoir de voir apparaître d'autres navires, ajouta un autre chevalier. J'ai croisé ces gens en retournant à mon poste, au moment où la colère avait commencé à monter – colère en grande partie dirigée contre Votre Grâce, je dois dire. C'est à ce moment que deux d'entre nous ont décidé qu'ils n'avaient plus rien à faire à Venise.

Orfeo ne pouvait distinguer le visage du pontife à travers les étroites fentes des fenêtres du carrosse, mais il pouvait entendre sa voix empreinte de douleur.

– Je n'ai pas prié pour leur réussite, mais pour leur *sécurité*. C'est Dieu qui a voulu que cette tempête survienne. Aucune de mes bénédictions n'aurait pu changer cela.

Les derniers retardataires racontèrent le reste du drame pendant les jours qui suivirent. Quand les Vénitiens s'étaient rendu compte que le pape leur avait échappé, ils tournèrent leur colère contre le doge. D'après certains, Dieu continuait de punir Venise pour les péchés d'Enrico Dandolo et le sac de la basilique de la Sagesse Divine. Inévitablement, les reproches retombèrent sur le successeur actuel de Dandolo, le pauvre Lorenzo Tiepolo (qui avait ordonné l'attaque au départ) et sur sa *dogaressa* d'origine grecque.

L'évêque de Venise criait son indignation à la foule rassemblée devant Saint-Marc.

– Dieu ne peut plus supporter les mœurs de cette femme. Ses appartements empestent l'encens. L'air de Venise n'est pas assez bon pour elle. Elle dédaigne d'utiliser notre eau pour se laver, mais oblige ses serviteurs à recueillir la rosée qui tombe du ciel. Elle ne daigne pas non plus manger sa viande avec ses doigts comme tout le monde, mais ordonne à ses eunuques de la couper en petits morceaux qu'elle pique avec un ustensile d'or à deux pointes pour les porter à sa bouche. J'ai pu constater de mes propres yeux sa vanité, car j'ai mangé à sa table. Devons-nous nous surprendre que même Dieu, dont la patience est infinie, en ait eu assez d'une telle insolence?

Une grande partie de la foule dirigeait sa fureur contre le doge lui-même. Plusieurs l'avaient vu entrer dans le palais près de Saint-Marc un peu plus tôt et il était ainsi plus facile à atteindre que sa femme. Ils lui lançaient des insultes par les fenêtres et demandaient qu'il donne sa vie en échange de celles des marins qui s'étaient noyés. Pourtant, le doge aurait pu éviter le pire s'il avait attendu que leur peine et leur rage se dissipent. Entouré de sa garde, il était demeuré en sécurité malgré la mauvaise humeur de la foule. Mais le rideau ne s'était pas encore levé sur le dernier acte de la tragédie vénitienne.

À la fin de la troisième journée de route de l'escorte romaine, le reste de l'arrière-garde arriva au camp. Peu habitué à chevaucher des journées entières, Orfeo se tenait debout à se masser le bas du dos derrière le groupe de soldats qui mangeait avec Tebaldo autour du feu de camp.

– Donnez-lui de la nourriture, ordonna le capitaine à un serviteur pendant que le chevalier descendait de sa monture.

Tebaldo fit signe à l'homme de venir s'asseoir sur une souche près de lui. D'autres guerriers et leurs écuyers émergèrent de leurs tentes et s'assemblèrent, certains d'entre eux encore à demi vêtus dans leur armure. Le garde retira son bassinet et ses gantelets. Pendant que le serviteur lui tendait un tranchoir et une coupe, il prit une profonde respiration et commença à raconter l'histoire de la vengeance du peuple.

– Je peux seulement supposer que Lorenzo a été saisi de panique. Il espérait demander asile à Saint-Marc, mais il savait que la foule connaissait ses intentions. Alors, il s'est enfui par la porte arrière du palais en tentant d'atteindre l'église de San Zaccaria de l'autre côté du Ponte della Paglia.

Le chevalier poursuivait son récit entre des gorgées de vin et des bouchées de nourriture. Il mâchait lentement, savourant tout autant le fait d'être le centre d'intérêt que celui d'avaler les morceaux de rôti dégoulinants de graisse.

– J'ai observé la scène de l'étage supérieur du palais. Dieu m'est témoin que les gardes qui se sont enfuis du palais avec le doge l'ont protégé du mieux qu'ils ont pu. Ils frappaient avec leurs épées dans toutes les directions. Le sang coulait à flots de chaque côté du pont, mais les gens continuaient d'affluer.

Il vida sa coupe et la tendit pour qu'on la remplisse. Personne ne dit mot pendant qu'un serviteur versait le vin.

– En fin de compte, conclut le chevalier, dans la Calle delle Rasse, un homme s'est faufilé à travers la rangée de soldats et a poignardé Lorenzo à mort.

L'homme frappa sa coupe contre sa poitrine pour montrer où avait été porté le coup fatal et, comme si l'effet avait été prévu, le vin rouge éclaboussa son plastron.

Un murmure traversa la foule des auditeurs. Puis le camp redevint silencieux jusqu'à ce que Tebaldo dise d'une voix ferme :

– C'était un honnête homme. Puisse-t-il reposer en paix.

– Amen, répondirent les soldats.

Après un silence respectueux, le pape ajouta :

– Nous devons remercier tout particulièrement notre jeune ami d'Assise. S'il n'avait pas réagi si rapidement, nous aurions peut-être connu le même sort que Lorenzo.

Orfeo se retrouva de façon inattendue au milieu de la foule qui l'acclamait tel un héros. Un des soldats lui administra une claque dans le dos qui se répercuta le long de sa colonne vertébrale et de ses côtes. Jusqu'à ce moment, les Romains hautains l'avaient traité comme l'Ombrien de service. Lui-même se souciait trop peu de leurs opinions pour tenter de les convaincre de sa valeur. Tout à coup gêné, il cria « *Viva Papa !* » pour détourner l'attention de sa personne. Les autres reprirent le cri pendant qu'il s'échappait du cercle des chevaliers.

Dans l'obscurité aux abords du camp, Orfeo entendit un cheval hennir. Il aperçut plusieurs paires d'yeux orange brillant dans les broussailles. Il ramassa deux pierres qu'il frappa l'une contre l'autre en marchant dans leur direction. Les créatures dégingandées, semblables à des chiens, se dispersèrent sans bruit dans la nuit. Il se rappela les énormes loups du cauchemar de Tebaldo. Le marin frissonna et fit le signe de la croix.

Désireuse de consacrer autant de temps que possible à ses leçons, Amata s'empressa d'exécuter ses tâches matinales. Chaque jour, Conrad inscrivait une nouvelle lettre sur sa tablette de cire, premièrement en minuscule, puis en majuscule, et prononçait le son qui s'y rattachait. Puis, elle traçait à son tour la lettre dans la cire. Après une semaine, elle pouvait écrire des mots complets. À la fin de chaque leçon, il lui lisait quelques lignes des livres de Donna Giacoma sur les bonnes manières ou la vie des saints, en indiquant du doigt chaque mot qu'il lisait pour qu'Amata, assise à ses côtés, puisse suivre la phrase. Ensuite, il lui faisait réciter de mémoire les mêmes passages jusqu'à ce que les mots commencent à lui sembler familiers.

– Tu dois comprendre qu'il est discourtois de se gratter la tête à table, d'enlever des puces ou d'autres insectes de ton cou et de les tuer devant les autres convives, ou de te gratter ou encore d'enlever des croûtes de quelque partie de ton corps que ce soit. Quand tu te mouches, tu ne dois pas enlever les sécrétions avec tes doigts, mais avec un mouchoir. Assure-toi que rien ne pend de ton nez comme les glaçons qu'on voit suspendus aux rebords des toits des maisons en hiver. Assure-toi que tes cheveux soient bien peignés et qu'aucune plume ou autre détritus ne se mêle à ta coiffure.

Conrad terminait chaque journée de lecture par quelques lignes de son bréviaire, habituellement un verset ou deux des Psaumes, et une brève homélie soulignant que la formation spirituelle de l'âme avait toujours préséance sur la sagesse populaire.

– La femme qui comprend peu de choses et craint Dieu, dit-il, se trouve dans une situation plus enviable que celle qui possède beaucoup de connaissances et transgresse la loi du Très Haut.

Amata trouvait son obstination à la fois amusante et rassurante.

Grâce à la routine, le mois de novembre passa rapidement. Les après-midi, pendant que Conrad étudiait ses légendes, d'autres personnes l'aidaient à approfondir ce qu'elle avait appris plus tôt dans la journée. Des frères itinérants et des ecclésiastiques en haillons défilaient dans la maison pendant des jours, et ceux qui ne désapprouvaient pas entièrement l'initiative de Donna Giacoma se trouvaient fascinés par sa nouveauté. Imaginez une femme ordinaire, laïque, à qui l'on enseigne à lire et à écrire! Bientôt, la veuve allait apprendre à son chat à réciter les grâces avant qu'il ne lèche son bol de lait!

Amata se doutait que certains jeunes hommes étaient fascinés pour d'autres raisons, mais elle ne fit rien pour les encourager. Quand il traversait le grand hall et la trouvait en train de lire avec un de ces voyageurs, Conrad avait la même impression, si elle se fiait à l'expression de son visage.

Avec le peu de subtilité qu'il possédait, Conrad lui rappela son récent vœu d'apprendre. Quand l'ermite se trouvait dans un tel état d'esprit, les lectures des Écritures qui mettaient fin à leurs leçons ne provenaient pas des psaumes, mais de l'ecclésiastique :

N'arrête tes yeux sur la beauté de personne, et ne demeure pas au milieu des femmes car des vêtements sort la teigne, et de la femme, l'iniquité de l'homme. Mieux vaut la méchanceté de l'homme que les bienfaits de la femme, quand celle-ci est un sujet de confusion et de honte… et j'ai trouvé plus amère que la mort la femme dont le cœur est [comme] des filets et des rets, [et] dont les mains sont des chaînes : celui qui est agréable à Dieu lui échappera, mais celui qui pèche sera pris par elle.

Un jour, il interrompit brusquement la leçon pour lui dire qu'un des frères, un certain Federico, prolongeait sa visite seulement pour continuer à jouir de sa compagnie. Ce jour-là, il cita un poète au nom imprononçable :

Comment définirais-tu la femme ou connaîtrais-tu sa nature ? Elle est la boue scintillante, une rose nauséabonde, un doux poison, sans cesse attirée par ce qui lui est interdit.

Si Federico l'avait intéressée, cette intervention inopportune de Conrad aurait pu l'offenser, mais elle avait de la difficulté à retenir son rire devant l'indignation farouche de l'ermite. Plus il vociférait, plus elle percevait dans ses propos du respect à son endroit. Il lui était beaucoup plus facile de la comparer à de la « boue scintillante » et de qualifier les frères comme Federico de *cane in chiesa*, de chien à l'église, que de dire « J'ai de l'affection pour toi et je m'inquiète pour toi », mais elle percevait toujours de l'affection dans ses réprimandes.

– J'ai échafaudé un plan pour te protéger de ces frères sans scrupule, dit-il un jour. Puis il envoya chercher Donna Giacoma.

Quand la vieille dame se fut jointe à eux, Conrad suggéra qu'Amata passe ses après-midi à répéter sa leçon du jour au jeune Pio.

– Non seulement Pio apprendra-t-il d'Amata, dit-il, mais la répétition aidera Amata à mieux se souvenir de ce qu'elle aura appris.

Comme ce plan lui fournissait un prétexte supplémentaire pour se tenir près d'Amata, Pio fut ravi lorsque Donna Giacoma y consentit. Le pauvre frère Federico parti, Conrad sembla satisfait et Amata n'en fit pas de cas.

Les leçons avec le jeune Pio ressemblaient davantage à un jeu parce qu'il trouvait son livre de recommandations formelles plutôt ridicule. Elle lui lisait parfois des passages comme : « Si vous devez roter, faites-le le plus discrètement possible, en tournant toujours le visage de côté. Si vous crachez ou toussez, vous ne devez pas avaler ce qui se trouve dans votre gorge mais le cracher par terre ou dans un mouchoir ou une serviette de table. »

Pio répliquait par un rot exagéré, en prenant soin de tourner la tête, ou rassemblait sa salive et, les lèvres pincées, lui demandait son mouchoir. Les leçons d'écriture sur la tablette de cire dégénéraient d'habitude en un jeu de morpion, ou encore de marelle avec des carrés tracés sur la tablette et des morceaux de charbon servant de pièces.

Conrad parlait peu de ses propres progrès. Amata savait seulement qu'il lisait la *Légende* de Thomas de Celano. Au début, il avait semblé consterné par le portrait qu'avait tracé l'écrivain de la jeunesse de saint François. Le frère affirmait que la version de Bonaventure avait seulement suggéré au moyen d'un euphémisme que le fondateur avait été « attiré par les biens terrestres » alors qu'il était un jeune homme.

– Comme la grâce de Dieu est puissante ! avait dit Conrad. Seul Dieu, par Sa puissance, pourrait avoir formé un saint qui avait connu un tel début de vie. Bonaventure diminue la miséricorde et la puissance divines en minimisant l'ampleur de la conversion de François.

Grâce à ses souvenirs et aux conversations entendues, Amata comprenait que le véritable but de la recherche de Conrad dans ce livre avait à voir avec la cécité ou avec un homme aveugle, et, pendant longtemps, il sembla ne pas avoir trouvé ce qu'il espérait découvrir mais, un après-midi de la mi-décembre, cette situation changea.

Conrad entra précipitamment dans le grand hall où Amata cousait en conversant avec Donna Giacoma. *In illo tempore*, marmonna-t-il pour lui-même. *À cette époque*. Il jeta un coup d'œil dans leur direction, sans paraître les voir. Il traversa la pièce à grandes enjambées, les mains jointes derrière le dos, longea le mur du fond et repassa devant elles pour finalement sortir du hall sans un autre regard dans leur direction. Les deux femmes se regardèrent et éclatèrent de rire.

XXIV

La première semaine de décembre, l'hiver s'était installé pour de bon à Assise. Le vent qui sifflait à travers les fenêtres couvertes de la pièce où Conrad lisait devint une plainte incessante, avec tous les esprits du ciel et de la terre qui se joignaient en un chœur de lamentations. Le mont Subasio et les collines environnantes reposaient dans un sommeil troublé.

Même au milieu du jour, il ne filtrait qu'une faible lumière à travers le tissu transparent couvrant les fenêtres. Obligé de lire à la lueur de sa chandelle et de l'âtre, Conrad ne progressait que lentement. De violents coups de vent repoussaient la fumée dans la cheminée, l'étouffant avec l'odeur aigre-douce des branches de genévrier qu'une paysanne livrait chaque jour sur son âne.

Il aurait pu à tout moment apporter son manuscrit dans le hall mieux éclairé où Amata et Pio étudiaient. Les fenêtres y étaient plus larges et la cheminée, plus efficace, mais les nombreux étrangers qui passaient par la maison et la nécessité de garder le secret sur ses activités le rendaient méfiant. À une occasion, avant qu'il ne quitte la maison, le frère Federico s'était même introduit dans la chambre de Conrad pendant que ce dernier lisait. Conrad fit de son mieux pour détourner l'attention du frère en lui parlant de la nouvelle œuvre de Thomas d'Aquin, la *Summa Theologica*, qu'il venait tout juste de lire au Sacré Couvent, refermant discrètement le manuscrit de Celano pendant qu'il bavardait. N'importe quel érudit itinérant serait naturellement intrigué de voir quatre livres dans la maison d'une femme laïque, que la dame appartienne ou non à la noblesse. Peu importe le type de livres. Les manuscrits interdits sont toujours *extrêmement* intéressants. Alors Conrad se tenait à l'écart, luttant contre la fumée et la piètre luminosité et se frottant les yeux dans la solitude de sa chambre. Grâce à ses conversations avec Léon, il connaissait l'histoire des légendes de Celano. Après la mort de saint François, la confrérie tenait pour acquis que le secrétaire de François serait choisi pour en écrire l'hagiographie. Personne n'avait été plus intimement lié à François, et le style simple, sans fioritures, de Léon convenait bien à la vie austère du maître. Mais Élie et le cardinal Ugolin avaient plutôt choisi le frère Thomas de Celano pour exécuter cette tâche, même si ce dernier n'avait jamais rencontré François et qu'il avait passé la majeure partie de sa vie religieuse en Germanie. Thomas avait tout de même composé un hymne majestueux sur la mort et le jugement, le *Dies Irae*, démontrant ainsi qu'il pouvait écrire de manière éloquente. Mais, comme il ne connaissait pas personnellement François, il avait dû, pour obtenir des renseignements, se fier au dirigeant de l'Ordre qui lui commandait ce travail : le frère Élie. Bien sûr, Élie avait eu une grande influence sur le travail de Thomas, à un point tel qu'après la chute et l'excommunication du ministre général, un de ses successeurs, le frère Crescent, avait demandé à Thomas de rédiger une deuxième légende dans laquelle le nom d'Élie n'était aucunement mentionné. Pour aider Thomas, Crescent avait demandé à tous les frères qui avaient connu François de mettre par écrit leurs souvenirs. C'est ainsi qu'avait été conçue la *Légende des Trois Compagnons*.

Conrad entreprit sa recherche dans l'œuvre de Thomas à la première ligne du premier chapitre. Il voulait être sûr de repérer le précieux indice, les mots qui indiquaient « le début de la cécité ». Il lut l'histoire d'une femme aveugle que François avait guérie, mais rien dans ce récit ne semblait avoir un lien avec la phrase de Léon. Il cherchait toujours quand les premières neiges arrivèrent. Les mains de la paysanne qui apportait le bois de foyer devinrent rouges de froid et elle enroula un lourd châle de laine noir par-dessus le capuchon de son manteau alors que Conrad lisait en toussant, chapitre après chapitre, la vie de François par Celano. Il lut le passage où François recevait les stigmates sur le mont de l'Alverne et celui sur l'apparition du séraphin qu'Élie avait raconté à Thomas. Puis, dans le chapitre qui suivait immédiatement l'épisode de la vision, il buta sur les premiers mots : *In illo tempore*, À cette époque :

« À cette époque, François était plus malade que jamais auparavant, car il souffrait de fréquentes maladies tant il avait châtié son corps et l'avait soumis à toutes les rigueurs pendant les nombreuses années qui avaient précédé. »

La phrase suivante indiquait clairement que Thomas parlait de l'an de grâce 1224, l'année où François avait reçu les stigmates. La conversion de François avait eu lieu en 1206.

« Car pendant une période de dix-huit années, *période maintenant terminée*, son corps n'avait connu aucun repos. […] Mais puisque, selon les lois de la nature et la constitution de l'homme, il est nécessaire que l'enveloppe extérieure de l'homme se dégrade jour après jour, même si l'homme intérieur se renouvelle, ce précieux récipient dans lequel était enfoui le trésor céleste commença à se briser. […] En vérité, puisqu'il n'avait pas encore ressenti dans sa chair la souffrance du Christ, bien qu'il portât les marques du Seigneur sur son corps, *il fut frappé d'une très grave maladie des yeux.* »

C'était là, en une seule phrase. Il portait *déjà* les marques des stigmates quand sa cécité *avait commencé*. Il n'avait pas attrapé cette maladie des yeux pendant son voyage en Égypte en 1219, comme Conrad l'avait toujours entendu dire. L'ermite poursuivit sa lecture :

« Comme sa maladie progressait quotidiennement et semblait s'aggraver faute de soins, le frère Élie, que François avait choisi pour jouer le rôle d'une mère à ses côtés et celui d'un père pour les autres frères, l'obligea finalement à se soigner. »

Lorsque Élie avait dicté ce passage, il n'avait de toute évidence aucune raison de taire le moment où la cécité avait commencé, non plus que son propre rôle dans le traitement du malade. Qui donc alors avait plus tard diffusé l'histoire du chaud soleil de l'Orient qui avait brûlé les yeux du saint, sinon Élie ? Et pourquoi ? Le Premier de Thomas ne nommait pas le compagnon de saint François au moment où celui-ci s'était rendu à la cour du sultan al-Malik al-Kamil. Mais Bonaventure l'avait fait !

Conrad repensa à la réponse de Lodovico quand il avait demandé au bibliothécaire pourquoi le nom d'Illuminato lui semblait familier. « Il était avec notre maître quand il a tenté de convertir le sultan », avait-il répondu. *Encore* Illuminato ! Il avait sans aucun doute raconté à Bonaventure les détails du voyage de François en Orient, tout comme Élie avait raconté sa version à Thomas. Pourtant, cela ne renseignait en rien Conrad sur les raisons qui avaient amené Illuminato à élaborer une explication différente de la cécité de François des années après que Thomas eut terminé son livre.

L'ermite reprit les notes qu'il avait apportées du Sacré Couvent et copia en entier le chapitre intitulé « De la ferveur du bienheureux François et de la maladie de ses yeux ». Un jour, si Dieu le voulait, il relirait ces passages et comprendrait exactement pourquoi son mentor considérait ce moment suffisamment important pour le mentionner dans sa lettre.

Il était de plus en plus certain que l'énigme de Léon était liée aux événements qui avaient mené à l'impression des stigmates ou l'avaient suivie de peu. Par conséquent, lorsqu'il prit l'autre livre qu'Amata avait apporté de Saint-Damien, la copie que possédaient les Pauvres Dames de la *Legenda Trium Sociorum*, il tourna immédiatement les pages jusqu'à cet incident de la vie du saint. Ce qu'il y trouva fit en sorte qu'il se précipita de nouveau sur ses notes.

ଈ

– C'est une lacune évidente, *madonna*, confia-t-il à Donna Giacoma le même soir. Un fossé si grand que vous pourriez y enfouir une charrette de foin. Je sais maintenant *comment* le compagnon a été mutilé, mais je ne sais pas encore *pourquoi* ou par *qui*.

Il doutait que la vieille dame comprenne les détails de sa dernière trouvaille, mais il lui avait demandé de venir parce qu'il voulait à tout prix la partager avec quelqu'un.

– Regardez ici, expliqua-t-il en parcourant une page du doigt. Le XVIᵉ chapitre de la vie du Compagnon se termine sur des événements qui se sont produits en 1221. Puis, on y trouve un bref résumé de l'épisode des stigmates – en l'An de grâce 1224 – et ensuite, le récit reprend à la mort de saint François en 1226.

Pourquoi ne parle-t-on pas des années 1221 à 1226 ? Plusieurs changements importants sont survenus pendant ces cinq années, tant dans la vie de saint François qu'au sein de l'Ordre. Léon et les autres compagnons n'auraient jamais omis de parler des événements survenus pendant une période aussi cruciale.

– Sauf de l'impression des stigmates, dit Donna Giacoma.

– Ah ! C'est l'autre chose que je voulais vous montrer. Regardez cette description de saint François immédiatement avant l'apparition du séraphin. Léon écrivait avec clarté, mais son style était simple. *Cum enim seraphicis desideriorium ardoribus*: absorbé dans l'amour et le désir séraphiques. C'est du latin élégant, *madonna*. *Élégant*! Et l'auteur utilise des expressions philosophiques extrêmement techniques, comme ce *sursum agere*. Aucun de nos trois compagnons n'a écrit ce passage. Une telle phrase ne peut avoir été écrite que par un théologien formé à Paris.

Conrad réalisa que, dans son enthousiasme, il avait parlé de plus en plus vite. Il prit une profonde inspiration et expira lentement avant de retourner à ses notes. Le regard de Donna Giacoma semblait lui signifier que toutes ses cogitations à propos du latin lui passaient par-dessus la tête, même si elle avait fait de son mieux pour suivre son raisonnement.

– Supportez-moi encore quelques instants, *madonna*, s'excusa-t-il.

Il plaça quelques-unes de ses notes à côté du manuscrit.

– Voici la description qu'a faite Bonaventure de la même scène.

Tout en parlant, il indiquait des passages particuliers.

– On retrouve la même formulation dans chacun des textes – ici, et ici, et ici – sauf que dans ce passage, *quand la vision fut terminée*, où Bonaventure écrit *disparens igitur visio*, la *Légende des Trois Compagnons* emploie les mots *qua visione disparente*, l'ablatif absolu –, le choix, selon moi, d'un esprit moins mûr. La similitude est remarquable, compte tenu que Bonaventure a rédigé sa *Legenda Major* dix-sept ans après que Léon et les autres eurent terminé la *Légende.*

– Et qu'en déduisez-vous? demanda Donna Giacoma.

Conrad joignit ses bras sur sa poitrine.

– Je crois que nous avons répondu à la question de Léon: *D'où vient le séraphin?* J'en déduis que ce séraphin dans la *Légende* vient de Bonaventure qui, je sais, est fasciné par cette image particulière – une fascination sans aucun doute stimulée par le récit d'Élie à Celano. Je crois que l'homme qui a occupé la fonction de ministre général en 1246, l'année où Léon lui a présenté la *Légende*, a demandé au jeune Bonaventure de rédiger cet ajout. Cet homme, qui a aussi omis les cinq années dans le manuscrit, était Crescent de Jesi; Jean de Parme, son successeur, n'aurait jamais autorisé une telle mutilation et une telle falsification. Quand Bonaventure a écrit sa propre légende des années plus tard, il n'a eu qu'à copier son étude précédente de cette scène en n'y ajoutant que quelques améliorations grammaticales.

En exposant sa théorie, Conrad eut l'intuition fugace que l'emprisonnement de Jean de Parme pourrait avoir découlé autant de la mutilation que de son joachimisme «hérétique». Donna Giacoma interrompit sa réflexion.

– Mais pourquoi?

– Pourquoi? répéta-t-il dans un murmure étonné pendant qu'il rassemblait ses notes. C'est la question qui me revient continuellement à l'esprit. *Pourquoi?*

Il empila ses feuilles de notes sur la *Légende* et se pencha pour ranger les deux livres. Il accéléra son geste en entendant le claquement de sandales dans l'arcade. Il était toujours penché lorsque Pio apparut à la porte.

– Il y a quelqu'un du Sacré Couvent qui désire vous voir, frère.

– Un frère? Il ne devrait pas se trouver à l'extérieur à cette heure.

– Il porte une bure de frère, mais il est aussi jeune que moi. Je crois qu'il a couru depuis son départ du Sacré Couvent. Il était si essoufflé qu'il pouvait à peine parler.

– T'a-t-il donné son nom?

– Oui. Ubertin de Casale.

❧

Le visage du garçon était rouge de froid et de fatigue. Pendant qu'il attendait dans l'entrée, il sautillait d'un pied à l'autre, ses yeux normalement clairs dilatés jusqu'à en devenir presque noirs.

– *Buona notte*, frère, dit Conrad en l'accueillant. Qu'est-ce qui ne va pas? Pourquoi es-tu encore debout après les complies?

– Je suis sorti furtivement du monastère après que les autres se sont couchés. Je devais absolument vous parler.

– Comment as-tu fait *ça*? demanda Conrad.

Étonnamment, il était plus curieux de savoir *comment* Ubertin était venu que *pourquoi* il était venu. Il avait fait face au même dilemme le mois précédent. Pour autant qu'il le sache, les frères fermaient le Sacré Couvent à double tour après le coucher du soleil.

Le visage du garçon s'empourpra encore davantage à l'arrivée de Donna Giacoma. Parler devant une femme semblait l'intimider.

– Il y a une porte dérobée qui mène du monastère à la crypte sous l'église inférieure. Personne ne l'utilise et le

272

cadenas est complètement rouillé. Un des novices me l'a montrée l'autre jour.

– Eh bien, tu es un jeune idiot ! Bonaventure te punira sévèrement s'il découvre que tu es venu ici. Ses espions surveillent cette maison nuit et jour.

Les joues du garçon pâlirent quelque peu.

– Je n'ai vu personne dans les rues, dit-il.

Il jeta un regard nerveux vers la porte. De toute évidence, il n'avait pas envisagé la possibilité qu'il y ait des sentinelles.

– Je devais vous avertir, dit-il.

Donna Giacoma effleura le bras de Conrad.

– Taisez-vous un moment, frère. Ne l'effrayez pas davantage. Laissez-le parler.

Ubertin sourit avec reconnaissance.

– J'ai servi le repas à l'infirmerie ce soir, dit-il à Conrad. Le ministre général avait un invité, un certain frère Federico. Ils parlaient de vous.

Federico ! Était-ce un autre espion de Bonaventure ? Avait-il essayé de soutirer des renseignements à Amata pendant les après-midi où Conrad étudiait ?

– Federico disait que vous aviez des livres que le frère Bonaventure devrait voir. Le ministre général était furieux. Il a dit qu'il allait mettre la main sur ces livres – et sur vous aussi ! Il a l'intention de renvoyer Federico ici avec un autre frère pour les voler. Il a dit que vous quitteriez probablement la maison après-demain. Un héraut est venu au monastère cet après-midi en disant que le pape n'était plus qu'à deux jours d'ici. Il s'arrêtera dans la ville pendant plusieurs jours et le frère Bonaventure a dit que toute la ville allait envahir les rues pour l'accueillir. Il a dit à Federico qu'il allait vous capturer au moment où vous sortiriez de la maison.

Conrad demeura hébété jusqu'à ce que Donna Giacoma frappe sa canne sur le plancher pour attirer son attention.

– Bonaventure est devenu aussi mauvais que les autres, dit-elle. Le pouvoir les corrompt tous. J'avais espéré mieux de sa part.

Pio attendait un peu à l'écart, dans le hall. La vieille dame lui fit signe d'approcher.

– Amata est dans la chapelle en train de faire ses prières du soir. Attends à l'extérieur jusqu'à ce qu'elle ait terminé et dis-lui de venir ici.

Alors que Pio s'éloignait à grands pas, la vieille dame tapota l'épaule d'Ubertin.

– Tu es brave, mon enfant. Ce sont des gens comme toi, et comme le frère Conrad, qui me permettent de conserver l'espoir en un avenir meilleur pour l'Ordre. Veux-tu une boisson chaude avant de repartir ?

Le garçon secoua la tête.

Conrad retrouva finalement l'usage de la parole.

– Pourquoi as-tu pris ce risque pour moi ?

Ubertin rougit. Mais maintenant qu'il avait exécuté la partie la plus audacieuse de sa tâche, il semblait dans tous ses états.

– Plusieurs frères disent que vous êtes un saint homme. Ils disent qu'un jour le ministre général vous enfermera pour toujours. Ça ne semble pas juste, si vous n'avez rien fait de mal.

Conrad eut un sourire sardonique devant l'innocence du garçon.

– Si tu te souviens de tes Écritures, c'est de cette façon que l'Église a commencé, avec la persécution d'un innocent.

Il prit la main droite du garçon dans la sienne.

– *Mille grazie,* Ubertin. J'espère pouvoir te rendre la pareille un jour. Maintenant, sois prudent en quittant la maison. Nous ne voulons pas que *tu* sois enfermé, non plus que fouetté.

La porte se referma derrière le novice au moment où Pio revenait avec Amata. Elle jeta un regard interrogateur en direction de Donna Giacoma.

– Nous venons d'avoir des nouvelles troublantes, Amatina, dit la vieille dame d'un ton sarcastique. Notre ministre général fait tout pour obtenir de l'avancement et vise peut-être même la sainteté. Il est prêt à sacrifier notre ami Conrad pour maintenir l'illusion d'une harmonie au sein de l'Ordre, comme il l'a fait avec le frère Jean de Parme.

Conrad sursauta en entendant ces paroles. Lui-même aurait pu s'exprimer ainsi ! Elle se tourna vers lui, le visage empreint d'inquiétude.

– Vous devez vous sauver et retourner dans les montagnes, dit-elle.

Le plan de Donna Giacoma le surprit, tout comme Amata. Il était déçu, et le fait de percevoir le même sentiment dans les yeux de la jeune fille ne lui rendait pas la chose plus facile.

– C'est un mauvais moment pour que notre petite famille soit réunie, poursuivit la vieille dame. Les bons moments que nous avons vécus ce dernier mois n'étaient que passagers.

Elle déposa sa canne par terre, étendit les bras et prit chacun d'eux par la main. Conrad tressaillit, mais ne retira pas sa main.

– Si Dieu le veut, nous nous retrouverons un jour, dit-elle.

Elle relâcha leurs mains, reprit sa canne et se tourna vers Amata.

– Peux-tu rapporter les livres à Saint-Damien ? Il faut que nous agissions avant le lever du jour.

La jeune fille inclina la tête en signe d'acquiescement. Donna Giacoma poursuivit :

– Je pense que vous devriez quitter la ville ensemble, par la porte la plus proche, la Porta di Murorupto sur le mur nord. Vous devriez vous tenir tout près pour quitter la ville au son de l'angélus quand la porte s'ouvrira.

Donna Giacoma parlait avec la précision d'un général déployant ses troupes, jouant avec la poignée de sa canne pendant que son esprit examinait les détails de son plan.

– Tes cheveux sont-ils très longs, mon enfant ? demanda-t-elle.

Amata souleva un coin de sa guimpe.

– Bien. Ils ne sont pas trop longs. Il est temps que tu redeviennes un novice. Les gardes civils se poseront moins de questions en voyant deux frères quitter la ville que si vous voyagiez séparément.

Ses yeux verts brillèrent.

– Bonaventure ne sait pas que nous sommes au courant de son projet, alors nous profiterons de l'effet de surprise. Nous agirons pendant que les frères seront couchés. Je doute que le ministre général ait déjà averti les gardes de la ville, mais les frères postés dans notre ruelle pourraient être plus vigilants que d'habitude. Amata, reste un jour ou deux à Saint-Damien avant de revenir ici. Quand Bonaventure découvrira que le frère Conrad s'est enfui, il rappellera ses sentinelles.

Elle se tourna vers Conrad, puis vers Amata, son visage exprimant tout à la fois la fierté et la peur, la colère et la tristesse que provoquait cette brusque rupture. Elle semblait épuisée mais déterminée. Levant son visage vers le ciel, elle pria :

– Mon Dieu, ne me sépare pas de mes enfants une fois de plus.

XXV

Amata s'accroupit derrière Conrad dans le portique d'une maison qui bordait la Piazza di San Francesco. La nuit avait une odeur de neige, de glace et de gadoue. Dans l'air sec, le moindre bruit – les rats trottinant dans les égouts à ciel ouvert, le vent faisant tinter les chaînes d'une affiche de marchand – se répercutait étrangement à travers les rues désertes. Elle aurait voulu s'appuyer contre l'ermite, pour se réchauffer, mais elle savait que Conrad préférerait qu'ils gèlent tous les deux.

À sa gauche, elle pouvait voir l'ensemble de la grand-place jusqu'à la basilique et, à droite, le portail fermé de la Porta di Murorupto, qui bloquait leur évasion. Amata et Conrad s'étaient levés dans l'obscurité du petit matin, lorsque les cloches de la basilique avaient convoqué les frères pour les matines. Ils étaient sortis furtivement de la maison de Donna Giacoma, les manuscrits une fois de plus attachés au corps d'Amata. À ce moment, ils n'avaient vu aucun signe de la présence des sentinelles de Bonaventure, mais le fait d'attendre l'ouverture de la porte augmentait la nervosité de la jeune fille. Elle frissonna, à la fois d'anxiété et de froid, tandis que le vent mordait ses pieds et ses chevilles. Elle sentit couler le long de son dos une goutte de sueur froide. Malgré ses mâchoires serrées, ses dents claquaient. Conrad se retourna, les sourcils froncés.

– L'angélus devrait avoir sonné maintenant, murmura-t-il.

Le temps doit s'écouler lentement pour lui aussi, pensa Amata. Même si le ciel resterait sombre encore quelque temps, chaque battement de son cœur semblait mesurer le passage d'une éternité.

Tout à coup, Conrad murmura quelque chose d'inaudible. Elle s'étira le cou pour voir par-dessus son épaule. Deux lanternes se balançaient dans la direction de la Via San Paolo, d'où Conrad et Amata étaient venus, et s'avançaient directement vers eux. Quelques pas encore et elle vit les silhouettes des frères qui les tenaient. Elle éprouva une soudaine envie d'uriner ; la peur lui serrait le ventre.

– Attends ici, dit Conrad.

Il posa par terre le sac de nourriture que la cuisinière de Donna Giacoma lui avait préparé pour son voyage.

– Prépare-toi à partir aussitôt que la porte s'ouvrira. Je te rejoindrai sur la route.

Avant qu'elle ne puisse répondre, il se leva et traversa la place sans tenter de se dissimuler, accélérant le pas si bien qu'il courait pratiquement lorsqu'il atteignit la basilique.

Qu'est-ce qu'il fait ? se demanda la jeune fille. Les lanternes tournèrent également vers l'église. Elle garda les yeux fixés sur le mur le plus sombre de la basilique, espérant le voir ressortir par une autre porte, comme elle l'avait fait le jour où elle avait rapporté les manuscrits de Saint-Damien.

Conrad s'était éloigné avant qu'elle ne puisse lui confier ses pensées. Elle avait voulu lui parler avant ce moment, mais avait craint de faire le moindre bruit qui aurait pu révéler leur présence. Elle avait décidé d'attendre qu'ils soient sortis de la ville, mais maintenant il était parti.

Elle avait déjà composé (et maintes fois modifié) son discours dans son esprit. Il se résumait ainsi : la laisserait-il retourner avec lui dans les montagnes après qu'elle aura ramené les manuscrits aux Pauvres Dames ? Sa vie chez Donna Giacoma avait été plus agréable que tout ce qu'elle avait connu depuis que Simone della Rocca l'avait arrachée au Coldimezzo, mais elle voulait être totalement libre. Et tout en sachant qu'elle serait incapable de prononcer ces paroles, ses sentiments pour Conrad s'étaient également affermis. Elle n'avait jamais connu un homme aussi attentif à son bien-être, bien qu'il n'utilisât pas les mots les plus tendres pour exprimer son sentiment et qu'il ne lui demandât rien en retour. Elle se rappela la douceur de ses lèvres quand elles avaient frôlé son front, sur le flanc de la montagne. « Un baiser d'adieu au cas où nous mourrions. » Amata avait envie d'un tel baiser en ce moment. Elle savait qu'elle ne pouvait espérer autre chose que de l'amitié de sa part. Elle avait des ressources qu'il ne possédait pas. Une fois qu'elle aurait appris comment survivre dans les montagnes, elle lui serait utile. Elle le libérerait de ses tâches pour qu'il consacre plus de temps à la contemplation. Elle construirait sa propre hutte à l'écart de la sienne, et ils vivraient ensemble, mais séparés, comme deux ermites, et il serait son directeur spirituel.

Les frères qui portaient les lanternes disparurent dans la basilique et la peur ramena brutalement Amata à la réalité. *Conrad! Où êtes-vous donc?*

Dans le campanile de la basilique, la cloche sonna trois fois. L'angélus enfin! Pendant qu'elle se redressait en gardant un œil sur le portier qui sortait de la guérite, elle pria avec plus de sincérité qu'elle ne l'avait jamais fait auparavant:

«L'Ange du Seigneur se présenta à Marie et lui parla.

Et elle conçut du Saint-Esprit.

Ave Maria, gratia plena, Dominus tecum…»

La cloche tinta trois autres fois et le gardien tira le lourd madrier qui barrait la porte. Toujours aucun signe de Conrad à l'extérieur de l'église.

– «Voici la servante du Seigneur;

qu'il m'arrive selon ta parole.

Ave Maria, gratia plena…»

Elle devait partir maintenant. La cloche allait sonner trois autres fois, pendant que le Verbe se ferait Chair et vivrait parmi nous, tintements suivis d'un troisième temps de silence pour le dernier *Ave Maria* et l'antienne, puis d'un carillon soutenu pendant que les fidèles de toute la ville, à demi réveillés, s'extirpaient de leurs paillasses.

Amata émergea de l'obscurité et marcha à pas feutrés vers la porte, mais la troisième série de carillons ne se matérialisa pas. Elle traversait le centre de la place quand elle vit le portier s'arrêter et lever la tête vers le campanile d'un air ébahi. Elle réalisait maintenant pourquoi Conrad l'avait quittée. C'était lui qui tirait le câble de la cloche et les frères aux lanternes l'avaient traqué ou, pis encore, capturé.

Le garde regarda la basilique, puis se tourna vers elle. Il tenait toujours le madrier entre ses bras. Il se retourna brièvement vers la porte pour remettre la poutre en place. Une lanterne émergea de la porte principale de la basilique en se dirigeant vers la guérite. Amata se trouvait emprisonnée dans la ville!

Au nord, à la lisière des maisons, une colline couverte de broussailles s'élevait vers la Rocca. Les remparts de la ville s'étiraient le long de la colline pour englober la citadelle, si bien que le mur nord de la Rocca formait également une section du mur de la ville. Amata se rua dans les broussailles. Elle espérait pouvoir se glisser entre les maisons et la forteresse, puis suivre le mur jusqu'à la basse-ville avant que les frères n'alertent les portiers à cette extrémité de la ville. Elle espérait également que le frère et le garde ne se lanceraient pas à sa poursuite. Elle savait qu'elle ne pourrait se cacher dans les broussailles. Grâce à leur lanterne, ils pourraient facilement suivre ses pas dans la neige.

Elle se trouvait encore à portée de voix de la place quand elle entendit une voix forte lui crier :

– Toi là-bas, le frère ! Halte !

Sans jeter un regard derrière elle, elle commença à courir, mais ses sandales glissaient sur la surface inégale des cailloux gelés sous la neige. Elle perdit pied et laissa échapper un cri pendant qu'elle glissait sur une courte distance vers le bas de la colline. Elle sentit son cœur battre dans sa poitrine pendant qu'elle se relevait et reprenait sa course.

– Je vais le poursuivre, cria une voix derrière elle. Tu coupes à travers la ville et tu surveilles ce qui ce passe en bas.

Elle fonçait à travers les buissons en espérant qu'elle pourrait distancer le vieil homme qui la poursuivait, ou du moins qu'il aurait autant de difficultés à avancer qu'elle en avait. Tout en courant, elle tentait de se retenir aux branches des arbustes pour conserver son équilibre et elle sentait la peau de ses mains se déchirer par endroits. Les bruits de pas derrière elle s'étaient éloignés suffisamment pour qu'elle sache qu'elle avait distancé le garde. Mais il la poursuivait toujours. Des jurons ou le tintement du métal trahissaient sa position lorsqu'il glissait. Devant elle, les premières lueurs de l'aube laissaient deviner la silhouette du mont Subasio.

À mi-chemin du sommet de la colline, elle se trouva devant une piste qui serpentait vers le sommet à travers les broussailles. Malgré la neige, la jeune fille reconnut la route de la Rocca. Elle s'arrêta un moment, pensant qu'elle sèmerait le garde si elle se dirigeait d'abord vers le haut de la colline puis changeait de direction. Les efforts de l'homme semblaient laborieux et la colline abrupte pourrait le décourager suffisamment pour qu'il abandonne la poursuite. Elle reprit sa course, mais s'arrêta presque immédiatement en entendant un staccato irrégulier sur le sentier au-dessus d'elle. Elle reconnut trop tard le son de sabots qui avançaient précautionneusement, car le cavalier émergea soudain de l'obscurité devant elle. S'il avait galopé à une vitesse normale, l'énorme cheval de bataille l'aurait renversée.

Elle se précipita de l'autre côté du sentier, mais le cavalier lui bloqua le passage.

– Attendez, frère, dit-il. La Providence vous a placé sur mon chemin.

Elle reconnut la voit gutturale de Calisto di Simone et s'arrêta brusquement.

Pendant un moment d'insoutenable tension, elle s'imagina que le gardien de nuit l'avait alerté, mais elle réalisa alors qu'il n'avait aucun moyen de connaître sa situation critique. Elle inclina la tête sous son capuchon et tenta de demeurer immobile, même si elle entendait les pas de son poursuivant qui se rapprochaient dans les broussailles.

– Es-tu un prêtre ? demanda Calisto. Mon père est mourant et doit se confesser.

Elle devait prendre rapidement une décision. Le garde allait surgir des broussailles à tout moment.

– Oui, *signore*, répondit-elle en rendant sa voix aussi grave que possible.

Elle n'avait pas parlé depuis qu'elle avait quitté la maison de Donna Giacoma et le son râpeux qui était sorti de sa bouche contribuait à l'illusion qu'elle voulait donner.

– Faites-moi monter derrière vous. Nous n'avons pas de temps à perdre.

Calisto libéra son pied de l'étrier gauche et lui tendit la main pendant qu'elle y insérait sa sandale. Il avait refermé ses doigts sur la main de la jeune fille et celle-ci remarqua que l'index de l'homme était demeuré rigide, inflexible. Elle se permit un sourire sinistre sous son capuchon pendant qu'elle grimpait sur la croupe du cheval. Ce doigt paralysé était une douce vengeance, mais elle savait que Calisto n'oublierait jamais la fille qu'il avait tenté de violer. L'espace d'un instant, elle envisagea de finir le travail, d'enfoncer son couteau entre ses côtes et de prendre son cheval. Mais elle serait toujours prisonnière à l'intérieur des murs de la ville et un moine sur un cheval de bataille attirerait certainement l'attention.

– Tiens-toi à ma ceinture, dit-il en éperonnant sa monture.

Elle le fit avec précaution, en souhaitant plutôt le saisir à la gorge. Du plat de la main, elle frappa le flanc de l'animal pour l'inciter à avancer encore plus rapidement. Elle éprouvait maintenant de la reconnaissance pour Donna Giacoma qui avait suggéré de sangler les livres autour de son buste, un devant et un derrière. Non seulement conservait-elle plus de souplesse, mais le livre contre son ventre séparait son corps de celui de Calisto. De plus, elle semblait probablement plus âgée grâce à cette protubérance.

Elle vit l'entrée sombre du château devant elle, flanquée de torches et béante comme une mâchoire vorace. *Prépare-toi à retourner en enfer*, fit une petite voix railleuse dans sa tête. Elle savait qu'elle tremblait de peur et non de froid, car la sueur commença à dégouliner sur ses côtés et sous ses seins malgré l'air glacial.

Qu'arriverait-il si Calisto découvrait son identité? S'il ne la décapitait pas d'un coup d'épée ou de hache de combat, elle serait emprisonnée et brutalisée à tout jamais. Elle éprouva la tentation soudaine de glisser de la croupe du cheval et de s'enfuir, mais elle n'avait pas besoin d'un guerrier déterminé sur ses talons en plus du garde. Elle devait jouer le rôle qu'elle s'était donné. Elle n'avait vu administrer l'extrême-onction qu'une seule fois, à la mort de son grand-père, *Nonno* Capitanio. Elle savait qu'elle devait donner le saint sacrement, et elle n'avait aucune huile à sa disposition. Pouvait-elle utiliser l'huile d'olive de la maison en marmonnant quelque bénédiction? Elle pourrait peut-être prendre prétexte de l'urgence de la situation pour éviter le rituel. Elle décida qu'elle allait proposer d'entendre la confession de Simone et prier Dieu d'inspirer ses actions par la suite.

– Penche-toi! cria Calisto pendant qu'ils entraient dans la cour dans un claquement de sabots.

La porte principale de la Rocca s'ouvrit et ils poursuivirent leur chemin à dos de cheval jusque dans le château. Ils suivirent plusieurs corridors jusqu'à ce qu'ils parviennent au grand hall. Elle glissa du cheval pendant qu'il mettait pied à terre et lançait les rênes à un serviteur. Plusieurs personnes tenant des chandelles étaient rassemblées autour d'un lit au milieu de la pièce.

Amata pouvait à peine croire que la silhouette blafarde et rabougrie enfouie dans les oreillers était son ancien tortionnaire. À l'exception d'un bras qui reposait hors des couvertures, il était recouvert du cou jusqu'aux pieds comme dans un cocon de draps. Elle marcha directement jusqu'à lui en prenant soin de garder son capuchon sur sa tête.

– Veuillez quitter la pièce et fermer les portes pour que je puisse entendre sa dernière confession, dit-elle.

– Il ne peut pas parler, dit Calisto. Il ne fait que murmurer des mots incompréhensibles.

Elle n'avait pas envisagé cette possibilité. Elle tourna les yeux vers la forme immobile.

– Est-il paralysé? Peut-il bouger sa main, ou même un doigt?

– Il est paralysé, mais seulement d'un côté.

– Alors je lui réciterai la litanie des péchés et il pourra répondre oui ou non en bougeant son doigt de haut en bas ou de droite à gauche.

Calisto acquiesça et escorta les autres hors de la pièce. Quand la porte se referma derrière eux et qu'elle se retrouva seule avec Simone, elle s'adressa à l'insecte sous les couvertures.

– Peux-tu m'entendre, misérable pécheur? commença-t-elle.

Une expression de terreur envahit les yeux enfoncés de Simone quand il tourna son regard dans sa direction.

– Oui, tu es en train de mourir. On m'a demandé de soustraire ton âme aux flammes de l'enfer. As-tu jamais fait de faux serments ou invoqué le nom de Dieu en vain?

Sa main bougea légèrement.

– Oui, bien sûr. Des milliers de fois, car je t'ai entendu de mes propres oreilles. Et n'as-tu pas déshonoré la Vierge Marie et ton épouse en commettant l'adultère, en abusant de tes serviteurs mâles et femelles et même de ta propre fille? Ne mérites-tu pas de brûler en enfer pendant l'éternité pour tes crimes?

La terreur se mêlait maintenant à la supplication dans les orbites creuses, mais Amata n'allait pas s'arrêter pour autant.

– N'as-tu pas assassiné Buonconte di Capitanio pendant qu'il priait dans sa chapelle au Coldimezzo, de même que son fils et sa femme Cristiana? N'as-tu pas réduit sa fille en esclavage? Ne l'as-tu pas soumise aux abus les plus pervers? N'essaie pas de nier tes péchés, Simone, car Dieu peut voir jusqu'au tréfonds de ton âme malfaisante.

Le vieux chevalier tenta de s'éloigner d'elle en se tordant sur son lit, mais elle lui saisit l'épaule et le retint. Elle repoussa son capuchon.

– Regarde-moi bien, dit-elle. Vois que je suis cette même Amata, Amata di Buonconte dont tu as ruiné la vie, et non un prêtre. Je n'ai aucun pouvoir de soulager ton âme, même si je le voulais. Ce soir même, tu danseras avec le diable en enfer, et chaque soir par la suite, pour l'éternité. Tu es damné, Simone! *Damné et condamné!*

Avec ce qui lui restait de forces, Simone tendit sa main valide vers la cloche qui se trouvait sur sa table de nuit, mais Amata lui saisit le poignet et le tint suspendu dans les airs. Elle pouvait sentir la force qui le quittait lentement.

– Quand j'ai vécu comme une prisonnière ici, dit-elle, tu étais comme une sangsue accrochée à mon cœur et qui aspirait ma vitalité. Enfin, la créature dégoûtante m'a quittée et elle est retournée à *ton* propre cœur où je prie qu'elle se rassasie jusqu'à ce que ton corps soit trop desséché pour la nourrir.

Le chevalier se mit à tousser et une traînée de salive dégoulina sur son menton. Les toussotements se firent plus intenses pendant qu'il tentait de libérer sa main, et le visage blême prit d'abord une teinte bleu-rouge, puis devint pourpre. Alors que son visage s'assombrissait, des poils blancs apparurent sur ses joues. Aux yeux d'Amata, ils ressemblaient à des étoiles surgissant dans un ciel obscurci. L'originalité de l'image la captivait, même si une partie de son esprit se rendait également compte que Simone ne parvenait plus à respirer. Dans cet état de fascination, elle tint fermement son poignet jusqu'à ce qu'il cesse de bouger. Puis, elle plaça le bras de Simone sur sa poitrine, prit son autre bras sous la couverture et le plaça sur l'autre.

– Espèce de bâtard ! dit-elle. Elle s'essuya les yeux du revers de la main pour assécher les larmes qui avaient surgi de manière inattendue.

– Tu as même volé l'anneau que *Nonno* Capitanio avait donné à mon père.

Elle tenta de retirer le lapis-lazuli de son doigt, mais sa main était trop rigide.

– Sale bâtard de voleur, tu n'étais qu'un lâche ! cracha-t-elle.

Elle mit la main sur le couteau attaché à son poignet avec l'intention de lui couper le doigt mais, à ce moment, la porte s'ouvrit. Elle recouvrit de nouveau sa tête de son capuchon et dit d'une voix sombre :

– Il est mort. Puisse son âme recevoir sa juste récompense.

Elle agita la main au-dessus du corps en prenant soin de ne pas former un véritable signe de croix de peur de le bénir par accident, et se dirigea vers la porte. Dans le corridor, Calisto avait adopté une posture qui convenait au nouveau *signore* de la Rocca Paida.

– Arrête-toi à la cuisine avant de partir, *padre*, dit-il en faisant signe à une servante de l'accompagner.

Amata connaissait par cœur le chemin de la cuisine, tout comme elle savait où menait chaque corridor dans ce labyrinthe. Combien de fois elle et sa maîtresse avaient-elles joué à cache-cache dans ces couloirs ? Combien de fois les avait-elle parcourus pour échapper à Simone et à ses fils ? À l'intersection de deux couloirs, elle laissa la servante aller plus avant pendant qu'elle retirait ses sandales et se dirigeait sur la pointe des pieds vers la droite. Elle devait atteindre le prochain tournant avant que la femme réalise qu'elle ne la suivait plus. Elle tourna à gauche, puis à droite, descendit un escalier et arriva à une entrée dans le mur nord du château. Elle enleva la barre qui la tenait fermée et l'ouvrit.

Elle était enfin en sécurité hors des murs de la ville ! Maintenant, elle pourrait facilement contourner Assise et, en demeurant à une certaine distance des remparts, protégée des regards par les bosquets, se rendre sans anicroche jusqu'à Saint-Damien. Elle rendrait les manuscrits et, si tout allait bien, elle trouverait Conrad. S'il avait réussi à s'enfuir, il se serait réfugié dans son ermitage. Elle allait l'y rejoindre et lui faire part de son projet.

Le jour s'était levé. Le ciel était bleu et clair, à l'exception d'un nuage noir qui flottait directement au-dessus de la Rocca. Pendant qu'elle l'observait, le nuage commença à dériver, d'abord lentement, puis de plus en plus vite, vers le sud. *Voilà son âme perfide qui se dirige vers l'enfer*, songea Amata. Elle imagina Simone se tordant au milieu des flammes, hurlant de douleur tandis que des légions de démons le transperçaient de leurs fourches brûlantes. *Merci, Seigneur*, pria-t-elle, *de m'avoir permis d'empêcher sa rédemption.*

Elle avait vengé la mort de ses parents, du moins en partie. Un jour, elle trouverait le moyen d'exercer une vengeance semblable contre Angelo Bernardone, le marchand de laine qui avait embauché Simone et ses deux fils sanguinaires.

XXVI

Le premier jour, Conrad demeura dans une cellule d'isolement, attendant que Bonaventure décide de son sort. Deux frères le fouillèrent et prirent son bréviaire et la lettre de Léon, sa pierre de silex et son couteau. Il avait laissé ses notes chez Donna Giacoma. Il avait également mémorisé la lettre de son mentor longtemps auparavant et il se sentait en fait soulagé d'être débarrassé de ses autres biens. Maintenant, il ne possédait plus que les vêtements qu'exigeait la modestie. Les frères lui laissèrent ses vêtements – la vieille tunique usée qu'il tenait à porter en quittant la maison de Donna Giacoma, et sa nouvelle bure qu'elle voulait qu'il porte par-dessus. Elle croyait que le gardien, à la porte de la ville, le laisserait plus facilement passer s'il était vêtu comme un frère conventuel. Toutefois, les frères prirent son manteau de laine et déchirèrent les capuchons de ses deux bures pour marquer sa déchéance.

La cellule souterraine sentait la terre humide fraîchement labourée. Il était heureux de posséder une deuxième bure parce qu'il ne pouvait marcher pour se réchauffer.

Une menotte de fer ancrée dans le mur lui entourait la cheville et un collier de cuir limitait les mouvements de la partie supérieure de son corps. Après quelques heures passées dans la pièce sans fenêtre, il avait complètement perdu la notion du temps. Il ne savait pas à quel moment du jour ou de la nuit les frères étaient revenus. L'un d'eux libéra sa cheville et l'autre le mena hors de la pièce au moyen d'une chaîne attachée à son collier. Il se souvint d'un festival des récoltes où il avait vu un ours conduit de cette façon pour être enchaîné à un poteau. Ainsi entravé, il devait combattre une meute de chiens féroces jusqu'à ce qu'il meure au bout de son sang à cause des nombreuses morsures. Peut-être était-ce ce souvenir qui engendra un pressentiment dans son cœur.

Conrad dut fermer les yeux en entrant dans la pièce éclairée. Comme il les rouvrait petit à petit, il entrevit un feu qui rugissait dans un coin et une inquiétante collection de pinces et de tisonniers, ainsi que des outils de fer de formes étranges à côté. Un troisième frère était penché au-dessus du feu. Ses geôliers l'avaient emmené dans une salle de torture ! Il eut tout à coup le sentiment que Bonaventure avait décidé de le marquer au fer rouge sur le front avant de le relâcher – un avertissement à l'intention des autres frères désobéissants. Au moment où Conrad entrait, le frère tortionnaire sortait un tisonnier des flammes et soufflait sur son extrémité rougie. De minuscules étincelles s'envolèrent du métal et l'extrémité du tisonnier prit une vibrante teinte orange. Et voici maintenant la serre du griffon, songea Conrad.

Les deux frères le menèrent jusqu'à un mur où ils lui menottèrent les chevilles et les poignets. Une des menottes lui pinça la peau d'une jambe en se refermant et il laissa échapper un cri involontaire. Sans se retourner, le frère tortionnaire dit :

– Comme l'aigle dit à la poule qu'il vient d'attraper : « Tu peux toujours crier, mais le pire reste à venir. »

Conrad connaissait cette voix, mais la dernière fois qu'il l'avait entendue, c'était celle-là même du supplicié. L'homme se retourna lentement et, dans la lumière vacillante du feu, l'ermite reconnut la tonsure blonde et les cicatrices qui recouvraient la moitié de son visage. La bouche tordue en un sourire pervers, Zefferino le toisait de son œil valide.

– Pas très agréable à voir, n'est-ce pas, frère ? Tu peux comprendre pourquoi j'ai demandé qu'on m'accorde ce poste de geôlier ici. Au-dessus du sol, ce visage ne suscite que répulsion et mépris.

Il fit signe aux deux autres de quitter la pièce.

– La torture est un nouveau métier pour moi. Je ne veux pas les dégoûter si je fais mal mon travail, expliqua-t-il à Conrad.

– Qu'as-tu l'intention de faire ?

Zefferino se tourna à nouveau pour attiser les flammes.

– J'ai l'intention de respecter l'ancienne loi : œil pour œil, dent pour dent.

Il tourna la tête et lança à Conrad un regard de pure méchanceté.

– Mais pourquoi?

– Pour t'être mêlé de ce qui ne te regardait pas. Croyais-tu pouvoir ignorer l'avertissement du ministre général sans en payer le prix? *Quando si è in ballo, bisogna ballare.* Quand tu te rends à la danse, tu dois danser.

– Zefferino, pour l'amour du ciel! supplia Conrad. Je t'ai confessé quand tu te croyais à l'agonie et je t'ai envoyé de l'aide à la chapelle.

Le frère ne répondit pas et Conrad poursuivit:

– Le Christ a ignoré la loi de l'Ancien Testament. Il l'a remplacée par une nouvelle loi d'amour et de pardon. «Pardonne à ton ennemi soixante-dix fois sept fois.»

Zefferino se redressa et souffla une dernière fois sur le tisonnier.

– Il a aussi dit: «Si ton œil droit est pour toi une occasion de chute, arrache-le et jette-le loin de toi.» Et ta vue parfaite m'offense terriblement, frère Conrad. C'est à cause de toi que je suis ce que je suis et à cet endroit aujourd'hui.

Pendant que le frère traversait la pièce, Conrad se remémora un épisode de la vie de saint François, à l'époque où les docteurs tentaient de guérir sa cécité en cautérisant les veines de la mâchoire aux sourcils. Même s'il avait peur, François implora son frère le Feu: «Sois bon pour moi en ce moment. Sois courtois. Diminue ta chaleur que je puisse la supporter.»

Conrad répéta la supplication en regardant le tisonnier.

Il sentit l'odeur du fer incandescent près de son visage, puis ferma les yeux. Une douleur foudroyante traversa sa paupière alors que le tisonnier brûlait sa chair. Il hurla malgré l'image stoïque de saint François qu'il tentait de garder à l'esprit.

– Tu peux te compter chanceux que je n'aie perdu qu'un œil, frère! cria Zefferino par-dessus les cris de douleur, juste avant que Conrad ne s'affaisse, inconscient.

❧

Orfeo n'avait jamais imaginé être si heureux de voir les remparts d'Assise. La dernière semaine de leur voyage avait été horrible. La neige s'accumulait à mesure qu'ils progressaient et les loups qui suivaient leur convoi en quête de nourriture devenaient de plus en plus audacieux. Une nuit, les Romains avaient perdu deux chevaux lorsque les animaux effrayés s'étaient libérés de leurs attaches et s'étaient enfuis du camp en entraînant la meute de loups à leur suite. Les loups n'étaient reparus que deux jours plus tard.

Les longues heures à dos de cheval l'avaient épuisé. S'il avait appris quelque chose pendant ce voyage, c'était qu'il préférait de beaucoup le dur banc de bois d'une galère à une selle de cuir. Au moins, le banc ne bougeait pas sans cesse. Le vieux pape avait été encore plus malmené que lui alors que son carrosse bringuebalait sur les pavés de la grand-route. Tebaldo se réjouissait des arrêts de nuit dans les villes et villages importants, où il pouvait marcher un peu et s'étirer tout en répondant d'un geste de la main aux vivats des gens et où il avait l'occasion de dormir dans un vrai lit.

L'entourage du pape avait atteint la porte sud-est d'Assise. Les villageois s'étaient rassemblés le long du mur sud. Dans les ouvertures des remparts crénelés, ils se penchaient et agitaient les bras tandis que des centaines d'autres arrivaient de la ville. Comme à chaque étape de leur voyage, les collines environnantes résonnaient des cris de « *Viva Papa* ! »

Au bas de la colline, sur sa gauche, Orfeo vit le couvent où vivaient les religieuses dévouées à l'œuvre de son oncle François. Une femme solitaire, portant une bure grise sous un court manteau noir, grimpait le sentier venant de Saint-Damien. Elle avançait à grands pas vers la route principale, se précipitant pour assister au spectacle.

Orfeo descendit de sa selle lorsque le carrosse du pape s'arrêta devant la porte. La foule s'écarta pour livrer passage à un homme vêtu en civil et à un frère. Le pontife descendit du carrosse pour aller à leur rencontre.

Orfeo devina qu'il s'agissait du maire de la ville et du frère Bonaventure, le ministre général que Tebaldo tenait en si haute estime. Il ne manquait que l'évêque d'Assise pour compléter le tableau.

Serrant d'une main la bride de son cheval, le jeune homme s'approcha pendant que les dirigeants laïques et religieux s'agenouillaient devant le pape et baisaient son anneau. Quand ils se relevèrent, Tebaldo s'entretint, surtout avec Bonaventure, de la réforme de l'Église et du concile œcuménique qu'il avait l'intention de convoquer une fois qu'il aurait intégré ses nouvelles fonctions. Le ministre général lui répondit que le palais vacant de l'évêque avait été préparé pour recevoir Tebaldo et qu'il souhaitait discuter avec le pape de la nomination d'un nouvel évêque. Il songeait à un excellent candidat, un frère de sa propre communauté. À ce moment, Tebaldo fit signe à Orfeo de s'approcher, et les deux hommes s'éloignèrent.

– Laisse-moi te bénir, mon fils, avant que tu ne prennes la route. Sache que je te serai éternellement reconnaissant de ton aide et, si jamais tu as besoin d'une faveur pontificale, tu n'auras qu'à la demander.

Orfeo s'agenouilla devant le pape dans la neige mêlée de boue. Tebaldo plaça les deux mains sur sa tête et pria en silence. Puis il prit Orfeo par les épaules et l'aida à se relever.

– Souviens-toi de ce que je t'ai dit. L'inimitié entre un père et un fils perturbe l'ordre naturel. Va maintenant et fais la paix dans ton foyer. Puisses-tu vivre longtemps dans l'abondance et dans la joie et puisse Notre-Seigneur t'accueillir en son sein à la fin de ta vie. Je me souviendrai toujours de toi.

Pendant la bénédiction du pape, la foule s'était rapprochée. Orfeo regarda autour de lui et vit que les gens le regardaient avec un respect qui frôlait la vénération. À n'en pas douter, la foule ne le reconnaissait pas comme un des siens, mais savait seulement qu'il était un favori du Saint-Père.

La femme au manteau noir se tenait devant la foule. Elle était jeune et jolie, et son visage lui parut vaguement familier, même si la plupart des femmes de cette région avaient les mêmes yeux sombres en forme d'amande. Elle aussi le regardait d'un air curieux. Il essaya d'imaginer de quoi elle avait l'air six ans plus tôt, mais il y renonça en réalisant qu'elle n'était rien d'autre qu'une enfant à cette époque – tout comme lui.

D'autres citoyens éminents s'avancèrent pour recevoir la bénédiction du pontife. Orfeo tira les rênes de son cheval et se fraya un passage à travers la foule pour atteindre la porte. Il remarqua que la femme l'avait suivi sur une courte distance, voulant peut-être entendre ce qu'il allait dire au portier. Elle semblait intéressée. Il profiterait de cette occasion pour se présenter à elle.

Le portier le salua.

– Prévoyez-vous demeurer chez nous un certain temps, *signore*?

– Je suis revenu chez moi. Je ne sais pas encore pour combien de temps.

Il éclata de rire devant le regard étonné du garde.

– Ne me reconnais-tu pas, Adamo? Je suis Orfeo di Angelo Bernardone.

– Mon Dieu, comme tu as grandi! répondit le garde. Tu n'étais qu'un gringalet quand tu es parti. Regarde-toi maintenant. Tu es devenu un homme.

Orfeo sourit et lança un regard désinvolte vers la femme. La férocité qui animait son regard alors qu'elle passait en coup de vent près de lui le laissa stupéfait.

❧

Pendant qu'elle grimpait vers la ville, Amata se représenta à nouveau le fils de Bernardone, Orfeo, qu'elle venait d'apercevoir à l'entrée de la ville. Son imagination bouillonnait. Le vieil Angelo souffrirait probablement davantage si elle tuait son enfant que si elle s'en prenait directement à sa personne. Elle se renseignerait auprès de Maestro Roberto pour savoir où vivait le clan. Elle inventerait un prétexte pour s'y rendre, peut-être un jour de marché, lorsque les Bernardone quittent leur maison pour venir vendre leurs produits. Pour sa propre sécurité, elle devrait détruire la famille tout entière, mais si elle se vengeait seulement sur cet Orfeo avant que quelqu'un ne lui retire le couteau de la main, elle pourrait mourir satisfaite.

L'euphorie qui avait habité Amata ces deux derniers jours, depuis qu'elle avait expédié Simone della Rocca en enfer, s'évanouit durant son retour chez Donna Giacoma.

– Il est entre les mains de Bonaventure, dit la vieille dame aussitôt qu'Amata fut entrée dans la maison.

Ses yeux verts reflétaient sa détresse. Pour la première fois depuis qu'Amata la connaissait, Donna Giacoma semblait découragée et elle paraissait son âge.

– Le jeune Ubertin est revenu la nuit dernière. Il a dit que les frères avaient capturé Conrad dans la basilique et l'avaient conduit dans les donjons.

Amata eut besoin d'un certain temps pour absorber le choc de ces nouvelles. Son esprit était encore rempli d'idées de vengeance contre Angelo Bernardone et son fils. Quand elle parla, sa voix était aussi triste que l'état d'esprit de la vieille dame.

– Je suis revenue pour vous dire que je voulais l'accompagner dans les montagnes.

Donna Giacoma hocha la tête et soupira.

– *Amor regge senza legge*, dit-elle. L'amour n'obéit à aucune loi.

Elle prit le bras d'Amata.

– Ça n'aurait jamais été possible, mon enfant. Où qu'il vive, soit-il libre ou prisonnier, Conrad n'appartient qu'à Dieu. Mais reste ici avec nous et sois patiente. Il pourrait encore être libéré.

Amata inclina la tête en signe d'acquiescement, même si elle avait à peine entendu ses paroles. Elle retira son bras de l'étreinte de Donna Giacoma et se rendit à sa chambre dans un état d'hébétement, s'étendit sur son lit et replia son bras sur son visage. Elle toucha l'arme sous sa manche en luttant contre le désir de pleurer. Il ne me reste que la vengeance, pensa-t-elle.

Son esprit retourna au Coldimezzo et, du parapet de la tour, elle entendit à nouveau la querelle entre son père et le marchand de laine. Elle se souvint de la manière dont les fils d'Angelo Bernardone s'étaient rassemblés autour de leur père pendant qu'il lançait ses imprécations et ses menaces. Tous sauf un, ce joli garçon qui avait suscité chez elle le rêve d'avoir des enfants. Le garçon était demeuré à l'écart de la dispute. Il avait fabriqué une marionnette avec une écharpe jaune et s'était tourné sur sa selle pour lui sourire – le même sourire suffisant qu'il venait de lui adresser à la porte de la ville.

Elle ne put retenir ses larmes plus longtemps.

– Pas lui? murmura-t-elle. Oh! papa, maman, Fabiano!… Est-ce lui qui doit payer?

Elle pleura jusqu'à ce que toute la tristesse ait quitté son cœur. Puis elle s'assit au bord de son lit et essuya son visage avec sa manche. Pendant que son cœur vide se pétrifiait dans sa poitrine, elle murmura son vœu:

– Qu'il en soit ainsi. Même lui.

Conrad luttait à chaque instant pour supporter l'atroce douleur. Je peux endurer la douleur tout ce temps, et même davantage, se répétait-il. Tout ce temps, et même davantage. Tout ce temps…

Il titubait derrière la torche de Zefferino, protégeant de la paume de sa main son œil mutilé. Il entendit le son d'une clé dans un cadenas et le geôlier souleva la grille qui menait à une cellule. Encore tremblant, Conrad descendit les marches froides. Dans la salle de torture, Zefferino avait attaché des bandes de cuir à ses chevilles et passé une chaîne à travers les anneaux des menottes. Une obscurité profonde s'installa autour de lui quand le garde eut refermé la grille et que la torche se fut éloignée le long du conduit qui servait de corridor dans ce monde souterrain. Il lutta pour demeurer conscient, mais il succomba finalement et glissa de nouveau dans le vide.

Quelque temps plus tard – il ne pouvait dire si des minutes, des heures ou des jours s'étaient écoulés –, il se redressa avec peine sur ses pieds. Il avait cessé de trembler, mais la douleur à son œil était épouvantable.

C'était une autre cellule que celle où il avait attendu plus tôt. Le plancher de cette pièce descendait à partir des marches jusque dans le recoin le plus éloigné, et le silence n'y était pas absolu. De l'eau dégoulinait du mur sur sa droite. Les mains tâtonnant le mur de pierre, il parvint à l'endroit où l'eau dégouttait et plaça son œil sous l'eau froide avec un sentiment de reconnaissance. L'ironie de la situation le frappa soudain : par le biais des mécanismes mystérieux de l'Esprit de Dieu, lui et Zefferino avaient perdu un œil et ni l'un ni l'autre n'y avait gagné quoi que ce soit. Tous deux s'étaient trouvés empêchés de remplir leur mission. Lui était devenu un véritable prisonnier, alors que Zefferino était virtuellement emprisonné. Pourtant, malgré cet important point commun, Zefferino insistait sur le fait qu'ils étaient toujours ennemis.

Il sentit une odeur nauséabonde provenant du coin le plus bas de la pièce et réalisa que l'eau s'accumulait à cet endroit et servait de latrines pour cette cellule, avant de s'écouler par un trou dans le mur. Mais si ces latrines dégageaient une odeur, il y avait sûrement quelqu'un qui les utilisait. Il tourna la tête et, de son œil valide, tenta de percer l'obscurité ambiante.

– Y a-t-il un autre prisonnier ici ? demanda-t-il.

Un bruit métallique résonna dans la pièce alors que se faisait entendre une voix faible qui ressemblait à un râle d'agonie.

– Pourquoi restes-tu ici, maman ? Pourquoi ne pouvons-nous pas partir ?

– Quel est ton nom, frère ? demanda Conrad.

La voix prit un ton chantant :

– Une haie d'arbres m'entoure, un coucou chante pour moi.

Conrad appuya de nouveau son visage contre le mur. L'eau se déversait sur sa joue et sur sa bure comme une chape de désespoir. Il savait qu'au cours des années de nombreux frères avaient été arrêtés en tant que schismatiques et hérétiques, condamnés à l'emprisonnement perpétuel, privés de livres et de sacrements. Les ministres craignaient tellement leur influence qu'ils interdisaient même aux frères qui leur apportaient de la nourriture de leur adresser la parole. Chaque semaine, le lecteur hebdomadaire relisait leurs sentences dans les chapitres des diverses confréries en laissant entendre clairement que tout frère qui réfléchirait à voix haute sur l'injustice de ces sentences partagerait le même sort. Conrad savait qu'il n'était pas un hérétique, mais Bonaventure pourrait le considérer comme un schismatique et se servir de ce prétexte pour rendre aussi son emprisonnement perpétuel. Combien de mois ou d'années allaient s'écouler avant qu'il ne devienne comme le fou pitoyable qu'il avait entendu au fond de la cellule ?

L'homme se remit à réciter un poème que Conrad avait appris dans sa jeunesse :

– Le navire quitte le port à la nuit tombée

Sous l'éclat de la lune argentée,

Ses voiles blanches gonflées.

Le navire quitte le port à la nuit tombée.

Conrad se troubla soudain en pensant reconnaître l'identité de son compagnon de cellule. Il éleva la voix et dit d'une voix hésitante :

– Jean. Jean. Il est temps de rentrer.

– *Vengo, mamma*, répliqua l'homme d'une voix enfantine. Je viens.

Le bruit des chaînes se rapprocha alors que l'homme comblait lentement l'espace entre eux. Quand il ne se trouva qu'à quelques pas de lui, Conrad vit la créature cadavérique, à demi nue, une silhouette pâle et spectrale qui oscillait dans l'obscurité. Le prisonnier aurait pu être un squelette rejeté par la mer sur les côtes, si ce n'avaient été ses longs cheveux blancs et sa barbe en bataille qui atteignait presque ses hanches. Conrad étendit la main et toucha les côtes de Jean.

– Pauvre garçon, dit-il. Tu as perdu ton manteau.

Des larmes salées poignardèrent son œil mutilé pendant qu'il retirait sa bure neuve et aidait l'homme à l'endosser. Puis il serra contre lui la pauvre créature desséchée et la berça comme il avait bercé Amata sur le flanc de la montagne, les deux hommes se balançant au rythme du bruit de leurs chaînes.

– *Mettisi il cuore in pace*, Jean. Rassure-toi. Maman va prendre soin de toi.

– Pourquoi ne pouvons-nous pas partir d'ici, maman? demanda l'homme de nouveau. Je n'aime pas cet endroit.

– Un jour, murmura Conrad d'une voix apaisante. Un jour.

Désireux comme il l'avait toujours été de voir l'intervention de Dieu dans toutes les situations, Conrad se remit à trembler à la vue du malheureux qui partageait sa cellule. Ce fut là l'effet troublant qu'eurent sur lui ces tristes retrouvailles avec le héros qu'il avait idolâtré autant que le frère Léon : Jean de Parme, le ministre général universellement vénéré démis de sa fonction.

XXVII

En arrivant au marché, Orfeo reconnut immédiatement les lieux qui avaient constitué l'univers de son enfance : le temple romain de Minerve, la Chiesa di San Niccolo qui faisaient face à la maison de sa famille. La place du marché avait été pavée de briques pendant son absence. Elles ecouvraient maintenant à demi les marches menant au temple et créaient une résonance inattendue sous les sabots de son cheval. Sur sa gauche, il voyait l'éventaire permanent de sa famille. La maison et l'entreprise familiales étaient idéalement situées au cœur de la ville ; la place du marché n'était qu'à quelques pas de l'entrepôt où les ouvriers de son père transformaient en laine les toisons qui arrivaient de toute l'Ombrie.

Orfeo guida son cheval autour de l'église jusqu'à la maison de pierre où il avait passé les quinze premières années de sa vie. L'endroit semblait étrangement tranquille. Probablement que la maisonnée et les travailleurs étaient partis en ville assister à l'arrivée du pape.

Il pénétra dans la cour, attacha son animal et prit une profonde inspiration. Lorsqu'il frappa à la porte, le son lui sembla creux dans le silence de la ville. Un serviteur qu'il ne connaissait pas lui ouvrit la porte : un homme grand et costaud qui devait se pencher pour le regarder. Il ressemblait davantage à un soldat qu'à un domestique. Le serviteur confirma que les frères d'Orfeo étaient partis.

– Alors, j'attendrai leur retour à l'intérieur. Je suis le plus jeune fils du sieur Angelo.

Le serviteur prit un air soupçonneux.

– Je croyais connaître tous les fils du *signore*. Si vous voulez parler à votre père, vous le trouverez dans son cabinet de travail. Je vais vous montrer le chemin.

– Ce n'est pas nécessaire. Je sais où il est.

C'était tout à fait le style de son père de compter son argent en laissant passer une occasion unique de voir un pape en personne. En fait, Orfeo était soulagé de pouvoir converser seul avec son père avant que ses frères ne reviennent. Ces retrouvailles seraient déjà assez difficiles sans leur présence.

– Je vous accompagne tout de même, répliqua l'homme d'une voix ferme.

Il croisa les bras sur sa poitrine, bloquant partiellement le passage d'Orfeo.

Orfeo haussa les épaules.

– Bien sûr. Il n'aimerait sûrement pas qu'un étranger surgisse dans son dos.

Son demi-sourire ne suscita aucune réaction. L'homme fit un pas de côté et ils traversèrent la maison jusqu'à l'aire de travail. Le cœur d'Orfeo battait à grands coups quand le serviteur lui ouvrit la porte du cabinet. Il essuya ses mains moites sur sa tunique.

Son père était assis à une table devant une fenêtre, le dos à la porte et des feuilles de parchemin étalées devant lui. Absorbé par son travail, il lança un regard furtif à Orfeo et au serviteur.

Angelo Bernardone avait été un homme robuste, comme son plus jeune fils, mais tant de décennies passées à son bureau l'avaient rendu obèse. La main potelée qui tenait la plume au-dessus du parchemin portait une pierre précieuse à chaque doigt, sans doute pour atténuer la douleur dans ses jointures. Il portait un brassard noir autour de sa manche.

– Vous faites de la comptabilité, papa, pendant que le pape est en ville ?

Orfeo espéra que la cordialité de son ton ne semblait pas trop forcée.

Son père grogna, le nez toujours enfoui dans son travail.

– C'est ce foutu système de comptabilité en partie double que les Florentins ont conçu.

Il semblait sur le point d'expliquer le système, mais s'arrêta et se tourna lourdement sur son tabouret.

– Qui es-tu donc ?

– Est-ce que j'ai changé tant que ça ? Je suis ton fils, Orfeo.

Il tenta de sourire malgré le découragement qui l'avait saisi. Il sentait déjà que sa tentative de réconciliation serait un échec total.

– Je ne connais personne de ce nom. Quitte ma maison.

Le serviteur posa la main sur son épée, mais Orfeo l'arrêta d'un geste.

– Papa, ce n'est pas facile pour moi non plus. J'ai fait tout ce chemin depuis Acre avec notre nouveau pape et je suis ici aujourd'hui parce qu'il a personnellement insisté pour que je fasse la paix avec vous.

La série de mentons d'Angelo Bernardone s'empourpra.

– Le pape lui-même, dis-tu? Et est-ce que cela devrait m'inciter à pardonner à un enfant ingrat qui a tourné le dos à son propre père et à ses frères? Souviens-toi que j'ai grandi dans la maison d'un fou que tous les habitants d'Assise considèrent comme un deuxième Christ. De toute évidence, les saints hommes m'impressionnent moins que toi. Non, voici la paix que je t'offre, Orfeo anciennement-de-la-famille-des-Bernardone. Écoute-moi bien. Tu ne feras jamais plus partie de cette famille. Si tu te maries, je déclare ta femme veuve et tes enfants, orphelins. Ton héritage ira à tes frères. Le seul refuge que je t'offre, ce sont les quatre vents. Je te remets aux bons soins des bêtes de la forêt, des oiseaux du ciel et des poissons de la mer.

Il se tourna de nouveau vers ses livres de comptes.

– Voilà ta paix. Hors de ma vue maintenant!

Orfeo en avait assez entendu et s'était suffisamment retenu.

– Ne craignez-vous pas l'enfer lui-même, vieil assassin? D'abord, vous et Simone della Rocca massacrez les gens du Coldimezzo et maintenant vous déclarez officiellement mort votre propre fils? Même le père du fils prodigue a fait abattre le veau gras plutôt que son fils.

Le visage du vieil homme pâlit.

– Ils n'ont pas tous été tués. Simone a épargné la fille.

Pendant un moment, il avait perdu son arrogance.

– L'enfant est toujours vivante? demanda Orfeo.

– Je ne sais pas. Je te dirais bien de le demander à Simone, qui en a fait une esclave de sa maison, mais il est mort il y a deux jours, répondit Bernardone en désignant son brassard.

– Ha! Je ne m'étonne pas que vous sembliez si effrayé. Vos péchés vous pèsent.

Et effectivement, le corps massif de son père semblait s'affaisser. La main du vieillard tremblait lorsqu'il posa sa plume. Orfeo se surprit à espérer qu'à défaut d'autres raisons la peur du jugement de Dieu favoriserait une certaine réconciliation.

Puis son père parla de nouveau de la même voix faible.

– Tu as entendu mes vœux à ton égard.

Pendant un moment, la tête de Bernardone s'inclina sur sa poitrine puis se releva soudain, les yeux fixés sur Orfeo sous ses paupières épaisses.

– Il y a une chose que j'avais l'intention de te laisser. Je vais te la donner maintenant parce que j'espère ne plus jamais revoir ton visage de traître de ce côté-ci du royaume d'Hadès.

Angelo saisit un anneau à l'un de ses doigts, le retira et le lança en direction d'Orfeo. L'anneau tinta en roulant sur le plancher de l'atelier.

– Donne-lui ceci, puis escorte-le jusqu'à la sortie, ordonna le vieux Bernardone à son serviteur.

L'homme ramassa l'anneau d'or et le tendit à Orfeo qui l'examina et frotta avec curiosité son pouce sur la pierre bleue. Il le glissa à son doigt, s'inclina légèrement en direction de son père puis, sans un mot, suivit le serviteur.

Le jeune homme secouait la tête tandis qu'il traversait le marché sur son cheval. Il fixait les pavés de brique, se demandant comment cette journée avait pu si mal tourner après qu'il eut reçu la bénédiction de Tebaldo. D'abord, il y avait eu la femme près de la porte de la ville, et maintenant son père qui venait de le chasser pour toujours de sa maison et refusait même de le reconnaître comme un être vivant. Pour la première fois, il réalisa pleinement les conséquences de la décision qu'il avait prise précipitamment six ans auparavant. Quand il avait refermé avec fracas la porte de la maison familiale, il n'avait pas songé que son père allait tourner la clé derrière lui.

La seule bonne nouvelle qu'il avait entendue depuis qu'il avait quitté l'entourage du pape était la possibilité que la jeune fille du Coldimezzo ait survécu. Si le nouveau seigneur de la Rocca l'avait gardée comme esclave, il pourrait en partie expier le crime de son père en rachetant sa liberté.

Il grimaça en constatant son humeur lugubre. Il avait à peine assez d'argent pour survivre pendant quelques semaines, et encore moins pour racheter une esclave. Son sac de marin contenait surtout des vêtements, et sa bourse, un peu d'argent. S'il ne trouvait pas bientôt du travail, il devrait mendier ses repas comme un frère itinérant.

Les gens de la ville envahissaient de nouveau les rues. Tebaldo devait être arrivé au palais de l'évêque. Orfeo souhaitait maintenant être demeuré auprès du pape. Il serait nourri et aurait fini par se retrouver dans quelque port de mer. Peut-être ferait-il mieux de se joindre de nouveau à Tebaldo et à sa caravane de chevaliers. Il s'était lié d'amitié avec quelques gardes du corps qui pourraient également lui être utiles une fois arrivé à Rome.

Piccardo, son frère cadet, le vit le premier. Il surprit même Orfeo en le reconnaissant immédiatement alors qu'il l'appelait par son nom de l'autre côté du marché. Puis il courut à sa rencontre pendant que le reste du clan continuait à marcher d'un même pas mesuré. Comme ils approchaient, Orfeo remarqua que les choses avaient peu changé en six ans : Dante dominait toujours les plus jeunes.

– Orfeo, dit l'aîné avec une brève inclinaison de la tête en arrivant à sa hauteur.

Il ne faisait aucun effort pour cacher son mépris.

– Adamo nous a dit que tu étais revenu en ville ce matin. Ne t'attends pas à ce que nous te recevions avec des cris de joie malgré les effusions infantiles de Piccardo.

– J'ai déjà parlé avec ton père, répondit Orfeo. Je suis sûr que tu partages ses sentiments. Comme toujours.

Il regarda fixement son frère dans les yeux. Il détestait ce qu'il allait dire, mais il le ferait calmement, sans détour.

– J'espérais obtenir quelque argent, suffisamment pour retourner à Venise, ou même un travail dans l'atelier jusqu'à ce que j'aie accumulé assez d'économies.

– Alors tu ferais mieux de trouver du travail. Ailleurs.

Dante inclina la tête de nouveau et reprit sa marche, attirant les autres hommes de la maisonnée dans son sillon. Seul Piccardo demeura derrière, incertain de la direction qu'il devait prendre.

Orfeo écarta les doigts pour montrer l'anneau à son frère.

– Papa m'a donné ceci. Dommage que la pierre soit si égratignée. Quelque riche *padrone* aurait pu m'en donner quelque chose. Tu vois, Piccardo ? Il ne reste que les os pour ceux qui osent quitter le banquet pour aller uriner.

Son frère secoua la tête. Ses yeux bruns suivirent Dante jusqu'à ce que sa silhouette imposante disparaisse derrière l'église.

– Qu'est-ce qui se passe ? demanda Orfeo.

– Ne porte pas cet anneau, dit Piccardo. Il causera ta mort.

– Qui me tuera ?

– Je ne sais pas. Cet anneau a une histoire. Seuls les membres de la confrérie de papa peuvent le porter. C'est tout ce que je sais. La confrérie a juré de tuer immédiatement quiconque sera vu avec cet anneau. Mais je ne sais pas qui sont les autres membres de sa confrérie.

Orfeo éclata de rire devant l'air solennel de Piccardo.

– Ça pourrait être grave, dit-il avec un sourire cynique. Joli cadeau de la part de notre père, n'est-ce pas ? Je me demande s'il ne l'a pas tout simplement enduit de poison.

– Ne ris pas, Orfeo. C'est très grave.

Orfeo glissa l'anneau dans sa bourse.

– Je te remercie, mon frère, de te préoccuper de mon sort. L'anneau est caché maintenant. De toute façon, il est trop grand pour mon doigt.

Il grimpa sur son cheval et sa mâchoire se serra.

– Je te reverrai dans le *mercato* si je ne meurs pas de faim d'ici là.

Piccardo saisit la bride du cheval. Il semblait hésiter à laisser partir Orfeo.

– Domenico, le marchand de tissus, cherche quelqu'un pour conduire une expédition commerciale en Flandre. Tu aimes voyager et tu connais la différence entre le samit et le damasquin.

– Le vieux concurrent de papa ? Ça me parait une bonne idée.

– Il se pencha et donna une tape sur l'épaule de son frère.

– Ne t'inquiète pas, Piccardo. Je ne resterai pas dans les parages pour te mettre dans l'embarras ou mettre notre père en colère, dit-il en tendant le bras. Que la paix soit avec toi, comme avait l'habitude de dire oncle François.

Piccardo lâcha la bride et empoigna le bras de son frère.

– Et qu'elle soit avec toi aussi, Orfeo. Je le pense vraiment.

❧

En quelques semaines, le monde extérieur sembla s'évanouir, comme aspiré par le passé, dans le marécage lointain des souvenirs de Conrad. Comme l'homme agonisant qui voit défiler sa vie devant ses yeux, son esprit, les premiers jours, avait été submergé de souvenirs de Léon, de Giacomina et d'Amatina. Il avait eu un sourire amer quand les noms familiers des deux femmes avaient surgi dans ses pensées. Quand il était à l'extérieur, il se tenait soigneusement à distance d'elles, et maintenant, elles lui semblaient plus proches que jamais. Et chaque jour, il se récitait le message de Léon pour ne pas l'oublier, bien que son importance commençât à lui échapper.

La plupart du temps, il pensait à Rosanna. Une multitude de souvenirs d'enfance venaient peupler son esprit, mais bientôt il en vint à ne plus distinguer ceux qui étaient vrais de ceux que lui suggérait son imagination. Il se demanda si elle apprendrait même qu'il avait été emprisonné, ou s'ils s'étaient vraiment séparés pour toujours. Donna Giacoma ne connaissait pas l'existence de Rosanna, et Amatina n'avait aucune façon de communiquer avec elle, même si elle réussissait à s'enfuir d'Assise. Pour Rosanna, ce serait comme s'il avait glissé du rebord de la terre.

Il comptait les jours au fil des repas. La nourriture semblait constituée des restes de la collation du midi des frères et il devina que le garde les faisait descendre dans la cellule après none, chaque après-midi, bien que la pièce demeurât aussi obscure qu'à l'habitude. Quotidiennement, les deux prisonniers recevaient chacun dix morceaux de pain, un oignon, deux bols de bouillon qui contenaient parfois un ou deux morceaux de légume, et une pomme ou une poignée d'olives. Conrad cacha l'oignon et une partie du pain pour plus tard dans un panier sur le mur, hors d'atteinte des rats qui nageaient jusqu'au donjon par les latrines. Puis lui et Jean buvaient leur bouillon. Conrad prenait quelques petites bouchées de sa pomme et donnait le reste à son compagnon d'infortune. Le jeune ermite maigrissait, mais il espérait qu'ainsi Jean prendrait du poids.

Un après-midi, peu après son incarcération, il constata que chaque bol contenait un cube de porc.

– Que nous vaut cette générosité? demanda Conrad à travers la grille.

Comme son geôlier ne lui adressait jamais la parole, il ne s'attendait nullement à obtenir une réponse. Mais ce jour-là, Zefferino grogna «*Buon Natale*» avant de repartir pour nourrir les autres prisonniers.

Noël? Déjà? Conrad avait plus ou moins compté les jours dans sa cellule, mais il avait perdu le compte des dates. À Greccio, les frères devaient être dans leur grotte aujourd'hui, agenouillés devant la scène de la nativité. Il se représenta les habitants du petit village grimpant le sentier cahoteux, chandelles à la main, pour voir l'âne et le bœuf, et le *bambino* vivant étendu sur la paille. Les frères et les gens du peuple s'unissaient aux Mages pour présenter quelques modestes cadeaux illustrant leur dévotion envers le Christ enfant.

Conrad soupira, déçu de n'avoir aucun cadeau à offrir cette année. Il regarda Jean qui s'était roulé en boule sur le plancher de terre glacial. Les paroles du Christ lui revinrent à l'esprit : J'avais faim et tu m'as nourri. Il avait une seule chose à offrir. Il prit le morceau de viande dans son bol et le mit dans celui de son compagnon de cellule.

– *Buon Natale*, Jean, dit-il en déposant le bol sur le sol près de lui.

À partir de ce moment, Conrad commença à creuser des trous dans le mur pour marquer le passage des jours.

Chaque matin, ou ce qu'il déduisait être le matin en entendant les pas de Zefferino au-dessus de leur cellule, Conrad récitait tout haut une messe dont il ne pouvait se souvenir en totalité. Petit à petit, Jean commença à répéter avec lui des fragments de psaumes et de prières alors que les répétitions atteignaient des coins longtemps inutilisés de sa mémoire. Conrad en tira du courage. Après chaque repas, il disait :

– Maintenant, nous devons payer notre Divin Hôtelier avec la seule monnaie que nous possédions.

Ensemble, ils récitaient cinq *Pater Noster*, ou dix *Ave Maria* ou *Gloria Patri*, ou d'autres prières familières dont Conrad savait qu'elles devaient se trouver quelque part dans la mémoire de l'ancien ministre général.

Parfois, pour se réchauffer, ils terminaient leurs repas et leurs grâces par une danse. Ils sautillaient en clopinant comme des chevaux entravés, tapant des mains et faisant cliqueter leurs chaînes. Conrad dirigeait les chants. Il évitait volontairement les chansons enfantines du type de celle qu'avait chantée Jean la première journée. Il pouvait chanter une parodie populaire en latin qu'il avait apprise à l'université ou un des hymnes plus entraînants tirés de la liturgie. Il espérait ainsi réveiller progressivement chez son compagnon les souvenirs du début de sa vie adulte. Avec l'aide de Dieu, le vieil homme pourrait en venir à rassembler ses souvenirs jusqu'à aujourd'hui, ou du moins jusqu'au moment où la mémoire avait cessé d'avoir de l'importance à ses yeux.

Environ deux semaines après Noël, Zefferino parla de nouveau. C'était peu, tout juste assez pour étonner et encourager Conrad. Lui et Jean venaient de terminer de danser et de chanter le *Cantique du frère Soleil* de saint François quand il entendit une troisième voix chanter doucement là-haut. À la fin du cantique, Zefferino s'éloigna. Conrad haussa les épaules à l'adresse de Jean, qui lui renvoya un sourire espiègle, puis mit un doigt sur ses lèvres et roula des yeux. Le ministre général ne demandait plus quand ils allaient partir.

L'œil de Conrad ne le faisait pratiquement plus souffrir, bien que par moments une douleur aiguë et lancinante le saisît. Toutefois, il ne croyait pas que l'œil se soit infecté et il en remerciait le ciel. Les nuits où la douleur revenait, il se tordait sur le sol. S'il dormait, ses rêves étaient peuplés de cauchemars où s'entremêlaient des tortionnaires, des scènes d'enfer et des mers tumultueuses.

Une de ces nuits, vers la fin de janvier, le bruit de l'eau s'écoulant des latrines se répercuta dans ses oreilles comme un torrent puissant. Il pensa que la pluie tombait violemment à l'extérieur ou, peut-être, que la neige avait commencé à fondre en gonflant le ruisseau, ou que sa perspective déformée, quelque part entre le sommeil et l'éveil, en exagérait la force. La cellule semblait trembler et il rêva qu'il se tenait agrippé au mât d'un navire battu par des vagues immenses. Des cris de terreur montaient de l'équipage impuissant. Tout autour du navire, des monstres marins sautaient dans les airs en regardant les misérables humains d'un air vorace avant de disparaître. Soudainement, ils se rassemblèrent et se ruèrent sur Conrad, formant une meute de fantômes grouillants aux orbites enflammées et aux dents grinçantes dans des gueules écumantes. Ils le jetèrent sur le pont du navire et se précipitèrent sur lui, lui mordant les chevilles et le visage. Alors qu'il tentait de les repousser, il comprit que ce n'était plus lui qui luttait ainsi, mais son père noyé. Il s'assit brusquement et émit un cri de terreur. Deux rats s'enfuyaient vers les latrines.

À son tour, Jean se réveilla en sursaut et commença à pleurer doucement.

– Je vais bien, dit Conrad quand son cœur eut repris son rythme normal. Les démons m'ont beaucoup malmené cette nuit, mais ils sont partis maintenant. Rendors-toi mon petit.

Certains jours, son œil ne le faisait pas trop souffrir et le froid lui semblait tolérable. Jean dormait la plupart du temps et Conrad profitait de ces moments de quiétude pour s'adonner à la contemplation. Une fois qu'il était débarrassé de la nécessité de subvenir à ses besoins, de résoudre l'énigme de Léon, de faire face aux émotions qui le tiraillaient sans cesse, sa prière atteignait une profondeur qu'elle n'avait jamais égalée dans son ermitage. Aucun son ni aucune image ne le distrayait ; l'obscurité du dehors et celle qui l'habitait semblaient se fondre en une seule noirceur, son corps n'étant devenu qu'un mince voile qui flottait entre elles à chaque respiration. Parfois, même ce léger mouvement cessait quand sa respiration s'arrêtait pendant de longs moments.

Le premier jour de février, l'église célébrait le rituel de purification de la mère de Jésus auquel devaient assister toutes les femmes juives qui avaient enfanté. Conrad médita à propos du vieux Siméon qui avait attendu pendant des années la venue du Messie à la porte de la synagogue. Après avoir tenu l'Enfant Jésus dans ses bras pendant un instant, Siméon rendit grâce à Dieu et dit : « Maintenant, Seigneur, Tu laisses aller ton esclave en paix selon Ta parole, car mes yeux ont vu Ton salut. »

Quelle douceur avait ressenti le vieux prophète ! Ému par cette image, Conrad adressa avec ferveur une prière à la Vierge, lui demandant d'obtenir cette grâce de son Fils : qu'il puisse un jour, pendant un seul instant, ressentir la même joie que Siméon lorsqu'il tenait le Messie nouveau-né dans le creux de son bras. Pendant qu'il priait, l'obscurité se changea progressivement en une douce lumière bleutée dont l'intensité augmenta jusqu'à devenir plus brillante que le soleil. Il eut l'impression d'être revenu sur sa montagne, car il se retrouva dans un bosquet d'arbres à l'écorce blanche, entouré de chants d'oiseaux. Il vit venir vers lui à travers les arbres une paysanne aux pieds nus qui portait un enfant. Elle avançait précautionneusement et, sans un mot, lui offrit l'enfant. Ses bras tendus tremblaient, mais le sourire de la femme le rassura. Il prit l'enfant emmailloté et le tint contre sa poitrine. Avec une douceur infinie, il pressa ses lèvres contre la joue du nouveau-né. Il lui sembla que son âme allait se dissoudre tant était profond le sentiment d'extase qui se propageait en lui. Comme à la Portioncule, un puissant tressaillement lui traversa l'échine, mais cette fois, il atteignit sans obstacle la base de son crâne où il éclata en une explosion de lumière dorée qui fusa à travers sa tête. L'énergie palpitait derrière ses globes oculaires et, bien qu'il essayât d'ouvrir les paupières, il ne le pouvait pas. La lumière dorée continua de s'étendre au-delà des limites de son corps, se mêlant à la lumière bleue à l'extérieur. Le rideau de sa chair, les arbres, le chant des oiseaux, tout s'évanouit dans ce flamboiement. Rien d'autre que cette lumière, à l'intérieur, à l'extérieur, puis finalement plus aucun intérieur ou extérieur. Ses forces le quittèrent et il glissa sur ses talons en se disant qu'il allait sûrement s'évanouir de joie.

Quand il reprit finalement ses sens, il était toujours à genoux. La fille et l'enfant avaient disparu. L'obscurité remplissait la pièce comme auparavant, mais la lueur d'une lanterne vacillait au-dessus de sa tête. La grille s'ouvrit et il entendit des pas lents descendre les marches de pierre. Puis le geôlier s'approcha de l'ermite et s'agenouilla devant lui.

– Pardonne-moi, frère Conrad, dit Zefferino. Je ne savais pas que tu étais l'un d'eux. La lumière qui émanait de ta cellule dans le corridor…

Il s'interrompit, incapable d'exprimer davantage ses regrets.

Il entendit derrière lui les chaînes de Jean remuer sur le sol. Attiré par la lueur de la lanterne et les voix, il rampait vers les deux hommes.

Zefferino posa sa lanterne sur le sol et ouvrit les mains. Dans la lumière vacillante, les trois hommes se tinrent par les mains. Pendant plusieurs minutes, ils demeurèrent agenouillés en silence, trois hommes malmenés par le sort : le vieux roi mendiant de Parme flanqué de ses valets borgnes.

– Rendons grâce à Dieu, murmura finalement Conrad, pour les événements qui ont lié nos destins.

Il savait qu'ensemble ils auraient la force de vaincre cette épreuve.

SECONDE PARTIE

IL POVERELLO
DI CRISTO

XXVIII

Fête de saint Polycarpe
4 février 1274

Neno se tenait immobile sur le banc usé de sa charrette à
bœufs, silencieux et solide comme un roc. Penché sur ses
rênes, il tournait le dos aux vents sauvages qui soufflaient des
Alpes, le poussant vers l'Ombrie et son foyer. À titre de
charretier principal, il avait pris la tête de la caravane, une
tâche assez simple en fin de journée alors que les roues de
nombreux véhicules indiquaient déjà clairement la direction
de la route. La situation était différente certains matins, en
particulier après qu'une nuit neigeuse eut recouvert les
ornières des plaines d'argile sous de nouvelles congères. Ces
jours-là, le négociant lui-même devait aller au-devant sur son
cheval et parcourir en diagonale la largeur de la route en
définissant les limites à l'aide des empreintes de sabots.

Le marchand de tissus a bien fait d'embaucher cet Orfeo,
pensa Neno, *un homme qui comprend ce que signifie le dur
travail, qui boit comme un Turc avec les charretiers, intrépide
sur la route, mais toujours préoccupé du sort des hommes et des
bêtes qui lui ont été confiés.* Et doté d'un regard d'aigle par-
dessus le marché ! Après deux mois passés à la foire de la
Saint-Rémi à Troyes, il n'avait pas seulement vendu tous les
produits du sieur Domenico, mais il avait aussi rechargé
les mules avec lesquelles ils étaient venus et ajouté deux autres
charrettes remplies à craquer. De nombreux marchands
flamands avaient mordu la poussière en essayant de
marchander avec lui.

Alors que la caravane défilait sous la ville forteresse de
Cortona au début de l'après-midi, Orfeo chevaucha jusqu'à la

hauteur de Neno et montra du doigt la citadelle au sommet de la montagne.

– Un autre endroit célèbre dans l'histoire de mon oncle, dit-il. C'est là que le ministre général exilé, le frère Élie, est allé finir ses jours. C'est également là que l'évêque d'Assise, Illuminato, vivait avant son accession à cette fonction.

Neno hocha la tête sans émettre de commentaire. Les affaires de l'Église l'intéressaient beaucoup moins que le paysage que traversaient ses bœufs en direction du minuscule village de Terontola où on prévoyait passer la nuit. À demi aveuglé par les rafales de neige, il frissonna en jetant un regard sur les petites fermes en ruine. Non seulement le dur hiver avait fait mourir de froid de nombreux animaux des métayers, mais le mélange de vent, de neige et de givre avait également gelé les plants de vignes et brisé les branches des arbres fruitiers. À certains endroits, la glace et le givre avaient fendu des troncs d'arbres de la cime aux racines ; la sève coulait de leurs blessures et de nombreux arbres s'étaient asséchés. *Porco mondo !* grommela-t-il. Son souffle s'évaporait dans le vent en volutes blanches. *Dieu merci, nous ne sommes qu'à quelques jours d'Assise.*

En pénétrant sur la grand-place de Terontola plus tard ce jour-là, Neno aperçut une douzaine de carcasses pendues à des poutres qui se balançaient dans le vent comme autant de fanions gris. Le spectacle était courant dans toute la Toscane. Mus par la faim, les loups s'aventuraient la nuit dans les petites villes non fortifiées à la recherche d'animaux domestiques et d'enfants. Les citoyens piégeaient les charognards et les pendaient sur les grand-places comme des pillards humains à titre d'avertissement pour leurs semblables.

La caravane s'arrêta finalement et les hommes d'armes prirent position sur les côtés.

– Une autre journée de passée, Neno, dit une voix derrière lui. Je te promets que nous allons boire jusqu'à nous noyer quand nous serons à la maison.

Neno avait aperçu du coin de l'œil la barbe noire du négociant.

– Bonjour, maître Orfeo, dit-il. Les gardes civils devront nous tirer des ornières au matin, sinon nous ne nous rendrons jamais à destination.

❧

Amata rapprocha sa chaise du feu. Pour se garder au chaud pendant la nuit glaciale, elle portait encore ses vêtements du jour et s'était emmitouflée dans une épaisse cape d'hiver. Elle ramena sous elle ses pieds chaussés de mules et, pour la centième fois peut-être, prit plaisir à se remémorer le matin où Conrad était assis devant elle au même endroit, écoutant les gouttes de pluie qui s'évaporaient dans les flammes comme le faisait maintenant la neige. Malgré les multiples interventions de Donna Giacoma auprès du frère Bonaventure, son ami était emprisonné depuis plus de deux ans. Fatiguée de ces supplications, la vieille dame avait finalement abandonné la partie lorsque le ministre général avait quitté Assise pour aller exercer ses nouvelles fonctions de cardinal d'Albano et de conseiller auprès du consistoire pontifical qui étudiait la réforme ecclésiastique. Les frères affirmaient que le pape Grégoire avait également demandé à Bonaventure de participer à la préparation du concile œcuménique qui se tiendrait à Lyon l'été suivant.

L'été serait le bienvenu. Depuis sa naissance, dix-neuf ans plus tôt, Amata ne pouvait se souvenir d'un hiver aussi cruel que celui-ci. Les pèlerins qui venaient à Assise et logeaient fréquemment chez Donna Giacoma racontaient avec force détails horribles comment les voyageurs qui s'exposaient aux blizzards le faisaient au risque de perdre des doigts et des orteils, et parfois leur vie, s'ils se trouvaient coincés dans la tempête, loin d'un refuge. Des pèlerins avaient touché de leurs propres mains les corps gelés de cavaliers et de leurs chevaux. Certains d'entre eux avaient empilé les cadavres comme du bois de chauffage sur leurs charrettes et les avaient transportés, couverts de neige, jusqu'au monastère voisin. Le sol gelé avait empêché les pèlerins de les enterrer sur place et aucun de ces bons chrétiens n'aurait souhaité être inhumé dans un sol non consacré.

Un soir particulièrement triste de janvier, devant toute la maisonnée rassemblée autour de son lit, Donna Giacomma était morte. Alors qu'elle approchait de sa fin, ses faibles prières pour son repos éternel se transformèrent en un râle d'agonie ; le râle devint de plus en plus faible pendant que son corps résistait une dernière fois, puis il cessa complètement. Amata aurait souhaité que le frère Conrad fût présent pour refermer les paupières sur ces yeux verts sans vie mais, en fin de compte, elle dut accomplir elle-même ce triste devoir.

Les hommes de la maison s'étaient retirés sans bruit de la pièce pour qu'Amata et les servantes puissent commencer leurs lamentations. Ces femmes dociles avaient déchiré leurs guimpes bleu ciel et arrachaient leurs cheveux. Elles avaient déchiré les coutures de leurs manteaux de laine noire et s'étaient griffé le visage et les bras avec leurs ongles. Formant un cercle, elles avaient marché dans la pièce en se frappant la tête de leurs poings et chanté une mélopée funèbre racontant l'histoire de la mort de Donna Giacomma avec force gémissements. Ces gémissements éplorés accablaient Amata; son cœur et sa gorge s'étaient noués et la douleur lui tenaillait le ventre. Les femmes avaient retiré le tissu qui recouvrait la fenêtre et, à chaque tour qu'elles faisaient, l'une d'entre elles sortait la tête dans l'air froid de la nuit en hurlant la funèbre nouvelle à la ville entière et aux cieux. Le chant funèbre se poursuivit pendant deux jours, jusqu'au matin des funérailles de Donna Giacoma.

Les frères du Sacré Couvent avaient honoré la vieille aristocrate en ensevelissant son corps sous la chaire de l'église inférieure. Amata avait demandé que, dans la mort, Donna Giacoma puisse reposer près de son ami le plus cher dans la vie, le frère Léon. Elle commanda également une plaque de marbre rouge qui devait être placée au-dessus du tombeau. À la suggestion du frère Bernard de Besse, qui agissait comme porte-parole de Bonaventure en son absence, elle demanda qu'on inscrive simplement sur la plaque : *Hic jacet Jacoba Sancta nobilisque romana*, Ici gît Jacoba, une sainte et noble femme romaine. En un dernier hommage, elle avait financé la réalisation d'une fresque qui représenterait la dame dans sa bure de tertiaire. Le frère Bernard l'avait informée qu'un artiste de talent, le florentin Giovanni Cimabue, avait déjà été mandaté pour décorer l'abside de l'église inférieure.

Pendant ce temps, Amata avait d'importantes décisions à prendre, décisions qui la rendaient insomniaque et la contraignaient à demeurer assise à fixer le feu pendant que le reste de la maisonnée dormait. Elle glissa de sa chaise pour s'asseoir par terre, plus près des flammes qui luttaient pour réchauffer la pièce. *Sa* pièce, dans sa maison.

La lecture de la lettre de manumission de Donna Giacoma, qui affranchissait ses serviteurs de leurs engagements, et le legs à Amata d'un héritage considérable (« pour le bien de mon âme et pour une fin pieuse, et parce que cela semblerait méritoire aux yeux de Dieu ») n'avaient causé aucune surprise. Le choc était venu plusieurs semaines auparavant, lorsque la vieille dame avait fait venir Amata dans sa chambre et lui avait expliqué ses intentions. Même maintenant, en se souvenant de la générosité de Donna Giacoma, elle était encore au bord des larmes. Elle avait l'impression d'avoir perdu sa mère à deux reprises, une fois aux mains d'assassins et une fois à cause de la vieillesse.

Donna Giacoma avait aussi murmuré un avertissement à Amata.

– Les dames nobles célibataires ont peu de contrôle sur leur destinée, dit-elle. Si tu étais une puissante reine veuve comme Blanche de Castille, ou la femme d'un artisan qui hériterait de son atelier, de ses outils et de ses apprentis, ou même une paysanne qui reprendrait les champs de son défunt mari, tu pourrais peut-être vivre et travailler en paix. Mais les hommes de la famille de mon mari ne t'accorderont pas ce luxe. Aussitôt que la rumeur de ma mort parviendra à Rome, ils essaieront de confisquer tout ce que je te donne. Ils ne m'ont laissée tranquille que parce que j'avais des héritiers mâles et, après la mort de mes fils, à cause de mon âge, dit-elle en émettant un faible rire. Ils espéraient depuis longtemps que je leur rende le service de mourir.

Puis la vieille femme avait alors empoigné la manche d'Amata, ses doigts marbrés agrippant le tissu avec une force étonnante.

– Dans quelques semaines, tout le monde connaîtra ta bonne fortune. Les prétendants se précipiteront vers toi comme des abeilles vers la ruche. Tu dois te marier bientôt, Amatina, si tu veux protéger ton héritage des Frangipani.

❧

Ah! ces listes! Il était étrange qu'un exercice aussi simple que de dresser des listes – de tout et de rien – redonne finalement toute sa vigueur à l'esprit de Jean de Parme. Depuis la fête de la Présentation deux ans plus tôt, lorsque cette merveilleuse lumière avait envahi leur cellule, le frère Jean avait lentement mais sûrement rejoint le monde des vivants. Avec tout l'émerveillement d'un jeune enfant qui apprend pour la première fois le nom des choses et les mouvements, les couleurs et les odeurs, il avait commencé à retrouver ses souvenirs. À la grande joie de Conrad, il était également devenu très loquace et faisait de fréquents détours à travers les galeries longtemps abandonnées de sa mémoire.

La première fois qu'il surprit son compagnon de cellule à réciter une de ses litanies, ils venaient tout juste de terminer leur soupe quotidienne.

– Je viens de me souvenir d'un repas aussi clairement que si je l'avais pris hier, frère Conrad. Plusieurs de mes frères et moi-même dînions avec le roi de France. Nous séjournions dans un monastère de Sens pour un chapitre provincial. Mais quel repas… il comprenait pas moins de dix services : premièrement, des cerises, puis du pain blanc délicieux ; un choix de vin digne du roi ; des haricots frais bouillis dans le lait ; du poisson ; des crabes ; des pâtisseries aux anguilles ; du riz cuit avec du lait d'amandes et de la poudre de cannelle ; d'autres anguilles mijotées dans une sauce ; et finalement, des plateaux chargés de tartelettes, de bols de lait caillé et de fruits frais.

Le vieux moine jeta un coup d'œil à son bol de bouillon et haussa les épaules. Puis il posa la main sur son front, tentant de se souvenir d'autres détails de sa visite à Sens.

– Le lendemain était un dimanche, poursuivit l'ancien ministre général. À l'aube, le roi Louis s'était rendu à notre église pour solliciter nos prières. Il avait laissé ses compagnons au village à l'exception de ses trois frères et de quelques valets d'écurie pour garder leurs chevaux. Quand ils se sont agenouillés pour rendre hommage à Dieu devant l'autel, ses frères ont regardé autour d'eux, cherchant des sièges ou des bancs. Mais le roi s'assit dans la poussière, car l'église n'était pas dallée. Et après s'être recommandé à nos prières, il quitta l'église pour continuer son chemin. Mais lorsqu'un serviteur lui apprit que son frère Charles était toujours en prière, le roi fut heureux d'attendre patiemment à côté de son cheval. Quand j'ai vu avec quelle ferveur Charles priait, et avec quelle bonne volonté le roi attendait dehors, j'ai été fort édifié, constatant à quel point était vraie la phrase des Saintes Écritures : «Un frère soutenu par son frère est comme une puissante cité.»

En raison de leur importance dans la Bible, les nombres douze et sept devinrent les préférés de Jean dans ses réflexions. Parfois, il s'écartait de ce modèle et dressait une liste de six éléments, tels les six péchés contre le Saint-Esprit ou les six humeurs contrôlant les actions humaines.

Conrad l'encourageait à faire ces exercices mentaux. À l'aide d'un tesson de poterie, il inscrivait les listes sur le mur de leur cellule, non pas parce qu'ils pourraient les lire dans l'obscurité, mais simplement pour les fins de l'exercice. Ainsi, il inscrivit les sept péchés capitaux, les sept vertus qui favorisent la guérison, les sept dons du Saint-Esprit, les sept œuvres de la miséricorde corporelle et spirituelle, les noms des douze apôtres, les douze béatitudes. Jour après jour, les gribouillis illisibles s'étendaient de plus en plus sur la surface mousse, comme des déclinaisons de verbes latins tracées par un élève.

Dans un scénario qui débutait habituellement pendant qu'ils mangeaient, le frère Jean ne disait mot mais émettait ici et là quelques grognements, une manie que Conrad avait fini par reconnaître comme un signe de méditation. Puis, pendant que le jeune frère ramassait leurs bols, le ministre général proposait une nouvelle liste.

– Nous devrions réfléchir sur les sept dernières paroles du Christ. En méditant sur la façon dont Notre-Seigneur a fait face à la mort, nous apprendrions comment accueillir notre propre fin.

Conrad ramassa le tesson et se plaça devant le mur alors que Jean dictait : « *Eli, Eli, lamma sabacthan*, Mon Dieu, mon Dieu, pourquoi m'as-tu abandonné ? »

Conrad s'arrêta un moment pendant que Jean ajoutait :

– Même le Christ a connu l'affliction, la solitude et l'incertitude à l'approche de Sa mort. Il nous comprendra et nous réconfortera quand notre fin viendra.

Jean récita les phrases l'une après l'autre, complétant chacune d'un bref exposé, jusqu'aux dernières paroles : « *Consummatum est.* Tout est consommé, Père. Entre tes mains, je remets mon esprit. »

Puis le vieux moine conclut :

– La mort met fin à notre séjour sur terre, mais donne une signification à nos actions terrestres. La mort est le moment de faire cadeau de soi à Dieu.

– Qu'en penses-tu, frère ? demanda Conrad. Allons-nous finir notre vie dans ce trou ? Nos actions sur terre sont-elles déjà terminées ?

Son compagnon de cellule acquiesça de la tête.

– Pardonne ma foi vacillante dans le plan divin, frère Jean, mais pourquoi notre Sainte Mère l'Église se priverait-elle d'un talent comme le tien ? Même si tu œuvrais à l'extérieur de l'Ordre, plusieurs dirigeants laïques et prélats tireraient parti de tes conseils spirituels. Pourquoi ne pas promettre à Bonaventure de ne plus parler de l'abbé Joachim et de son hérésie ? Ainsi, il n'aurait plus aucune raison de te retenir prisonnier.

Conrad boitilla jusqu'à Jean et s'assit maladroitement par terre. Mois après mois, il devenait plus difficile pour lui de se mouvoir ; Jean ne se levait pratiquement plus, sauf pour tituber jusqu'aux latrines. Et même à ce moment, Conrad devait l'aider à remonter la pente glissante du plancher.

Le peu de lumière qui parvenait à leur cellule se réfléchissait dans les yeux de Jean alors qu'il fixait Conrad.

– Crois-tu vraiment que je suis retenu ici simplement parce que je m'accroche aux enseignements de Joachim ? L'Église n'a jamais condamné Joachim, tu sais. Seulement l'interprétation qu'avait faite Gerardino di Borgo San Donnino de ses prophéties. Gerardino a été emprisonné ici, peu de temps avant moi, pour avoir proposé cette interprétation. Non. Je suis ici, sans doute comme toi, parce que j'ai essayé de suivre l'exemple de notre fondateur. Je voulais diriger l'Ordre comme saint François lui-même l'avait fait. J'ai voyagé à pied d'un pays à l'autre, visitant personnellement chacune de nos confréries et tentant de prêcher par l'exemple plutôt que par l'écrit. Mais ceux qui voulaient ignorer la Règle et le Testament de saint François me considéraient comme une menace à leur mode de vie confortable. Alors je reste ici, *nous* restons ici, dans cet *in*confort.

L'attention de Conrad se trouva tout à coup éveillée. Il avait presque oublié le testament de François ! Il se mit à se balancer en parcourant les méandres de sa mémoire. Quelque part dans son message, Léon avait écrit que le début du Testament jetterait une lumière – une première lueur selon ses propres mots – sur son énigmatique lettre. Étrangement, Conrad avait presque cessé de se poser des questions sur la quête qui l'avait mené en prison.

Il se tourna de nouveau vers l'ancien ministre général.

– Jean, même si nous ne quittons jamais cet endroit, je crois réellement que Dieu a guéri ton esprit pour quelque but salutaire. Te souviens-tu *exactement* comment commençait le Testament ?

Jean inclina la tête pendant un moment en réfléchissant à la question.

– Eh bien, il commence avec le récit que fait saint François de sa conversion ! Il a écrit : « Voici comment le Seigneur me donna, à moi frère François, la grâce de commencer à faire pénitence. Du temps où j'étais encore dans le péché, la vue

318

des lépreux m'était insupportable. Mais le Seigneur lui-même me conduisit parmi eux; je les soignai de tout mon cœur; et au retour, ce qui m'avait semblé si amer s'était changé pour moi en douceur pour l'esprit et pour le corps. Ensuite j'attendis peu, et je dis adieu au monde.»

– Notre saint fondateur affectionnait particulièrement les lépreux. Non seulement il œuvrait lui-même parmi eux, les nourrissant et les habillant, les lavant et embrassant leurs plaies, mais il exigeait la même chose de plusieurs des premiers frères. Il les appelait *pauperes Christi*, les pauvres du Christ.

Conrad serra les poings d'impatience.

– Le frère Léon a-t-il lui aussi travaillé auprès des lépreux?

– Très probablement.

Jean se mit à rire.

– Je pense encore à mes visites dans les confréries… J'ai épuisé *douze* secrétaires dans cet exercice. Comme saint François l'avait fait avec le frère Léon, j'ai toujours fait de mon secrétaire mon compagnon de voyage. Mon premier secrétaire, le frère Andreo da Bologna, est devenu plus tard ministre provincial de la Terre sainte et représentant auprès du pape. Puis, il y a eu le frère Walter, un *Anglo* de par sa naissance et un *ange* de par son tempérament; ensuite, il y a eu un certain Corrado Rabuino, gras, charnu et sombre – un honnête homme. Je n'ai jamais rencontré un frère qui pouvait dévorer un *lagano* et du fromage avec tant de délectation…

Conrad était assis, immobile, n'écoutant qu'à demi le monologue de son compagnon de cellule. *Tout ce temps, Léon avait souhaité qu'il œuvre dans une léproserie, comme lui-même l'avait probablement fait.* Il se rappela aussi la référence de Léon concernant les ongles du lépreux décédé. Conrad pensa: *Si j'avais d'abord accompli cette partie du message – servite pauperes – plutôt que de retourner au Sacré Couvent, je ne pourrirais pas dans cette cellule à l'heure actuelle.* Il frissonna en songeant à l'autre terrible possibilité: ses membres pourraient être, en ce moment, en train de se putréfier s'il était entré dans une léproserie. Et quelle sagesse pourrait-il en tirer?

– … Le dernier frère venait d'Iseo. Il était ancien à la fois en âge et au sein de l'Ordre et il était riche de sagesse; et pourtant, il tenait à s'assurer que tous sachent que sa mère avait été hôtesse dans une taverne…

Seigneur, si jamais tu m'accordes d'être libéré de cet endroit, pria Conrad, *j'offrirai mes services à l'Ospedale di San Lazzaro près d'Assise, j'apprendrai là ce qu'auront à m'enseigner les lépreux, je poursuivrai le chemin tracé par Léon (si tel est mon destin) jusqu'à sa terrible fin.* Au fond de lui-même, il essayait de croire que Dieu avait simplement attendu de lui soutirer cette promesse avant de lui rendre la liberté.

ॐ

– Amatina, réveillez-vous. Vous avez un visiteur.

Amata se retourna dans son lit en grommelant. Elle venait de passer une autre nuit agitée en songeant à son nouveau rôle de chef de maisonnée ainsi qu'au choix d'un mari qui était suspendu au-dessus d'elle comme la hache d'un bourreau. Comme Donna Giacoma l'avait prévu, au cours des semaines qui s'étaient écoulées depuis la mort de la vieille dame, Amata avait vu défiler régulièrement les hommes désireux de l'épouser, ou du moins pressés de prendre possession de sa maison et des terres louées que Donna Giacoma lui avait laissées pour qu'elle subvienne à ses besoins. Les prétendants allaient de l'aristocrate campagnard à la fortune décroissante ou cherchant à l'enrichir, jusqu'aux marchands âgés et aux veufs, mais il n'y en avait aucun qu'elle eût désiré, aucun auprès de qui elle se serait étendue avec joie par une nuit froide d'hiver. Pio, qui était maintenant âgé de seize ans et se considérait chaque jour davantage comme un homme, était toujours aussi épris d'Amata et il se montrait de plus en plus maussade à mesure que défilaient les prétendants.

Amata cligna des yeux en direction du visage penché vers elle. La plupart des anciens serviteurs et servantes de Donna Giacomma, y compris (heureusement) Maestro Roberto, étaient demeurés à titre de serviteurs rémunérés, appréciant à la fois leur nouvelle liberté et la sécurité liée à ce travail. La jeune servante qui se tenait près du lit, une jolie fille aux formes généreuses de quelques années plus jeune qu'elle, avait grandi dans la maison de Donna Giacoma et ne connaissait aucun autre foyer. En plaisantant, Amata avait offert la fille en remplacement à l'un de ses prétendants et, quand il protesta que la fille ne possédait pas de dot, elle avait cité Plaute :

– *Dummodo morata recte veniat, dotata est satis,* La bonne moralité d'une femme représente une dot suffisante.

L'homme l'avait regardée avec étonnement, car il ne connaissait pas le latin. S'il avait démontré la moindre parcelle de compréhension concernant la citation ou sa substance une fois qu'elle lui en eut fait la traduction, elle aurait pu offrir la dot elle-même. Peut-être Donna Giacoma l'avait elle sur-éduquée avec les nombreux tuteurs qu'elle avait embauchés après l'emprisonnement de Conrad.

– Il y a un *signore* qui vous attend dans le hall, répéta la servante pendant qu'Amata se frottait les yeux.

– Quelle heure est-il, Gabriella ?

– La cloche du matin vient de sonner. Il doit avoir attendu l'ouverture des portes de la ville.

– Qui est-ce ?

– C'est le prétendant de Todi, le frère du cardinal. Il dit qu'il doit vous parler de toute urgence.

XXIX

Amata enfila une robe bleue par-dessus sa chemise de nuit. Elle enroula sa tresse à l'arrière de sa tête et la replia sous une coiffe de résille. Que pouvait donc vouloir le comte Roffredo de si bon matin ? Même un noble du puissant clan des Gaetani devrait attendre une heure décente pour se présenter. Eh bien, il ne la verrait pas sous son meilleur jour ; peut-être la vue de son visage sans fard sous la lumière impitoyable de l'aube la ferait-elle fuir ! Ce serait au moins une compensation équitable pour avoir interrompu son sommeil.

Roffredo Gaetani représentait aux yeux d'Amata le plus odieux de tous ses prétendants. Maintenant, elle comprenait la jubilation de Jacopone après la bataille dans les bois, les raisons pour lesquelles il se réjouissait en comparant ce combat à d'anciennes victoires sur les Gaetani dans les rues de Todi. À la suite de la brève rencontre qu'elle avait eue avec le comte Roffredo, elle admettait que son cousin à demi fou, qui avait connu la famille depuis son enfance, considère les Gaetani comme des gens détestables au-delà même des politiques partisanes des guelfes ou des gibelins qui divisaient chaque ville ombrienne.

Bien qu'âgé d'une quarantaine d'années, Roffredo était déjà deux fois veuf. Toutefois, il avait refusé de satisfaire la curiosité de la jeune femme à propos de ses anciennes épouses et avait écarté le sujet de leur mort du revers de la main.

– Les épidémies. Il y a toujours des épidémies – et la malaria.

Sa peau jaunie donnait à penser qu'il pourrait lui-même être infecté par cette maladie et rendait un peu plus crédible sa trop brève explication.

Pourtant, ses yeux noirs calculateurs qui refusaient de rencontrer son regard, l'impression de froideur qu'il dégageait, en plus de son visage grêlé et de sa calvitie, lui faisaient craindre qu'il soit capable d'une extraordinaire cruauté, qu'il soit malade aussi bien d'esprit que de corps. Elle avait la chair de poule seulement à le regarder. Leur conversation – ou plutôt ses monologues – portait principalement sur les puissants amis de sa famille dans la commune de Todi et à Rome, et en particulier sur les hautes fonctions de son frère, le cardinal Benedetto Gaetani qui, affirmait Roffredo d'un air supérieur, deviendrait pape un jour. Il manipula la chaîne en or qui ornait sa poitrine, et un léger sourire effleura ses lèvres pendant qu'il parlait d'argent et de domaines, et des richesses qu'il avait accumulées grâce à ses deux premiers mariages, une fortune que les biens d'Amata viendraient augmenter dans le cadre d'une solide alliance. Tout au moins avait-il été franc en ne cachant nullement ses motivations, et il termina son discours en lui disant qu'elle pouvait oublier ses autres prétendants, car il était déterminé à l'avoir *per amore o per forza* – par l'amour ou par la force. Il sourit à nouveau de sa petite blague, mais la chaîne dorée était tendue dans sa main.

Elle avait pris un bain immédiatement après son départ, éprouvant le besoin d'éliminer le malaise persistant qu'il suscitait en elle. *Celui-là ne m'« aura » sûrement jamais,* se promit-elle. *Je préférerais mourir.*

Et il était là encore, venu à une heure inconvenante pour la harceler de nouveau. Encore à demi éveillée, Amata pénétra dans le grand hall. Roffredo attendait avec son écuyer à l'autre bout, près de la porte. Pio se tenait tout près et ne faisait aucun effort pour cacher son mécontentement alors que les deux hommes s'inclinaient.

– J'ai eu une nuit agitée, *signore*, et je m'étais finalement endormie quand vous êtes arrivé, dit-elle en espérant que sa voix trahissait l'impatience qu'elle ressentait. Qu'est-ce qui vous amène de si bon matin ?

Son sourire avait pris le même air légèrement moqueur qui l'avait tant irritée à leur rencontre précédente.

– L'avenir appartient à ceux qui se lèvent tôt, dit-il. Je suis venu pour connaître votre réponse.

Elle lui jeta un regard incrédule. Elle se dit qu'elle devait tenter d'atténuer la colère qui bouillait en elle, mais Roffredo ne lui facilitait pas la tâche.

– Même un fou ne courrait pas le risque d'être déçu avant d'avoir pris son petit-déjeuner, je pense, *signore*. Mais comme vous me mettez brutalement au pied du mur, je serai également franche avec vous. Je ne vous aime pas, comte Gaetani.

Roffredo ne sembla pas le moins du monde déconcerté par sa réponse, probablement parce que l'amour ne lui était jamais apparu comme un facteur important.

– Vous me décevez, *signorina*, dit-il. Mon frère sera également déçu. Il attend à Todi pour nous marier ce soir même.

Il adopta une expression de fausse terreur.

– Votre réponse me *préoccupe* aussi. Il peut être très dangereux de résister à la volonté d'un cardinal.

Amata décida qu'elle avait été suffisamment polie avec ce coq arrogant. Tout ce qu'elle souhaitait, c'était de le faire partir pour qu'elle retourne se coucher.

– De toute évidence, vous ne *m*'avez jamais vue en colère, *signore*, rétorqua-t-elle, car vous ne parleriez pas de danger avec tant de désinvolture. Vous avez ma réponse finale. Maintenant, j'insiste pour que vous quittiez ma maison.

Roffredo s'inclina, mais, cette fois, son écuyer ne l'imita pas. L'homme ouvrit plutôt la porte et deux chevaliers qui attendaient à l'extérieur se précipitèrent dans le hall. Pio se rua sur les deux hommes, mais l'un d'eux saisit son bras levé. L'autre tira une dague de sa ceinture et en appliqua la pointe contre la gorge du garçon. Avant qu'Amata ne puisse réagir, Roffredo et son écuyer l'avaient saisie par les poignets. Le comte colla sa main gantée contre la bouche de la jeune femme. Elle tenta de se dégager, mais ils resserrèrent leur prise et Roffredo lui tordit brutalement le bras. Il sourit d'un air méprisant.

– Accompagnez-nous tranquillement, *signorina*, dit-il, ou votre page se retrouvera avec un sourire sous le menton.

Amata tenta de crier, mais le gant de cuir l'en empêcha. Elle ne pouvait croire que cela lui arrivait réellement. Ces bâtards de nobles pourraient-ils aller jusqu'à arracher des femmes de leur propre maison et les forcer à se marier ? Elle rencontra le regard de Pio et la panique qu'elle y lut reflétait son propre sentiment d'impuissance.

Elle tenta une fois de plus de se dégager, haïssant sa vulnérabilité autant qu'elle détestait le comte, mais Roffredo la tenait fermement, lui agrippant le menton et la forçant à regarder alors qu'un mince filet de sang commençait à s'écouler de la gorge de Pio sur la lame. Elle cessa de se débattre et hurla dans le gant. Roffredo releva légèrement la main de sa bouche.

– Vous dites?

– Laissez-le partir. Je vais vous accompagner.

❧

La route qui menait à Todi quittait la ville par la Porta San Antimo dans le mur sud d'Assise. Roffredo et ses acolytes entraînèrent la jeune femme le long de l'escalier de pierre qui menait de sa maison jusqu'à la basse-ville, emmitouflée dans un manteau d'hiver dont le capuchon relevé lui cachait le visage. Alors qu'ils passaient rapidement devant les maisons aux volets fermés, Amata regardait de tous côtés, cherchant un moyen de s'enfuir. Le chevalier qui menaçait Pio tenait maintenant sa dague contre ses côtes. Elle supposa qu'elle n'avait aucune valeur pour Roffredo si elle était morte, mais le comte pouvait penser que le fait de l'épouser *agonisante* n'avait pas grande importance. Son homme de main avait déjà montré qu'il contrôlait la pointe de sa lame avec un talent certain. D'ailleurs, le cardinal pourrait la marier à Roffredo qu'elle soit morte ou vivante.

Beaucoup trop rapidement au goût d'Amata, ils atteignirent les dernières marches de l'escalier. Directement devant elle, elle voyait les églises de San Antimo, San Leonardo et San Tomaso et, au-delà, la porte de la ville. Un carrosse attendait dans l'ombre d'une ruelle entre deux des églises. En apercevant le véhicule qui scellerait son destin, Amata sentit ses jambes défaillir et elle s'effondra sur les pavés. Une fois à l'extérieur des murs, elle serait totalement à la merci de Roffredo.

Elle sentit la forte poigne du chevalier sur son bras alors qu'il tentait de la relever, mais les pierres étaient glissantes de givre et elle tomba à nouveau, face contre terre. Tandis qu'elle tentait de se redresser, elle vit une autre silhouette ramper au coin de l'église San Tomaso, entourée d'une volée d'oiseaux matinaux – un autre fait anormal au cours de cette matinée irréelle. L'homme qui rampait portait une selle sur son dos et cria d'une voix forte:

– N'y a-t-il personne qui voudrait chevaucher cette misérable bête de somme?

Il releva sa crinière blonde et regarda vers le ciel en gémissant. Dans la foule, une femme lui répondit en criant :

– Je vais te chevaucher, Jacopone, si tu montes sur ma selle et me chevauches aussi.

– Jacopone ! *Aiuto* ! À l'aide ! hurla Amata. Sauve-moi des Gaetani !

Avant qu'elle n'en dise davantage, le chevalier la souleva de terre et appliqua violemment son gantelet contre la bouche de la jeune femme. Roffredo et ses laquais commencèrent à courir vers leurs chevaux. Alors qu'il la tirait dans la ruelle, elle vit le pénitent se relever lentement, une expression querelleuse sur le visage. Puis le chevalier la jeta dans le carrosse et referma la porte sur le dernier espoir qu'elle avait.

S'il vous plaît, mon Dieu, s'il vous plaît ! Les roues du carrosse commencèrent à tourner et à prendre progressivement de la vitesse. Elle sentit, aux mouvements du véhicule, que les chevaux venaient de tourner le coin vers la porte de la ville quand elle entendit, directement devant eux, le son strident d'une trompette. Le carrosse pencha dangereusement alors que les chevaux changeaient brusquement de direction pour s'éloigner du bruit. Elle sentit un tressautement, entendit un cri de douleur, puis ce fut le chaos. Un objet lourd et solide s'abattit contre le carrosse, le renversant sur le côté en brisant la structure de bois. Autour d'elle, les hennissements effrayés des chevaux se mêlaient aux jurons des hommes et aux meuglements belliqueux d'un bœuf.

Amata s'extirpa des débris. Les jambes toujours vacillantes, le visage et les bras douloureux, elle réussit à se frayer un chemin à travers le chaos et à se réfugier dans une ruelle. N'entendant aucun bruit de poursuite, elle ralentit le pas puis s'engouffra dans un coin d'ombre d'où elle pouvait voir ce qui s'était produit. Jacopone gisait recroquevillé sur le côté, immobile, tenant toujours sa trompette entre ses doigts. La charrette d'un marchand gisait au milieu des débris du carrosse alors que des rouleaux de tissus étaient éparpillés partout sur la chaussée. Les chevaux continuaient de ruer et de se cabrer, frappant l'air en alternance de leurs pattes avant et arrière, tandis que le bœuf emmêlé dans leurs rênes agitait furieusement ses cornes près de leurs ventres.

Roffredo Gaetani, furieux, hurlait à pleins poumons au visage du marchand, un homme barbu et costaud qui répliquait à chacun de ses jurons. Le comte et ses serviteurs descendirent de cheval, mais le marchand rejeta seulement sa cape par-dessus son épaule droite et tira sa rapière. Il n'allait pas éviter un combat si les choses en arrivaient là. Les hommes d'armes du marchand éperonnèrent leurs chevaux pour les faire avancer tandis que le charretier s'emparait d'une hache parmi les objets éparpillés dans la charrette.

– N'essaie pas de lever ton épée, avertit le marchand en s'adressant à l'un des chevaliers de Roffredo. Neno t'aura tranché le bras avant même que tu l'aies sortie de son fourreau.

Les villageois rassemblés à une distance prudente se moquaient des deux groupes et lançaient des cailloux dans la mêlée. Les hommes des deux camps se tenaient en position de combat, hésitants, évaluant chacun la force de l'autre et réfléchissant à la marche à suivre. Les yeux d'Amata passèrent de la mêlée à Jacopone, puis revinrent à la mêlée pour finalement se poser sur deux gardes civils qui sortaient en courant de la guérite, hallebardes en main.

– D'où vient tout ce raffut ? demanda l'un d'eux.

Les deux parties se remirent à crier et à gesticuler, de même que la foule des spectateurs qui s'était rapprochée. Le garde leva les bras pour imposer le silence. Amata sortit de sa cachette et rejeta son capuchon sur son dos.

– Ces hommes de Todi ont essayé de m'enlever, dit-elle, même si je suis une citoyenne d'Assise.

Elle avait du mal à articuler tant ses lèvres étaient douloureuses. Roffredo les avait fendues quand il avait couvert sa bouche de son gant.

– C'est Donna Amata, dit une voix de femme dans la foule. Leurs chevaux ont foncé sur cet homme bon et pacifique, poursuivit-elle en montrant du doigt le corps de Jacopone. Grâce à lui, leur plan a échoué.

– Ils ont aussi heurté ma charrette et détruit la moitié de mes marchandises, grogna le commerçant. Et moi aussi, je suis un citoyen de cette ville.

À ces mots, la clameur reprit. Amata s'approcha de Jacopone et s'agenouilla près de lui. Elle entendait autour d'elle les cris de rage du peuple à l'endroit de Roffredo.

– Déguerpissez, dit un des gardes. Vous avez menti sur vos motifs quand vous êtes entré dans la ville.

– Et qu'est-ce que je fais de mon carrosse et de mes chevaux ?

– Votre carrosse est réduit en miettes. Revenez un autre jour pour vos chevaux, mais ne vous attendez pas à les récupérer, dit le garde. Il y a des citoyens d'Assise ici qui doivent être indemnisés, et nous pourrions porter des accusations de meurtre contre vous bientôt.

Amata leva la tête à temps pour voir le regard furieux que lui adressait Roffredo. Si Dieu le voulait, elle n'aurait jamais plus à regarder ce visage haineux. Le comte et ses chevaliers remontèrent sur leurs chevaux qui se mirent à trotter vers la porte. La foule se précipita à leur poursuite en lançant des volées de cailloux aux cavaliers qui quittèrent la ville au galop.

Amata caressa du revers de la main la joue de Jacopone et sa barbe hirsute.

– Pauvre cousin, murmura-t-elle. Peux-tu m'entendre ?

Un des gardes s'approcha.

– L'ont-ils tué ?

– Il est encore vivant, mais gravement blessé.

Quelqu'un s'agenouilla près d'elle sur les pavés.

– Mon charretier et mes hommes d'armes surveilleront mes marchandises. Puis-je vous aider à transporter cet homme jusqu'à un abri ?

Elle regarda directement les yeux bruns du commerçant. L'homme ne broncha pas.

– Je vous en serais reconnaissante, dit-elle. Je vais m'occuper de lui trouver une sangsue et un médecin.

Elle passa les doigts dans les cheveux emmêlés de Jacopone et ajouta d'une voix douce :

– Ou, si nécessaire, un lieu où l'enterrer décemment.

L'homme rejeta une fois de plus sa cape sur ses épaules et prit le corps maigre du pénitent dans ses bras musclés.

– Guidez-moi. Je suis à votre service, *madonna*, dit-il.

Sa voix vibrait d'une telle tendresse qu'elle se retourna pour le regarder à nouveau. Se pouvait-il qu'il la courtise à un moment pareil ? Un sourire chaleureux apparut dans l'enchevêtrement sombre de sa barbe. Ses yeux semblaient se fixer sur la partie inférieure du visage de la jeune femme.

Elle porta les doigts à ses lèvres meurtries et rougit en constatant qu'elles étaient enflées et saignaient. *Je dois avoir un air affreux*, pensa-t-elle. Elle trouvait déjà sa tenue débraillée avant même que les hommes de Roffredo ne l'agressent.

Le commerçant sourit d'un air sympathique. Il ne fit aucun commentaire sur son apparence, mais ne dit qu'un seul mot : « A-ma-ta ». Il prolongea chaque syllabe, les faisant rouler sur sa langue comme un goûteur de vin savourant un nouveau cru. Ses yeux rencontrèrent le regard de la jeune fille et brillèrent de joie.

– Un nom qui vous convient fort bien, *madonna*.

❧

Amata s'appuya contre la porte d'entrée à demi ouverte de sa maison. Le commerçant était finalement retourné à sa charrette de marchandises. Tant mieux! Il était parti juste à temps, ébranlée qu'elle était par ses dernières paroles. Mais pourquoi alors se sentait-elle aussi déçue?

La jeune femme étira le bras jusqu'à une fenêtre près d'elle, attrapa un glaçon qui pendait du volet, le pressa contre ses lèvres meurtries et rentra. Elle se sentait idiote. Qu'est-ce qui lui avait pris alors qu'elle marchait dans les rues? Peut-être était-elle encore étourdie de peur après le quasi-désastre de sa rencontre avec le comte Roffredo. Peut-être ses paroles avaient-elles été engendrées par le désespoir. De toute façon, elle avait parlé sans arrêt jusque chez elle. Elle s'était surprise à vouloir tout raconter à cet étranger sur sa situation.

– Il y a seulement deux ans, je voulais simplement vivre une vie modeste d'ermite dans une hutte forestière, mais les frères ont emprisonné mon ami, mon directeur spirituel, devrais-je dire. Puis, pendant des mois, je n'ai pensé qu'à venger ma famille pour… pour quelque chose qui s'est produit quand j'étais enfant, mais l'objet de ma vengeance avait disparu de la ville. Heureusement, à travers toute cette confusion, j'étais au service d'une gentille femme de la noblesse qui me considérait comme sa fille, ou sa petite-fille, et maintenant elle est morte et m'a laissé en héritage sa maison et son argent, et je suis harcelée par des prétendants cupides comme ce comte Roffredo. On me dit que je dois me marier pour protéger mes biens, mais ces prétendants sont si affreux que j'en suis venue à chérir ma liberté, ce qui est étonnant en soi parce qu'auparavant je ne souhaitais que me marier.

Elle reprit son souffle puis dit d'une voix rapide:

– Maintenant, j'ai surtout le mariage *en horreur*. Qu'en pensez-vous, *signore*? Avez-vous une femme et une famille?

Son visage s'empourpra aussitôt qu'elle eut posé la question. Elle était triste de réaliser à quel point elle avait bavardé, et attristée aussi de sa propre audace – une audace sans aucun doute liée à la décision qu'elle devrait prendre très bientôt. Cependant, l'homme ne rit pas de son attitude. Il s'arrêta sur les marches, déplaça légèrement le corps de Jacopone dans ses bras pour en répartir le poids et se retourna pour faire face à Amata. Il parla d'une voix égale, sans essoufflement ni aucun indice révélant qu'il venait de déployer des efforts.

– Non, *madonna*, je n'ai ni le temps ni les moyens de me marier, mais je n'ai rien contre le mariage, et je suis flatté que vous me posiez la question.

– Oh! je ne voulais pas dire!… commença-t-elle en protestant, mais elle savait qu'elle en avait déjà trop dit.

Pourtant, c'était *vraiment* ce qu'elle voulait savoir et elle souhaitait qu'il eût été assez sage et assez franc pour lui accorder la faveur d'aller droit au but. Ce fut elle qui se sentit obligée de changer de sujet.

– Êtes-vous fatigué? Un homme de la taille du sieur Jacopone doit être très lourd à transporter.

Le commerçant se remit à grimper les marches.

– Bah! Il est léger comme une plume! Je pense qu'il n'a pas mangé depuis trois ans. J'ai travaillé comme rameur sur une galère vénitienne avant de faire du commerce. Ces années de dur labeur m'ont gardé en bonne santé.

– Alors vous avez beaucoup voyagé?

– Oui, je crois qu'on peut dire ça. Nous revenons tout juste de Flandre et de France. Je me suis rendu aussi loin vers l'est que la Terre promise.

Il sourit et ses yeux se mirent à briller.

– Je pourrais vous raconter tant d'histoires, *madonna*…

Un bruit d'armes et des pas de course les interrompirent alors que Pio, Maestro Roberto et les autres hommes de la maisonnée arrivaient en courant dans l'escalier.

– Amatina. Dieu merci, vous êtes saine et sauve, s'écria l'intendant. Nous sommes accourus aussi vite que possible quand Pio nous a dit ce qui était arrivé.

– Je vous remercie tous. Je suis un peu secouée, mais le comte Roffredo a été chassé de la ville. J'ai besoin d'un médecin pour le sieur Jacopone qui a été blessé en me sauvant.

Roberto évalua rapidement la situation. Il ordonna à un serviteur de se rendre en ville et de ramener une sangsue. Il remit la plupart des armes des serviteurs à Pio puis, avec un autre homme, ils prirent Jacopone dans les bras du commerçant.

– Mettez-le dans l'ancienne chambre du frère Conrad, dit Amata alors que les hommes commençaient à remonter les marches. Je vous suis. Je veux remercier ce gentilhomme qui m'a tant aidée.

Alors que les serviteurs se dispersaient rapidement pour aller accomplir leurs tâches, Amata et l'étranger reprirent leur ascension. Pio se servit du poids des armes comme d'un prétexte pour grimper plus lentement que les autres, mais la jeune femme ralentit le pas encore davantage, ne lui laissant d'autre choix que de poursuivre son chemin.

– J'aimerais entendre ces histoires un jour, *signore*, dit Amata quand ils furent seuls de nouveau.

– Avec plaisir, *madonna*, dit-il. J'espère vous rendre visite dans quelques jours. Maintenant que mon employeur me doit de l'argent, il y a une affaire de famille que je dois régler – une sorte de vengeance inversée.

Peut-être était-ce quelque instinct féminin qui l'incita à poser la question suivante. Ou peut-être le même vertige qui avait alimenté toute sa conversation depuis qu'ils avaient quitté la place.

– Est-ce que ça concerne une femme?

Elle sourit en posant la question, mais réalisa que son cœur battait un peu trop vite pour quelqu'un qui ne voulait que le taquiner.

Cette fois, l'homme éclata de rire.

– Vous me flattez encore une fois, *madonna*, dit-il.

– Oui, je pourrais dire que l'objet de ma mission *est devenu* une femme maintenant, même si, dans mon esprit, je la vois toujours comme une enfant.

Et Dieu fasse que tu continues de la voir ainsi, pensa Amata. Elle ne voulait pas que l'esprit du jeune homme se concentre sur une autre femme en ce moment.

Ils étaient finalement parvenus à sa maison. Elle offrit au commerçant de faire une pause et de boire une boisson chaude dans sa cuisine avant qu'il ne reparte, mais il déclina l'invitation.

– Un autre jour, *madonna*. Je dois rejoindre mes hommes et m'occuper de mes affaires.

Il était sur le point de partir quand elle réalisa que, dans toute cette agitation, elle ne lui avait même pas demandé son nom.

– Orfeo, dit-il en s'inclinant, Orfeo di Angelo Bernardone. Il se retourna vers la ruelle en la saluant de la main.

– *A presto, madonna*, lui cria-t-il par-dessus son épaule.

C'était comme s'il l'avait frappée entre les deux yeux avec un marteau. Amata, confuse, s'immobilisa net. Toute la haine et les sentiments amers qu'elle avait accumulés contre le fils de son ennemi envahirent à nouveau son cœur. Alors que les pas de l'homme s'éloignaient dans l'escalier, elle frappa du poing le portail et pressa son front contre le chêne froid. Pourquoi fallait-il qu'il soit si terriblement charmant?

XXX

O rfeo guida son cheval le long du sentier escarpé menant à la Rocca Paida en savourant la chaleur du soleil hivernal sur son visage. Dans un arbre près du sentier, un écureuil sortit de son abri pour une rapide inspection des alentours. La mince branche plia sous son poids, faisant fuir une volée d'oies vers le nord. Le commerçant songea qu'il devrait raser sa barbe et tailler ses cheveux qui lui tombaient sur les épaules, avant de rejoindre Neno cet après-midi. Les vents glaciaux des cols montagneux étaient derrière lui maintenant ; il n'avait plus besoin de son écharpe autour de son cou et de sa gorge, et les visages couverts de poils n'étaient pas particulièrement bien vus dans sa ville natale.

Le cliquetis des pièces dans sa bourse le réjouissait également. Selon les conditions de son contrat avec le sieur Domenico, il avait reçu un quart des profits découlant de son voyage. Il portait sur lui la moitié de son revenu annuel, sûrement plus qu'il n'en avait besoin pour acheter la liberté de l'enfant captive, si elle vivait toujours à la Rocca. Les citadins auxquels il avait parlé ne savaient rien de la fille, même dans cette petite ville. La forteresse semblait l'avoir avalée après l'attaque. Ils se bornaient à lui dire que le vieux Simone était mort et que son fils Calisto jouait maintenant le rôle du *signore*. Les chevaliers de la Rocca vivaient dans un monde à part, en haut de leur château qui dominait les maisons de la populace. Les gens laissaient entendre qu'il serait dangereux de se mêler de leurs affaires.

Mais l'offre d'une jolie somme d'argent pourrait changer les choses. Orfeo espérait que le nouveau *signore* n'exigerait pas trop d'argent ; dans son âme de commerçant, il s'attendait à payer un prix équitable, certainement moins pour la jeune femme que pour une esclave sur le marché vénitien. Après tout, il avait encore ses propres rêves à financer.

Il songea à nouveau à la femme d'Assise qu'il venait de rencontrer, croyant à peine à la chance qu'il avait eue. Belle malgré ses contusions, désireuse d'éviter ses prétendants mais semblant partager sa joie au sujet de cette rencontre – et nouvellement riche en plus. Même s'il venait de passer deux ans à commercer dans toute l'Europe pour ce qu'on ne pouvait qualifier que de «modeste» salaire, il rêvait de faire un jour du commerce à l'échelle des frères Polo. La fortune d'Amata, ajoutée à ses propres économies, lui permettrait d'effectuer une percée – en particulier si sa négociation avec le *signore* de la Rocca se passait bien. Il avait plusieurs raisons de sourire et l'air qui se réchauffait augmenta son enthousiasme. C'était un air qui annonçait le printemps tout proche, une nouvelle croissance, de nouvelles entreprises.

Du haut des parapets du château, plusieurs gardes surveillaient l'approche d'Orfeo. La porte était ouverte, mais la herse avait été abaissée par mesure de précaution. Le portier la souleva juste assez pour le laisser passer sur son cheval après qu'Orfeo lui eut expliqué qu'il avait affaire au *signore*. L'homme saisit alors le cheval par la bride et conduisit le visiteur vers un groupe de chevaliers rassemblés dans la cour. Il fit signe au commerçant de descendre de sa monture et d'attendre à une certaine distance. Un des hommes se sépara du groupe pour se diriger vers lui.

Le portier s'inclina.

– Seigneur Calisto, cet homme voudrait vous parler. Il s'appelle Orfeo di Angelo Bernardone.

D'un geste, Calisto della Rocca congédia le serviteur. L'homme prit les rênes du cheval d'Orfeo et le mena à l'écurie.

– Votre nom me semble familier, dit Calisto d'une voix gutturale en marchant devant Orfeo en direction du grand hall. Pourquoi donc?

– Mon père a fait des affaires avec feu votre père, il y a huit ans.

Calisto se tourna vers Orfeo, mais ne dit mot pendant qu'ils pénétraient dans le château. Il prit place sur une grande chaise et fit signe à Orfeo de s'asseoir sur un banc près de lui en tâtant un furoncle à son cou pendant que le commerçant rangeait son manteau.

Orfeo tourna la tête alors que deux servantes traversaient le hall. Il estima que les deux femmes étaient plus âgées que la fille qu'il cherchait. Le *signore* suivit son regard.

– Elles vous plaisent ? demanda-t-il avec un sourire lascif. Si vous acceptez de rester ici ce soir en tant qu'hôte, vous pourrez les avoir toutes les deux pour vous.

Orfeo devina que Calisto tentait de l'appâter.

– En fait, elles me rappellent le but de ma visite, dit-il. Je cherche une femme qui devrait maintenant avoir de dix-huit à vingt ans, je suppose.

Calisto rapprocha lentement la main de la poignée de son épée, bien que son ton demeurât jovial.

– Une parente ?

– Non. Je ne pourrais même pas vous dire son nom. Étiez-vous au courant de l'attaque de votre père contre le Coldimezzo dans la commune de Todi il y a quelques années ?

– Si je suis au courant ? J'y étais ! Et c'était une bonne expédition, sanglante à souhait. Ils n'ont même pas su ce qui les avait frappés.

Ses yeux sombres brillaient de plaisir.

Orfeo serra les dents. Il aurait aimé saisir ce prétentieux par la gorge, en ce moment même, comme il n'avait jamais pu le faire avec son propre père, mais il se rappela qu'il était venu pour affaires. La première chose qu'apprend un commerçant est de maîtriser ses émotions.

– Il y avait une jeune fille, dit-il. Votre père l'avait prise comme esclave, je crois.

Calisto sauta sur ses pieds.

– Cette chienne ! Pourquoi la recherches-tu ?

Il tendit la main avec laquelle il se servait de son épée.

– Regardez cette cicatrice. Elle a essayé de me couper le doigt. Je peux à peine tenir une arme maintenant.

Orfeo se leva aussi calmement qu'il le put. Il n'aimait pas rester assis devant cet homme dont les humeurs semblaient varier d'un moment à l'autre. Ce type d'homme pouvait se lancer contre vous sur une simple impulsion. Il se sentait vulnérable dans cette position. Il commença à craindre également que la fille ne fût déjà morte. Si elle avait attaqué cet homme, elle avait dû en payer un dur prix.

– Vous l'avez punie ?

– Elle m'a échappé, la misérable putain ! Elle est partie le même jour en compagnie de ma pieuse sœur. Que le diable les baise toutes les deux, même si leurs habits de nonne les protègent.

La bourse qui pendait à la ceinture d'Orfeo lui parut soudain plus lourde. Si l'enfant était en sécurité derrière les murs d'un couvent, il n'aurait pas besoin de marchander avec ce fils d'assassin. Cependant, il était curieux de connaître la destination finale de la jeune fille.

– Comment pourrais-je la trouver alors, si je souhaitais la voir ?

– Lui souhaitez-vous du bien ou du mal ? dit Calisto avec un air d'intense curiosité. Si vous lui voulez du bien, je n'hésiterai pas à vous trancher la tête immédiatement et à la pendre à la porte du château.

Orfeo sentit les battements de son cœur s'accélérer, mais il continua d'afficher un calme extérieur.

– Ce ne sera pas nécessaire, dit-il. Elle se trouve maintenant entre les mains de Dieu et ne me préoccupe plus.

Il sourit hypocritement et s'inclina en gardant les yeux fixés sur la main de Calisto. Ce faisant, la chaîne autour de son cou se libéra de sa tunique et l'anneau qui y était uspendu se balança contre sa poitrine.

Les yeux de Calisto s'écarquillèrent tandis qu'il suivait les mouvements de l'anneau.

– Comment avez-vous eu ceci ? demanda-t-il en montrant la pierre. Elle porte une inscription plutôt curieuse.

– Cet anneau m'a été donné par mon père, dit Orfeo.

Calisto recula.

– Bien sûr.

Orfeo retourna l'anneau et examina l'inscription sur le lapis-lazuli. L'intérêt de Calisto souleva des questions dans son esprit. Se pouvait-il que l'anneau ait quelque lien avec ce qui s'était passé entre leurs pères ?

– A-t-il quelque signification pour vous, *signore* ? demanda-t-il. La chose représente une énigme pour moi.

Calisto balaya la question du revers de la main.

– Dites-moi où vous logez, sieur Bernardone – au cas où je me souviendrais de quelque chose concernant cette fille.

Son ton et sa manière étaient redevenus plaisants, presque onctueux.

– Je suis tout juste de retour en ville, dit Orfeo. On peut me joindre à la maison du marchand Domenico.

Dès qu'il eut prononcé ces mots, il souhaita s'être tu. L'avertissement de son frère lui revint en mémoire. Il s'inclina brusquement une fois de plus et se dirigea vers les écuries aussi rapidement qu'il le put tout en feignant l'indifférence. Ses cheveux se hérissaient sur sa nuque alors qu'il s'efforçait d'entendre le moindre bruit de pas qui trahirait l'approche de Calisto. Si le *signore* décidait de l'attaquer, il serait impuissant face à lui et à ses trop nombreux chevaliers.

※

Des rayons de soleil s'ébattent avec les ombres sur le mur blanc crème.

Un air chaud d'intérieur. Des bruits domestiques, un balai qui brosse le carrelage, des bûches qui roulent sur la grille de l'âtre.

Des visages qui se penchent vers lui, puis disparaissent.

La douleur. Dans son épaule, ses côtes, son genou, la moitié de son corps. Une douleur lancinante à la tête.

Maintenant, Seigneur, laisse partir Ton serviteur en paix.

Vanna. Je te rejoindrai bientôt. Attends-moi.

Un murmure de voix féminine.

– Est-ce qu'il va mieux ?

Vanna ?

– Il se réveille, puis se rendort aussitôt, Amatina. Il a subi une grave blessure à la tête, mais le médecin pense qu'il vivra. Il est solide comme un roc.

Jacopone sentit une caresse sur sa joue.

– Je suis là, cousin. Tu dois combattre le démon. Ne le laisse pas te prendre déjà.

Il aurait souhaité rester là à écouter cette voix. Un insecte noir et brillant se débattant dans une marre boueuse au bord de la grand-route.

Il voulait partir, quitter cette vallée de larmes. Goûter le repos éternel avec Vanna.

À qui appartenait cette voix, sinon à Vanna ?

– Cousin ?

Un visage encadré de noir comme celui d'une nonne, flou, penché vers lui.

Une odeur de frangipane. Une sensation de fraîche humidité sur son front.

Les ombres qui s'étirent. Un murmure de voix lointain. Tout se brouille. Obscurité. Silence.

Seigneur Jésus-Christ, Fils de Dieu, aie pitié de moi, pauvre pécheur. Seigneur Jésus-Christ, Fils de Dieu, aie pitié…

– Je vous ai entendu parler de Troyes.

Un frère gras et rougeaud se glissa sur le banc opposé à celui d'Orfeo et de Neno et remplit sa coupe à même leur cruche.

– Une bénédiction pour vous remercier de votre générosité, mes amis, dit-il.

– Toutes les gorges sont sœurs, dit Orfeo d'un ton engageant.

Le frère fit tourner le vin dans sa coupe et en huma le contenu.

– Les Francs ont l'habitude de dire que le meilleur vin devrait comporter trois «B» et sept «F»: il doit être bon et bel et blanc, fort et fier, fin et franc, froid et frais et frétillant.

Puis il avala son vin et déclara:

– Il n'est pas étonnant qu'ils apprécient tant le bon vin, car le vin «réjouit Dieu et les hommes», comme il est écrit dans le chapitre neuf du Livre des Juges.

Il brandit sa coupe.

– À propos de ce vin, nous pouvons dire avec le sage roi Salomon: «Donnez de la boisson forte à celui qui va périr, et du vin à ceux qui ont l'amertume dans le cœur: qu'il boive et qu'il oublie sa pauvreté, et ne se souvienne plus de ses peines.»

– Bien dit! s'exclama Orfeo. Que la tristesse soit à tout jamais bannie de cet endroit.

Lui et Neno levèrent leur coupe avec le frère. Des cris d'approbation s'élevèrent des coins sombres de la taverne.

Orfeo se frappa la poitrine.

– Je m'appelle Orfeo, anciennement de la famille des Bernardone, et voici Neno, un homme aussi fort et aussi fidèle que les bœufs qu'il conduit, dit-il.

Le frère inclina sa tête chauve.

– Je suis le frère Salimbene, récemment arrivé de Romagna, au service de Dieu et de tous les hommes décents… et des femmes aussi, qu'elles soient décentes ou non, dit-il en éclatant de rire.

Neno entonna une chanson qui se termina par des balbutiements alors que le charretier posait son bras sur la table et y appuyait la tête. Orfeo le secoua et remplit sa coupe.

– Réveille-toi. Peut-être ce saint frère a-t-il un poème pour nous ou une chanson que *lui* sera capable de *terminer*.

Le frère Salimbene inclina la tête en signe d'acquiescement et frappa bruyamment sur la table. Il se leva et parcourut la salle des yeux.

– Voici des vers de maestro Morando, qui a enseigné la grammaire à Padoue quand j'y étais enfant. Puisse Dieu réconforter son âme.

Il avala une autre gorgée de vin et entonna, sur un ton aussi sombre que lorsqu'il chantait la messe :

– Bois ton vin glorieux aromatisé de miel
Tu te redresseras et ton visage brillera,
Tu le recracheras aussitôt ;
Il est âgé et savoureux ?
Alors ton âme se réjouira,
Ton esprit sera vif.

Est-il de couleur gris pâle ?
Son amertume te saisira à la gorge,
Et tu régurgiteras.
D'autres, buvant avidement un vin lourd,
Se vautreront comme des porcs,
Dans ce vin rouge comme la boue.

Ne méprise pas le vin rosé, même s'il est clair ;
Il empourprera tes joues,
Jusqu'à te rendre soûl.
Mais l'honnête homme
S'interdira le vin blanc
Car il le rendra triste.

Orfeo frappa la table du plat de la main et secoua à nouveau son compagnon. Il demanda une autre cruche pendant que Salimbene se rassoyait.

– Vous êtes allé en France, frère ? demanda le commerçant.

– Pas depuis vingt-cinq ans, répondit le frère. En l'an de grâce 1248, je me suis rendu au couvent de Sens pour assister au chapitre provincial de notre Ordre en France. Le seigneur Louis, roi de France, et ses trois frères s'y rendaient aussi, et je désirais ardemment les voir. Le ministre provincial de France et le frère Odo Rigaldi, archevêque de Rouen, y étaient présents aussi, de même que Jean de Parme, notre ministre général ainsi que plusieurs *custodes*, *definitores* et *discreti* du corps capitulaire.

Il s'interrompit pour prendre une autre gorgée et leva les yeux vers le ciel.

– Notre ministre général refusa de se faire valoir, conformément aux paroles du livre de l'Ecclésiastique : « Ne t'enorgueillis point le jour où on t'honorera », même si le roi l'avait invité à s'asseoir à ses côtés. Jean choisit plutôt de manger à la table des humbles, qu'il honora de sa présence, et plusieurs en tirèrent une leçon.

– Puissions-nous tous apprendre des hommes pieux, dit Orfeo en levant sa coupe. Et buvons aussi à la santé des belles dames, en particulier à celle dont j'ai fait la connaissance aujourd'hui.

– Et à toutes les femmes charmantes dont j'ai été le directeur de conscience, dit Salimbene.

Neno commença à ronfler doucement pendant qu'Orfeo et Salimbene échangeaient des récits de voyages. Il semblait à Orfeo qu'ils venaient tout juste d'entreprendre la tâche sérieuse qui consistait à boire jusqu'à l'évanouissement lorsqu'un son de cloche retentit dans un campanile voisin.

– Hé ! Cette maudite cloche sonne tôt ce soir.

Il vida sa coupe et la posa bruyamment sur la table. Il se leva avec difficulté, réveilla Neno et l'aida à se remettre sur pied.

– *Addio, signori,* leur cria le frère en sortant. J'espère vous revoir ici un autre soir.

En guise de réponse, Orfeo agita sa lanterne dans la direction du frère. La brise nocturne mordait ses joues récemment rasées. Les pavés semblaient anormalement glissants alors que lui et Neno franchissaient la porte et se dirigeaient en titubant vers la maison du sieur Domenico et le grenier où dormaient les hommes engagés. Les rues tanguaient dangereusement d'un côté et de l'autre. Neno s'arrêta pour se soulager contre le mur d'une maison. Il voulut se remettre à chanter, mais Orfeo l'incita à continuer de marcher.

– La cloche du couvre-feu va bientôt sonner, *amico.* Nous devons arriver chez le sieur Domenico avant ce moment.

Trois hommes traversaient la rue obscure dans leur direction, leurs visages dissimulés sous le capuchon de leurs capes. Orfeo réalisa qu'il portait toujours sa bourse et, instinctivement, il posa sa main libre dans son manteau et agrippa la poignée de sa rapière. Neno, inconscient de la présence des trois hommes, tituba jusqu'au côté opposé de la rue, puis étendit un bras vers le mur le plus proche pour garder son équilibre.

– C'est lui, dit le plus grand des hommes alors qu'ils s'approchaient. Le barbu.

Avant qu'Orfeo ne puisse réagir, les hommes s'étaient rués sur le charretier. Des dagues brillèrent dans la lumière de la lanterne et Neno s'affaissa en lâchant un grognement.

– Prenez l'anneau. Il est autour de son cou.

– Tu te trompes ! Il ne le porte pas et il n'est pas à ses doigts non plus.

– Merde !

Orfeo poussa un rugissement et se rua sur les hommes en agitant frénétiquement lanterne et rapière. Le premier se retourna pour lui faire face et reçut une entaille à la joue pendant que les deux autres s'étaient mis à courir en hurlant vers le bas de la rue sans même se retourner pour voir qui les avait attaqués. L'assassin resté sur les lieux tenait une main contre sa joue blessée et de l'autre brandissait son couteau d'un air menaçant. Orfeo brandit sa lanterne comme un bouclier et s'avança vers lui, l'épée levée. L'homme tenta de reculer mais trébucha sur le corps inerte de Neno. Orfeo frappa la dague avec sa lanterne, l'envoyant rouler sur les pavés, et se mit à fendre l'air rageusement du tranchant de sa rapière comme s'il s'agissait d'une hache. Il s'arrêta lorsque les cris et les mouvements eurent cessé. Puis, il posa sa lanterne par terre, s'appuya contre le chambranle d'une porte, le souffle court et les yeux larmoyants, alors qu'il regardait son ami gisant dans la rue obscure comme un tas de vêtements sales.

Orfeo s'essuya le visage du revers de la main et tira sur la chaîne à son cou jusqu'à ce qu'il touche l'anneau. Il le serra dans sa main en maudissant son père et Calisto di Simone, et les assassins du *signore*. Maintenant, tout comme la fille qui s'était enfuie au couvent avait perdu sa famille, il venait *lui aussi* de perdre un camarade aux mains d'un seigneur de la Rocca. Malgré le choc causé par la mort de son ami, il se sentait plus que jamais lié à la fille. Il se jura qu'un jour il trouverait le moyen de les venger tous les deux.

Il aurait voulu arracher la chaîne et lancer ce maudit anneau aussi loin que possible, mais il résista à cette tentation. Il remit l'anneau dans sa tunique et rengaina son épée. Pour la deuxième fois ce jour-là, Orfeo mit un genou par terre pour ramasser une victime de la violence effrénée d'un noble. Il se pencha à l'oreille de Neno et murmura :

– Maintenant, *amico*, tu es finalement libéré de ce monde brutal et insensé.

XXXI

Jacopone ouvrit ses yeux bruns, ronds comme des florins d'or. D'une voix rauque et faible, il demanda à la femme assise sur un tabouret près de son lit :

– Aurais-tu quelques restes, pour un pauvre pécheur ?

La femme fit signe au garçon debout près d'elle de s'approcher.

– Dis à ta mère que notre patient est prêt à manger. Un bouillon et du pain feront l'affaire pour l'instant, je pense.

Le pénitent renifla son avant-bras d'un air dégoûté.

– Nous avons appliqué un onguent sur vos contusions, dit la femme. Le médecin a aussi laissé une poudre que vous ferez dissoudre dans l'eau et que vous boirez pour reprendre des forces.

– Que Dieu me sauve des charlatans, maugréa-t-il. Épargnez-moi leurs reconstituants distillés à partir des excréments des lépreux. Je ne veux ni onguents, ni palliatifs, ni calmants. La nature est le seul médecin dont j'aie besoin.

Il grimaça de douleur et tâta prudemment sa chevelure blonde.

– Mon cerveau a-t-il éclaté ?

– Non, mais vous avez une bosse impressionnante sur le crâne. Vous vous êtes heurté la tête contre les pavés lorsque le carrosse vous a renversé.

Jacopone tourna ses yeux noisette vers la jeune femme.

– J'ai déjà entendu ta voix. Qui es-tu ?

– Je m'appelle Amata, la cousine de Vanna. Des bandits sont venus chez moi et m'ont enlevée avant que nous ayons l'occasion de nous rencontrer.

Bien sûr, ils *s'étaient* rencontrés sur la route plus de deux ans auparavant, mais elle ne voyait aucune raison de le troubler davantage en ce moment en lui rappelant ce qui était arrivé au novice Fabiano.

– La petite Amata di Buonconte ? Vivante ?

Son front se plissa, formant un «V» au-dessus de son nez. Ses yeux parcouraient la pièce sans la voir alors qu'il cherchait des réponses aux questions qui surgissaient dans son esprit. Finalement, ils s'arrêtèrent sur le visage de la jeune femme, scrutant ses traits, jusqu'à ce que ses paupières trop lourdes se ferment de nouveau.

– Tu lui as terriblement manqué, dit Jacopone en enfonçant sa tête dans l'oreiller. Vanna se demandait constamment ce que tu étais devenue.

Amata prit la large main de l'homme dans la sienne et la serra.

– C'est une longue histoire, sieur Jacopone. Quand vous serez rétabli, je vais vous la raconter jusqu'à ce que vous soyez épuisé.

– C'est toi qui as appelé à l'aide sur la grand-place, n'est-ce pas ?

Elle inclina la tête en signe d'acquiescement.

– Mais pourquoi les Gaetani ont-ils voulu t'enlever ?

Amata abaissa un coin de sa bouche en un demi-sourire.

– C'est l'idée que se fait le comte Roffredo Gaetani de la manière de courtiser une femme. L'homme qui me mariera acquerra une fortune appréciable.

Il continuait de la fixer du regard, et elle fut frappée par la clarté de ses yeux et songea aux veinules rouges qui ornaient ses propres yeux fatigués depuis quelque temps.

– Y a-t-il quelqu'un que tu souhaiterais marier ? demanda-t-il.

Elle éclata de rire et secoua la tête.

– Aucun de ceux qui se sont proposés jusqu'à maintenant. Mais on me dit que je dois en choisir un bientôt, quelque chien de garde qui me protégera contre les chacals comme Roffredo.

Jacopone fut saisi d'une quinte de toux.

– Pas… nécessairement. Tu as des parents mâles qui pourraient agir pour toi à titre de gardiens… pour voir à la bonne administration de tes biens.

Il parlait avec beaucoup de difficulté en respirant bruyamment entre ses phrases.

– J'ai rédigé quelques actes de ce genre pour d'autres personnes… au cours de mon ancienne vie.

Le pénitent s'était mis à branler la tête d'un côté et de l'autre sur son oreiller en grimaçant de douleur et en essayant de demeurer conscient. Sa suggestion si simple eut un effet-choc sur Amata. Elle regardait, fascinée, ce supposé fou pourtant si sage qu'il pouvait, d'un coup de plume sur une feuille de parchemin, transformer l'enchevêtrement de lois civiles en une sorte de sauf-conduit pour elle.

Mais la liste de ses parents mâles s'était considérablement raccourcie. Son grand-père Capitanio était décédé un an avant ses parents, laissant à son père l'anneau que lui avait plus tard volé Simone della Rocca. Il n'était pas question qu'elle fasse appel à son grand-oncle Bonifazio. Il l'escroquerait sans doute et la laisserait par la suite mendier dans les rues ou l'enfermerait dans un couvent où elle devrait passer le reste de sa vie en tant que sœur Amata. Mais son oncle Guido, le père de Vanna, pourrait représenter la solution à son dilemme. Si son oncle était toujours en vie, il serait maintenant l'unique seigneur du Coldimezzo. Et si Jacopone la recommandait… le beau-père du notaire ne pourrait refuser malgré le vieux scandale impliquant Bonifazio et elle-même.

Les lèvres craquelées de Jacopone s'entrouvrirent de nouveau.

– Votre frère ?

– Fabiano ?

– S'il n'avait pas fait vœu de pauvreté, il pourrait convenir.

En entendant le nom de son frère mort, Amata prit une profonde inspiration à travers ses dents serrées. C'était un souvenir sur lequel il était trop pénible de s'attarder. Mais l'allusion de son cousin au vœu de pauvreté de Fabiano la força également à réprimer un sourire. Un jour, elle divertirait le sieur Jacopone avec l'histoire du « frère Fabiano ».

Elle entendit derrière elle le frottement de sandales sur le plancher. Les pas lui semblèrent plus lourds que ceux de Pio. La cuisinière apportait elle-même la nourriture.

– S'il vous plaît, laissez-moi servir notre hôte, *madonna*, pour le remercier de vous avoir sauvé la vie.

Amata sourit.

– Vous voyez, *signore*, comme il y a ici de bonnes âmes pour prendre soin de vous.

Elle se demanda si le fait que les deux soient veufs avait quelque rapport avec l'attention particulière que portait la cuisinière au blessé.

Elle se leva pour laisser son tabouret à la vieille femme et sortit tranquillement de la chambre pour se diriger vers une fenêtre dans le corridor. Elle regarda entre les volets les pierres humides qui pavaient la ruelle que le soleil hivernal du milieu du jour avait lustrées d'une légère teinte grise. Amata vit également Orfeo Bernardone, maintenant imberbe, qui se dirigeait vers l'entrée de sa maison, la tête inclinée, l'air démoralisé. Malheureusement pour lui, il apparaissait au moment même où elle venait de penser à son frère. Si elle doutait de sa détermination après la dernière visite du jeune homme, le moment qu'il avait choisi pour revenir effaçait tous ses doutes.

– J'ai un visiteur, dit-elle en direction de la porte ouverte de la chambre de Jacopone. J'aimerais reparler plus tard avec vous du conseil que vous m'avez donné.

Un plan commença à se former dans son esprit pendant qu'elle se dirigeait vers le hall pour accueillir le fils Bernardone. Son plan comblerait à la fois son désir de vengeance et son besoin de protection. Aussitôt que Jacopone aurait suffisamment repris ses forces pour voyager, ils chevaucheraient jusqu'au Coldimezzo – en espérant que le comte Guido vivait toujours au domaine. Elle ne savait même pas si le manoir avait survécu à l'attaque, mais Jacopone le saurait. Elle continuerait à afficher de l'intérêt pour cet Orfeo, lui demanderait de les accompagner pour les protéger contre les bandits de grands chemins et, lorsqu'ils atteindraient le Coldimezzo, ils se trouveraient à l'endroit idéal pour que le fils de Bernardone expie la mort de sa famille. Le sol rocailleux du Coldimezzo était tout désigné pour accueillir son offrande ; il deviendrait un autel sacrificiel, comme les pierres plates sur lesquelles se déversait le sang lorsque les patriarches hébreux abattaient leurs chèvres, leurs veaux et leurs pigeons pour expier leurs péchés.

☙

Malgré ses rêves de justice ultime, Amata se trouva mal à l'aise devant l'abattement d'Orfeo. Quelle satisfaction aurait-elle à tuer quelqu'un qui semblait déjà appeler la mort de ses vœux ? La pâleur de ses joues fraîchement rasées ne faisait qu'ajouter à son allure souffrante. Il se laissa tomber dans la chaise devant elle, près de l'âtre, mais ne put la regarder en face. Il fixa plutôt son regard sur les flammes.

– Pourquoi avez-vous l'air si triste, *signore*? demanda-t-elle. Est-ce ainsi que vous paraissez toujours sans votre barbe? Je croyais que vous étiez venu me divertir avec vos récits d'aventures.

– Je n'aurais pas dû venir si tôt, dit-il. C'était une erreur.

Il se renferma de nouveau dans son silence, se tournant sur son siège pour faire face aux flammes, mais ne fit aucun geste pour partir. Il était là, bouche bée, comme un imbécile incapable de se souvenir de sa prochaine phrase.

Il parla finalement d'une voix sombre comme la mort.

– J'ai besoin de parler à *quelqu'un*. Et je vais *effectivement* vous raconter une histoire, celle de Hassan ben Sabah, le Vieil Homme de la montagne, un disciple d'Ali, le cousin de Mahomet.

Continuant de fixer les flammes, il commença son récit.

– Ce chef de clan vivait à Alamūt, au-delà de la frontière de la Grande-Arménie. Il y avait aménagé un jardin rempli d'arbres fruitiers et de fleurs odorantes. Ses terres étaient couvertes de palais de marbre décorés d'or, de peintures et de soieries. À travers les canalisations de ses édifices coulaient dans toutes les directions des torrents de vin, de lait, de miel et d'eau pure. Dans les palais vivaient d'élégantes jeunes filles qui chantaient et dansaient au son de lyres et de luths et avaient été particulièrement formées dans l'art de séduire.

Amata sourit à cette image. Pourquoi ne pouvait-elle pas être née dans cet agréable lieu païen plutôt qu'ici à vivre cette vie chrétienne imprégnée de souffrances? Elle scruta le visage d'Orfeo, mais il demeurait aussi sombre qu'auparavant, contrastant tristement avec ses descriptions idylliques. Elle ferma les yeux, refusant que son rêve éveillé soit interrompu par ce qui avait pu mettre Orfeo dans un tel état.

– Peu de gens connaissaient l'existence du paradis terrestre d'Hassan ben Sabah, continua-t-il du même ton monotone, car il était caché dans une vallée que gardait un château fort: un passage secret aménagé dans la forteresse y donnait accès. Son but en créant cet endroit céleste était de se faire passer pour un prophète, pour quelqu'un qui pouvait lui-même faire entrer au paradis terrestre les hommes qui obéiraient à sa volonté. À sa cour, Hassan ben Sabah entretenait plusieurs jeunes gens des montagnes environnantes, qu'il avait choisis pour leurs talents de guerriers et leur courage exceptionnel. Après leur avoir fait connaître l'existence de ce paradis et s'être vanté de pouvoir les y admettre, il leur faisait prendre une plante opiacée appelée « hashishin ». Puis, lorsqu'ils étaient à demi intoxiqués, il les faisait conduire dans les palais secrets où, pendant plusieurs jours, il les enivrait encore davantage par des excès de divers plaisirs, jusqu'à ce que les jeunes en viennent à croire qu'ils se trouvaient réellement au paradis.

Amata s'avança sur le rebord de sa chaise.

– Et ces beaux garçons quittaient-ils un jour cet endroit?

– Ai-je dit qu'ils étaient beaux?

Il inclina la tête et la regarda du coin de l'œil.

– Ils ne le quittaient pas par choix. Le chef de clan les droguait de nouveau et les ramenait dans sa cour. Il leur demandait où ils étaient allés et leur assurait que, s'ils obéissaient à ses ordres, il les ramènerait au paradis qu'ils venaient de connaître. Ainsi, les jeunes hommes étaient heureux d'obéir à ses ordres et même de mourir à son service, car ils croyaient qu'ils seraient plus heureux après leur mort qu'ils ne l'avaient été de leur vivant. Si quelque prince parmi ses voisins offensait Hassan ben Sabah, il le faisait assassiner par ses guerriers dont aucun ne craignait plus de perdre la vie. Nul homme, si puissant qu'il soit, ne pouvait échapper à ses « assassins » – car tel était le nom qu'ils avaient acquis à cause du « hashishin » qu'ils avaient consommé. En raison de leurs gestes meurtriers, le mot *assassino* est même passé dans notre langue.

Orfeo s'interrompit un moment, grattant une tache sur l'ongle de son pouce. Amata frappa des mains avec enthousiasme sans réussir à améliorer l'humeur du commerçant.

– Une histoire à la fois merveilleuse et effrayante, *signore*, dit-elle. Est-elle entièrement vraie?

– Elle n'est que trop vraie, répondit-il.

Il enfouit son visage dans ses mains et, quand il leva de nouveau les yeux vers elle, des larmes luisaient au coin de ses yeux rougis.

– Il y a deux nuits, des assassins ont tué mon charretier principal, mon camarade, dit-il, l'homme que vous avez vu contenir les chevaliers du comte Roffredo à l'aide de sa hache.

Amata sentait toute la tristesse du commerçant, mais elle se raidit contre le sentiment de sympathie qui sourdait en elle, fermant ce recoin de son cœur. Elle se concentra plutôt sur une pensée : *Des assassins ont massacré ma famille aussi, des assassins embauchés par ton père, Orfeo di Bernardone.*

– C'était moi qu'ils devaient tuer, continua le commerçant, mais comme je m'étais coupé la barbe et que Neno ne l'avait pas fait, ils l'ont confondu avec moi.

La chaise d'Orfeo grinça sur les carreaux pendant qu'il se levait et il la repoussa de la jambe.

– Je suis venu vous dire adieu, *madonna*. Je ne suis pas certain des raisons qui ont suscité cette haine, mais je sais que je pourrais perdre la vie si je demeurais à Assise. Je vais demander au sieur Domenico d'organiser une autre expédition. Mon seul regret est de devoir partir *maintenant*, alors que je viens seulement de faire votre connaissance.

Oh ! non ! Tu ne peux pas disparaître de nouveau, pensa Amata.

– N'est-ce pas exactement ce à quoi s'attendent les meurtriers ? laissa-t-elle tomber. Ne vont-ils pas vous poursuivre hors des murs ?

Il allait répondre, mais elle saisit l'occasion de lui faire part de ses propres projets.

– Je dois me rendre à la commune de Todi dans quelques jours et j'ai besoin d'un homme d'armes pour m'accompagner. J'avais espéré pouvoir vous le demander, dit-elle en ajoutant rapidement : votre ennemi ne s'attend sûrement pas à un tel geste, et vous et moi…

Et vous et moi ? Elle s'interrompit avant de compromettre son plan, avant de proférer un pur mensonge.

La tristesse qui assombrissait ses traits commença à disparaître avant même qu'elle ait terminé sa phrase. Elle se demanda si ce changement d'attitude découlait de la perspective d'échapper à ses ennemis ou de sa phrase interrompue.

Orfeo prit la main d'Amata dans la sienne.

– Je suis honoré, *madonna*, dit-il. Vraiment honoré.

Une sensation inattendue réchauffa le bas-ventre d'Amata alors qu'il posait ses lèvres d'une si douce manière sur le dos de sa main.

❧

– La santé de Gerardino se détériore. La grippe a attaqué ses poumons et il a cessé de se nourrir, annonça Zefferino à travers la grille pendant qu'il faisait descendre le repas quotidien de Conrad et de Jean.

Jean de Parme secoua la tête d'un air grave pendant que Conrad lui tendait son bol de bouillon.

– Plusieurs croient que le frère Gerardino di Borgo San Donnino a causé involontairement mon emprisonnement. Depuis combien d'années dites-vous que lui et moi sommes les hôtes de Bonaventure ? Seize ans ? Une dure épreuve pour un homme si jeune et si aimable. Tu l'aurais aimé, Conrad. C'était un brillant théologien. Un homme courtois, pieux, modéré dans ses paroles et dans son alimentation, désireux d'aider avec toute son humilité et sa gentillesse.

– Vous décrivez un saint. Quelle offense a-t-il commise exactement ? demanda l'ermite.

– Comme moi, il a adhéré aux prophéties de l'abbé Joachim. Mais il a poussé les théories de Joachim jusqu'à leurs conclusions anticléricales et le clergé séculier de Paris s'est retourné contre lui. En tant que ministre général, j'aurais dû le punir, parce que ses prétentions frisaient véritablement l'hérésie, mais je n'ai pas pu car je voyais la magnifique logique derrière ces prétentions. En fait, quelques-uns de ses écrits m'ont même été attribués. En conséquence, lorsqu'il est tombé, je suis tombé avec lui. C'était exactement le prétexte dont les Conventuels avaient besoin pour me remplacer.

Jean trempa un morceau de pain dans le bouillon tiède jusqu'à ce qu'il devienne suffisamment mou pour pouvoir le mâcher. Quand il eut mangé le pain, il porta le bol à ses lèvres. Conrad tenta de ramener son compagnon au sujet de la conversation.

– Qu'est-ce que Gerardino ajoutait aux enseignements de Joachim ? demanda-t-il.

– Jean leva brusquement les yeux vers Conrad, une expression étonnée sur son visage, et l'ermite se prépara à subir une des fréquentes digressions de son compagnon.

– Pardonne-moi, frère. J'essayais de me souvenir d'une chanson à laquelle je n'avais pas pensé depuis des années. Les gens disent qu'elle avait été chantée pour la première fois par un bébé en guise d'avertissement pour des événements à venir.

Un jour, un Romain frappa à la tête un autre Romain,
Pour cette raison, Rome offrit le Romain au Romain.
Alors le lion a escaladé la montagne et est devenu l'ami du renard,
Mais il a soudainement trouvé la mort quand il a revêtu une peau de léopard.

– Je n'ai jamais pu comprendre qui étaient les Romains, ou le lion, ou le renard, tout comme je ne sais pas qui est l'Antéchrist ou l'Abomination de la désolation dans les prophéties de Joachim. Pendant des années, je croyais que l'empereur Frédéric était l'Antéchrist. Sa mauvaise habitude de prendre des bains quotidiens, même le dimanche, démontrait qu'il n'observait ni les commandements de Dieu ni les fêtes et les sacrements de l'Église. Mais quand Frédéric est mort sans que les autres prophéties se réalisent, j'ai commencé à avoir des doutes. Quand j'ai demandé à Gerardino ce qu'il en pensait, il s'est lancé dans une longue explication du chapitre XVIII d'Isaïe, à partir de « Ha ! pays qui fais ombre avec tes ailes », et ainsi de suite jusqu'à la fin, comme s'il faisait référence au roi Alphonse de Castille. « C'est sûrement lui l'Antéchrist maudit dont parlaient tous les docteurs et les saints », avait-il dit. Pour ce qui est de l'Abomination de la désolation, il croyait avec autant de certitude qu'elle décrivait un pape simoniaque qui allait être élu.

– Était-ce pour de telles interprétations que les ministres ont emprisonné Gerardino ? demanda Conrad.

– Pas tout à fait, même s'ils ont fait en sorte que les conférenciers de l'université le ridiculisent. L'abbé Joachim divise le temps en trois états : dans le premier, Dieu le Père œuvrait dans l'ombre par l'entremise des patriarches et des prophètes. Dans le deuxième état, le Fils œuvrait par l'entremise des apôtres et de leur successeur, le clergé, disant à propos de cet état : « Mon Père a œuvré jusqu'à maintenant, et maintenant c'est moi. » Et dans le dernier état, le Saint-Esprit œuvrera par l'entremise des ordres religieux, des frères, des moines et des nonnes en orientant la hiérarchie vers de nouvelles attitudes. Bien sûr, il ne s'agira pas d'abroger l'Ancien et le Nouveau Testament, mais le Saint-Esprit devra ouvrir les yeux des hommes à une nouvelle révélation dans les anciennes Écritures – un Évangile éternel découlant des Testaments comme son Auteur, le Saint-Esprit, découle du Père et du Fils. Mais avant que cela n'arrive se produiront les perturbations prédites dans l'Apocalypse, la bataille d'Armageddon qui doit précéder le règne des saints. Nous pensions que cette année de bouleversements serait 1260.

– Et pourquoi cette année ? demanda Conrad.

– Ça semble clair si l'on se fie à l'histoire de Judith. Judith a été veuve pendant trois ans et six mois, soit 1 260 jours. Elle symbolise l'Église, qui survit au Christ son époux non pas

1 260 jours mais 1 260 années. L'année 1260 doit donc être celle du grand changement dans la vie de l'Église.

– Mais si Notre-Seigneur est mort à trente-trois ans, demanda Conrad, l'année de la réalisation de la prophétie ne devrait-elle pas survenir trente-trois ans après l'an de grâce 1260 ?

Jean leva les yeux vers Conrad, puis se frotta le front de son poing.

– Évidemment ! Voilà pourquoi les événements prédits par Joachim ne se sont pas encore produits. Gerardino avait omis d'en tenir compte. Mais il y avait autre chose. Il a publié une Introduction à l'Évangile éternel, qui contenait les œuvres les plus connues de l'abbé Joachim ainsi qu'une préface et des notes qu'il avait lui-même rédigées. Les sacrements ne sont que des symboles éphémères, affirmait-il, des symboles qu'on devrait mettre de côté pendant le règne du Saint-Esprit. Il a également établi un lien entre la papauté et l'Abomination de la désolation, comme je l'ai dit, et, comme il ne restait que quelques années avant que ne survienne la réalisation de la prophétie, cette idée ne plaisait pas à la papauté. *Il a en plus déclaré que saint François était le nouveau Christ qui allait supplanter Jésus, le Christ de la deuxième période.* Les écoles de Paris ne pouvaient accepter une telle affirmation et la question fut soumise à un comité pontifical en 1255. Le comité condamna l'œuvre de Gerardino et en brûla toutes les copies. Maintenant, il semble que Gerardino lui-même doive mourir, condamné comme hérétique et excommunié à cause de son entêtement, car il n'a jamais renoncé à ses idées peu orthodoxes.

Ils ne parlèrent plus de Gerardino jusqu'à ce que, quelques jours plus tard, le murmure rauque de Zefferino annonce l'inévitable :

– L'âme du frère Gerardino a quitté son corps pendant son sommeil la nuit dernière.

– Puisse Notre-Seigneur et sa Sainte Mère accueillir son âme, dit Jean.

La grille s'ouvrit et Zefferino descendit les marches jusqu'à eux.

– Bernard de Besse s'en est servi comme exemple pendant le chapitre de ce matin, dit Zefferino d'une voix grave. Observez cette pure folie, lorsqu'un frère est contredit par les hommes les plus savants et qu'il ne renonce pas à ses opinions erronées, mais demeure dévergondé et obstiné, en s'imaginant avoir raison.

– Est-ce Bernard qui dirige maintenant le chapitre? demanda Conrad.

– C'est l'autre nouvelle que je venais vous apprendre, dit Zefferino. Bonaventure est parti à Rome. Le Saint-Père lui a demandé de prendre la parole au concile œcuménique de Lyon. Il sera parti au moins pendant tout l'été.

Conrad inclina la tête, puis se releva en remuant ses orteils sur le sol humide et froid de la cellule. Traînant ses chaînes derrière lui, il alla déposer le reste de nourriture dans le panier accroché sur le mur. Pendant deux ans, il avait nourri l'espoir que le ministre général revienne sur sa décision et les libère tous les deux, Jean de Parme et lui. Maintenant qu'il s'occupait des affaires pontificales, il semblait bien peu probable que Bonaventure se souvienne des frères trop curieux qu'il avait abandonnés dans les profondeurs du Sacré Couvent. Ils allaient demeurer dans ce cachot pendant au moins six autres mois.

Conrad étudia le visage de Jean en buvant le reste de son bouillon. Il avait été enfermé aussi longtemps que Gerardino. L'ermite regarda aussi ses propres mains pâles et squelettiques et serra un de ses bras décharnés dans la manche de sa tunique. Jean et lui passeraient-ils le reste de leur vie dans une cellule de prison comme le rebelle Gerardino? Serait-il incapable de réaliser son vœu personnel d'œuvrer parmi les lépreux? Si vaine que puisse sembler cette idée, était-ce le but ultime de Dieu lorsqu'il les attira au sein de l'Ordre? Qu'ils passent le reste de leur vie dans l'obscurité d'un cachot avec les rats pour seuls compagnons? *Tes voies sont effectivement mystérieuses, ô Seigneur!* pensa-t-il en ramassant le bol de Jean et en le tendant à Zefferino.

– Viens, frère, dit-il lorsque leur geôlier fut parti. Rendons grâce encore une fois pour le repas que nous avons reçu.

XXXII

L orsque Orfeo s'enquit de leur destination, Amata épousseta simplement son manteau, en enlevant des taches de boue séchée.

– Nous y serons bientôt, dit-elle.

Il avait bien sûr reconnu la route qui traversait la commune de Todi, car il l'avait parcourue avec son père pendant son enfance. En fait, il la connaissait trop bien, car il réalisa que, à moins de prendre bientôt quelque embranchement, ils passeraient directement sous le Coldimezzo.

Quels sombres souvenirs allait-il devoir affronter pour avoir accepté l'offre de la femme ? Leur minuscule caravane longeait le rebord d'un précipice qui pourrait l'aspirer au cœur même de ses pires cauchemars et laisser son âme anéantie. La sueur dégoulinait de ses tempes sur ses joues, donnant une fausse idée de la fraîcheur de l'air du mois de mars, alors qu'il imaginait une fois de plus la conflagration qu'il avait vue dans ces rêves – des gens qui tombaient sous les coups d'épées ou les sabots des chevaux de guerre – et, plus récemment, l'image d'une enfant attachée qui se débattait pendant qu'elle était enlevée par les assassins engagés par son père.

Il ralentit le pas de son cheval et se retrouva bientôt à l'arrière de la caravane. Sa respiration courte se mêlait au gazouillement des oiseaux à la recherche d'un partenaire potentiel dans les boisés qui longeaient la route. Même ces oiseaux se moquaient de son état d'esprit. Ce qui avait débuté comme un voyage pendant lequel il pensait courtiser donna Amata – son cheval cheminant à côté de celui d'Amata pendant qu'il lui parlerait de son ami Marco et elle, de donna Giacoma et de son unique grand voyage dans les Marches, l'ardeur du jeune homme grimpant comme la sève des arbres environnants – fut tempéré par les dangers qui pouvaient survenir à chaque courbe de la route.

Amata semblait tout aussi mal à l'aise que lui. Elle était devenue froide et distante et n'avait parlé à personne depuis une heure. Elle tira son capuchon sur sa tête, pendant que son palefroi ralentissait le pas. Contrairement au prétexte qu'elle avait invoqué pour justifier ce voyage, elle n'agissait pas comme une femme qui s'en allait régler une simple affaire de famille. Même le jeune Pio s'était découragé et ne cheminait plus à ses côtés.

Orfeo éperonna son animal pour rejoindre la charrette de Jacopone. Les serviteurs l'avaient remplie de paille et recouverte celle-ci de plusieurs couches de couvertures. L'homme blessé dormait paisiblement, ignorant la mouche qui tournait autour de son visage et s'éloignait de son front chaque fois que la charrette cahotait sur la route de terre. Après qu'ils eurent traversé le Tibre à gué, la pente se fit plus régulière, la route devenant de plus en plus ferme à mesure qu'ils s'éloignaient du fond boueux du fleuve. Un tapis d'herbe nouvelle s'étendait dans chaque clairière qu'ils rencontraient, et les fermiers y marchaient pour vérifier l'humidité du sol. De nouvelles feuilles avaient reverdi dans les buissons et les arbres, et les premiers bourgeons roses et blancs ornaient les arbres fruitiers qui avaient survécu au rude hiver.

Il arriva finalement derrière Amata, juste à temps pour entendre le cri de douleur qu'elle n'avait pu réprimer. Elle s'était complètement arrêtée et regardait droit devant elle. Lorsqu'elle repoussa son capuchon, la brise écarta les boucles sombres de son visage. Ses cheveux étaient un peu plus longs que ceux d'un homme, un vestige de sa vie de couventine, avait-elle expliqué. Il détourna le regard de son visage pour voir ce qui l'avait surprise.

Ça doit être l'endroit, pensa-t-il. Pourtant, il semblait différent. Il se souvenait d'un remblai de terre qui encerclait le château, d'une forêt qui s'étendait pratiquement jusqu'aux remparts, d'un mur qui s'élevait jusqu'aux tours et d'une arche qui en surmontait l'entrée. Ce Coldimezzo était complètement entouré de hautes fortifications. Seule la tour de garde, à l'étage supérieur du château, apparaissait au-dessus des remparts. Les arbres et les buissons avaient été coupés afin de forcer un ennemi à attaquer sur une pente ascendante et à traverser un vaste escarpement sans espoir de surprendre les occupants.

– Ils l'ont renforcé, dit Amata d'une voix tranquille sans s'adresser à personne, mais le mal est déjà fait.

Elle fit tourner son palefroi et retourna vers la charrette. Elle se pencha au-dessus de la rambarde du véhicule et secoua Jacopone.

– Réveille-toi, cousin. Nous sommes arrivés.

Orfeo se raidit sur sa selle, alors que le pénitent s'efforçait de reprendre conscience. Il regarda la jeune femme comme pour la première fois, rassemblant tout ce qu'il avait appris d'elle : son âge, son amitié avec le frère, le temps qu'elle avait passé chez les nonnes, la générosité dont elle avait fait preuve envers la vieille femme qui l'avait recueillie (parce qu'elle était orpheline ?), une vengeance qui habitait toujours son cœur (contre les hommes de la Rocca ?).

Il pouvait discerner l'œuvre de Dieu dans les circonstances qui l'avaient fait quitter Acre, ramené à Assise et maintenant en ce lieu, avec cette femme. Il étudia les traits pâles de la jeune femme, essayant de découvrir sur le visage d'Amata l'enfant qui l'avait regardé timidement du haut de la tour de garde. Combien d'années s'étaient écoulées ? Au moins huit. La femme avait déjà avoué, avec un certain embarras, qu'elle avait déjà atteint dix-neuf ans. *Dieu du ciel, c'était sûrement elle !*

Son cœur battait à tout rompre, comme celui d'un homme qui trouve par hasard une pièce précieuse. Et comme cet homme, qui couvrirait d'abord la pièce avec son pied en s'assurant que personne ne regarde, Orfeo décida pour l'instant de taire sa découverte. Bientôt, en temps et lieu, il révélerait le lien douloureux qui les unissait. Pour le moment, il allait seulement l'observer, étudier son passé qui éclairait petit à petit son présent. Sachant ce que la femme avait vécu, il ne l'en admirait que davantage.

Jacopone, encore faible, se dressa sur ses mains et ses genoux et rampa jusqu'au siège de la charrette. Amata fit signe à la troupe de continuer d'avancer. De nombreux autres gardes étaient apparus au sommet du mur depuis que les voyageurs avaient aperçu le château. Amata scruta les remparts, comme si elle cherchait un visage familier parmi les guerriers. Alors qu'ils approchaient, un garde leur cria de s'identifier et de dire le but de leur visite.

– Ce n'est plus Cleto Monti qui garde la porte ici ? cria Amata en retour.

– Je ne connais pas ce nom, répliqua l'homme.

– Il est mort il y a huit ans, madame, cria une autre voix. Il a été tué dans une attaque contre ce château.

– Je ne le savais pas, dit Amata d'une voix si douce que seuls les membres de sa troupe l'entendirent.

Elle se sentit défaillir pendant un instant, puis elle s'adressa de nouveau aux gardes :

– Amata di Buonconte, accompagnée de Jacopo dei Benedetti da Todi, demande l'hospitalité de son oncle le comte Guido di Capitanio.

– Alors vous mentez, dit le deuxième homme. Amata di Buonconte est morte elle aussi, tuée pendant la même attaque. Et le seigneur Jacopo est devenu fou et s'est suicidé après la mort de sa femme.

Jacopone redressa vivement la tête en entendant les paroles de l'homme. La voix tremblante de colère, il cria au garde :

– Va donc chercher son oncle, espèce d'imbécile ! N'importe quel idiot qui possède deux yeux peut voir que nous ne sommes pas des fantômes.

Étrangement, Orfeo sentit ses yeux se mouiller alors qu'il regardait le garde disparaître derrière le parapet. Il aurait voulu rire ; il aurait voulu pleurer – sur le sort d'Amata et de son cousin. Il resserra son casque sur sa tête et en abaissa la visière pour que personne ne puisse percevoir son émotion.

Plusieurs minutes passèrent pendant lesquelles personne ne rompit le silence. Puis, provenant de derrière le mur, Orfeo entendit un bruit d'attroupement, et en particulier des cris aigus de femmes et la voix grave d'un homme qui semblait lancer des ordres à tout ce monde en même temps. Soudainement, la porte s'ouvrit et la voix de l'homme cria :

– Où est-elle ?

Amata descendit de son cheval et se tint debout, un bras autour du cou de l'animal.

– Suis-je la bienvenue, mon oncle ? dit-elle au géant qui s'avançait à grands pas vers l'entrée à la rencontre des voyageurs.

Il la rejoignit en quelques enjambées et la saisit dans ses bras immenses. Le palefroi s'écarta pendant que le visage d'Amata disparaissait dans la barbe grise de l'homme. Finalement, son oncle la remit par terre et lui dit en lui posant les mains sur ses épaules :

– Amata, mon enfant chérie. Nous t'avons cherchée partout pendant des mois, mais la terre semblait t'avoir avalée. Aucun des survivants n'a pu dire qui les avait attaqués.

– J'ai été retenue prisonnière dans la commune d'Assise pendant plusieurs années. C'est une histoire longue et triste. Je suis ici aujourd'hui et je suis une femme libre.

Le comte Guido lui prit les mains et secoua la tête.

– Tu m'as manqué autant que ma chère Vanna. Nous l'avons perdue elle aussi, environ un an après toi.

– Le sieur Jacopone me l'a dit. Ç'a dû être terrible pour vous.

L'homme jeta un regard autour de lui et parut remarquer pour la première fois le reste de la caravane. Son regard parcourut les visages un à un, et Orfeo releva sa visière. Les yeux bruns rougeâtres de l'homme s'arrêtèrent finalement sur le pénitent, pâle et dépenaillé sur son banc de charrette.

– Sieur Jacopo? dit-il avec compassion. En êtes-vous arrivé à ce point?

– Ce point me convient tout à fait, dit Jacopone avec un faible sourire. J'ai connu l'enfer, *suocero mio*, mais maintenant j'en suis revenu.

– Nous allons tuer le veau gras, cria le comte à ses gens. Maître intendant, commencez immédiatement à préparer un banquet.

Il saisit les rênes du cheval d'Amata et, entourant de son bras libre la taille de la jeune femme, il la conduisit vers le château. Les épaules d'Amata tremblèrent et elle se mit à pleurer.

Orfeo descendit également de cheval et marcha à leur suite. Tout en marchant, il entendait des bribes de leur conversation.

– Je n'étais pas certaine…

– Bah! Bonifazio est un imbécile. Nous savions tous…

Pendant qu'ils conversaient, le comte Guido s'arrêta soudain et fixa du regard le visage larmoyant de la femme, puis dit d'un ton délibéré:

– Ton père souffrait chaque fois qu'il te punissait. Il a fait ce qu'il devait faire, mais cela lui brisait le cœur. À ses yeux, tu étais le don le plus précieux du monde, et il ne savait pas quoi faire quand Bonifazio a souillé son joyau. C'est à Bonifazio qu'il n'a jamais pardonné.

Amata se blottit dans ses bras et enfouit sa tête contre son épaule. Guido regarda derrière elle et vit Orfeo flânant tout près. Il agita le bras et dit d'une voix impérieuse:

– Amène les chevaux à l'écurie, garçon. Les serviteurs t'indiqueront le chemin. Et évite d'écouter les conversations privées de ta maîtresse.

– Mais… commença Orfeo en protestant.

Il attendit qu'Amata dise qu'il était un ami et non un homme d'armes engagé, mais elle ne releva même pas la tête. Finalement, il remarqua la charrette qui s'éloignait et un serviteur qui aidait Jacopone à marcher jusqu'au grand hall. Orfeo prit les rênes du palefroi d'Amata et suivit la charrette. Le comte siffla en direction d'une enfant de sept ou huit ans, mince et aux cheveux couleur de sable.

– Viens, Teresina. Ton grand-père a une merveilleuse surprise pour toi.

Jacopone étira ses membres endoloris dans le vaste lit de son beau-père, près du feu qui crépitait dans le grand hall du château. La chaleur des flammes et la fatigue du voyage l'avaient rendu somnolent.

Lui et Vanna s'étaient pour la première fois rencontrés dans cette pièce. Le pénitent ferma les yeux, l'imaginant comme elle était apparue ce jour-là, vêtue d'une simple robe verte, une guimpe couvrant sa chevelure. Elle l'avait à peine regardé, scrutant plutôt le plancher, pendant qu'il s'adressait surtout à ses parents et discutait des conditions du mariage. Combien différente avait été cette modeste fille de la campagne de la femme audacieuse qu'il avait connue à Todi. Son manque de raffinement lui plaisait et le déconcertait tout à la fois : il allait devoir polir ces angles rugueux avant de la présenter en public. Mais sa beauté naturelle, convenablement mise en valeur par des vêtements luxueux et des bijoux, représenterait certainement un atout pour sa carrière. Les marchands de la ville allaient se précipiter chez lui pour le pur plaisir de baiser sa jeune main pendant qu'ils la couvriraient d'hommages.

Vanna *non vanitas*. Il aurait pu tellement apprendre d'elle si elle avait vécu – s'il avait été ouvert à la vérité qu'elle vivait quotidiennement. Pourquoi avait-il fallu que survienne un accident fatal pour le délivrer de sa folie ? Il ramena sur ses épaules la lourde couverture de Guido, qui dégageait une forte odeur de vieux guerrier malpropre. Il pria : *Quand, ô Seigneur, me libéreras-Tu ? Quand pourrai-je voir son âme lumineuse et lui demander pardon en personne ?*

Autour de lui, la pièce était remplie de murmures. Il entendit une exhortation parmi le concert de voix :

– Vas-y, maintenant. Il ne te mordra pas.

Puis le chérubin apparut. Il tira précautionneusement la couverture, découvrant ses bras et sa poitrine. Jacopone sentit la main, froide et minuscule, s'emparer de sa main rugueuse. Il ouvrit un œil. La lumière de l'après-midi encadrait sa chevelure bouclée, ajoutant un éclat à l'épaule et au côté de sa robe blanche, et à la corde dorée autour de sa taille. Le visage enfantin avait la même bouche, le même menton que la Vanna à qui il venait de rêver. Il accueillit le présage de toute son âme.

– Alors, le temps est-il venu? dit-il. Es-tu venu pour m'amener près d'elle?

Le chérubin voletait autour du lit comme un petit oiseau. Ses yeux graves sculptaient le visage du pénitent. Il arqua ses sourcils, tour à tour plissant et étirant la peau tendue de son visage et de son front. Un chatouillement lui apprit qu'il était encore bien vivant.

– Nonno Guido dit que tu es mon père.

Jacopone promena son regard dans la pièce. Son beau-père se tenait debout avec Amata près de l'entrée.

– Es-tu blessé? demanda la fillette. Grand-papa m'a dit que tu avais été malade pendant plusieurs années et que c'était pour cette raison que tu ne pouvais pas venir me voir.

Il referma ses doigts sur la petite main.

– Dis-moi ton nom, mon enfant.

– Teresa di Jacopo. Tout le monde m'appelle Teresina.

– C'est un joli nom.

Il continua de tenir sa main pendant que son esprit s'enfonçait dans le brouillard des années passées. Il revit le corps écrasé de Vanna qu'on transportait dans leur chambre, les servantes qui se tordaient les mains dans leurs tabliers, la nourrice dont le visage ruisselait de larmes pendant qu'elle tenait la *bambina* contre son sein. Il s'était à peine aperçu de sa présence dans la maison tellement Vanna et la nourrice s'efforçaient de ne pas le déranger. L'enfant ne devait pas avoir plus de deux mois à l'époque.

Il déplia ses doigts, mais la fillette laissa sa main reposer dans celle de Jacopone.

– La dernière fois que je t'ai vue, tu n'étais pas plus grande que ma main, dit-il. Comme tu as grandi!

Il se tourna vers Guido qui s'était approché du lit.

– Puisse Dieu te récompenser, *suocero*. Tu as bien pris soin d'elle.

– Jusqu'à aujourd'hui, elle était tout ce qui me restait. Pour moi, elle était un cadeau du ciel.

La voix du géant s'était attendrie. Il s'assit à côté de la fillette et le matelas grinça sous son poids. Il passa ses doigts à travers les boucles de Teresina.

– Regarde, vous avez la même couleur de cheveux, dit-il à l'enfant, même si tu ressembles indiscutablement à ta mère.

– *Deo gratias,* dit Jacopone en riant. Dieu merci.

– Ton rire semble un peu rouillé, dit Guido. J'ai un vin délicieux qui lui redonnera sa résonance passée.

Le comte Guido se leva et souleva Teresina hors du lit.

– Nous allons prendre soin de ton papa et lui faire prendre du poids, et bientôt il sera assez robuste pour jouer avec toi, dit-il. Laisse-le se reposer pour le moment. Vous avez beaucoup de temps devant vous pour faire connaissance.

࿇

Calisto di Simone était de très mauvaise humeur. Ses hommes avaient réduit à néant son plan pour récupérer l'anneau de la confrérie et laissé en plus le jeune Bernardone s'enfuir de la ville. Pis encore, les furoncles sur son cou s'étaient répandus des deux côtés de sa colonne vertébrale ; il ne pouvait même plus s'asseoir confortablement dans sa chaise à haut dossier.

Il était étendu sur le ventre sur une table à tréteaux pendant qu'une servante nettoyait les plaies infectées et appliquait des compresses chaudes sur son dos pour drainer le pus. Un des linges était si chaud qu'il lui brûla la peau ; il jeta un cri de douleur et frappa la femme de son poing dans l'estomac.

– Tu l'as fait exprès !

Le coup lui avait fait perdre le souffle, mais la femme réussit à haleter :

– Non, monseigneur. Je le jure.

Elle se dirigea en geignant vers le chaudron d'eau, les bras serrés sur son ventre.

– Je jure sur ma vie que ça ne se reproduira plus.

– Tu as intérêt à ce que ça n'arrive plus.

Un homme grand et élancé pénétra dans la pièce et s'inclina devant le *signore.* Ses bottes, ses cuissardes et son manteau boueux révélaient qu'il avait chevauché à toute vitesse. Calisto fronça les sourcils.

– Tu es encore ici, Bruno ? Je pensais que tu m'avais fui pour toujours !

L'homme eut un sourire narquois, moins effrayé que ne l'avait été la servante par le mécontentement de son seigneur.

– J'ai suivi Orfeo Bernardone, dit-il. Je sais où il se terre.

– Alors, pourquoi n'as-tu pas tué mon ennemi et rapporté l'anneau ? Je ne veux pas des nouvelles, je veux des résultats !

Bruno s'assit pesamment sur un banc et commença à gratter de son couteau la boue qui recouvrait ses bottes. Il ne prit pas la peine de relever la tête alors qu'il expliquait :

– Je ne pouvais pas le faire seul. Il se cache dans un château, juste à la frontière de la commune de Todi. À un endroit appelé le Coldimezzo.

Calisto se releva sur les coudes.

– Je le connais. C'est là que nous avons enlevé cette chienne d'Amata. Bernardone m'a posé des questions sur elle et sur cet endroit quand il est venu l'autre jour, dit-il en frottant son doigt marqué d'une cicatrice. Que peut-il bien faire au Coldimezzo ? Mon père et moi avions laissé le château en ruine.

– Pas assez en ruine. Il y a des gens qui y vivent encore.

Le messager fit glisser la lame de son couteau sur le rebord de sa semelle pour y enlever ce qu'il restait de boue et remit l'arme dans son ceinturon.

Calisto se tourna sur le côté et lança un regard furieux à la femme qui se tenait dans l'ombre.

– Enlève-moi ces maudits pansements, dit-il.

Elle se précipita vers la table et enleva les compresses du bout des doigts. Il était heureux que la femme étende ses bras de toute leur longueur pour demeurer à une distance prudente de ses poings. Quand elle eut terminé, il s'assit et glissa précautionneusement les bras dans les manches de sa tunique en émettant une série de jurons. Il quitta la pièce en attachant son épée à son ceinturon.

Bruno regardait son seigneur avec indifférence pendant qu'il roulait des épaules en se dirigeant vers lui. La douleur déformait les traits de Calisto. Il ferma à demi les yeux en réfléchissant, puis une lueur de méchanceté brilla dans son regard.

– Je déteste laisser un travail inachevé, dit-il. Rassemble mes chevaliers. Dis-leur de préparer leurs chevaux. Nous pouvons être au Coldimezzo demain. Cette fois, nous ne laisserons rien d'autres que des gravats – et aucun survivant.

– Les hommes seront contents. Ils s'ennuyaient à ne rien faire.

Alors que Bruno se relevait, Calisto lui porta un coup violent sur la poitrine, le renversant par-dessus le banc. La tête du messager heurta le mur de pierre et un filet de sang jaillit de son oreille. Il se releva péniblement, une main contre son oreille blessée et l'autre cherchant son couteau. Toutefois, le *signore* avait déjà dégainé son épée et il en tenait la pointe contre la gorge de Bruno.

– Voilà pour avoir permis à Bernardone de s'échapper une première fois. Assure-toi que cela ne se reproduira plus si tu ne veux pas qu'un malheur plus grave t'arrive.

XXXIII

Orfeo ne savait pas à quoi s'attendre quand Amata le fit venir du quartier des serviteurs. Depuis leur arrivée, il ne pouvait qualifier son *in*attention que de « glaciale ». En se dirigeant vers la cuisine, il lui revint à l'esprit qu'il connaissait fort peu cette femme et ses humeurs.

Mais Amata parut heureuse de le voir.

– Je m'excuse de vous avoir ignoré, sieur Bernardone, dit-elle. Le fait d'être de retour dans la maison de mon enfance après tant d'années m'a fait oublier les règles les plus élémentaires de la courtoisie. J'espère que vous me pardonnerez et accepterez cette offre de paix.

Derrière elle, un serviteur tenait un panier de pique-nique et une couverture pliée.

– J'ai pensé que nous pourrions nous évader de l'agitation de la maison pendant quelques heures.

– J'accepte avec joie, dit Orfeo en s'inclinant. J'espère ne jamais rien faire qui vous déplaise. Il me serait intolérable de subir pendant toute une semaine une attitude si distante de votre part.

Amata rit.

– Il y a une clairière où je jouais quand j'étais petite fille, dit-elle. Elle se trouve dans un coin du boisé non loin des murs du château.

Elle s'émerveilla du calme de sa propre voix. Le jeune Bernardone jouait les galants de manière intentionnelle. Aveuglé par l'attirance qu'il éprouvait pour elle, il ne paraissait pas le moindrement soupçonneux.

Amata conduisit les deux hommes jusqu'à la sortie du château. Elle croisa le regard d'Orfeo et, d'un coup d'œil, dirigea son attention vers le panier. Le jeune homme fit un signe d'acquiescement.

– *Grazie mille*, dit-il au serviteur. Je vais porter le panier de ma maîtresse à partir d'ici.

Il se sentait joyeux maintenant qu'il était à nouveau dans les bonnes grâces d'Amata.

La jeune femme parla peu pendant qu'Orfeo la suivait entre les arbres. Elle ne répondait à ses menus propos que par de brefs sourires. Elle s'était endurcie en prévision de cette journée et elle n'allait pas se laisser distraire par lui. Elle n'allait pas se laisser entraîner dans sa gaieté.

La clairière dont elle se souvenait s'était rétrécie à cause de la végétation qui avait poussé ces huit dernières années. Toutefois, à en juger par l'herbe aplatie et l'usure du sentier qui y menait, elle était toujours fréquentée. Amata pria silencieusement pour que l'endroit soit désert aujourd'hui. Elle parcourut le boisé des yeux et tendit l'oreille. Seuls les chants des oiseaux, le bruit des abeilles qui voletaient et le bruissement des jeunes feuilles dans le vent doux brisaient le silence.

Malgré son humeur joyeuse, le jeune Bernardone semblait avoir du mal à soutenir la conversation pendant qu'ils mangeaient leurs fruits et leur fromage et buvaient la première des deux cruches de vin qu'elle avait apportées. Peut-être était-elle trop froide à son endroit ; elle devait prendre soin de ne pas se trahir. Ou peut-être le commerçant était-il plus timide maintenant qu'ils se trouvaient complètement seuls. Plusieurs fois, son visage était devenu soudainement grave. Mais chaque fois qu'il était sur le point d'aborder un sujet plus sérieux, il semblait se ressaisir et continuait son bavardage. *Santa Maria*, avait-il l'intention de tirer parti de leur isolement pour lui proposer le mariage ? L'idée l'effraya. Elle ne devait le considérer que comme l'ennemi juré de sa famille.

Peut-être attendait-il d'avoir épuisé la deuxième cruche avant de révéler ses pensées en se servant du vin pour se donner du courage. Amata aurait préféré qu'il fasse la sieste à ce moment. Elle remplit de nouveau la coupe d'Orfeo pendant qu'il papotait sur ses voyages dans cette partie du pays quand il était enfant. Elle lui sourit de manière innocente pendant qu'elle reposait la cruche et qu'elle desserrait l'étui sous sa manche. Elle aurait aimé connaître les incantations que chantaient les prophètes hébreux avant leurs sacrifices d'expiation. Elle se les réciterait maintenant. *Bois, fils de Lucifer*, l'exhorta-t-elle en pensée. *Prépare-toi à payer.*

Elle n'avait jamais tué personne de sang-froid. La bataille avec le moine de Gubbio ne lui facilitait pas la tâche qu'elle avait à accomplir maintenant. Ce coup de couteau n'avait résulté que d'un réflexe pour sauver sa vie. Le moine lui aurait fracassé la tête avec son gourdin si elle ne l'avait pas frappé en premier. Cette fois, elle allait entailler la chair tendre de la gorge d'un homme pendant son sommeil à la façon dont l'aide-cuisinier tranchait la tête d'un coq. Ou à la façon dont Judith avait décapité Holoferne, l'oppresseur de son peuple, pendant qu'il dormait, après lui avoir fait l'amour. Amata décida qu'après l'avoir tué elle prierait sincèrement pour lui, car il n'avait pas la méchanceté d'un Simone della Rocca ; il n'en était qu'un descendant. Ensuite, elle traînerait son corps dans les bois pour que les animaux sauvages s'en occupent et dirait à son oncle que le chenapan s'était enfui après l'avoir volée… Elle se rendit soudain compte qu'elle avait oublié un détail. Elle aurait dû apporter quelque joyau ou autre objet de valeur – après en avoir fait étalage devant les gens du château, bien sûr.

Le soleil atteignit son zénith pendant qu'Orfeo buvait, et l'ombre des arbres commença à s'étendre à l'ouest de la clairière. Le commerçant bâilla finalement et s'étendit sur la couverture, les paupières alourdies par le vin et la chaleur de l'air. Elle aperçut au cou du jeune homme une chaîne dorée à laquelle pendait sans doute un crucifix, mais même ce symbole sacré n'allait pas le protéger maintenant. Elle tendit les muscles de son avant-bras. Fais-le ! Cela ne prendrait qu'un instant ; elle assouvirait enfin sa vengeance et pourrait continuer sa vie. Amata expira profondément en essayant d'atténuer la tension qui agitait ses membres et sortit le couteau de son étui.

Elle sursauta en entendant des éclats de voix en provenance du sentier. Elle cacha rapidement le couteau dans les replis de son vêtement. Une ribambelle d'enfants menée par Teresina déboucha en désordre dans la clairière.

– La voilà ! Je l'ai trouvée ! cria Teresina.

Elle se laissa choir sur le gazon près d'Amata alors qu'Orfeo s'assoyait en se frottant les yeux. Les enfants des serviteurs imitèrent Teresina et s'assirent par terre autour d'elle.

– Raconte-nous une histoire, cousine Amata, demanda la fillette d'un ton implorant.

– Une histoire de prince et de princesse, ajouta une autre fille.

Amata ne s'était pas complètement remise de la frayeur provoquée par l'arrivée des enfants. Elle pressait sa main contre sa poitrine, tentant de ralentir les battements de son cœur.

– Je vais vous raconter une histoire, dit Orfeo, d'une voix ensommeillée.

Il tira un mouchoir de sa manche et le plaça sur son petit doigt.

– Voici le prince, expliqua-t-il.

Il se tourna vers Amata.

– Nous aurons besoin de votre mouchoir aussi, *madonna*.

La jeune femme songea à l'étui vide attaché à son bras.

– J'ai… oublié d'en apporter un, balbutia-t-elle.

– J'en ai un, dit Teresina d'un air important.

Le morceau de tissu était légèrement souillé, mais Orfeo la remercia d'un geste chevaleresque du bras. Il demanda à Amata de lever le petit doigt et y attacha le mouchoir.

– Vous êtes la princesse, dit-il.

Il dressa son doigt et commença :

– Il était une fois un jeune prince qui voyageait avec son père et ses frères dans une contrée lointaine. Un jour, ils s'arrêtèrent devant un château et le prince vit une magnifique petite princesse, à peine plus âgée que vous-mêmes, qui se tenait sur les remparts. Le prince lui fit un signe de la main avec une marionnette exactement comme celle-ci.

Orfeo leva la main d'Amata jusqu'à ce qu'elle se trouve au-dessus de la sienne et la regarda dans les yeux pendant qu'il faisait une révérence avec sa propre marionnette.

Amata évita son regard. Qu'était-il en train de *faire* ? Et depuis combien de temps savait-il qui elle était ? Était-ce ce qu'il avait essayé de lui dire ?

La voix d'Orfeo se fit plus grave alors qu'il poursuivait son récit. Il frappa son index contre celui d'Amata.

– Mais leurs pères se querellèrent et le prince et sa famille partirent avant qu'il n'ait pu rencontrer la princesse.

– Oh ! s'exclamèrent les enfants à l'unisson.

– Le père du prince était très fâché contre le père de la princesse. Quand il revint chez lui, il engagea un méchant chevalier pour qu'il attaque le château. Le chevalier tua le papa et la maman de la princesse et l'emmena dans sa sombre forteresse.

Orfeo prit dans sa main libre la main de la « princesse » et attira lentement celle-ci vers lui.

– Le méchant chevalier la garda de nombreuses années comme esclave tandis qu'elle se transformait en une belle jeune femme. Pendant ce temps, le prince était devenu si triste et si fâché contre son père qu'il s'enfuit de la maison et navigua jusqu'à la Terre promise. Un jour, beaucoup plus tard, alors qu'il était devenu un homme, il rencontra le pape. *Il Papa* lui dit : « Tu dois retourner chez toi, jeune prince, et expier le crime de ton père. »

Les enfants écarquillèrent les yeux en entendant nommer le pape, représenté par le pouce dressé d'Orfeo.

– Alors, le prince revint dans son pays, poursuivit-il. Essayant de retrouver la princesse, il se rendit au château du chevalier, mais découvrit qu'elle s'était enfuie.

Il ouvrit sa main, libérant le doigt d'Amata. « Elle est dans un couvent », grogna le chevalier. Et le même soir, il envoya ses hommes pour tuer le prince afin qu'il ne retrouve jamais la princesse. Mais, le destin fit en sorte que les assassins tuèrent par erreur l'ami du prince.

La voix d'Orfeo se brisa et sa main commença à trembler. Les enfants s'entreregardèrent, puis tournèrent les yeux vers Orfeo.

Constatant à quel point le jeune homme était ému, Amata poursuivit le récit :

– Le prince alla raconter à une dame qu'il avait rencontrée comment il avait perdu son ami. Elle lui demanda de l'accompagner comme homme d'armes jusqu'à son ancienne maison à la campagne et il accepta. Et vous savez quoi ?

Amata regarda le cercle de filles et de garçons d'un air interrogateur.

– Quand ils arrivèrent chez la dame, le prince reconnut le château où il avait vu la princesse pour la première fois.

Orfeo s'était ressaisi et poursuivit :

– Le prince réalisa que la dame était la princesse qu'il avait cherchée pendant toutes ces années.

Il plaça sa marionnette contre celle d'Amata.

– Se sont-ils mariés et ont-ils vécu heureux jusqu'à la fin de leurs jours ? demanda Teresina.

Orfeo scruta les jeunes visages remplis d'espoir. Il posa son regard sur Amata, et elle vit la question se former dans ses yeux.

Elle secoua la tête.

– C'est votre histoire, dit-elle.

– Pas immédiatement, dit finalement Orfeo. Il voulait d'abord demander pardon à la princesse. Il la supplia de le laisser devenir son chevalier et d'entreprendre une quête pour elle.

Orfeo interrompit son récit et dit :

– Mais je réserve la fin de cette histoire pour un autre jour.

– Dites-le-nous maintenant, supplia Teresina.

– Maintenant, je dois parler à votre cousine, dit Orfeo. Seul.

Il fit signe aux enfants de se lever.

– Allez voir ce que vous pouvez trouver dans les bois, mais n'allez pas trop loin.

– Ne vous inquiétez pas. Nous ne nous perdrons pas. Nous jouons ici presque tous les jours, répondit Teresina.

Quand les enfants furent partis, Amata s'étendit sur la couverture, les yeux fermés, plus troublée que jamais. La couverture se raidit sous elle pendant qu'Orfeo changeait de position. Sa poitrine se pressa contre celle de la jeune femme alors qu'il se penchait vers elle. Quand les lèvres d'Orfeo frôlèrent sa joue, elle sentit surgir des larmes aux coins de ses yeux, mais elle refusa de les ouvrir et de le regarder. Elle enserra son cou avec son bras droit et l'attira vers elle pendant que, de sa main gauche, elle cherchait la poignée de sa dague. *Bernardone, Bernardone!* Le nom résonnait comme les tambours du diable dans ses oreilles. Elle serra la main sur le manche du poignard et leva le bras, mais sa main tremblait tellement qu'elle laissa échapper l'arme. Le poignard rebondit sur l'épaule d'Orfeo et retomba sur la couverture.

Orfeo tourna son regard vers l'arme, puis vers les larmes qui ruisselaient sur les joues d'Amata. Il saisit le menton de la jeune fille dans sa main.

– Je ne suis pas votre ennemi, *madonna*, dit-il. Mon père était votre ennemi. Simone della Rocca était votre ennemi. Son fils Calisto souhaiterait nous voir morts tous les deux. Je suis ici pour vous aider si je le peux.

Il la fixa avec un air d'infinie tristesse.

– Je vous aime, Amatina.

L'intensité de son regard fit disparaître les derniers vestiges de haine qui habitaient le cœur d'Amata. Elle l'enlaça et le pressa contre elle.

– Que veux-tu de moi, alors ? murmura-t-elle.

Les lèvres du jeune homme s'approchèrent de l'oreille d'Amata. Elle sentit son souffle chaud contre le lobe.

– Voulez-vous vraiment que je vous le dise, même si les enfants s'amusent tout près?

Il souleva sa tête et s'éloigna légèrement pendant que sa bouche esquissait un sourire amusé. Puis son visage redevint grave.

– J'étais sérieux quand je vous ai parlé de cette quête, dit-il. Je veux compenser, même dans une faible mesure, la douleur que vous a causée ma famille. J'ai une idée de la façon dont je pourrais le faire.

– Et?

– Le « prince » a réellement rencontré le pape et il a passé plusieurs semaines en sa compagnie. Le pape lui a promis de lui accorder son aide, dans la mesure de ses moyens, en récompense de ses services.

La conversation avait pris un tour intéressant. Amata se demanda où il voulait en venir.

– Vous m'avez, une fois, parlé d'un de vos amis ermite, poursuivit Orfeo, que le ministre général avait emprisonné. Si le comte Guido peut vous céder quelques hommes qui vous accompagneront à Assise, je me rendrai à Rome le plus rapidement possible et demanderai au pape de pardonner à votre ami. Malheureusement, je devrai partir immédiatement. Grégoire prendra bientôt la route de Lyon pour assister au concile œcuménique.

Il scruta à nouveau les yeux de la jeune fille jusqu'au tréfonds de son âme.

– Je ne vous demande qu'une faveur en retour, Amatina. Promettez-moi que vous ne recevrez aucun prétendant avant mon retour.

Amata se sentit envahie d'une chaleur réconfortante – en partie à cause de ce qu'il venait de lui dire, mais aussi parce qu'elle était soulagée de n'avoir pu assouvir sa vengeance. Elle prit une de ses mains rugueuses entre les siennes, se souvenant qu'il avait été rameur sur une galère. Un homme intéressant à plusieurs égards.

– C'est une proposition honorable, dit-elle, et une quête honorable.

Elle porta la main d'Orfeo à ses lèvres et le tutoiement lui vint naturellement.

– Ne sois pas comme ce poète ancien dont tu portes le nom. Tu n'as pas besoin de regarder par-dessus ton épaule pour t'assurer que je suis derrière toi. Je te donne ma parole que ton Eurydice te suivra toujours, sur les routes les plus sombres, dans les rues les plus achalandées, jusqu'à ce que tu reviennes à la maison. Et quand tu reviendras avec le pardon du pape, je te promets que tu recevras une juste récompense pour tes efforts.

Elle se redressa sur un coude, se pencha vers lui et posa les lèvres sur les siennes.

– Emporte ce gage de ma fidélité et de ma patience, dit-elle.

Alors que les deux amoureux traversaient la clairière en direction du château, Amata songea à quel point le frère Conrad aurait été fier de sa maîtrise sur elle-même. Seule avec un homme merveilleusement romantique qui partageait véritablement ses sentiments, un homme qui en fait l'avait aimée en premier, elle s'était comportée avec la plus grande modestie et la plus grande convenance. Mais Conrad n'aurait pu être plus étonné qu'elle ne l'était, même si Orfeo avait également affiché une courtoise retenue. Sans même s'en rendre compte, elle avait acquis une certaine maturité depuis qu'elle vivait chez Donna Giacoma.

Son cœur battait avec tout l'espoir que symbolisait ce début du printemps. Bientôt, le frère Conrad serait libéré; bientôt, Orfeo serait de retour de la cour pontificale. Elle pourrait enfin se réconcilier avec le bonheur. Même la terre printanière semblait vibrer de joie sous ses pas.

Elle s'arrêta soudain, l'oreille tendue. Elle avait déjà senti la terre trembler ainsi quand Dom Vittorio et ses moines guerriers grimpaient la colline sur leurs chevaux en direction de Sant'Ubaldo. Orfeo remarqua en même temps qu'elle un nuage de poussière à l'autre extrémité de la clairière. Le panier de pique-nique tomba de sa main.

– Vite! Au château! cria-t-il en empoignant le bras d'Amata.

– Les enfants! dit-elle. Ils sont encore dans les bois.

– Je retournerai les chercher. Rentre au château!

Elle partit en courant de toutes ses forces. Des voix se firent entendre sur les remparts et la porte s'ouvrit. Elle se retourna juste à temps pour voir Orfeo s'éloigner entre les arbres et un cavalier se séparer de son groupe et galoper vers lui.

– Orfeo! cria-t-elle. Derrière toi!

Mais son cri se perdit, étouffé par le tonnerre des sabots des chevaux et les cris de guerre de leurs cavaliers.

XXXIV

À l'intérieur du château, les chevaliers et les archers se pressaient dans les échelles qui se dressaient partout contre les remparts. Amata aperçut Guido à l'un des créneaux. *Au diable la modestie*, jura-t-elle en empoignant sa jupe et en suivant un homme d'armes le long de l'échelle qui se trouvait le plus près de son oncle.

Concentré sur les préparatifs de guerre, le comte Guido ne la remarqua pas immédiatement. Amata regarda les cavaliers qui galopaient comme des hordes poussiéreuses issues de l'enfer. Ils ralentirent en approchant du mur, puis tirèrent finalement sur les rênes de leurs chevaux et s'immobilisèrent au moment où leur chef levait son épée dans les airs. La cavalerie se dispersa devant le château comme une vague sur une plage. Les cavaliers semblaient aussi surpris qu'Amata l'avait été de constater que l'endroit était fortifié et bien gardé. Il fallait être fou pour prendre d'assaut une citadelle aussi bien protégée; une telle place forte ne pouvait tomber que grâce à un siège ou à la ruse.

Les attaquants, confus, regardaient la rangée d'archers qui n'attendaient qu'un signe pour tirer leurs flèches. Le chef faisait trotter son cheval d'un côté et de l'autre le long de la ligne des cavaliers en brandissant rageusement son épée.

– Où est donc Bruno ? cria-t-il.

Amata devina qu'il cherchait l'homme qui s'était éloigné du groupe à la poursuite d'Orfeo. Elle jeta un regard anxieux vers le boisé. Elle crut entendre un bruit d'épées se frappant l'une contre l'autre, mais elle n'en était pas certaine à cause de la distance qui la séparait du boisé et des hennissements nerveux des chevaux.

– Qui êtes-vous ? cria Guido du haut du rempart. Pourquoi vous présentez-vous ici ainsi armés contre nous ?

Le chef fit avancer son cheval dans l'espace entre ses guerriers et la porte principale du château, puis leva sa visière. Il portait le nouveau style de casque doté d'une visière articulée et un bouclier de bois léger. Ses membres et son torse étaient protégés par des carrés de cuir durci somptueusement décorés liés ensemble sur les côtés. Cet équipement léger, emprunté aux Sarrasins, représentait la dernière mode au sein de la noblesse ombrienne.

Amata poussa un cri en reconnaissant ce porc de Calisto della Rocca. Son mouvement attira l'attention de Guido vers la coiffe au milieu des casques polis de ses guerriers. Il lança un regard de désapprobation en direction d'Amata. Elle haussa les épaules et marcha jusqu'à lui le long du rempart.

– Je m'appelle Calisto di Simone, seigneur de la Rocca Paida d'Assise, cria-t-il en faisant un geste de son épée vers ses hommes. Je suis désolé d'avoir effrayé vos gens, *signore*. Nous recherchons un voleur, un certain Orfeo di Angelo Bernardone, qui s'est enfui de notre ville dans votre direction.

Une misérable tentative pour se sortir de sa fâcheuse situation. Amata se réjouit de la rougeur qui montait au visage de Calisto et des grognements de ses hommes alors qu'il tentait de justifier son assaut inutile contre le château. Guido murmura le nom d'Orfeo en tentant de le situer.

– C'est mon homme d'armes, dit Amata. Je vous assure, mon oncle, qu'il n'est pas un voleur.

Elle se pencha dans l'ouverture d'un créneau.

– Je te connais, espèce de lâche ! cria-t-elle. Ton père a assassiné Buonconte di Capitanio, le propriétaire de ce château, alors qu'il priait sans armes et toi le grand guerrier qui attaque des femmes sans défense, tu as transpercé sa femme Cristiana de ton épée alors qu'elle recouvrait son corps étendu dans la poussière. Tu as aussi abusé de leur fille quand elle n'était encore qu'une enfant .

La voix calme de Calisto prit tout à coup un ton rageur.

– Et je connais cette voix de harpie. C'est toi que le voleur cherchait quand il a quitté Assise. N'essaie pas de le protéger ou toi et toute ta maisonnée vous en repentirez.

– *Frocio* ! Espèce de *lâche* ! Tu n'en as pas le courage, pauvre eunuque, railla-t-elle. Tu te considères comme un homme, mais tu as les couilles d'un moineau !

Le visage du cavalier s'empourpra alors que des rires fusaient dans les rangs de ses guerriers. Guido suivait cet échange bouche bée, regardant d'abord Amata puis Calisto.

Il l'avait écouté suffisamment longtemps.

– Que répondez-vous à ces accusations, *signore*? cria-t-il.

– Je suis un guerrier. Je ne m'excuse pas pour les victimes de la guerre.

Le visage de Guido afficha la dureté du marbre. Il se pencha sur le créneau, exposant son corps démesuré.

– Moi aussi je suis un guerrier, *signore*, et un parent de la noble femme que tu as assassinée. J'exige par le droit du sang de t'affronter dans un juste combat, ici et maintenant.

Amata pouvait imaginer ce qui se passait dans l'esprit de Calisto : l'homme qui le défiait était deux fois plus âgé que lui, mais sa taille l'impressionnait. Elle savait que l'honneur était le dernier de ses soucis. Elle sourit en le voyant frotter les jointures de sa main qui tenait l'épée.

La monture de Calisto parut lire dans ses pensées également, ou peut-être avait-il inconsciemment tiré sur ses rênes, car l'animal s'éloigna à reculons vers la rangée de chevaliers. À la grande surprise d'Amata, un après l'autre, les hommes levèrent leur lance et la pointèrent vers leur chef, refusant qu'il se glisse parmi eux.

– Ne nous faites pas honte, maître, dit un des hommes.

Amata murmura rapidement quelques paroles dans l'oreille de son oncle. Il éclata de rire.

– Es-tu en train de me dire comment combattre, femme?

– Faites seulement ce que je vous dis, répondit-elle. Il n'a pas toute sa force dans sa main droite.

Guido se redressa et cria à nouveau en direction de Calisto :

– Dis à tes hommes de reculer. Je vais te rencontrer seul à seul devant la porte principale, aussitôt que j'aurai revêtu mon armure. À pied, avec épées et boucliers.

Calisto s'inclina. Il descendit de cheval et retira le bouclier attaché à son flanc. Son écuyer s'approcha pour prendre les rênes de l'animal. Au même moment, un cheval sans cavalier émergea de la forêt. Un des chevaliers sortit des rangs pour galoper dans sa direction. L'homme attrapa l'animal, puis sembla hésiter. Il jeta un regard vers les arbres, fit demi-tour et ramena le cheval vers le groupe. Amata était morte d'inquiétude, mais rien ne bougeait dans les bois.

– Descends du mur maintenant, dit Guido à sa nièce. Tu n'as pas besoin d'assister à cette scène.

– Je surveille Orfeo, objecta-t-elle. Il est retourné chercher les enfants. Un des chevaliers de Calisto s'est lancé à sa poursuite. C'est son cheval qui vient de sortir de la forêt.

Une faible lueur de compréhension brilla dans les yeux sombres du comte.

– J'aimerais davantage connaître cet Orfeo, dit-il, s'il survit. Si nous survivons tous les deux.

Il fit le signe de la croix et entreprit de descendre l'échelle.

Pendant que le soleil descendait à l'horizon, Amata regarda la sueur perler sur le visage de Calisto. Les yeux de la jeune femme passèrent de lui aux arbres et à l'arsenal où avait disparu Guido. Les hommes sur le mur et les hommes à cheval commencèrent à relaxer et à murmurer entre eux, mais aucun son ne venait de la forêt. À un moment, elle se pencha vers l'archer à ses côtés et dit :

– S'il tue le comte Guido, transperce-le d'une flèche. Les préceptes de la chevalerie ne s'appliquent pas pour une ordure de ce genre. Je te récompenserai généreusement.

L'homme sourit et tira sur l'étrier de son arbalète. Amata parcourut le rempart vers le coin le plus rapproché de la forêt en répétant son ordre à chaque archer.

Finalement, le comte Guido sortit de l'arsenal sous les acclamations de ses hommes. Amata se dit qu'il ressemblait à une montagne de métal, avec sa coiffe de mailles au-dessus de son haubert en cotte de mailles. Par-dessus cet accoutrement, il portait une casaque constituée de bandes de métal à l'intérieur d'un lourd vêtement de cuir. Il tenait sous le bras un casque de style anglais en forme de cône qui n'offrait qu'une surface oblique à un coup d'épée. *Calisto va souiller ses sous-vêtements en le voyant.* Son armure brillante était deux fois plus large que celle de Calisto et le fourreau qui pendait à sa taille dépassait de beaucoup la longueur de tous ceux qu'elle avait vus. Elle se souvint que les femmes de la maison l'appelaient toujours *spadalunga*, « longue épée », pendant son enfance. Elle eut un petit rire en constatant, avec son esprit de femme maintenant mature, que son oncle Guido possédait probablement d'autres qualités héroïques qu'elle n'avait pu imaginer dans son monde de petite fille innocente. Si c'était le cas, il avait sûrement apprécié le moment où elle avait qualifié Calisto d'« eunuque ».

Elle retourna rapidement à sa position originale sur le mur pendant que le comte faisait de nouveau le signe de la croix et ordonnait d'un geste à un serviteur d'ouvrir la porte de sortie. Elle aurait aimé voir le visage de Calisto, mais il avait déjà fermé sa visière. Les longues enjambées de Guido comblèrent rapidement l'espace entre les deux hommes et, plus rapidement qu'elle ne s'y était attendue, il abattit son énorme épée contre l'armure de son adversaire. Les genoux de Calisto plièrent sous le choc, mais il se redressa et asséna à son tour un violent coup. Ils firent tous deux quelques pas de côté et, une fois de plus, Calisto abattit violemment son épée, obligeant son oncle à céder du terrain.

– Il ne fait pas ce que je lui ai dit, cria Amata d'un ton inquiet à l'archer qui se tenait près d'elle.

Guido, plus âgé et plus lent, reculait devant Calisto sous les acclamations des cavaliers. Le comte semblait confus. Visant la tête de son adversaire, il brandit son épée en un large moulinet, mais Calisto, dans son équipement léger, évita facilement le coup. Une fois de plus, le seigneur de la Rocca réagit par une pluie de coups, repoussant son ennemi dans l'ombre du mur du château. Guido ne pouvait qu'éviter les coups avec son bouclier.

– Rappelez-vous votre famille ! Rappelez-vous ma mère ! lui cria Amata, mais tant d'autres voix se faisaient entendre en même temps qu'elle douta qu'il l'ait entendue. Elle fit deux fois le signe de la croix et joignit ses mains pour prier alors que son oncle s'affaissait sur un genou, tenant son bouclier au-dessus de sa tête.

Calisto, soupçonnant sans doute quelque tricherie, ne fondit pas sur lui et Guido profita de ce moment pour abattre son épée en direction de ses chevilles. Le vieil homme se redressa sur ses pieds, frappant à coups répétés contre le bouclier de son adversaire et déclenchant plusieurs autres assauts de Calisto. Mais leurs coups étaient de moins en moins violents et le comte fit un pas de côté sur la gauche de Calisto.

– C'est ça, exhorta Amata. C'est ça.

Astucieux. Très astucieux, pensa Amata qui commençait à comprendre la stratégie de Guido. Il avait fait en sorte que le jeune homme perde la force de son bras pendant qu'il conservait la sienne. Maintenant, il s'éloigna de la main droite, plus faible, de son adversaire, le forçant à élargir l'angle de chaque coup d'épée. Le coup suivant rebondit faiblement contre l'armure de Guido alors que l'épée se tordait dans la main de Calisto. Le comte répliqua par un coup puissant qui fendit la partie supérieure du bouclier de son adversaire. Il fit un autre pas vers la gauche pendant que le jeune homme reculait pour porter un autre coup. Calisto s'avança de nouveau, mais avec plus de prudence, frappant de la pointe plutôt que du tranchant de son épée mais, dans cette situation, la lame la plus longue avait l'avantage et il ne pouvait se rapprocher. Les cavaliers se turent en comprenant que la position stratégique des adversaires venait de changer. Guido fit encore un pas vers la gauche pendant que son adversaire reculait pour modifier sa tactique. L'oncle d'Amata s'était une fois de plus déplacé sous la lumière du soleil et Amata remarqua avec anxiété que, s'il faisait un pas de plus sur le côté, Guido se retrouverait directement face à la lumière déclinante du soleil. Les hommes sur le mur devinrent aussi silencieux que les cavaliers. Les combattants échangeaient des feintes, mais ni l'un ni l'autre ne gagnait du terrain. À mesure que son inquiétude augmentait, chaque muscle du corps d'Amata se raidissait en même temps que ceux des guerriers. Finalement, ne pouvant plus supporter la tension, elle cria d'une voix perçante :

– *Couilles de moineau* !

Des éclats de rires fusèrent des deux côtés. Calisto émit un rugissement inintelligible et s'élança contre Guido, l'épée brandie. Le comte fit tourner légèrement son bouclier de façon à ce que les rayons du soleil couchant se reflètent directement dans l'étroite ouverture de la visière de Calisto. Une fois de plus, Guido fit un pas de côté et évita complètement le coup de Calisto. L'épée de l'Assisien lui échappa. Alors qu'il perdait son équilibre, le comte enfonça la pointe de son arme entre les courroies de cuir qui protégeaient les côtes du jeune homme puis, plus profondément, entre les côtes elles-mêmes. Le seigneur de la Rocca tomba sur les genoux dans un cri de douleur. Guido enfonça son épée encore plus profondément, puis la retira. Le casque de Calisto se tourna vers le haut du rempart.

– Envoyez chercher votre aumônier, supplia-t-il. Je vais mourir !

La tache rouge sur son flanc s'élargissait vers sa hanche et sa cuisse et se répandait sur l'herbe sous son genou. Il lutta pour retirer son casque. Le comte s'approcha derrière lui et enleva le casque de sa tête, et Amata réalisa que Calisto avait fixé son regard sur elle.

– Je vais t'envoyer le même prêtre qui a confessé ton père, dit-elle.

Elle retira son capuchon, joignit pieusement les mains devant elle et récita de la même voix profonde qu'elle avait utilisée devant le lit de Simone della Rocca :

– Puisse ton âme recevoir maintenant sa juste récompense.

Les yeux de Calisto roulèrent dans leurs orbites alors qu'il réalisait lentement la comédie que jouait la jeune femme. Il tomba vers l'avant, se rattrapant avec ses mains et arrachant des touffes d'herbe avec ses ongles.

– Chienne ! Sale chienne ! grommela-t-il et, dans un gémissement, il s'effondra sur le sol humide.

Son écuyer conduisit le cheval du *signore* jusqu'à son cadavre et, avec l'aide de Guido, il plaça la dépouille de son maître en travers de la selle de l'animal. Finalement, le comte Guido, vainqueur du combat, fit tournoyer son épée en un large cercle. Les cavaliers firent demi-tour et menèrent leurs chevaux vers la clairière, en direction d'Assise.

Pendant que Guido était acclamé par ses hommes, Amata descendit rapidement l'échelle. Elle courut jusqu'à la porte de sortie et accueillit son oncle en l'enlaçant. Il enleva son casque et dit :

– Tu avais raison. Il avait un handicap à la main droite.

Puis elle partit au pas de course, traversa le portail et se dirigea vers la forêt. Elle venait d'apercevoir le panier de pique-nique abandonné lorsque Orfeo surgit d'entre les arbres, entouré d'une ribambelle d'enfants. Elle tomba à genoux et joignit les mains. Il avançait lentement, une épée ensanglantée dans sa main droite, et son bras gauche entourant les épaules de Teresina. Elle comprit tout à coup que les enfants n'étaient pas seulement rassemblés autour de lui. Ils le soutenaient pendant qu'il titubait vers elle.

Amata se releva brusquement et fonça vers lui. Orfeo s'effondra lourdement dans ses bras tendus, sa tête touchant presque l'épaule de la femme. Pendant qu'elle luttait pour le tenir debout, il lui frôla le cou de ses lèvres et murmura :

– Couilles de moineau ?

❧

– Ce n'est pas une vie pour un marchand, dit Orfeo.

Il se reposait dans le vaste lit du comte Guido, dans le grand hall, adossé contre une montagne d'oreillers aux côtés de Jacopone.

– Je ne suis pas fait pour ces jeux d'épée.

Teresina était étendue sur les couvertures entre les deux hommes, jouant avec un chaton qui s'était approprié un plus petit oreiller. Amata était assise au bord du matelas, près d'Orfeo, pendant que son oncle s'était affalé dans la chaise du maître près du lit, et grattait les oreilles d'un chien de meute blond.

Amata serra la main d'Orfeo.

– Je te libère de tes devoirs en tant qu'homme d'armes, dit-elle. Oncle Guido me raccompagnera en toute sécurité jusque chez moi. De plus, tu dois livrer une requête.

– Et plus longtemps je resterai couché ici, plus longue sera la distance que j'aurai à parcourir pour rattraper le pape.

Il posa la main sur la chaîne qui entourait son cou.

– Le chevalier qui m'a poursuivi me connaissait. Je crois que c'était un des hommes qui ont assassiné Neno. Quand il est arrivé dans la clairière, il a dit : « Ton anneau ou ta vie, Bernardone. » Finalement, il s'avéra qu'il voulait obtenir les deux, dit Orfeo en retirant la chaîne. Pourquoi assassinerait-on quelqu'un seulement pour récupérer une pierre égratignée et sans valeur ?

Devançant Guido qui avait également étendu le bras, Amata lui arracha l'anneau de la main.

– Où as-tu eu ça ? demanda-t-elle. Simone della Rocca a volé un anneau identique à mon père.

– C'est mon propre père qui me l'a donné, répondit Orfeo.

Le comte Guido se leva et marcha jusqu'au coffre placé au pied du lit. Il en sortit une petite boîte de bois et la tendit à Amata.

– Je ne sais pas ce que Simone t'a montré, mais voici l'anneau de ton père, dit-il.

Les yeux écarquillés d'étonnement, Amata souleva le couvercle de la boîte. L'anneau qui s'y trouvait était identique à celui d'Orfeo : la même pierre bleue, la même inscription énigmatique.

– Comment est-il entré en votre possession ? demanda-t-elle.

– Ton frère Fabiano me l'a remise quand il est parti vivre avec les moines noirs.

Une bûche émit un bruit retentissant dans le foyer pendant qu'Amata secouait la tête sans comprendre.

– Il y a quelque chose que je n'ai pas compris, dit-elle. Qu'entendez-vous par « quand il est parti vivre avec les moines noirs » ?

– Mon Dieu! dit Guido en refermant ses mains sur celles d'Amata. Tu ne le savais pas, mon enfant? Comment aurais-tu pu savoir? Ils t'ont enlevée avant que les moines ne le retrouvent sur les rochers en bas de la chapelle.

– Que voulez-vous dire? Je l'ai vu plonger dans le vide.

– Non, Amata. Il n'est pas mort. Il restera infirme jusqu'à la fin de ses jours, mais il a survécu à sa chute. Il est cellérier auxiliaire au monastère de San Pietro à Pérouse et il sera bientôt ordonné prêtre.

– Fabiano devenu moine? murmura Amata ébahie.

– Il ne porte plus le nom de Fabiano, ajouta son oncle. Les moines noirs l'ont baptisé «Anselmo» lorsqu'il a pris l'habit. Les Bénédictins ont coutume de donner un nouveau nom à ceux qui ont laissé le monde derrière eux pour qu'il ne subsiste aucune trace de leur ancienne vie.

Guido se dirigea de nouveau vers le coffre. Il fouilla parmi des piles de vêtements et de tissus pour finalement retourner à sa chaise en tenant à la main un parchemin enroulé dans un morceau de ruban noir.

– Il y a soixante-quinze ans, à l'époque des soulèvements communaux, alors que des bandes armées saccageaient et brûlaient les demeures des nobles, les comtes du Coldimezzo ont placé ce château et ses dépendances sous la protection des moines. Le Père supérieur de San Pietro est un homme puissant, tant par les armes que par l'immunité dont il jouit auprès du pape et de l'empereur.

Il déroula le parchemin et lut: «Si jamais les gens d'une commune, ou de tout autre endroit, attaquent les châtelains précités, le monastère jure d'accourir à leur défense. Et si eux ou leurs héritiers ou successeurs devaient se trouver dans le besoin, ils pourraient librement obtenir du monastère précité tout ce dont ils auraient besoin pour vivre. Et si le destin les acculait à une telle extrémité, Dieu les en préserve, et qu'ils décident de placer leurs filles nubiles appelées par Dieu dans des couvents, le Père supérieur et les moines de San Pietro de Cassinensi se feront un devoir, à leurs propres frais, de leur accorder une dot et de les confier à des couvents qui observent la Règle de saint Benoît. Les principaux membres de la famille seront pour toujours accueillis à la table du Père supérieur.»

Guido déposa le document dans les mains tremblantes d'Amata.

– Les moines ont chevauché aussi vite qu'ils l'ont pu quand ils ont appris que l'attaque avait eu lieu mais, bien sûr, ils sont arrivés trop tard. Ils ont préservé ce qu'ils ont pu des édifices, puis ils ont découvert Fabiano, à peine vivant. Ils l'ont soigné jusqu'à ce qu'il retrouve la santé et ont affirmé que Dieu l'avait épargné et placé sous leurs soins pour qu'il passe le reste de sa vie parmi eux. Même ton frère acceptait cette interprétation des événements. Il s'est fort bien adapté à cette vie.

– Mon frère. Toujours vivant après toutes ces années pendant lesquelles j'ai porté son deuil, dit Amata en tournant son regard brillant de joie vers Orfeo. Nous avons un adage dans ce pays, seigneur Orfeo « Une sœur et un frère représentent tout l'un pour l'autre. »

Elle éclata de rire et ajouta :

– Certains disent même qu'un mari, c'est bien, mais qu'un frère, c'est encore mieux.

– J'espère que tu ne penses pas de telles choses, répliqua Orfeo. Je pourrais devenir jaloux.

Il étendit le bras et lui caressa l'épaule.

– Pourquoi ne rends-tu pas visite à Fabiano à Pérouse avant de retourner à Assise ?

Amata lança un regard rempli d'espoir en direction de Guido qui inclina la tête et dit :

– Bien sûr. J'adorerais moi aussi revoir le garçon.

Sachant que les aspects juridiques du document allaient intriguer l'ancien notaire, Amata le tendit à Jacopone.

– Fabiano a-t-il dit comment papa – ou, devrais-je dire, Nonno Capitanio – a obtenu l'anneau ? demanda-t-elle à son oncle.

– Oui. Ton père a glissé l'anneau dans sa poche quand les meurtriers ont fait irruption dans la chapelle. Buonconte lui a dit de sauter, car il était certain que Fabiano serait massacré s'il demeurait dans la pièce.

– Mais que signifie l'inscription sur l'anneau, mon oncle ?

Le comte Guido haussa les épaules.

– Ton père pourrait en avoir expliqué la signification à Buonconte s'il souhaitait qu'elle soit transmise. Il ne m'en a rien dit.

Jacopone avait fini de lire le document. Il roula de nouveau le parchemin et se gratta la tête en essayant de retrouver quelque souvenir.

– Un jour, j'ai rencontré à Gubbio un frère qui pourrait nous aider à résoudre ce mystère. Ce frère Conrad clamait qu'il ne comprenait rien, mais il était véritablement sage.

Je pense qu'il connaissait la réponse à toutes les questions. Mais à ce moment, nous nous sommes perdus dans les bois.

– Vous n'étiez pas si perdu que vous l'imaginiez, dit Amata d'un ton rassurant. Vous vous êtes comporté en héros dans ces bois.

Le temps était venu de révéler à Jacopone l'existence de l'autre Fabiano – de Fabiano le frère novice – et du brave et invincible dragon qui avait sauvé la vie du garçon.

XXXV

Dans la pénombre de leur cellule, Conrad inscrivait les noms mentionnés dans le dernier catalogue de Jean de Parme, ceux de tous les ministres généraux au cours de la brève histoire de l'Ordre. Zefferino, assis sur les marches qui menaient à leur cellule, aidait Conrad avec la lumière de sa lanterne.

– Les ministres des provinces ultramontaines ont déposé Élie en 1239 et élu Albert de Pise pour lui succéder. Malheureusement, Albert est décédé l'année suivante. Après lui sont venus dans l'ordre Haymond de Faversham, Crescent de Jesi et, en 1247, moi-même. Quand les ministres m'ont demandé de me retirer après mes dix années en fonction, j'ai nommé mon propre successeur, le frère Bonaventure.

Alors que Conrad inscrivait le dernier nom sur les pierres du mur avec son tesson, il lui revint à l'esprit l'avertissement de Bonaventure, la nuit où le ciel avait paru se fendre en deux quand le ministre général lui avait ordonné de s'incliner et de baiser son anneau. Ce souvenir fit surgir une autre question à laquelle il n'avait jamais pu répondre.

– Frère Jean, demanda-t-il, est-ce que le ministre général porte un anneau qui symbolise sa fonction, un objet qu'il transmet à son successeur?

Le vieux moine frotta les doigts nus de sa main gauche pendant un moment.

– Oui, répondit-il finalement. Un modeste lapis-lazuli. Pourquoi demandes-tu cela?

Conrad leva son index et se tourna vers Zefferino.

– *Per favore*, frère, pourriez-vous approcher la lumière?

Zefferino se dressa sur les marches et souleva la lanterne du côté de l'œil valide de Conrad. Conrad gratta la mousse d'un carré de pierre. Ayant nettoyé une surface assez large, il dessina grossièrement la silhouette surmontée de deux arches qu'il avait vue à deux reprises : une fois sur la pierre d'autel de l'église inférieure et l'autre, sur l'anneau du ministre général.

– Connaissez-vous ou vous rappelez-vous la signification de ces symboles ? demanda Conrad. La première fois que je les ai vus, je croyais que c'était l'œuvre d'un enfant, mais plus tard je les ai remarqués sur l'anneau du frère Bonaventure. C'est le même anneau que vous portiez quand vous étiez ministre général.

Jean regarda le mur d'un air absent.

– Ce savoir est un secret inhérent à la fonction, dit-il d'une voix monotone.

Conrad inclina la tête et posa le tesson sur le sol.

– Je comprends. Vous avez raison de m'en faire le reproche. Je souhaitais seulement satisfaire ma curiosité.

Il hésita pendant un moment, puis ajouta d'une voix indécise :

– J'ai posé cette question parce que je suis convaincu que nous ne quitterons jamais cet endroit de toute façon... que tout ce que j'apprendrai ou que vous me confierez sera enterré avec nous.

Il inclina la tête en espérant que Jean lui réponde.

– Frère Zefferino, dit le vieux moine après un long silence, pourriez-vous nous laisser seuls pendant un moment ? Je souhaite confesser mes péchés auprès du frère Conrad.

Conrad leva les yeux de nouveau en essayant de déchiffrer l'expression du visage de Jean pendant que Zefferino grimpait les marches et verrouillait le cadenas de la grille. Pendant les deux années et plus qu'ils avaient passées ensemble, Jean n'avait jamais fait une telle demande. En fait, à la connaissance de Conrad, le frère n'avait jamais eu besoin de se confesser.

– Mon père, pardonne-moi car j'ai péché, murmura Jean après avoir entendu le bruit du cadenas qui se ferme.

Il prit une profonde inspiration, puis ajouta :

– Pendant dix ans, j'ai privé les fidèles de leur droit de prier devant la tombe de saint François.

– De quelle façon ?

– Je sais où il est enterré. Je le savais pendant tout le temps où j'ai été ministre général.

– Essayez-vous de dire que le symbole inscrit dans l'anneau est une carte ? La silhouette représente-t-elle saint François lui-même ?

– Nous parlons sous le sceau de la confession de péchés, et non de la signification des symboles.

– Je comprends, frère. Je ne poserai plus de questions à ce sujet.

Conrad fit le signe de la croix devant Jean et dit :

– *Ego te absolvo de omnibus peccatis tuis.*

Il garda le silence plutôt que de terminer la formule du pardon : « Allez en paix et ne péchez plus. »

Compte tenu de leur situation, il serait cruel de dire à Jean d'aller en paix.

Après un moment, Conrad dit :

– J'ai parlé un jour avec Donna Giacoma dei Settisoli de la disparition de la dépouille de saint François. Elle a assisté à son enlèvement pendant la procession où l'on transportait son corps à la nouvelle basilique. Elle ne comprenait pas les raisons du geste qu'ont posé les gardes civils, outre celle de protéger les ossements du saint des chasseurs de reliques – à la fois les dévots excessifs et les voleurs des autres communes.

– C'est ce que j'ai toujours entendu dire. Je n'y vois pas non plus d'autre motif.

Conrad boitilla jusqu'au mur.

– Y a-t-il quelqu'un d'autre, à part Bonaventure, qui connaisse ce secret ? demanda-t-il en frappant du doigt sur son dessin.

– Aucun autre frère que je connaisse, répondit Jean. Il y avait un groupe qui se nommait les *Compari della Tomba*, la Confrérie de la tombe…

– Une confraternité laïque ?

– Oui. J'imagine qu'ils sont tous très âgés maintenant, ou décédés. Ces quatre hommes ont participé à la mise au tombeau et chacun d'eux a reçu le même anneau que le frère Élie. Ils avaient juré de défendre le secret de l'emplacement des restes de saint François au péril de leur vie, d'éliminer quiconque à part eux qui aurait appris ou deviné leur emplacement et de conserver ce secret, de même que sa solution, jusqu'à la mort. Les anneaux doivent être enterrés avec eux, comme les biens des anciens pharaons.

Conrad comprenait bien le pouvoir de la confrérie. Même le plus petit hameau avait sa part de confréries secrètes – des réseaux établis au moyen d'initiations rituelles visant à créer des liens de parenté symboliques, des *comparaggio*, entre les hommes qui composaient ces associations clandestines. De tels liens se révélaient souvent plus puissants que les liens du sang.

Il s'agissait de liens sacrés. La fidélité jusqu'à la mort, ou du moins la promesse d'une telle fidélité, n'était pas inhabituelle.

– Vous avez parlé de quatre laïcs, dit Conrad. Vous souvenez-vous de leurs noms ?

Il ramassa son tesson et, comme il l'espérait, Jean interpréta ce geste comme un défi lancé à sa mémoire. Il s'étira, roula sur le dos et fixa la grille pendant qu'il rassemblait ses souvenirs.

– Il y avait un homme de la commune de Todi, Capitanio di Coldimezzo. C'était le seigneur qui avait fait don de la terre sur laquelle avait été construite notre basilique. Il y avait aussi Angelo, le frère de saint François ; le chevalier gardien de la cité, Simone della Rocca ; et Giancaro di Margherita, qui était maire d'Assise cette année-là.

– Et le frère Élie.

– Bien sûr. Élie supervisait l'enterrement. Son secrétaire a également fait office de copiste au sein de la confrérie. S'il est toujours vivant, il est sans doute le seul frère qui sache où se trouvent les reliques, ajouta Jean en souriant. Les ai-je nommés tous les quatre ?

– Vous avez fait encore mieux. Vous en avez nommé six, le dernier étant le frère Illuminato, dit Conrad.

Il avait déjà appris la plupart des noms de cette liste chez Donna Giacoma, mais ils prenaient un sens maintenant. Jean venait d'évoquer une toile de fond, apparemment importante, à l'énigme de Léon, même si les raisons pour lesquelles Élie avait au départ caché la dépouille sacrée lui échappaient. De toute évidence, toutes ces précautions et la violence sur la grand-place, n'étaient pas nécessaires pour protéger les reliques du saint. Comme l'avait dit Donna Giacoma, tout voleur éventuel aurait soulevé la fureur des foules contre lui. Et le fait qu'Illuminato ait tenté de contrecarrer la mission de Conrad rendait ce dernier plus soupçonneux que jamais. Pourrait-il exister un lien fondamental entre la lettre du frère Léon et cette confrérie ?

Une carte ! Fascinant ! Il éprouva le besoin soudain et irrésistible d'interpréter les inscriptions. Parviendrait-il à soutirer ce dernier élément d'information à son compagnon de cellule ?

Un bruit dans son dos lui révéla qu'il ne pourrait *pas*, en tout cas, pas cette journée. Jean avait replié son bras sous sa tête et entrepris une de ses fréquentes siestes. Il commença à ronfler alors que Conrad suivait du doigt les contours des deux arches sur le mur comme s'il pouvait en découvrir la signification par son seul toucher.

ی

Pendant la semaine, le groupe accompagnant un marchand à la peau basanée qui livrait les tonneaux de vin toscan à la Ville éternelle avait campé à l'intérieur des murs du Coldimezzo. Orfeo, suffisamment reposé et pratiquement guéri de ses blessures superficielles, saisit cette occasion de partir vers Rome à la rencontre du pape. De plus, il savait que sa chevauchée serait plus agréable aux côtés du marchand que lorsqu'il était venu de Venise avec les gardes du corps romains de Grégoire. Ils avaient en commun la langue du commerce et la jeunesse masculine.

Amata respira à pleins poumons l'air frais du petit matin en faisant des gestes d'adieu à Orfeo. Elle profitait de ce moment de calme avant qu'elle et son oncle ne prennent la route dans la direction opposée, une journée entière à cheval jusqu'à Pérouse. Sachant que la route de Pérouse serait achalandée et qu'ils atteindraient l'abbaye avant la nuit, ils prévoyaient ne prendre avec eux que quelques hommes.

Elle avait à peine dormi la nuit précédente en songeant qu'elle retrouverait son frère le matin suivant, après presque huit années de séparation. Et quelle surprise elle ferait à Fabiano en surgissant comme un esprit sorti de son tombeau ! Elle sourit à l'idée espiègle qui lui vint de blanchir sa peau comme certaines femmes de la noblesse romaine avant leur rencontre, bien que le long hiver ait rendu son visage suffisamment pâle.

Jacopone accepta de demeurer au Coldimezzo, pour prendre le temps de se rétablir avant de retourner à Assise. Le comte Guido l'avait bien sûr invité à demeurer en permanence au château et il avait presque accepté. Mais c'était avant qu'Amata ne lui fasse part de son dernier plan, celui de construire dans sa maison un scriptorium qui abriterait autant de scribes fiables qu'elle pourrait trouver pour faire des copies du manuscrit de Léon. Elle espérait que Jacopone soit le premier d'entre eux. L'ancien notaire ne put résister au besoin profond qu'il éprouvait de recommencer à écrire et, comme Jacopone ne vivrait pas indéfiniment au Coldimezzo, le comte Guido accepta de retourner à Assise avec eux, après la brève visite à Pérouse. Teresina ferait aussi partie du voyage à Assise avec son père. L'enfant bondissait déjà de joie à l'idée de passer plusieurs semaines dans la maison d'Amata.

Mais aujourd'hui, la fillette devait rester sagement à la maison.

– Teresina, conseilla le chevalier à sa petite-fille avant de partir, prends bien soin de ton papa, amuse-toi avec lui, et laisse-le dormir quand il est fatigué.

Elle inclina gravement la tête, acceptant cette responsabilité avec autant de sérieux que si elle était l'intendante du château.

Amata songeait toujours à son projet de scriptorium pendant qu'elle et son oncle, et leurs hommes d'armes, franchissaient les portes du château. Elle se réjouissait du bonheur que semblait éprouver Jacopone à l'idée de faire à nouveau partie d'une famille et elle se demandait s'il allait abandonner pour toujours sa vie de pénitent itinérant. Elle espérait de tout son cœur qu'il accepte finalement le destin qui leur avait ravi leur Vanna et qu'il goûte finalement à une vie paisible.

Elle s'adapta rapidement au rythme de son palefroi, rassérénée par la brise tiède et les pousses printanières qui bordaient la route. Elle aussi goûtait véritablement la paix pour la première fois depuis des années, un goût à la fois doux et agréable comme l'hydromel. Elle apprenait petit à petit à connaître son oncle en tant qu'adulte et non pas du point de vue de la fillette pour qui tous les adultes étaient semblables. Elle éprouvait de la reconnaissance pour ce géant qui, d'une seule étreinte puissante, lui avait redonné son innocence, sa famille et son passé. Et au bout de la route l'attendait Fabiano, celui qui rétablissait le lien avec son enfance brisée.

Et l'enfant ! Elle se demanda ce qui l'attirait tant chez Teresina : son esprit pur, son énergie et sa joie sans limites, sa manière de chantonner pendant qu'elle dessinait des scènes sur le sol avec un bâton, sa ressemblance avec sa mère qui rappelait tant à Amata sa propre période d'innocence ? Peut-être était-ce le désir d'avoir ses propres enfants que lui inspirait cette *angelina* ? Quelle qu'en soit la source, son amour pour la fillette ajoutait une saveur particulière à cette agréable plénitude.

Entre ces réflexions plaisantes qui lui flottaient dans la tête comme des volutes d'encens, et les heures qu'elle passait à chevaucher près de son oncle en écoutant ses récits de combats furieux pendant la croisade de Frédéric, la longue chevauchée passa presque inaperçue à ses yeux. Les imposants murs gris de San Pietro, le monastère bénédictin qui servait d'avant-poste sud à la puissante cité de Pérouse, surgirent devant eux avant même qu'Amata ne réalise qu'ils étaient arrivés. La journée était trop avancée pour qu'ils puissent voir Fabiano, mais peut-être pourrait-elle aller l'observer après qu'ils se seront installés dans la maison d'invités des moines noirs et qu'ils auront pris leur repas. La plupart des basiliques de monastère comportaient, à l'arrière de la nef, une section réservée aux visiteurs qui était généralement séparée du monastère proprement dit par une grille. Peut-être pourrait-elle, pendant les complies de ce soir, le repérer parmi les formes sombres des moines dans leurs stalles ou reconnaître sa voix parmi les chanteurs.

L'irréalisme de cette idée la fit sourire. La voix de Fabiano avait sûrement mué depuis la dernière fois qu'elle l'avait entendue. Elle ne le connaissait pas. Son frère était maintenant un jeune homme de dix-sept ans.

❧

Le frère Anselmo était perché sur un banc devant son écritoire, conscient de l'activité autour de lui. En tant que cellérier auxiliaire, un de ses rôles était de répertorier tout ce qui était produit pour San Pietro sur les petites fermes que possédait le monastère, les noms des fermiers, ainsi que la quantité et la qualité du travail accompli. Aujourd'hui, il s'agissait de tissus pour les bures des moines, une conséquence des activités intérieures pendant le long hiver. Le frère cellérier lui dictait les détails pendant qu'Anselmo écrivait.

Son visage au teint de cire brillait dans la lumière de la chandelle posée sur un guéridon près de son pupitre. Il prépara une nouvelle feuille, commençant comme il le faisait toujours par les lettres A.M.D.G.: *Ad majorem Dei Gloriam*, Pour la plus grande gloire de Dieu. La règle de saint Benoît considérait le fait de chanter les psaumes comme l'*Opus Dei*, l'Œuvre de Dieu, et Anselmo abordait cette tâche dans le même esprit. Pendant qu'il écrivait, il tenait de sa main libre le rebord de son pupitre et il entourait de sa jambe valide un pied du banc pour assurer davantage son équilibre. Présumant que le frère responsable des hôtes venait chercher quelque fourniture pour le quartier des visiteurs, il leva à peine les yeux quand le moine pénétra dans la salle d'entreposage.

L'homme échangea quelques mots avec le cellérier, puis celui-ci appela son assistant.

– Anselmo, tu as des visiteurs dans la cour des invités. Nous finirons ce travail plus tard.

Même si le monastère n'autorisait qu'une fois par année ses moines à recevoir des visiteurs, la nouvelle le surprit. La première moitié de sa courte vie lui semblait encore plus distante chaque année qu'il passait à San Pietro.

– Mon oncle ?

– Oui, le comte Guido est ici, répondit le responsable des hôtes. Et cette fois, il est accompagné d'une jeune femme.

Anselmo sauta de son banc en atterrissant sur son pied valide, un grand sourire aux lèvres.

– Amatina ! Je savais qu'elle me retrouverait un jour !

Il prit contre le mur une paire de béquilles de bois rudimentaires.

– Ta sœur disparue ? Pourquoi penses-tu que c'est elle ?

– Il faudrait que vous la connaissiez, frère. *Personne* n'a jamais réussi à vaincre sa détermination ! Si vous pouvez imaginer un de vos chevaux de guerre pérugins chargeant contre le vent du nord qui descend des montagnes en refusant de se plier aux éléments – ou chargeant sous une pluie de flèches sans aucune crainte pour sa sécurité –, alors vous aurez une petite idée de l'entêtement de ma sœur.

– Elle est *très* entêtée, en effet, dit le cellérier en éclatant de rire. Je souhaite que tu aies raison. Maintenant, va et profite de cette visite.

Même en traînant son pied invalide, Anselmo atteignit la cour plus vite que son supérieur ne l'aurait cru possible. Le vieil homme, comme tous les moines de San Pietro, adorait le jeune orphelin infirme qui était venu vivre parmi eux. Ils l'aimaient autant que le Père supérieur son chien de meute, et ils le gâtaient sans aucune honte, autant que la Règle le leur permettait.

Le responsable des hôtes montra du doigt l'homme et la femme qui attendaient à l'autre extrémité de la cour, puis se retira dans le cloître. Anselmo vit son oncle pousser la femme du coude pendant qu'il traversait la cour en boitant.

– Fabiano ! cria-t-elle en volant presque vers lui et en l'étreignant férocement. Jamais je ne t'aurais reconnu !

– Anselmo, dit-il avec un sourire gêné. Je suis *Frate* Anselmo maintenant. Et je ne suis pas censé étreindre les femmes, sinon je devrai m'agenouiller devant toute la communauté et m'en confesser pendant notre réunion du chapitre demain matin.

– Bah! s'exclama-t-elle.

Elle recula d'un pas et le regarda de la tête aux pieds.

– Est-ce que tu vas bien? Tes blessures te font-elles encore souffrir?

– Je vais bien. Je suis vivant et aussi heureux que je puisse l'être, Amatina. Si ce n'avait été l'attaque, je ne serais pas ici aujourd'hui, et c'est ici que je devais être. Et tu as survécu aussi. Je savais que tu t'en sortirais.

– Oui, j'ai survécu.

Peut-être était-ce en fin de compte tout ce que son frère devait savoir.

– Mais qui étaient les hommes qui nous ont attaqués? Un fermier qui les a vus t'enlever a dit qu'ils chevauchaient vers l'est. Oncle Guido t'a cherchée partout. C'était comme si tu avais disparu dans les montagnes.

Il regarda son oncle pour confirmer ses dires.

Guido répliqua:

– C'était des mercenaires, des chevaliers d'Assise embauchés par un marchand qui s'était querellé avec ton père la semaine précédente.

– Parce qu'il devait verser un péage pour traverser nos terres, ajouta la jeune femme.

Anselmo secoua la tête.

– C'est de cette façon que tout a commencé, mais il y avait autre chose, dit-il. Je me tenais sous l'arche de la porte. Papa engueulait le marchand. Il disait qu'il connaissait la signification de l'anneau du marchand parce qu'il en portait lui-même un semblable. Il l'a brandi devant le visage du marchand et lui a dit que s'il arrivait malheur à quiconque dans sa maisonnée, il allait en révéler la signification au monde entier.

– Je n'ai pas entendu cette partie, fit Amata en rougissant au souvenir de la première fois où elle avait aperçu Orfeo. Un garçon plutôt mignon qui faisait partie de la caravane du marchand m'avait distraite.

– Alors tu crois que le marchand a tué ton père à cause de l'anneau et non à cause du péage? intervint le comte Guido.

– Cela semble probable.

Amata se tourna vers son oncle.

– Mais papa l'avait obtenu de Nonno Capitanio. Grand-papa n'aurait pas volontairement condamné son fils à mort comme l'avait fait le père d'Orfeo.

– Non. Bien sûr que non, répondit Guido. Connaissant ton père, il croyait probablement que sa signification était trop importante pour ne pas être gardée secrète – quelle que soit cette signification. C'est maintenant évident que Buonconte la connaissait. T'en a-t-il jamais parlé, Anselmo ?

– Je ne l'avais jamais remarqué avant ce jour, répliqua-t-il. Je ne savais même pas qu'il avait glissé cet anneau dans ma poche quand il m'a dit de sauter par la fenêtre. Le frère qui te l'a remis l'a trouvé sur moi pendant qu'il soignait mes blessures. Quoi qu'ait su papa, il a emporté son secret dans la tombe.

Guido s'adressa à Amata :

– Je pense que nous devrions détruire l'anneau à notre retour. Et tu devrais conseiller à ton Orfeo de faire de même avec le sien. Ces anneaux ont été une malédiction pour nous tous.

– Eh bien, nous pouvons être sûrs que celui de Simone a été enterré, sinon à son doigt, alors à celui de son fils ! Vous vous en êtes occupé, dit-elle avec un sourire sans joie.

Anselmo regarda de nouveau sa sœur et, comme elle, ses yeux s'emplirent de larmes. Tout en essuyant leurs yeux de leur manche, ils se mirent à rire d'eux-mêmes, comme s'ils avaient de nouveau neuf et onze ans. Amata saisit la manche de son frère et l'entraîna jusqu'à un banc où ils entreprirent de se remémorer leurs souvenirs d'enfance. Leur oncle s'était joint à leur conversation, racontant ses histoires des premiers jours du Coldimezzo, avant leur naissance, à l'époque où lui et leur père étaient eux-mêmes des enfants.

Anselmo ne tarissait pas d'éloges au sujet de sa vie à San Pietro, de son travail au monastère, de la façon dont son talent pour l'écriture l'avait conduit à travailler dans les voûtes du cellérier, de sa joie de se sentir utile à la communauté malgré son infirmité. Il expliqua à Amata qu'elle était la première femme qu'il ait vue en presque huit ans, un fait aussi rare que la visite d'un ange, et sa guimpe lui paraissait une coiffure curieuse et saugrenue, seulement parce qu'il n'en avait pas vu depuis fort longtemps.

Puis ce fut au tour d'Amata de lui raconter la période où elle avait vécu à Saint-Damien et sa vie actuelle à Assise. Son frère sembla déçu que la vie de novice ne l'ait pas attirée. Comment pouvait-on ne pas préférer une vie consacrée à Dieu ?

Amata avait gardé sa plus grande surprise pour la fin.

– Mais, demanda-t-elle, comment pourrais-je être à la fois nonne et épouse ?

– Tu es mariée ?

Le visage d'Amata rayonnait de joie.

– Pas encore, mais ça pourrait se produire bientôt. Et quand ce sera fait, nous allons nommer notre premier fils Fabiano… et le deuxième, Anselmo. Nous aurons encore un Fabiano dans la famille, et deux Anselmo.

Elle se demanda si elle devait lui expliquer qu'Orfeo était le fils de l'homme qui avait embauché les assassins et décida que ce serait inutile. Mais elle lui parla de l'amitié entre Orfeo et le pape, et de son voyage à Rome qui, elle le savait, allait impressionner le jeune moine.

À un moment de cette longue journée de retrouvailles émouvantes, le responsable des hôtes revint avec de la nourriture et des boissons pour qu'ils n'aient pas à quitter la cour. Puis, inévitablement, alors que l'après-midi tirait à sa fin, la cloche retentit pour appeler les moines aux vêpres et Anselmo dut retourner à sa vie cloîtrée.

– Reviendras-tu me rendre visite ? demanda-t-il.

– Tous les ans, répondit Amata. Aussi souvent qu'on nous y autorisera.

Sa question suivante la consterna :

– As-tu pardonné aux assassins de nos parents ? Tu sais, tu ne connaîtras pas la paix avant de l'avoir fait.

Amata sentit sa gorge se serrer en entendant la question.

– La plupart sont morts maintenant, et j'ai été heureuse de les voir mourir. Pour plusieurs raisons, j'ai porté cette vengeance dans mon cœur pendant toutes ces années. Et je suis presque parvenue à leur pardonner. Demande-le moi de nouveau quand je viendrai te visiter avec mon époux l'an prochain.

– À l'an prochain alors. Prie pour moi comme je le ferai pour toi.

Anselmo se leva et plaça ses béquilles sous ses aisselles. Et, avant qu'il ne puisse protester de nouveau, Amata l'embrassa sur la joue.

– Un baiser d'adieu, dit-elle, parce nous *ne sommes pas* morts.

Le frère Jean n'aborda plus jamais le sujet des anneaux. L'ancien ministre général semblait considérer qu'il avait trop parlé, et Conrad ne lui posa plus de questions. Au contraire, il écoutait patiemment pendant que Jean parlait de rêves, de visions et d'apparitions.

Dans un de ses rêves, il était assis près d'une rivière tumultueuse et regardait, impuissant, plusieurs de ses frères qui entraient dans l'eau en portant de lourdes charges. Le courant puissant les entraînait et tous se noyaient. Mais pendant qu'il pleurait, d'autres frères arrivèrent, qui ne portaient aucune charge. Ces frères traversèrent la rivière sans encombre.

– Vraiment, l'Ordre a plus que jamais besoin de vos conseils, dit Conrad. Les premiers moines sont les frères conventuels qui portent sur leurs épaules tout le poids du monde. Les frères du deuxième groupe sont les frères spirituels qui adhèrent à la Règle de pauvreté de saint François et sont heureux de suivre la voie du Christ nu sur la croix. Vous auriez pu facilement traverser la rivière à gué avec eux.

– Je crois que, de cœur, j'étais plus près des frères spirituels, avoua Jean, même si j'ai tenté de m'élever au-dessus de la mêlée quand je dirigeais l'Ordre. Mais les ministres provinciaux ont deviné mes véritables sentiments – et c'est pourquoi je te tiens compagnie en ce moment.

Une nuit, Conrad se réveilla au son des chaînes de Jean qui s'agitaient bruyamment. Craignant que des démons ne soient en train de tourmenter le fragile vieillard, Conrad pria à voix haute pour obtenir la protection de leurs anges gardiens et secoua son compagnon.

– J'ai rêvé au frère Gerardino et à ses hérésies, expliqua-t-il quand il eut retrouvé ses esprits. Je crains pour son âme. Pourtant, on ne peut davantage le blâmer que les chroniqueurs de notre Ordre. En affirmant que la naissance de saint François marque le second avènement de Jésus, il ne fait qu'interpréter logiquement les légendes.

– Je suis certain que vous avez visité dans cette ville l'écurie où la dame Pica a donné naissance à François – malgré le fait que son époux était l'homme le plus riche d'Assise. Et, d'après les légendes, un vieil homme avait proclamé que notre fondateur était un saint alors même qu'il était encore un nouveau-né, tout comme l'a fait Siméon lorsque Notre-Seigneur a discouru au temple. Plus tard, quand François s'est rendu à Rome pour obtenir l'approbation du pape Innocent concernant le nouvel Ordre, il était accompagné d'exactement douze disciples. L'un d'eux, le frère Giovanni del Capello, a fini par quitter l'Ordre parce qu'il était incapable de supporter les rigueurs de la Règle. Les chroniqueurs l'ont qualifié de deuxième Judas. C'est ainsi que se tisse la trame de toutes les histoires sur les bonnes actions et les miracles de François. Les fresques de Giunta da Pisa, qui illustrent les événements de la vie de notre fondateur, dans l'église inférieure, sont placées sur le mur opposé aux histoires tirées de la vie de Jésus. Cela n'a jamais été fait auparavant dans l'église pour un autre saint. Dans toutes les autres basiliques, on retrouve des scènes du Nouveau Testament devant celles de l'Ancien. Mais jamais une créature humaine, pas même un grand saint, n'a été aussi directement comparée à Notre-Seigneur.

Le vague cynisme de Jean troublait Conrad. Il n'avait jamais entendu un frère exprimer des doutes sur la vérité littérale des légendes, bien que Léon ait souvent fait allusion à une vérité plus profonde. Il ne s'attendait certainement pas à un tel scepticisme de la part d'un ancien ministre général.

– Pourtant, il y a les stigmates, intervint Conrad. Donna Giacoma a tenu le corps contusionné et pratiquement nu de François dans ses bras au moment de sa mort. Elle m'a dit qu'il lui rappelait précisément Jésus quand on L'a descendu de la croix.

Jean émit un grognement.

– C'est vrai. Il y a les stigmates et, pour ce miracle seulement, on devrait considérer saint François comme le second Christ.

Mais Conrad ne s'était pas calmé.

– Il y a aussi le témoignage du frère qui, dans une vision, avait vu Notre-Seigneur entrer dans la cathédrale de Sienne, suivi d'une multitude de saints. Chaque fois que le Christ faisait un pas, la forme de son pied restait imprégnée dans le sol. Tous les saints faisaient de leur mieux pour placer leurs pieds dans les empreintes de ses pas, mais personne n'y parvenait tout à fait. Puis vint le tour de saint François, qui plaça ses pieds exactement dans les empreintes de Jésus.

– J'ai entendu plusieurs de ces témoignages, dit Jean. Mais j'aurais quand même préféré que les historiens de l'Ordre ne poussent pas si loin la comparaison. Ils auraient pu éviter que Gerardino commette son hérésie ou, plus important encore, qu'il perde son âme immortelle.

XXXVI

Debout devant le foyer du grand hall, Amata serrait entre ses mains la lettre scellée d'Orfeo pendant que le marchand romain édenté lui racontait en détail son voyage jusqu'à Assise. Elle affichait un sourire poli pendant que ses yeux se concentraient sur la verrue poilue qui ornait le nez du commerçant. Elle avait fait appeler Pio et se demandait s'il avait l'intention de venir. Mais le garçon arriva finalement et elle lui demanda de conduire l'homme dans la cuisine, le remerciant alors qu'il s'éloignait.

Elle se précipita dans la cour où elle pouvait jouir du soleil de midi et s'asseoir confortablement à l'écart pendant qu'elle lirait la lettre. Elle arracha le sceau et déroula le vélin.

Cara mia,

Les jours sont tellement longs, moins parce que nous approchons du solstice que parce que nous sommes séparés. Mes pensées se tournent constamment vers toi. Je rêve à l'enfant à la tresse noire, une femme dans une clairière avec le soleil qui joue dans sa chevelure. N'est-ce pas étrange? Même si tu déplores que tes cheveux ne soient qu'à la hauteur des épaules, je vois des mèches frôler tes bras remplis de fleurs. Je pense que c'est un rêve prophétique et que tu portes dans tes bras les futurs fruits de notre amour, de jeunes bambinos.

J'ai le regret de te dire que ma quête a jusqu'ici été vaine ou du moins retardée. Il est pratiquement impossible d'approcher Grégoire. Je désespérais presque de jamais le voir, lorsque j'ai rencontré un ami, le frère Salimbene, qui fait partie de la délégation des frères à Lyon. Il m'a présenté à un autre frère, Jérôme d'Ascoli, le ministre provincial de la Dalmatie et, depuis quelques semaines, le légat de Grégoire auprès des églises d'Orient. Je pense que ce frère Jérôme ne porte pas Bonaventure dans son cœur car, au moment où je lui ai expliqué le but de ma visite, il a semblé se réjouir de cette occasion de mettre son ministre général dans l'embarras. En tout cas, il a organisé une audience et m'a aidé à préparer ma rencontre avec Grégoire.

Le pape semblait extrêmement heureux de me voir, mais il n'a pas immédiatement accepté ma requête pour ne pas offenser Bonaventure, qui a été pour lui un allié puissant pendant l'année qui vient de s'écouler. Pourtant, malgré l'affection qu'il me porte, Grégoire m'a dit qu'il ne prendrait pas une décision finale en ce moment, mais qu'il allait parler au ministre général après le concile.

Il a insisté pour que je navigue avec lui jusqu'en Provence demain en me disant qu'il me considérait toujours comme son porte-bonheur. J'ai accepté en espérant qu'il change d'avis une fois le concile terminé. À Partir de Marseille, nous remonterons le Rhône en barge jusqu'à Lyon. Au moment où tu recevras cette lettre, le concile aura probablement commencé à la cathédrale de Lyon. Si Dieu le veut, j'espère être de retour à la fin juin en compagnie du frère Salimbene. C'est un chroniqueur et un passionné d'histoire, en particulier l'histoire de son Ordre.

Les journées sont de plus en plus chaudes ici, mais elles sont glaciales en comparaison du feu qui fait rage dans mon cœur. Dire que je regrettais d'avoir raté l'occasion qui m'avait été donnée d'aller faire fortune à Cathay et qu'en fait un trésor beaucoup plus grand m'attendait dans ma ville natale. Chaque soir, je remercie Dieu de la chance que j'ai eue de te trouver. J'ai un jour rêvé de me baigner dans les eaux claires de Cathay, mais maintenant, je ne souhaite plus que me baigner et folâtrer dans l'eau sombre de tes yeux.

Sous la fenêtre de ma chambre, un groupe de vieillards ramassent des branches mortes. Ils marchent ici et là, cherchant lentement, mais ils retournent finalement chez eux, leurs tabliers remplis de petit bois. De la même manière, je tournerai autour de notre pape jusqu'à ce que je retourne finalement vers toi, ma quête accomplie. D'ici là, n'oublie pas ton serviteur esseulé et prie pour moi en sachant que je demeure pour toujours,

Innamorato tuo,
Orfeo

Amata relut la lettre plusieurs fois en tordant entre ses doigts une mèche de ses cheveux. Bien qu'elle fût déçue par la nouvelle concernant Conrad, elle retournait sans cesse aux passages dans lesquels Orfeo proclamait son amour. Il était plus heureux pendant qu'il récupérait au Coldimezzo, absorbant lentement la perte de son ami charretier. À ce moment, il avait les yeux brillants et le rire facile. Elle se réjouissait de sa passion, de ses mots qui feraient fondre le cœur de toute femme, et le feu qui le dévorait exhalait jusqu'à elle une chaude pulsation qui traversait ses membres pendant qu'elle lisait.

Pourtant, d'autres passages de sa lettre la troublaient. Peut-être n'était-ce que la façon de parler des commerçants, mais elle n'aimait pas qu'il la compare à un «trésor» et à une «chance». Elle se demanda s'il était surtout motivé par l'amour ou par son ambition démesurée d'aller faire du commerce dans des contrées lointaines. Peut-être était-elle devenue excessivement méfiante envers les coureurs de dot depuis l'incident avec Roffredo Gaetani.

Le mot «Cathay» la troublait également. Elle se souvenait des histoires qu'il lui avait racontées à propos de son ami Marco, qui n'avait jamais vu son père avant l'âge de dix-sept ans. *Jamais mes enfants n'auront à endurer une telle séparation*, pensa-t-elle, *et moi non plus*. Elle ne voulait pas d'un époux qui ne le soit que de nom. C'était là une question qu'elle et Orfeo devraient résoudre avant qu'elle ne s'engage fermement. Heureusement, grâce à son oncle Guido qui avait accepté d'administrer ses biens, le mariage était devenu pour elle un choix et non une nécessité.

Elle entendit un bruit de pas derrière elle, venant du cloître. Son oncle lui lança un bref regard en passant, les mains derrière le dos, les lèvres faisant une moue de curiosité.

– J'ai reçu une lettre d'Orfeo, dit-elle.

Le comte ne répondit pas, mais elle perçut la question dans ses yeux.

– Je sais que je devrais l'aimer, dit-elle, mais certaines choses qu'il me dit me préoccupent. Pourtant, je suis sûre d'une chose: je le préfère à tout autre homme. Est-ce là une assise assez solide pour un mariage, mon oncle?

Guido sourit avec l'expression sage de celui qui a déjà traversé cette mer.

– Tu connaîtras la réponse quand tu le reverras, Amatina. De toute façon, on peut se marier par amour et finalement découvrir qu'aimer au quotidien peut aussi représenter une tâche ardue.

Amata réfléchissait en tirant sur sa lèvre inférieure.

– Mais si je me mariais pour quelque autre raison, ne devrais-je pas de toute façon gagner l'amour de mon époux pour que nous échappions tous deux au désespoir?

– Tu réussiras, mon enfant, dit son oncle. Tu as survécu parmi des barbares. Je prédis que tu survivras également au mariage avec Orfeo.

Il reprit sa promenade en songeant: *Quelle étrange génération. Se marier par amour. Ça ne se serait jamais produit à mon époque.*

❧

Orfeo enfila son plus beau bliaud par-dessus sa tunique, aplatit ses cheveux de la main et suivit le messager du pape jusqu'au réfectoire des Frères mineurs. Grégoire avait invité Orfeo, à titre de neveu de saint François, à prendre le repas du soir avec lui et avec les frères qui devaient témoigner le deuxième jour du concile œcuménique.

L'entourage du pontife occupait toute la table principale. Une main qui s'agitait à l'autre bout de la table attira l'attention d'Orfeo. Le frère Salimbene lui avait gardé une place sur un banc entre lui et Jérôme d'Ascoli, le frère qui avait aidé Orfeo à rencontrer le pape. Jérôme, un homme plutôt petit et vif, aux traits délicats, avec sa tonsure argent et ses yeux bleus brillants, contrastait avec son compagnon corpulent et débraillé.

Le pape Grégoire, d'humeur radieuse, sourit à l'assemblée. Il récita le bénédicité et rendit grâce à Dieu pour l'issue heureuse de la première journée du concile œcuménique et en particulier pour la réconciliation avec l'Église d'Orient.

Ce matin-là, Orfeo était arrivé en retard à la cathédrale de Lyon et s'était retrouvé acculé à la porte par la foule qui avait envahi le transept. Toutefois, il avait suffisamment discuté avec Grégoire auparavant pour comprendre que cette réconciliation entre les Églises était le principal élément sur la liste des priorités de son ami. Se tenant sur la pointe des pieds, et informé uniquement par les commentaires des gens devant lui, Orfeo put à peine apercevoir les membres magnifiquement vêtus de la délégation de l'Église d'Orient alors qu'ils s'approchaient et s'agenouillaient devant le trône pontifical. D'une voix forte, ils avaient déclaré: «Nous acceptons la primauté et toutes les coutumes de l'Église d'Occident.» Ils s'étaient également déclarés en accord avec chacun des points litigieux exprimés par Grégoire, notamment la clause *filioque* dans le Credo qui affirmait l'évolution du Saint-Esprit à partir du Père et du Fils, et l'emploi de pain sans levain dans la liturgie de l'Eucharistie.

Pendant que Grégoire répétait à quel point il était heureux du déroulement de cette journée, Orfeo murmura à l'oreille du frère Jérôme :

– Qu'est-ce que l'Église d'Orient a gagné en retour ?

Il savait que, à titre d'envoyé spécial de Grégoire auprès de l'empereur byzantin Michel Paléologue, Jérôme comprenait parfaitement les subtilités des négociations.

– Fort peu, répliqua le frère d'une voix basse et fluide. Nous avons promis de tolérer la liturgie grecque.

– Rien de plus ?

– Tu dois comprendre, jeune homme, que la capitulation de Michel n'a rien à voir avec les enjeux religieux. Les Sarrasins empiètent de plus en plus sur son empire chaque année. Il a besoin de notre soutien militaire et il n'est pas en position de négocier.

Il sauça le fond de son bol avec un morceau de pain et ajouta avec seulement l'ombre d'un sourire :

– Dieu atteint Ses buts par des moyens extraordinaires sans même dédaigner les hordes païennes.

Pendant que le niveau des conversations s'élevait autour de la table, le frère Salimbene intervint :

– Vous pouvez être sûrs que le reste du concile sera plus difficile pour notre Saint-Père. Les cardinaux ont mis quatre ans à l'élire à la succession de Clément. Dans l'avenir, il veut qu'ils soient confinés dans des cellules individuelles après la mort d'un pape. Il bloquera tout ce qui pourrait parvenir aux cardinaux pendant qu'ils seront isolés au sein de leur conclave, jusqu'à ce qu'ils aient choisi le prochain pape.

– Ce n'est là qu'une question parmi d'autres, dit Jérôme. La journée de demain ne sera pas agréable non plus. Les condamnations à l'endroit du clergé séculier vont commencer.

Même si les frères prêcheurs et les frères mineurs étaient maintenant bien représentés parmi les prélats – les évêques, les archevêques, et même les cardinaux –, Grégoire croyait que tous les maux de la terre provenaient des prêtres et des prélats séculiers qui ne faisaient vœu d'obéissance à aucune communauté religieuse.

Salimbene essuya du revers de sa manche une rigole de sauce qui dégoulinait sur les replis de ses mentons. Il fit un clin d'œil et eut un large sourire :

– *Non est fumus absque igne.* Il n'y a pas de fumée sans feu. Même quelques cardinaux pourraient subir les foudres du pape.

– Y compris votre propre cardinal Bonaventure ? demanda Orfeo.

Le regard perplexe que lui lança Salimbene en entendant la question confirma sa propre naïveté concernant ces questions religieuses.

– Non, non, dit le frère. C'est lui qui préside aux témoignages contre les séculiers.

Les deux frères tournèrent les yeux vers le frère Bonaventure assis à côté du pape et Orfeo suivit leur regard. Le cardinal s'attaquait à un rôti de porc particulièrement gras.

– Notre ministre général devient aussi gras que vous, frère Salimbene, fit remarquer Jérôme avec un sourire malicieux.

Il parlait posément, tel un professeur de diction, laissant résonner le mot « gras » contre son palais avant de le laisser échapper de ses lèvres.

– Oui, et il était temps. Mais remarquez qu'il n'a pas encore acquis mon tempérament joyeux ou ma santé de fer. Sans parler de ces cercles sombres autour de ses yeux, dit Salimbene en secouant la tête avec dérision. Même Sa Sainteté s'inquiète à son sujet. Voyez-vous l'air de préoccupation qu'affiche le visage pontifical ?

Orfeo sourit devant leur irrespect à l'endroit de Bonaventure, que le reste du monde adulait. Depuis que la délégation pontificale était arrivée à Lyon, il avait plusieurs fois entendu des rumeurs selon lesquelles Grégoire voyait en Bonaventure son digne successeur, ce qui lui semblait une nouvelle décourageante compte tenu de son objectif de faire libérer l'ami d'Amata.

Il revint au sujet du débat du lendemain.

– Je pense que je devrais arriver tôt à la cathédrale demain matin, sans prendre le temps de manger, et trouver un siège dans la première rangée.

– Le spectacle sera certainement divertissant, acquiesça Salimbene. Tu devras être bien placé. Mets cette demi-miche dans ta poche.

Le frère découpa un morceau de pain et le tendit à Orfeo.

– Si tu n'as jamais vu les fenêtres de la cathédrale de l'intérieur au lever du jour, tu dois t'attendre à un autre spectacle magnifique.

ès

Orfeo passa de la chaleur du matin de juin à l'obscurité froide de la cathédrale. Dans la mesure où il pouvait se fier à la lumière d'une seule chandelle dont la flamme vacillait sur le maître-autel, il était le premier à franchir les immenses portes du transept.

Depuis sa dernière visite à Lyon alors qu'il n'était qu'un enfant, non seulement la ville s'était-elle étendue, mais la construction de la cathédrale avait progressé au point où toute la Provence vantait la beauté de ses nouveaux vitraux. Il était venu à Lyon une seule fois avec son père, pour la foire annuelle du lin qui commençait la semaine après Pâques et se poursuivait pendant tout le printemps. La cathédrale était grouillante de monde. Orfeo avait vu des femmes et des hommes de la noblesse plier l'échine pour tirer des chariots de matériel et, comme des bêtes de somme, tirer des charrettes remplies de pierres et de bois, d'huile et de grains, jusqu'au chantier de construction. Le soir venu, les travailleurs plaçaient les chariots en demi-cercle autour du site et sur chaque chariot brûlaient des bougies ou des lampes. Ils célébraient la vigile par des hymnes et des cantiques et ils étendaient leurs malades sur les chariots. Ensuite, ils transportaient les reliques des saints d'un malade à l'autre pour soulager leurs souffrances.

Pendant que ces images défilaient dans son esprit, ses yeux s'étaient ajustés à l'obscurité et la structure de la cathédrale émergeait lentement. Il remarqua que l'édifice ne comportait aucun de ces énormes piliers qui caractérisent les églises de style romain de son propre pays. Les minces colonnes s'élevaient vers le ciel, forçant les yeux à se tourner instinctivement vers le plafond en cherchant le point le plus élevé, quelque part là-haut, dans l'obscurité de la coupole où certains espéraient voir se dévoiler les mystères de Dieu. Tout portait le regard vers le haut, vers les cieux. Son oncle François *pourrait* avoir aimé cet endroit, malgré les coûts évidemment élevés de la construction. Là où les premiers Ordres accumulaient des biens, son oncle faisait don de toute sa richesse et envoyait ses frères en mission dans toutes les directions. Il s'était agi d'un *mouvement* dans tous les sens du mot, tout comme la conception de cette nouvelle église.

Pendant qu'Orfeo fixait les yeux sur la claire-voie, une faible lueur filtra à travers les fenêtres en ogive et les délicats contours des rosaces qui les ornaient au-dessus. Des anges, des saints et des figures bibliques occupaient chaque espace des vitraux, pendant que les artisans ordinaires de Lyon les regardaient à l'écart ou accomplissaient leurs tâches quotidiennes de la cuisson, du feutrage ou du filage, laissant deviner à l'observateur admiratif qui avait déboursé pour ces fabuleuses créations. Mais ce doux prélude ne l'avait pas préparé à la symphonie de couleurs qui suivit. Alors que le soleil apparaissait à l'est du Rhône, la lumière envahit la nef tout entière. Des rayons multicolores fusaient dans toutes les directions ; toutes les couleurs de la bure de Joseph imprégnaient le maître-autel et le trône pontifical doré érigé pour le concile, fendant la nef sombre comme des nuées d'êtres célestes vêtus d'arcs-en-ciel. Il imagina les chœurs célestes faisant pleuvoir leurs alléluias incessants en hommage au Tout-Puissant pendant qu'ils chevauchaient ces rayons jusque sur la terre.

Malheureusement, cette vision enchanteresse ne pouvait durer. La porte du portique situé à l'extérieur du transept commença à s'ouvrir et à se refermer alors qu'entraient les citoyens venus assister au débat du jour. Orfeo prit place à l'endroit qui séparait le transept de la nef, d'où il pourrait voir clairement le pape et les frères à l'avant de l'église. Il glissa la main dans le sac attaché à sa ceinture et en sortit le pain sec qu'il avait gardé la veille.

– Du vin, monsieur ? Le contenu de ma cruche pour une pièce d'argent ?

Cela le surprit, car l'une des réformes de Grégoire proposait d'éliminer la profanation des églises par les marchands. Orfeo se dit que ce serait une bonne chose si le pape réussissait à chasser ces cloportes des endroits les plus sombres.

Le grand portail à l'extrémité ouest de la nef s'ouvrit complètement et Orfeo avala son dernier morceau de pain. Marchant sous un dais blanc, le pape Grégoire X conduisait la procession dans la cathédrale. Il portait une chasuble d'un blanc immaculé ornée d'une croix bleu pâle. Ses mules de soie et sa tiare étaient également blanches, mais les glands de sa tiare étaient tissés de soie dorée. Dans sa main droite, il tenait une modeste houlette de bois qu'il déplaçait au rythme de ses pas assurés. Pendant qu'il montait jusqu'à son trône et que les chanoines de la cathédrale installaient le dais au-dessus du siège pontifical, l'œil exercé du commerçant de lin qu'était Orfeo remarqua que la chasuble était faite de simple serge de Reims. Vinrent ensuite les cardinaux, portant des soutanes et des chapes rouges ainsi que des chapeaux rouges à larges bords, suivis à leur tour par les évêques et le clergé, et les témoins appartenant aux frères mineurs et aux frères prêcheurs. Les deux camps opposés des Ordres et des séculiers se placèrent de chaque côté de la nef. Les frères s'étaient rangés le long du mur sud, en face d'Orfeo, et les séculiers lui tournaient le dos.

Il tenta d'attirer l'attention de Salimbene, mais le frère conserva son expression sérieuse sans exprimer d'une quelconque façon qu'il l'avait remarqué. Le vieux frère Illuminato, évêque d'Assise, s'assit à la droite de Bonaventure, lui servant de secrétaire en l'absence de Bernard de Besse. Orfeo reconnut également Jérôme d'Ascoli et quelques-uns de ses compagnons de table de la veille : le frère mineur français Hugues de Digne, et le frère archevêque de Rouen, Odo Rigaldi. À la gauche de Bonaventure se tenait assis le ministre général des frères prêcheurs de saint Dominique, vêtu de blanc.

Le pape Grégoire parla d'abord sans se lever, ses yeux glissant d'un camp à l'autre.

– Certains affirment que les prêtres et les prélats séculiers ne doivent plus prêcher, entendre des confessions ou célébrer l'Eucharistie. De nombreuses villes m'ont demandé de permettre aux frères d'exercer ces fonctions, car elles n'ont plus confiance en leur propre clergé. Les membres du clergé rétorquent que les frères agissent plus mal qu'eux et les privent de leur juste revenu en empiétant sur des devoirs qui ne relèvent que des séculiers. Aujourd'hui, nous commençons l'examen des deux accusations et nous entendrons en premier la légation des frères.

Il fit un geste en direction du cardinal Bonaventure. Le ministre général des Frères mineurs se leva lentement d'un air placide mais imposant. Son attitude montrait qu'il avait entendu et cru les rumeurs selon lesquelles il allait succéder à Grégoire. Orfeo trouva qu'il parlait d'un ton presque las, comme un banquier dressant la liste de ses recettes.

– Le monde semble se trouver dans une situation beaucoup plus grave que par le passé. Par leur mauvais exemple, les membres du clergé affaiblissent la laïcité en ce qui concerne la morale et la foi. Plusieurs ont rompu leur vœu de chasteté en gardant des concubines chez eux ou en s'adonnant à la luxure avec diverses personnes. Les gens simples pourraient penser que ces péchés seraient acceptables aux yeux de Dieu si nous, les frères, ne prêchions pas contre eux ; et les femmes bercées d'illusions pourraient croire qu'il n'y a rien de grave à commettre des péchés avec ces prêtres comme, nous le savons tous, certaines ont été persuadées de le faire. Les femmes honnêtes craignent de perdre leur réputation si elles se confessent secrètement aux membres de ce clergé. Le dernier légat pontifical en Germanie a suspendu les membres du clergé qui exhortaient les nonnes d'un quelconque Ordre à commettre des péchés – leur retirant leurs fonctions et leurs bénéfices – et a excommunié tous ceux qui avaient péché avec elles. Plusieurs ont subi un sort semblable. Malgré cela, ces mêmes membres excommuniés du clergé sont demeurés dans leurs paroisses comme si rien ne s'était passé, recrucifiant ainsi le Christ chaque jour. Les confessions qu'ils ont entendues et les absolutions qu'ils ont données ont été annulées, et les laïcs n'avaient plus le droit d'assister à leurs messes. Ainsi, des paroisses entières ont été expédiées en enfer parce qu'elles avaient obéi à des excommuniés. Le diable acquiert plus d'âmes de cette manière que par tout autre moyen. Car les prêtres lascifs, les enfants bâtards, les simoniaques, tous ont perdu la possibilité de se voir absoudre leurs péchés. Pourtant, ils nuisent au ministère des frères. Si nous devions, dans toutes les paroisses, obéir à la volonté du prêtre local, il y aurait bien peu d'endroits où on nous permettrait de rester. Que ce soit de leur propre initiative ou à l'instigation de leurs évêques, ils nous chasseraient de leurs paroisses plus rapidement que si nous étions des hérétiques ou des juifs.

Un grondement fusa du côté opposé de la nef.

– Ce ne sont que des généralisations diffamatoires, grogna quelqu'un d'une voix suffisamment forte pour être entendue des frères.

Le frère archevêque Odo Rigaldi bondit sur ses pieds.

– En 1261, le pape Urbain m'a demandé de réunir un concile à Ravenne pour recueillir de l'argent afin de contrer l'invasion des Tartares. Vous, les membres du clergé paroissial, avez refusé de contribuer jusqu'à ce que vous débattiez des empiètements des frères sur vos privilèges.

Odo lança un regard furieux vers la rangée de séculiers et continua d'une voix stridente :

– Scélérats ! À qui confierais-je les confessions des laïcs dont je suis le pasteur si les membres des Ordres ne peuvent les entendre ? Je ne peux, en toute conscience, vous les confier, car, lorsque les gens viennent chercher du réconfort pour leur âme, vous leur donnez à boire du poison. Vous conduisez les femmes derrière l'autel en prétextant les confesser et là vous agissez comme les fils d'Élie à la porte du tabernacle, commettant un acte horrible à raconter et plus encore à poser. Ainsi, le Seigneur se plaint de vos agissements par la bouche du prophète Osée : « À Béthel, j'ai vu une chose horrible ; c'est là que se prostitue Éphraïm, que se souille Israël. » Et vous vous inquiétez du fait que les frères pourraient entendre les confessions parce que vous craignez qu'ils n'apprennent vos méfaits de la bouche des fidèles.

– Encore des généralisations, entonna avec la même fermeté la voix qui s'était plainte plus tôt.

– L'évêque d'Olmutz déplore-t-il les généralisations ? rétorqua Odo en désignant un prêtre adossé au mur de la nef. Dites-moi comment je peux confier au prêtre Gérard ici présent la confession des femmes quand je sais très bien que sa maison est remplie de ses fils et de ses filles et qu'on pourrait en toute justice le décrire dans les mots du Psalmiste : « Tes fils seront comme des plants d'oliviers autour de ta table. » Et je doute que Gérard soit le seul dans cette situation.

Il parcourut des yeux les membres du clergé et son regard s'arrêta finalement sur un évêque dans la première rangée.

– Et vous, Henri de Liège, n'y a-t-il pas deux abbesses et une nonne parmi vos concubines ? Ne vous êtes-vous pas un jour vanté d'avoir conçu quatorze enfants en vingt mois ? N'est-il pas vrai que vous êtes analphabète et que vous avez été élevé à la prêtrise onze ans seulement après être devenu évêque ?

Il se rassit lourdement, les veines gonflées sur son cou épais, pendant que l'accusé Henri souriait d'un air méprisant et répliquait :

– Nous sommes condamnés par un frère cardinal et un frère archevêque, et pourtant, les frères devenus prélats ont la même réputation scandaleuse que celle que vous nous attribuez.

Orfeo surveillait le visage triste et pensif de Grégoire à mesure que le débat progressait. Le pape s'attendait manifestement à une telle acrimonie et semblait prêt, pour le moment, à la laisser se manifester.

Le sarcasme d'Henri avait fait bondir le ministre général dominicain. Dans ses vêtements blancs, il ressemblait aux saints sur les vitraux de la cathédrale. Il parla d'un ton monocorde, conciliant.

– Quand Albert le Grand de notre Ordre a accepté l'épiscopat de Ratisbonne afin de réaliser des réformes depuis longtemps nécessaires, notre ministre général a considéré ce geste comme une terrible déchéance. « Qui croirait que vous, au crépuscule de votre vie, entacheriez autant votre propre gloire et celle des frères prêcheurs, alors que vous aviez tant fait pour la rehausser ? Songez à ce qui est arrivé aux prélats qui ont été attirés dans de telles fonctions, ce qu'est leur réputation aujourd'hui, et comment ils ont fini leurs jours ! » Sur ce, Albert a renoncé au siège épiscopal et il est mort comme un simple frère à Cologne. Bien que j'aie passé plusieurs années à la tête de mon Ordre, je ne peux me souvenir d'une seule occasion où Sa Sainteté le pape (je ne fais pas référence à notre bon pape ici présent) ou un quelconque légat ou chapitre de cathédrale ait demandé, que ce soit à moi, à l'un de nos supérieurs, ou à l'un de nos chapitres provinciaux, de lui trouver un évêque de valeur. Au contraire, ils ont choisi leurs propres frères selon leur volonté, soit par népotisme, ou pour quelque motif autre que spirituel, de sorte qu'on ne peut rien nous reprocher en ce qui concerne leurs choix.

Il se rassit, mais le frère Salimbene se leva immédiatement pour poursuivre sur le même thème.

– Au cours de mes voyages, j'ai moi aussi connu de nombreux frères mineurs et frères prêcheurs promus à l'épiscopat grâce à leurs relations familiales plutôt qu'à une faveur de l'Ordre. Les chanoines de la cathédrale de n'importe quelle ville se soucient peu d'avoir au-dessus d'eux à titre de prélats des saints hommes issus d'ordres religieux, même si ces saints hommes brillent autant dans leur vie que dans le cadre de la doctrine. Ils craignent de s'attirer des reproches de leur part et préfèrent vivre dans la luxure et le dévergondage.

Un murmure de feinte horreur s'éleva des rangs des prêtres.

– Oooh ! Encore la luxure et le dévergondage !

– Oui, c'est bien ce que j'ai dit. Et Dieu puisse-t-il vous châtier pour vos railleries.

Salimbene s'épongea le front. La cathédrale s'était considérablement réchauffée, remplie qu'elle était d'hommes d'Église et de spectateurs.

– L'histoire que je vais vous raconter m'a été transmise par le frère Umile da Milano, qui résidait à notre monastère de Fano, continua-t-il. Un jour, pendant la période du carême, les montagnards envoyèrent un messager le prier, pour l'amour de Dieu et le salut de leurs âmes, de venir à eux en affirmant qu'ils se confesseraient volontiers. Le frère emmena avec lui un compagnon, se rendit parmi eux et travailla ardemment avec son conseiller. Un jour, une certaine femme vint se confesser à lui. Elle lui révéla que, par deux fois, des prêtres à qui elle était allée se confesser l'avaient invitée, et même exhortée à pécher avec eux.

Alors le frère Umile lui dit : « Je ne t'ai pas invitée à pécher et ne le ferai point non plus ; je t'inviterai plutôt à connaître les joies du paradis que le Seigneur t'accordera si tu L'aimes et fais pénitence. » Mais pendant qu'il lui donnait l'absolution, il vit qu'elle serrait une dague dans sa main et dit : « Que signifie ce couteau dans ta main à un tel moment ? » Elle répondit : « En vérité, mon père, j'avais l'intention de me poignarder et de mourir si vous m'aviez invitée à pécher comme l'ont fait les autres prêtres. »

Le frère s'était échauffé à son propre discours, ses joues grasses étant devenues si rouges qu'Orfeo craignit qu'il ne subisse une attaque d'apoplexie.

– J'ai connu des prêtres devenus usuriers, poursuivit Salimbene, forcés de s'enrichir pour nourrir leurs nombreux bâtards. J'ai connu des prêtres qui tenaient des tavernes et qui vendaient du vin, et dont la maisonnée était remplie de bâtards, passer leurs nuits dans le péché et célébrer la messe le lendemain. Et après que les gens eurent reçu la communion, ces prêtres jetaient les restes d'hosties consacrées dans les fissures du mur, bien qu'il se fût agi du corps même de Notre-Seigneur. Ils conservent leurs missels, leurs corporaux et leurs ornements sacerdotaux en mauvais état, rugueux et tachés. Les hosties qu'ils consacrent sont si petites qu'on peut à peine les discerner entre leurs doigts ; elles ne sont pas rondes mais carrées et parsemées d'excréments de mouches. Ils utilisent pour la messe un vin grossier du pays ou du vinaigre…

– Une lacune que condamne certainement un prêtre renommé pour ses dégustations de vins fins dans la moitié de la chrétienté, cria une voix du fond de la cathédrale.

Un des cardinaux observateurs se leva de son banc et s'avança à grands pas dans la nef, jusqu'à l'endroit où se déroulait la controverse, sa chape volant derrière lui. En apercevant ses sourcils noirs proéminents, ses yeux jaunâtres et son nez crochu, Orfeo jugea qu'il ressemblait à s'y méprendre à un faucon s'apprêtant à foncer sur sa proie.

Orfeo regarda les gens autour de lui.

– Qui est-ce ? demanda-t-il.

La plupart de ses voisins haussèrent les épaules, mais un homme vêtu d'une longue toge noire et de la coiffe carrée des universitaires murmura :

– C'est Benedetto Gaetani. Un de vos concitoyens, à en juger par son habillement. Il aspire à la papauté.

Benedetto s'inclina en direction du pontife.

– Pardonnez-moi, Saint-Père. Je sais que cette journée devait être consacrée aux témoignages des frères, mais je ne peux plus demeurer silencieux à propos des outrages dont j'ai été témoin dans mon propre district. Comme Sa Sainteté le sait, je suis un Ombrien de Todi. J'ai passé ma vie entière dans la contrée même qui a donné naissance à ces Frères mineurs.

Il fit un geste en direction de Bonaventure.

– Mon vénérable frère le cardinal sait très bien que ses fils vagabonds sont tout aussi corrompus. Ils abusent de leur liberté en se livrant à la gloutonnerie et en usant de familiarité avec les femmes. Il sait mieux que quiconque ici pourquoi les dirigeants des Frères mineurs ont été forcés, encore et encore, à renoncer à la direction spirituelle des Pauvres Dames. En ce qui concerne leurs vœux de pauvreté, les fils du frère Bonaventure ont si bien réussi à mendier dans tout le pays qu'ils doivent maintenant garder des serviteurs pour transporter leurs coffres d'argent. Seuls les tenanciers de tavernes savent comment ils dépensent tout cet argent. Ces frères notent les noms des donateurs en promettant de prier pour leurs âmes, mais, aussitôt qu'ils disparaissent derrière la première colline, ils prennent leur pierre ponce et nettoient le parchemin afin de pouvoir revendre la même feuille plusieurs fois. Ils courtisent le peuple en lui donnant des pénitences faciles et en évitant les devoirs désagréables comme l'excommunication.

Les deux prétendants au pontificat se lançaient des regards furieux d'un bout à l'autre de la nef. À cet instant apparut une lueur de confusion dans les yeux calmes de Bonaventure. Il porta la main à sa poitrine, respirant avec peine. Après un moment, le ministre général se leva avec difficulté, le visage d'un teint de cendre. Il tira sur le cordon rouge qui retenait sous son menton son chapeau de cardinal ; sa mâchoire bougeait comme s'il allait parler, mais il se rassit sans réfuter les accusations de Benedetto.

Le cardinal Gaetani profita de son silence. Il pointa un doigt accusateur en direction de Bonaventure et poursuivit sa diatribe :

– Vous expulsez de l'Ordre ou, pis encore, torturez ou emprisonnez les frères qui imitent leurs fondateurs en pratiquant une sainte pauvreté. Même Jean de Parme, admiré par tous pour sa sainte réputation, pourrit dans un cachot depuis seize ans. N'est-ce pas vrai, frère Bonaventure ? Niez-vous ce que je viens de dire ?

Le ministre général des Frères mineurs tenta de reprendre le contrôle du débat.

– Je souhaitais seulement rétablir l'harmonie au sein de l'Ordre.

Son visage était devenu blanc comme neige. Il grogna à nouveau, plus fort et plus douloureusement cette fois, et se courba sur son siège comme une feuille léchée par les flammes. Le frêle Illuminato tenta de le saisir, mais le poids de Bonaventure les entraîna tous deux sur le sol. Un cri collectif s'éleva des quatre coins de la cathédrale. Orfeo crut apercevoir un sourire se former au coin des lèvres minces du cardinal Gaetani.

Le marchand tourna de nouveau son attention vers le lieu du désordre, juste à temps pour voir le frère Illuminato faire le signe de la croix au-dessus de son maître. Puis, le secrétaire fit une chose curieuse. Il porta la main de Bonaventure à ses lèvres, comme s'il avait l'intention de la baiser, mais il lécha plutôt un doigt du mourant et en retira un anneau qu'il laissa tomber dans sa propre poche.

Grégoire, ébahi, se tenait debout devant son trône, penché sur sa houlette.

– Qu'on lui donne l'extrême-onction ! cria-t-il finalement.

Orfeo regardait aussi avec étonnement le cardinal agonisant. Ainsi gisait devant lui le tout-puissant geôlier du frère Conrad, confronté à sa propre mort et tout aussi impuissant que l'avait été Neno alors qu'il était mortellement blessé. Comme le cardinal Gaetani, Orfeo lutta contre son envie d'exulter, car il entrevoyait enfin une issue heureuse à sa quête.

XXXVII

— Tu m'impressionnes, Amatina. Qui t'a enseigné cet art ? Le comte Guido regardait sa nièce préparer une feuille de vélin : elle gratta le fin parchemin avec la pierre ponce, l'amollit avec de la craie et le lissa avec un rabot. Elle étira le vélin sur son grand pupitre en pente, perça de minuscules trous dans les marges avec un stylet de métal et utilisa une règle pour tracer de fines lignes horizontales entre les trous.

Sur le lutrin près de son pupitre se trouvait une seule page, minutieusement découpée dans le parchemin du frère Léon et recouverte d'un stencil dans lequel était percée une fenêtre entourant la ligne à copier.

– C'est le sieur Jacopo qui m'a enseigné comment préparer une feuille. C'est un travail qui exige de l'attention et garde mon esprit et mes mains occupés. C'est Donna Giacoma qui a embauché des tuteurs pour m'apprendre à lire et à écrire.

Le chant de Teresina résonnait dans la pièce vide tout près, dans la loggia sud où les pupitres avaient été montés. De l'autre côté de la cour, le martèlement des charpentiers se faisait entendre le long de la galerie opposée. Les hommes construisaient le coupe-vent où Amata prévoyait déménager les activités de copiage pendant les mois d'hiver.

Elle prit un mince couteau tranchant et entreprit, l'air anxieux, d'aiguiser la pointe d'une plume. Le comte Guido lui avait annoncé qu'il allait retourner au Coldimezzo à la fin de la semaine, et Amata se faisait du mauvais sang depuis ce moment. De quelle façon pouvait-elle dire à son oncle qu'elle aimerait garder Teresina auprès d'elle ? Elle adorait cette enfant. Mais Amata avait également un autre motif. En hommage à Donna Giacoma, elle souhaitait transmettre la générosité de la femme de la noblesse à la représentante de la génération suivante. Mais le grand-père de Teresina accepterait-il de s'en séparer ? Depuis la mort de sa fille Vanna, il avait transféré tout son amour sur la fillette ; elle était devenue son univers tout entier. Et même si Teresina pouvait vivre avec son père naturel à Assise, Amatina devait admettre que Jacopone demeurait mal préparé au rôle de parent, même si sa santé s'améliorait chaque jour maintenant qu'il avait un but et qu'il avait adopté une routine.

Guido fronça les sourcils en regardant la page sur le lutrin.

– Ça pourrait tout aussi bien être des pistes d'oies pour moi, dit-il. Je n'ai jamais pu m'asseoir suffisamment longtemps pour apprendre à lire. J'ai toujours embauché un notaire pour tenir mes comptes.

– Un notaire honnête, j'espère, dit Amata en souriant.

Elle entendait Teresina jouer dans la pièce derrière elle. *Dieu du ciel, comme j'aimerais avoir des enfants !* se dit-elle. Son besoin d'enfanter s'était accru depuis qu'elle avait rendu visite à Fabiano. Maintenant, elle et Teresina portaient entièrement la responsabilité de perpétuer la lignée.

Amata avait rêvé à son frère la nuit précédente. Bien que son visage irradiât de bonheur, son corps était complètement courbé et infirme. Il s'était fait eunuque pour l'amour de Dieu ! Puis le rêve se transforma et elle se retrouva seule avec Orfeo dans la clairière du Coldimezzo. Elle prolongea ce rêve aussi longtemps qu'elle le put, prenant plaisir à imaginer les longues mains d'Orfeo qui exploraient lentement son corps moite (bien qu'il ait pu s'agir de ses propres mains), fermant les yeux et s'efforçant de croire qu'elle continuait de dormir longtemps après que les premières lueurs du jour eurent illuminé ses paupières.

Elle était sur le point de sombrer à nouveau dans cette rêverie agréable lorsque Teresina apparut à la porte.

– Je viens d'apercevoir papa à travers la meurtrière. Il court dans la ruelle, dit l'enfant en riant. Papa ressemble à une cigogne quand il court.

Le son des pieds nus de Jacopone résonna à travers la maison et le long des escaliers menant à la loggia. Il s'arrêta brusquement devant eux et s'adossa contre la rampe en tentant de reprendre son souffle.

– La délégation des frères arrive de Lyon, parvint-il à dire finalement.

Amata sauta de son banc. Cela signifiait qu'Orfeo devait approcher d'Assise lui aussi. Peut-être avait-il voyagé avec eux. Elle ouvrit la bouche pour parler, mais Jacopone lui fit signe d'attendre un moment.

– Il y a autre chose. Bonaventure est mort et les ministres provinciaux se sont réunis pour élire un nouveau ministre général. Ça ne peut qu'être de bon augure pour le frère Conrad.

Il donna une petite claque sur l'épaule de Guido.

– Viens, *suocero*. Allons à la basilique pour apprendre les dernières nouvelles.

Les hommes partirent bras dessus, bras dessous pendant que Teresina les suivait en gambadant dans l'escalier. Amata rassembla rapidement les pages du manuscrit sur le lutrin et les replaça en sécurité avec le reste du parchemin. Même si elle disait à tous les frères de passage qu'elle réservait l'étage supérieur de la maison à ses habitants, ce qui s'était passé avec le frère Federico l'avait rendue plus prudente. Elle enleva son tablier taché d'encre et regarda les taches sombres sur ses doigts et ses mains. Elle devait les laver.

Amata se précipita dans l'escalier jusqu'au rez-de-chaussée, mais ne fut pas assez rapide. Elle entendit le cri de Teresina à la porte d'entrée et se retourna pour voir l'enfant pendue au cou d'Orfeo, qui faisait de son mieux pour la soutenir avec un bras autour de la taille. Il tenait dans son autre main un parchemin scellé.

Son visage mal rasé et couvert de poussière se fendit en un large sourire à la vue d'Amata. Il se pencha jusqu'à ce que les pieds de Teresina touchent le sol de nouveau et la lâcha.

– Ton chevalier errant est de retour, dit-il. J'ai avec moi le précieux document de libération de ton ami Conrad.

Alors qu'elle s'approchait, il posa un genou par terre, jouant jusqu'au bout le rôle du chevalier courtois. Il tendit le bras pour lui saisir la main, mais elle mit immédiatement ses deux poings derrière son dos.

– Ai-je offensé la dame de mon cœur ? demanda-t-il.

Teresina éclata de rire.

– Ses mains sont toutes tachées d'encre. Elle était en train d'écrire un livre.

– J'aurais dû le deviner, dit Orfeo en se levant. Vous l'avais-je bien décrite, *padre* ? dit-il par-dessus son épaule.

Amata n'avait pas remarqué le frère qui attendait près de la porte, mais elle reconnut son rire de bon vivant avant même qu'il ne pénètre dans le hall.

– Bienvenue, frère Salimbene, dit-elle. Je constate que, par la grâce de Notre-Seigneur, vous êtes toujours aussi robuste.

– Nous sommes-nous déjà rencontrés, *madonna*? demanda-t-il.

– Oui. Si vous aviez rendu visite à votre nièce à la maison des Pauvres Dames pendant ce voyage, vous vous seriez rendu compte que son chaperon s'était enfui.

– Est-ce vous? La petite fille pleine d'entrain? dit-il en examinant ses traits avec une curiosité amusée. C'est une histoire que j'aurai plaisir à entendre.

– Quand vous deux serez installés et que j'aurai pu me nettoyer les mains.

Elle se tourna vers Orfeo.

– Je veux marcher avec toi jusqu'à la porte du Sacré Couvent quand tu iras libérer Conrad. Je veux voir son visage quand il prendra sa première bouffée de liberté.

– Ça n'arrivera pas aussi tôt, Amatina. Nous devrons attendre que les frères élisent un nouveau ministre général et, ensuite, lui présenter le pardon de Grégoire. Ce nouvel élu devrait se montrer compréhensif. Grégoire et Caetanio Orsini, le cardinal protecteur de l'Ordre, ont exprimé leur préférence pour Jérôme d'Ascoli, le frère dont je vous ai parlé dans ma lettre.

Orfeo inclina la tête d'un air embarrassé.

– De plus, ce ne serait peut-être pas une bonne idée que tu voies le frère Conrad immédiatement. Tu ne sais pas à quel point il a changé ces deux dernières années. Tu auras un choc en le voyant…

Tout à coup, il la regarda directement dans les yeux et se tut, incapable de terminer sa phrase. Elle crut reconnaître dans son regard le même désir qu'elle y avait imaginé dans la clairière de son rêve, bien qu'à ce moment son visage ait été rasé et propre. Elle souhaita soudain que Teresina et le moine disparaissent, ne serait-ce qu'un moment, afin qu'elle puisse passer ses bras autour de son cou comme l'avait fait la fillette, et le serrer contre elle. Son souhait demeura suspendu dans le silence gêné qui s'était installé entre eux, jusqu'à ce qu'Orfeo rompe la tension avec un sourire poussiéreux.

Il plongea la main dans le sac à sa ceinture.

– Je t'ai rapporté un cadeau de la Provence. Un petit miroir de bronze, dit-il en frottant l'objet contre sa manche et en le lui tendant. Manques-tu tellement de plumes, Amata, que tu doives écrire avec le bout de ton joli nez ?

ε

Salimbene leva sa coupe au-dessus de son assiette vide, bénissant le repas qui venait de se terminer. Il tapota son ventre et poursuivit son histoire :

– Ce frère prêcheur du nom de Piero avait atteint un tel degré de folie à cause des honneurs qui lui étaient faits et du don de prêcheur qu'il possédait qu'il en était venu à véritablement croire qu'il pouvait faire des miracles. En visite un jour chez les Frères mineurs, il s'était rendu chez notre barbier pour se faire raser et il s'était mis dans une colère terrible contre celui-ci parce qu'il n'avait pas ramassé les poils de sa barbe pour les conserver en tant que relique. Mais le frère Diotisalve, un Frère mineur de Florence et un excellent boute-en-train, répondit au fou selon sa folie. Se rendant un jour au couvent des frères prêcheurs, il déclara qu'il n'y demeurerait en aucun cas, à moins qu'ils ne lui donnent un morceau de la bure du frère Piero qu'il souhaitait conserver comme relique. Ils lui donnèrent alors un grand morceau de sa bure, que Piero avait utilisée de la manière la plus dégoûtante en se soulageant après le repas et qu'il avait lancée par la suite dans une fosse d'aisances. Puis il cria à ses frères : « Mes frères, aidez-moi, mes frères, car je cherche une relique de votre saint que j'ai perdue dans ce cloaque. » Et quand ils se rendirent dans les latrines, ils découvrirent qu'il s'était moqué d'eux et rougirent de honte.

Le moine finit sa coupe et la tendit à un serviteur pour qu'il la remplisse pendant qu'il s'essuyait les lèvres du revers de la main. Alors que le garçon versait, Salimbene poursuivit :

– Une autre fois, ce même frère Diotisalve se promenait dans les rues de Florence par une journée d'hiver : soudain, il glissa malencontreusement sur la glace et tomba face contre terre, étendu de tout son long. Voyant cela, les Florentins, qui sont très portés sur les bouffonneries, se mirent à rire et l'un d'eux lui demanda, alors qu'il gisait encore sur le sol : « Cachez-vous quelque chose sous vous ? » Ce à quoi le frère Diotisalve répondit : « Certainement. Votre femme ! » Loin de se fâcher, les Florentins éclatèrent de rire et firent l'éloge du frère en disant : « Que Dieu le préserve, car il est véritablement l'un d'entre nous. »

Amata gloussa, mais avec moins d'enthousiasme que l'oncle Guido et les serviteurs. Elle pensait à Saint-Damien et aux visites de Salimbene à sa nièce. Étrangement, son humour l'amusait moins qu'à l'époque où elle était au couvent. Elle savait qu'il continuerait de raconter ses histoires jusque tard dans la nuit, jusqu'à ce que les autres regagnent leur chambre ou s'endorment sur place.

Bien qu'elle se souvînt de la piètre opinion de Conrad à l'endroit du frère Salimbene, Amata avait pris le risque, plus tôt cette journée-là, et en présence d'Orfeo, de montrer au chroniqueur quelques pages du manuscrit de Léon. Elle lui révéla son projet d'en faire autant de copies qu'elle et Jacopone le pourraient. Amata avait scruté son visage et vu son enthousiasme croître pendant qu'il lisait. Quand Amata lui demanda s'il souhaitait les aider, il accepta immédiatement.

– Je pourrai sans doute n'en faire qu'une partie avant que l'envie de voyager me reprenne, dit-il, mais je dois voir le reste de ce texte. – Êtes-vous discret, frère ? demanda-t-elle. L'Ordre n'approuverait sans doute pas le récit de Léon s'il en découvrait l'existence.

La question lui était venue à l'esprit en se demandant si elle-même n'avait pas fait preuve d'indiscrétion en montrant le manuscrit à Salimbene. Peut-être se fiait-elle trop à ses bons souvenirs des visites du frère à la maison des Pauvres Dames.

– Au nom de l'amour que j'ai pour vous et votre fiancé, je jure de demeurer discret !

Amata avait rougi en entendant le mot « fiancé ». Elle n'avait encore accordé à Orfeo aucun consentement officiel et ne le ferait pas avant qu'ils aient eu la possibilité de parler seul à seul. Elle remarqua toutefois qu'Orfeo avait réagi au commentaire du frère par un sourire prudent.

– Discret, même après avoir avalé quelques cruches de vin, frère Salimbene ? demanda Amata.

Elle savait que sa question était brutale, mais le frère ne pouvait mettre en doute le bien-fondé de son inquiétude.

– *Madonna* ! Vous me déshonorez.

Salimbene avait pris un air chagrin.

Maintenant, Amata espérait ne pas avoir commis une erreur pendant qu'elle observait le frère au bout de la table, voyant son nez énorme rougir de plus en plus et entendant sa voix devenir de plus en plus vociférante. Orfeo ou Jacopone devrait demeurer auprès de lui chaque fois que l'un des deux allait quitter la maison.

Elle se tourna pour voir Orfeo lui souriant d'un air radieux, même si les autres réagissaient plutôt à ce que venait de dire Salimbene. Orfeo s'était montré plus sombre que d'habitude pendant cette soirée; son frère Piccardo était venu, ce matin, lui annoncer que leur père était mort pendant son voyage à Lyon. Malgré l'animosité que son père cultivait à son endroit, Orfeo avait réagi à la nouvelle avec un certain malaise.

Curieusement, Amata n'avait éprouvé aucune joie particulière quand Orfeo lui avait transmis le message, même si Angelo Bernardone avait, jusqu'à tout récemment, été l'objet de la rancœur qui habitait toujours son esprit. Elle réalisa alors que sa visite à Fabiano avait mis fin à son désir de vengeance. Si son frère infirme pour le reste de ses jours pouvait pardonner à leurs ennemis et même leur accorder sa bénédiction pour lui avoir permis d'atteindre un plus haut degré de joie spirituelle, ne pouvait-elle, au même titre, se laisser guider par ses instincts les plus nobles? Grâce à tous les maîtres qui l'avaient entourée ces dernières années, elle tirait des leçons de la vie. Et, si ce n'avait été la trahison du vieux Bernardone, Orfeo ne se serait pas rebellé ni lancé dans une odyssée qui l'avait mené jusqu'à elle.

Amata se leva et lui tendit la main tout en faisant signe aux autres de demeurer assis et de continuer à s'amuser. Elle guida Orfeo jusqu'aux chaises près du foyer où elle avait eu tant d'agréables conversations avec Donna Giacoma. Elle se demanda si cet endroit de la maison ne deviendrait pas un jour leur coin préféré pendant les nuits froides de l'hiver… à l'exception de leur lit à baldaquin.

Bien sûr qu'ils allaient se marier. Elle l'aimait et elle le lui avait déjà juré quand il était parti à Lyon pour obtenir la libération de Conrad. Et en plus de faire libérer le frère, il l'avait sauvée des Gaetani et avait défendu les enfants contre l'un des soldats de Calisto. Dieu du ciel, que pouvait-elle exiger de plus? Elle se demanda si ses doutes persistants n'étaient rien de plus qu'une sorte de perversité de sa part.

Pourtant, cette voix ne cessait de la hanter, remettant en question ses motivations. Cette voix exigeait d'elle que, pour sa propre paix d'esprit, elle lui fasse subir une autre épreuve, même si leur avenir pouvait représenter la dernière chose à laquelle il pensait ce soir. Quand il tira sa chaise près de la sienne, elle lui demanda :

– Rêves-tu parfois à ce que sera notre vie lorsque nous serons mariés ?

Le coude appuyé sur le bras de sa chaise et le menton dans la main, il réfléchit pendant un moment.

– Dans le meilleur des cas ?

Elle inclina la tête en signe d'acquiescement.

Il se pencha vers elle et dit :

– Il existe au sud d'ici, Amatina, un monde qui dépasse l'imagination, un monde où il fait chaud l'année durant et où les gens font preuve d'une hospitalité incroyable. L'exact contraire du froid et de l'hostilité que nous avons connus pendant la majeure partie de notre vie en Ombrie. Il y a là-bas quelque chose de notre propre contrée, mais avec toute la couleur, la musique et la sagesse de l'Orient. L'empereur Frédéric a dit un jour : « Si Yahvé avait connu la Sicile, il ne se serait pas tant préoccupé de la Terre sainte ».

– Le frère Salimbene pense que Frédéric est l'Antéchrist.

– C'est insensé. Frédéric était un génie, même s'il a fait des pieds de nez à plus d'un pape. Quand il a repris Jérusalem aux Sarrasins, on n'a pas fait sonner les cloches et le patriarche de la ville a refusé de célébrer une messe en son honneur. Pourquoi ? Parce qu'il avait reconquis Jérusalem grâce à son amitié avec le sultan al-Kamil et non par la force des armes. Il avait épousé la fille du sultan en plus d'une cinquantaine d'autres Sarrasines. Il partageait l'amour des musulmans pour la sagesse et admirait même leur livre saint, le Coran. Frédéric a peuplé la Sicile de philosophes et d'astrologues venus de partout en Orient, et embauché des traducteurs pour rendre leurs œuvres disponibles en latin. Son trésor préféré était un astrolabe que lui avait donné le sultan.

Pour la première fois de la soirée, Orfeo affichait de l'enthousiasme :

– À Palerme, où l'empereur avait fait construire sa grande forteresse, on peut voir des mosquées et des maisons blanches et carrées, tout comme en Orient. On dit qu'au milieu du jour toute sa cour se levait pour réciter les prières de Mahomet. Sa maisonnée était dirigée par des Turcs et des Nègres, et il ne voyageait jamais sans ses chameaux, ses léopards, ses singes, ses lions, ses oiseaux exotiques, et même une girafe.

– Tu as vu ces créatures ?

– Oui, Amatina, et dans mon rêve, tu finis par les voir aussi. Pendant mon séjour à Lyon, je pensais à toi en admirant les magnifiques vitraux de la cathédrale et je souhaitais pouvoir partager toutes ces merveilles de la terre avec toi.

– Et quel est ton travail dans ce rêve?

Orfeo sourit.

– Je suis finalement devenu un commerçant à grande échelle. Je voyage dans tout l'Orient, et peut-être même jusqu'à Cathay. Cette partie de mon rêve n'a jamais changé depuis l'époque où je fréquentais Marco.

– Et moi? Qu'est-ce que je fais pendant que tu voyages et fais du commerce sur les grands marchés du monde? Sommes-nous également partenaires dans tes entreprises?

– Tu profites du soleil de Palerme, *cara mia*, dit-il en riant. Les marins ne permettraient jamais à une femme de mettre les pieds sur une galère. Ils croient que cela porte malheur. Tu es mon épouse patiente et dévouée.

Il rit de nouveau, puis ajouta en agitant son doigt:

– Et *fidèle*. Quelqu'un doit élever nos enfants. Il y a de nombreux enfants dans mon rêve.

– Alors, tu reviendras à la maison de temps en temps pour m'engrosser?

Le ton tranchant de la question étonna Orfeo.

– Ce n'est qu'un rêve, Amatina, dit-il. Je pensais que tu souhaitais avoir beaucoup d'enfants.

– C'est ce que je souhaite. Mais ton rêve me semble dispendieux. Tu auras besoin d'argent *à grande échelle* pour faire du commerce à grande échelle.

– Mais si nous combinons…

Elle posa un index sur les lèvres du jeune homme.

– Souviens-toi. Oncle Guido administre maintenant ma fortune. J'avais pensé lui demander d'en mettre une grande partie de côté avant de me marier – pour Teresina. Et bien sûr, je dois beaucoup aux moines de San Pietro qui ont sauvé la vie de mon frère. Ils aimeraient agrandir leur maison destinée aux invités.

Elle regarda ses yeux, sachant qu'elle y verrait la réponse à sa prochaine question avant même qu'il n'ouvre la bouche.

– Voudrais-tu quand même m'épouser si je n'avais pas davantage de revenus que ce dont nous avons besoin pour entretenir cette maison?

Même le reflet de la lueur de la chandelle dans les pupilles d'Orfeo ne pouvait raviver l'étincelle que sa question avait fait disparaître.

– Je pense que tu joues avec moi, *madonna*.

Il se leva au moment où Teresina arrivait en trottinant pour recevoir ses baisers de bonne nuit.

La fillette l'adore, pensa Amata. *Comme son visage s'illumine quand il la prend dans ses bras! Et je l'aime aussi, malgré tout, et je veux qu'il me serre aussi contre lui, mais je…*

Amata se sentit soudain terriblement fatiguée et déçue de ce qu'elle venait d'entrevoir sur le visage d'Orfeo. Son « rêve » semblait confirmer ses pires craintes, même s'il n'était que le fruit de son imagination.

Elle embrassa Teresina sur le front et leva les yeux pour voir son oncle s'approcher de la fillette.

– Je vais aider Nonno Guido à te mettre au lit, dit-elle. Je dois lui parler.

– À quel sujet? demanda Teresina.

– À ton sujet, petite puce.

Orfeo se cala à nouveau dans sa chaise, morose et silencieux, pendant qu'Amata conduisait la jeune fille à sa chambre. Elle lui fit signe d'attendre son retour, mais il détourna son regard. À l'autre bout du hall, l'auditoire de Salimbene s'esclaffait bruyamment.

La pleine lune de juillet éclairait la chambre dans laquelle Amata dormait habituellement seule. Elle avait toujours apprécié le luxe d'avoir sa propre chambre dans cette maison, la chambre qu'utilisaient autrefois les fils de Donna Giacoma, même si la dame de la noblesse préférait partager le grand dortoir avec les servantes. Les dernières semaines avaient représenté une exception. La petite silhouette de Teresina était recroquevillée sur une paillasse dans un coin, ses membres pâles comme un linceul dans l'obscurité.

Amata se retourna sur le dos et s'étira. Les yeux grands ouverts, elle fixait le baldaquin, et une larme glissa le long de sa tempe. Cette soirée aurait du être la plus heureuse de sa vie. Elle était entourée d'amour et pourtant, en seulement quelques heures, le vin doux de l'amitié s'était transformé en un fiel amer.

Avait-elle été égoïste ou excessivement optimiste en s'attendant à ce que ces hommes comprennent son rêve ? Elle avait espéré que Guido appuierait d'emblée son projet concernant Teresina. Après que l'enfant eut terminé ses prières et fermé les yeux, Amata avait conduit son oncle dans le corridor où il l'avait écoutée pendant un moment en silence. Mais une lueur de réprobation avait traversé ses yeux lorsqu'elle avait suggéré qu'il lui laisse la fillette. Il avait reconnu que le jeune couple, une fois marié, serait sans doute mieux en mesure d'élever Teresina, mais il ne voyait aucune raison pour que la fillette demeure à Assise seulement afin d'apprendre à lire et à écrire. Il avait finalement déclaré qu'il allait y penser. À ce moment, quelque démon l'avait incitée à ajouter :

– Je ne suis pas certaine que je *devrais* épouser Orfeo. Je veux une vraie famille. Je crains qu'il ne soit toujours parti.

– Sottises, rétorqua Guido. Les hommes sont *toujours* partis. Je n'ai pas vu ma femme pendant trois ans alors que je participais à la croisade de l'empereur. Quand une grande cause ou une affaire importante exige leur présence, les hommes d'honneur doivent partir. Le monde s'élargit, Amata, et les hommes aventureux comme Orfeo chercheront toujours à en repousser les limites. Tu devrais te réjouir d'être courtisée par un tel homme.

– Mais quand il me regarde, j'ai peur qu'il ne voie rien d'autre que ma dot.

– C'est parfaitement normal, répondit Guido en la prenant par les épaules et en la secouant légèrement, comme s'il espérait la ramener à la réalité. Qu'est-ce que tu as, mon enfant ?

Il la regarda dans les yeux, son visage tout près du sien. Quand il parla, elle sentit l'odeur âcre du vin :

– Je te promets ceci, Amata. Je ne te confierai pas Teresina avant le jour de ton mariage. Je ne l'enverrai pas vivre dans un foyer où règne la confusion. Tel que prévu, je retournerai au Coldimezzo avec elle dans trois jours.

Son oncle se dirigea avec raideur vers le grand hall en maugréant. Presque effrayée de le suivre, elle attendit que la rougeur disparaisse de ses joues et de ses oreilles, mais elle avait l'impression de devoir quelques paroles d'excuses à Orfeo. Elle espérait qu'il serait d'accord pour reprendre leur conversation et qu'elle trouverait une façon d'expliquer plus clairement ses appréhensions.

À son retour, le hall était presque désert, à l'exception des serviteurs et des frères couchés à l'autre extrémité. Orfeo attendait toujours, assis sur sa chaise, l'air maussade, mais il ne lui laissa pas la possibilité de parler. Il se leva brusquement et dit d'un ton rude :

– Je pense que je devrais déménager mes choses chez le sieur Domenico demain matin et y demeurer.

Il mordilla sa lèvre inférieure.

– Je te laisse l'ordre de libération de ton *ami*. Le frère Salimbene pourra le transmettre au prochain ministre général.

Elle eut un pincement au cœur devant le manque de courtoisie d'Orfeo, si bien qu'elle oublia la raison pour laquelle elle était retournée dans le hall.

– Reviendras-tu me voir ? demanda-t-elle. Quoi qu'il arrive, je veux que nous demeurions des *amis*.

Il répliqua sur un ton évasif que le sieur Domenico pourrait lui demander de reprendre la route ensemble, et il s'éloigna pour rejoindre les autres hommes.

Amata partit se coucher le cœur brisé. Parce qu'elle hésitait à promettre de se marier, elle avait agacé Guido et blessé l'orgueil d'Orfeo, et cet orgueil se dressait maintenant entre eux comme un obstacle insurmontable. Elle espéra que cette situation ne durerait que le temps de cette soirée. En s'enroulant confortablement dans ses couvertures, Amata osa souhaiter qu'Orfeo veuille la revoir. Mais la comprendrait-il vraiment un jour ?

Je suis si *effrayée*, murmura-t-elle finalement dans son oreiller.

C'étaient exactement les paroles qu'elle aurait souhaité dire à Orfeo pendant tout ce temps.

XXXVIII

Conrad entendait, dans le tunnel au-dessus de sa cellule, la démarche traînante de Zefferino suivie d'un bruit de pas qu'il ne reconnaissait pas. La première pensée qui lui vint à l'esprit fut que le geôlier menait un nouveau prisonnier au donjon.

Il leva faiblement la tête en voyant approcher la lueur d'une torche dans l'ouverture au haut des marches. Le cadenas s'ouvrit. Zefferino leva la grille et lui et un autre frère descendirent les marches.

Le geôlier appela Conrad et Jean :

– Frères, le frère Jérôme d'Ascoli, votre nouveau ministre général, vient s'entretenir avec vous.

Les prisonniers se levèrent péniblement au son de leurs chaînes. Sur un geste de Jérôme, Zefferino retira une grosse clé de l'anneau attaché à sa ceinture et s'accroupit aux pieds de Conrad. Il déverrouilla les menottes à ses chevilles et les jeta sur le sol d'un air triomphal.

Le ministre général dit à Conrad :

– Notre Saint-Père, le pape Grégoire X, pardonne tes offenses contre notre Ordre, frère. Tu es libre de partir. Tu es également le bienvenu si tu veux demeurer ici au Sacré Couvent jusqu'à ce que tu aies retrouvé la santé. Je te recommande de prendre ton temps et de te confier aux bons soins de notre frère infirmier.

Conrad plissait les yeux devant l'éclat de la torche. Il sentit le sang affluer dans ses jambes libérées. Malgré tous les mois pendant lesquels il avait espéré ce moment, la soudaineté de sa libération la rendait presque irréelle. Il secoua la tête pour s'éclaircir les idées, incertain qu'il était d'avoir bien entendu.

Jérôme poursuivit :

– Bientôt, quand tu seras suffisamment rétabli, nous parlerons à nouveau, frère Conrad. J'ai un projet pour toi. Je veux que tu sois mon émissaire auprès des frères spirituels pour les aider à rentrer au bercail. Comme tu es bien disposé envers leurs pratiques et que tu as été prisonnier des frères conventuels, ils t'écouteront quand tu leur expliqueras pourquoi l'Ordre doit changer s'il veut croître et survivre. Je suis sûr que le frère Jean ici présent l'avait réalisé lorsqu'il était ministre général.

Conrad se sentait comme un somnambule.

– Votre confiance m'honore, frère Jérôme, dit-il, mais j'ai récemment fait un vœu que, je l'espère, vous me laisserez accomplir. J'ai promis à Notre-Seigneur que, si je quittais un jour cet endroit, je travaillerais pendant un certain temps parmi les lépreux. Mais notre frère Jean de Parme est aimé de tous les frères. Ne pourrait-il pas être votre émissaire ?

– J'ai l'intention de libérer ce révérend frère aussi, dit Jérôme en scrutant les ombres qui jouaient sur le vieux frère décrépit. Mais je doute qu'il puisse supporter le voyage qu'une telle entreprise nécessite.

Il s'adressa à Jean :

– Avez-vous déjà imaginé où vous iriez si vous étiez libéré, *padre* ?

– J'y ai pensé des centaines de fois, répondit-il en balbutiant. Je veux me rendre à Greccio… seulement à Greccio.

Et il ajouta d'une voix tremblante :

– Je veux finir mes jours devant l'étable où saint François a recréé la scène de la naissance de Notre-Seigneur.

Pendant que Zefferino déverrouillait ses chaînes, Jérôme ouvrit les mains en direction de Conrad :

– Tu vois, le frère Jean ne peut pas. Parle-moi de ce vœu que tu as fait. Pour combien de temps t'es-tu engagé à œuvrer auprès des lépreux ?

– Jusqu'à ce que j'apprenne ce que j'ai besoin de savoir.

– Et qu'as-tu besoin de savoir ?

– Je n'en suis pas certain. Je sais seulement que Dieu me le fera savoir au moment où Il le jugera bon. Cela peut prendre une journée, ou le reste de ma vie.

Jérôme se frotta la joue en continuant d'observer les prisonniers.

– Mon désir de rétablir l'unité au sein de notre Ordre m'a rendu extrêmement pressé, frères. De toute évidence, vous aurez tous deux besoin d'une période de grâce pendant que vous vous adapterez à votre liberté retrouvée. Va accomplir ton vœu, frère Conrad. Mais je conserve l'espoir d'utiliser tes services un jour, quand tu auras terminé ta mission et retrouvé tes forces.

Un reniflement bruyant en provenance des marches de pierre attira leur attention. Dans la lueur de la torche, Conrad vit des pleurs qui roulaient sur les joues du garde.

– Le frère Jean aura besoin d'un compagnon pour le conduire à Greccio, dit-il. Peut-être le frère Zefferino… si vous pouviez lui trouver un quelconque masque… parce que son visage défiguré le préoccupe…

Jérôme parut surpris.

– Tu plaides en faveur de ton geôlier ?

– Il a joué le rôle du bon berger auprès de nous pendant ces deux années. Je crois que son petit troupeau lui manque déjà.

Jérôme regarda le trio en réfléchissant.

– Qu'en dis-tu, Zefferino ? demanda-t-il finalement. Es-tu disposé à remettre tes clés à un autre frère et à quitter cet endroit ?

Le geôlier eut un rire étranglé.

– Je suis prêt à partir, mais je devrais accompagner le frère Conrad. Le frère Jean a besoin d'un compagnon plus jeune et plus robuste. Conrad et moi sommes borgnes et, à deux, nous aurons une bonne paire d'yeux.

Conrad effleura la cicatrice au-dessus de sa joue.

– Je n'avais pas pensé à ce à quoi j'aurais l'air aux yeux des autres. Ai-je un visage qui risque d'effrayer les enfants ?

– Tu as beaucoup vieilli, mon ami, dit Zefferino. Quand tu es arrivé ici, tes cheveux étaient noirs comme la fourrure d'une martre et maintenant tu as la fourrure hivernale d'une hermine. Tu te déplaces comme un âne à l'agonie et tu seras aussi aveugle qu'une chauve-souris en voyant la lumière du jour. Bref, si tu n'avais pas ta barbe de prophète, nous formerions les deux parties d'un même tout.

Le geôlier approcha la torche de son propre visage pour que Conrad puisse l'examiner mais, quand la chaleur réchauffa sa joue, il éloigna immédiatement la torche. Il n'oublierait jamais l'ange vengeur qui l'avait attaqué dans la forêt au milieu de la nuit.

Conrad boitilla jusqu'aux marches et posa la main sur l'épaule de Zefferino.

– Conduis-moi, mon frère. Si tu peux te joindre à moi pour chanter des hymnes de joies et des grâces, nous formerons une paire qui déconcertera tous ceux qui fondent leurs espoirs sur les biens matériels.

∂⋙

Zefferino avait raison en ce qui concernait la lumière du jour. Malgré sa hâte de quitter le Sacré Couvent, Conrad avait à peine franchi la porte du monastère qu'il dut voiler son œil valide avec la manche de sa bure. D'un pas mal assuré, il fonça dans l'intérieur sombre de l'église inférieure de la basilique, son geôlier sur ses talons. Comme un enfant qui apprend à marcher, il se dirigea d'un pas hésitant vers la tombe du frère Léon.

Il lui vint une envie de réprimander son mentor, mais se souvint des hymnes de joie dont il avait parlé à Zefferino dans le donjon et marmonna ses remerciements en tentant de réaffirmer sa foi dans le dessein de Dieu.

– Il y a quelque chose de nouveau, dit Zefferino derrière lui. Cette plaque n'y était pas la dernière fois que je suis venu. C'est la tombe d'une femme. « *Jacoba… sancta romana.* »

– Jacoba ? Conrad fit le signe de la croix puis étendit la main pour tenter de déchiffrer l'inscription du bout de ses doigts. De quand date l'inscription, frère ?

– De l'hiver dernier.

Conrad laissa tomber les bras le long de son corps.

– *Requiescas in pace*, frère Jacoba.

Zefferino lui jeta un regard querelleur.

– Un frère qui porte un nom de femme ?

– Une belle et gente dame, frère, et une histoire que je te raconterai sur la route. Je te raconterai tout sur elle pendant que nous marcherons, dit-il en se demandant si Donna Giacoma avait pu réaliser son projet de faire d'Amata son héritière.

Amata était sûrement une femme maintenant. Il avait à peine pensé à elle pendant l'année qui venait de s'écouler mais, tout à coup, il voulut à tout prix savoir ce qu'il était advenu d'elle. Il se demanda également s'il avait été aussi absent de son esprit qu'elle du sien. Il espérait que non.

À l'autre extrémité du transept, une voix s'éleva sur un ton de dure réprimande. Une rangée de torches s'allumèrent à l'angle nord de la basilique. Conrad distingua deux silhouettes qui s'avançaient dans la lumière, se déplaçant entre une série d'échafaudages. À part le langage cru, ils faisaient penser à des anges grimpant et descendant l'échelle de Jacob. La voix qui avait attiré son attention s'éleva de nouveau sur un ton rocailleux dans le dialecte d'un vieux Florentin.

– Mes pigments sont prêts, Giotto. Dépêche-toi, mon garçon. Je veux finir la Madone aujourd'hui.

Conrad traversa la nef et s'approcha de l'échafaudage pour regarder le peintre à l'œuvre. Il s'arrêta net en entendant de nouveau le ton de réprimande.

– J'apprécierais, frères, que vous demeuriez à une certaine distance. Ne distrayez pas mon apprenti.

Conrad écarquilla les yeux sans se soucier une seconde s'il pouvait voir ou non. Au début, la lueur des torches l'aveugla, et il se demanda si les saints baignaient constamment dans une semblable luminosité. Après un moment, il put distinguer les couleurs sur le mur, de nombreux chérubins entourant une Madone inachevée assise sur un trône. Elle tenait dans ses bras ce qui aurait pu passer pour un enfant réel – contrairement à l'empereur romain en miniature qu'il était habitué de voir dans des fresques semblables.

À la gauche de la Vierge se tenait saint François grandeur nature vêtu de la simple bure gris-brun de l'Ordre. Les yeux sombres fixaient calmement un endroit situé derrière Conrad ; les lèvres épaisses ne souriaient pas. Un halo doré encadrait les oreilles proéminentes et le visage olive du saint, sa barbe rousse en bataille et sa tonsure, ses sourcils clairsemés. L'artiste avait représenté François posant une main contre sa poitrine et tenant, dans l'autre, une Bible ou peut-être la Règle de l'Ordre. Les stigmates étaient clairement visibles sur chaque main. Conrad remarqua également les empreintes des clous sur les deux pieds nus. La blessure provoquée par la lance sur le flanc du saint était représentée par une déchirure dans sa tunique.

Les yeux paisibles du saint retinrent l'attention du frère. Il se souvint que François était pratiquement aveugle au moment où le séraphin l'avait marqué des stigmates. Conrad éprouva un élan de reconnaissance en songeant à son œil valide.

– C'est extrêmement beau, *signore*, dit-il au vieux peintre.

– La beauté est mon métier.

En entendant le soupçon de sarcasme dans la voix de l'artiste, Conrad se demanda si l'homme ne mettait pas en opposition son œuvre et l'apparence des frères qui le regardaient.

De toute évidence, lui et Zefferino ne représentaient pas l'image de la beauté. Avec sa sensibilité délicate, le Florentin les trouvait peut-être même repoussants. Le sentiment de bravade qui l'animait dans sa cellule s'évanouit soudainement et il tira son capuchon sur sa tête.

– Viens, frère, dit-il à son compagnon. Je connais un endroit où nous pourrons nous reposer et où nous serons les bienvenus.

❦

Le visage enfoui sous leur capuchon, Conrad et Zefferino attendaient dans le grand hall de la maison d'Amata. Le serviteur Pio n'avait pas reconnu Conrad, même quand le frère avait demandé si Amata vivait toujours ici. Il se demanda si sa voix avait également changé dans l'humidité glaciale de sa cellule, bien qu'il ait eu amplement la possibilité de l'utiliser en compagnie de Jean pendant cette période.

Comme il avait depuis longtemps pardonné à son geôlier, Conrad n'avait pas songé jusqu'à ce moment que Zefferino pourrait ne pas être le bienvenu ici. Mais Amata n'avait vu le frère qu'une seule fois, dans l'obscurité de la chapelle abandonnée, et l'homme n'avait révélé son nom que lorsqu'il s'était confessé à Conrad. L'apparence de Zefferino avait également changé pendant que ses blessures guérissaient et durant la période qu'il avait passée comme gardien du donjon du Sacré Couvent. Cependant, la réaction de son compagnon en voyant Amata pourrait être différente s'il établissait un lien entre elle et le novice sur la route. De toute évidence, Conrad ferait mieux d'éviter le sujet pendant les quelques jours qu'ils allaient demeurer chez Amata. Il inclina la tête quand il entendit Amata pénétrer dans la pièce.

– Que la paix soit avec vous, frères, dit-elle. Cherchez-vous un refuge dans ma demeure?

– Oui, Amatina, répondit Conrad. Pour mon compagnon et pour moi.

Son hésitation était presque palpable.

– Conrad? interrogea-t-elle d'une voix tremblante.

– Oui. Je suis libre.

– Oh! mon Dieu! Laissez-moi vous regarder.

Elle tendit les mains vers son capuchon, mais il l'arrêta d'un geste.

– S'il te plaît, ne fais pas ça. Je te ferais peur.

Elle crispa ses mains en les retirant lentement.

– Qu'est-ce qu'ils vous ont fait ?

– Pas « ils », *madonna*, intervint Zefferino. C'est moi qui l'ai torturé.

– Tu n'étais que l'instrument de Dieu, dit Conrad d'un ton brusque. Ne sois pas dur avec toi-même.

– Ça suffit, frères ! dit Amata, c'est moi que vous torturez maintenant.

Elle posa une main sur l'épaule de Conrad, qui ne broncha pas.

– Alors, vous avez l'intention de vous cacher sous votre capuchon pendant le reste de votre vie ? Rappelez-vous que vous êtes maintenant dans la maison de votre amie la plus loyale, ajouta-t-elle en lui caressant la tête à travers le tissu de son capuchon. Pourquoi ne pas vous exercer à paraître devant les gens ?

Conrad se pencha vers son compagnon.

– Toi aussi, Zefferino. Nous le devons, sinon nous ferions tout aussi bien de retourner dans notre cachot.

Ensemble, ils retirèrent leur capuchon. Amata lutta pour retenir ses pleurs. La jeune femme s'essuya la joue et recula d'un pas, regardant tour à tour les deux hommes. Conrad se sentit soulagé en voyant qu'elle ne reconnaissait pas en Zefferino le frère qui avait tenté de la transpercer avec sa pique.

Elle fixa finalement son regard sur Conrad et celui-ci sentit la rougeur lui monter aux joues.

– Conrad. Conrad, dit-elle, vous m'avez tellement manqué. Je n'ai jamais tant eu besoin de vous parler que maintenant.

Elle parlait d'une voix neutre, comme si elle ne voyait chez lui rien qui clochait. Elle réussit même à afficher un mince sourire.

– Et j'ai une surprise pour vous. Suivez-moi.

Amata et Zefferino l'aidèrent à grimper les marches jusqu'à la loggia. Une fois encore, il n'offrit aucune résistance quand la main de la jeune femme lui saisit le coude. Il commençait à réaliser à quel point il avait manqué d'affection pendant ces nombreux mois – et à quel point il avait tenu pour acquise l'affection qui lui avait été accordée dans le passé.

En arrivant au haut de l'escalier, Conrad vit deux scribes – un frère et un laïc – penchés sur leurs écritoires. Tous deux lui semblaient vaguement familiers, bien qu'il ne fît pas encore entièrement confiance à sa vue. Parfois, il semblait encore se mouvoir dans un nuage et, en ce moment, le petit scriptorium d'Amata lui semblait un endroit plus fantastique que réel.

– Frère Salimbene, sieur Jacopone, dit Amata. Regardez qui est là. Vous souvenez-vous du frère Conrad ?

La tristesse assombrit le visage de Jacopone alors qu'il levait la tête. Il regarda en direction de la balustrade de la loggia. Le frère semblait seulement curieux. Salimbene, quant à lui, ne connaissait pas suffisamment bien Conrad pour se souvenir de son apparence passée.

– C'est un document incroyable que le frère Léon vous a confié, dit le chroniqueur, même s'il y manque des scènes miraculeuses.

Amata expliqua rapidement la nature du texte qui se trouvait sur les lutrins des copistes.

– J'espère que ce travail vous plaît, Conrad. Vous m'avez un jour demandé de le faire, lui dit-elle en lui lançant un regard timide.

Avec l'aide de Zefferino, Conrad boitilla jusqu'aux pupitres et examina les vélins.

– Vous avez du talent, dit-il en s'arrêtant près du frère Salimbene. Pour ce qui est des miracles, le frère Léon avait seulement l'intention d'écrire une histoire vraie. Il ne se serait pas permis d'embellir sa chronique avec de faux événements, même si ses lecteurs y auraient trouvé matière à édification.

Salimbene s'inclina d'un air contrit, peut-être par respect pour l'état de Conrad.

– Et il avait raison d'agir ainsi, bien sûr. J'ai connu plusieurs personnes qui ont invoqué de fausses visions pour en tirer des honneurs en se faisant passer pour de saints hommes à qui Dieu avait révélé des secrets. Et Dieu sait que nombre de fantasmes ont surgi d'esprits embrouillés… jusqu'à ce qu'ils interprètent comme une véritable vision ce qui n'était qu'un rêve.

Il devenait de plus en plus enthousiaste à mesure qu'il parlait.

– Oh ! et le nombre de fausses reliques que j'ai vues pendant mes voyages ! Les moines de Soissons se vantent de posséder une dent de lait de l'Enfant Jésus, qu'il aurait, paraît-il, perdue le jour de son neuvième anniversaire. J'ai vu le cordon ombilical de Notre-Seigneur dans trois reliquaires, même s'il est plus probable que chacun n'en contenait qu'une partie. Mais j'ai également vu son prépuce tout entier à sept endroits différents. Ils en font étalage avec beaucoup de cérémonie à chaque fête de la Circoncision.

Jacopone déposa sa plume avec une expression honteuse.

– J'ai touché le prépuce une fois et j'étais extrêmement ému. Mes prières s'en sont trouvées inspirées pendant des semaines par la suite.

Salimbene sourit d'un air sarcastique derrière Jacopone.

– Ainsi en est-il de la foi *simple*. C'est après tout le meilleur argument en faveur des miracles et des reliques. La veuve qui serre son obole entre ses doigts ne comprend rien aux choses abstraites. Mais ne se départirait-elle pas avec joie de tout ce qu'elle possède pour une fiole contenant quelques précieuses gouttes du lait de la Vierge ?

Conrad fronça les sourcils, mais ne répliqua pas.

– Je suis fatigué maintenant, dit-il à Amata sans préciser que Salimbene en était la cause. Où puis-je m'étendre ?

Quand ils atteignirent le bas des marches et qu'ils furent hors d'écoute des scribes, il exprima ses doutes à propos du jugement de la jeune femme.

– Je fais confiance à Jacopone, et je suis heureux de le voir à ce pupitre, mais je crains que tu n'aies fait une erreur en montrant au frère Salimbene le manuscrit de Léon. Il peut sembler indifférent, mais sa loyauté est davantage dirigée vers les frères conventuels.

– C'est un chroniqueur, Conrad, répondit Amata sur un ton rassurant. Son intérêt envers l'histoire de l'Ordre dépasse de loin les opinions qu'il pourrait avoir concernant ses factions.

– Mais une fois qu'il aura satisfait sa curiosité ?

– Il nous a juré solennellement, à moi et à …

Amata s'interrompit, ne sachant comment décrire Orfeo. Elle ne pouvait certainement pas le qualifier de « fiancé », comme l'avait fait Salimbene. Elle n'était même plus certaine de pouvoir le considérer comme un ami.

– Il faut que je vous parle, Conrad. Peut-être le frère Zefferino pourrait-il vous confier à mes soins après le dîner ?

Zefferino inclina la tête.

– Si vous souhaitez faire une sieste ou si vous avez besoin de quoi que ce soit, vous n'avez qu'à le demander. Toute ma maisonnée est à votre disposition, dit Amata en s'adressant aux deux hommes.

Après le repas, elle allait conduire son ami dans un coin ombragé de la cour et, pendant aussi longtemps qu'il souhaiterait ou pourrait l'écouter, elle allait lui raconter tout ce qui lui était arrivé de bien depuis leur séparation, et tout ce qu'elle avait perdu récemment. Et s'il voulait raconter sa propre histoire, elle lui prêterait une oreille attentive. Tant de choses avaient changé dans leurs vies ces deux dernières années.

XXXIX

Orfeo vérifia la bâche qui recouvrait les tombereaux chargés pour s'assurer que ses hommes les avaient solidement attachés. À une table près de lui, le vieux Domenico comptait les toisons, les sacs de laine et les rouleaux de tissus. Plusieurs charretiers amenèrent des bœufs et les attachèrent par un joug aux autres chariots et charrettes.

D'habitude, Orfeo se sentait envahi par une énergie nouvelle quand il voyageait. Mais pas aujourd'hui. Il tentait de se concentrer sur les affaires en cours, mais il se préparait sans enthousiasme à son voyage.

Plusieurs semaines s'étaient écoulées depuis qu'il avait entendu dire que le « moine d'Amata » s'était installé une fois de plus chez elle. Elle avait fait parvenir à Orfeo une note de remerciements et l'avait invité à venir rencontrer Conrad, mais il n'avait pu se résoudre à y répondre. Leur dernière rencontre l'avait piqué au vif.

Il traversa la cour pour s'assurer que tous les charretiers étaient présents. La plupart de ces hommes avaient voyagé avec lui l'hiver précédent pendant son voyage en Flandre et en France. C'était une bande de gueulards dépenaillés et indisciplinés, mais Orfeo savait que son équipe pouvait surmonter tout obstacle que la nature ou l'homme mettrait sur son chemin. Un seul d'entre eux n'avait pas fait ses preuves : le charretier d'âge moyen qui avait remplacé Neno. Jusqu'ici, les autres hommes avaient bien accepté le nouvel arrivant.

Orfeo passa les doigts sous un joug pour s'assurer qu'il était protégé aux endroits où il frotterait l'épaule du bœuf et regarda le long de la filée de véhicules. Derrière la dernière charrette, encadrée par le soleil levant, un moine encapuchonné approchait à pas raides et incertains. Une longue barbe blanche semblable à celle d'un patriarche d'Orient pendait sur sa poitrine. L'homme s'approcha, regardant d'abord le sieur Domenico, puis Orfeo. Orfeo fit la grimace en apercevant le globe oculaire cicatrisé et la lueur dans l'œil valide du moine. Cet homme-là pouvait condamner une âme sans un mot, avec son seul regard.

– Orfeo di Angelo Bernardone, dit le moine à voix haute.

Il avait dit le nom sans qu'il s'agisse d'une interrogation, d'une voix sèche, comme s'il confirmait seulement sa pensée. En cet instant, Orfeo put imaginer que la Faucheuse était venue pour prendre sa vie.

– C'est bien moi, frère. Que puis-je faire pour vous ?

– Rien pour moi. Vous m'avez déjà fait suffisamment de bien. Que Dieu vous bénisse pour avoir obtenu ma liberté auprès du pape.

Le frère repoussa lentement son capuchon, révélant l'abondante chevelure illuminée par les rayons du soleil. Hébété, Orfeo ne parla pas immédiatement. Il s'était représenté un homme beaucoup plus jeune, et même beau – un homme vers lequel Amata aurait pu être attirée physiquement. La froideur qu'elle lui avait démontrée à son retour de Lyon avec le pardon en main lui avait fait se demander si elle n'avait pas une autre raison de vouloir la libération de Conrad – en particulier lorsqu'elle avait dit qu'elle souhaitait l'attendre à la porte du monastère. Orfeo avait eu l'impression qu'elle s'était servie de lui, puis s'était moquée de lui et lui avait tourné le dos après avoir obtenu ce qu'elle voulait. Maintenant, en voyant l'ancien ermite en chair et en os, il réalisait son erreur. Il agita la main pour mettre fin aux remerciements de Conrad.

– J'ai été heureux d'aider un homme innocent, dit-il en retournant son attention vers le joug.

– Je voulais aussi vous dire que vous étiez un idiot, ajouta le frère.

Orfeo sentit ses épaules se raidir. Le sieur Domenico et plusieurs charretiers levèrent la tête. Toutefois, il remarqua que leur curiosité se concentrait sur lui et qu'ils refusaient de regarder directement le visage du frère Conrad.

– Je ne pense pas que vous soyez en mesure de me dire ce que je suis ou ne suis pas, répliqua-t-il en pointant le menton en guise de réprobation.

– Je maintiendrai mon jugement si vous me confirmez que vous ne pouvez aimer une femme pour ce qu'elle est, davantage que pour sa richesse. J'en connais une qui vous aime autant qu'elle chérit son âme.

De toute évidence, Conrad avait rouvert une blessure mal cicatrisée. À la fois blessé et embarrassé, Orfeo regarda ses compagnons.

– Excusez-moi, sieur Domenico, dit-il. J'ai besoin de quelques moments pour parler à ce frère.

Conrad fixa son œil sur le vieux marchand. Domenico porta les yeux sur ses rouleaux de tissus et congédia les deux hommes d'un signe de la main.

Orfeo conduisit le prêtre au-delà du portail de la cour. Que lui avait dit Amata?

Le frère prit la parole en premier.

– Je vois dans vos yeux que j'avais raison. Elle vous manque tout autant que vous lui manquez. Et, en voyant votre employeur tout à l'heure, il m'est venu une idée. Elle pourrait fonctionner si vous le voulez, si vous consentez à épouser Amatina par amour seulement, comme elle le souhaite.

D'un regard, Orfeo exhorta le frère à continuer. Il savait que sa voix tremblerait s'il tentait de parler maintenant. Il allait écouter ce que ce Conrad avait à dire pendant qu'il retrouverait sa contenance.

Conrad lui expliqua en détail son plan, en ponctuant chaque étape d'un conditionnel «si vous l'aimez vraiment». Compte tenu que Conrad ne connaissait rien au commerce, Orfeo trouvait que ses conseils étaient sensés. Quand Conrad se tut, Orfeo dit:

– Le sieur Domenico doit évidemment donner son accord – et mon frère Piccardo aussi.

Oui, il souhaitait de tout son cœur que l'idée de Conrad fonctionne. Il prit la main du moine entre les siennes et la secoua vigoureusement.

– Cette fois, ce sera peut-être vous qui m'aurez sauvé, frère, dit-il.

– Alors, que Dieu réalise vos souhaits, dit Conrad.

Orfeo relâcha finalement sa main et le frère ajouta:

– Ayez la bonté de lui transmettre un message de ma part, *signore*, quand vous verrez Amatina. Je ne lui ai pas dit au revoir quand je suis parti de chez elle ce matin parce que je craignais qu'elle n'essaie de retarder mon départ. Dites-lui que je suis parti à l'Ospidale di San Salvatore delle Pareti et que je reviendrai quand je le pourrai.

– La léproserie ?

Conrad acquiesça.

– J'ai aussi laissé le frère qui m'accompagnait chez elle sans lui faire part de mon intention. Encore une fois, je voulais partir discrètement. S'il veut me suivre, il est le bienvenu. Je ne sais pas quand je reviendrai et mon choix de résidence pourrait ne pas lui convenir, dit-il avec un sourire empreint d'ironie. *Addio, signore.* Que Dieu vous bénisse, vous et votre dame.

❧

Zefferino s'était tourné et retourné sur sa paillasse pendant une bonne partie de la nuit avant de sombrer dans un sommeil agité. Il se sentait de plus en plus envahi par l'anxiété. Il ne s'était pas trouvé hors des murs du monastère depuis le jour où les frères l'avaient trouvé à demi mort dans la chapelle abandonnée et l'avaient porté jusqu'au Sacré Couvent. Il n'était monté au niveau du sol que pour aller chercher la nourriture de ses prisonniers. Il couvrait sa tête de son bras, s'isolant des dormeurs et du bruit des ronflements tout autour de lui; il ramena ses jambes sous lui pour se réchauffer. Sa seule consolation provenait de la respiration régulière de Conrad allongé sur la paillasse près de lui.

Un peu avant l'aube, Conrad se leva. À travers son œil à demi ouvert, Zefferino vit son confrère se diriger vers la porte, tout comme il l'avait fait après avoir entendu sa confession dans la chapelle. Pendant un moment, Zefferino craignit d'avoir été abandonné à nouveau, mais les bruits qui l'entouraient provenaient d'êtres humains, et non d'animaux. Il se rendormit.

Il se réveilla de nouveau avec le bruit des serviteurs qui rangeaient leur literie, bâillaient et s'étiraient, et sollicitaient la bénédiction de Dieu pour la journée de travail qui les attendait. Le lit de Conrad était vide. Peut-être s'était-il rendu aux toilettes avant de rouler sa paillasse.

Zefferino se leva, rabattit son capuchon sur sa tête et se dirigea vers le hall de la maison. Il se rendait compte que son entourage évitait de le regarder. Conrad était peut-être inconscient de ce fait mais, pour Zefferino, leur dégoût ou leur crainte n'était que trop évident.

Il réalisa bientôt que son compagnon ne se trouvait pas dans les environs, pas même à la table du déjeuner. Pendant que le frère grignotait sa nourriture sans conviction, Amata vint le voir et lui demanda où se trouvait son ami. Zefferino ne put que hausser les épaules et jeter un regard dans la pièce. Le babillage dans le hall sonnait à ses oreilles comme les ailes des chauves-souris qui voletaient dans les tunnels du donjon.

– Je vais voir s'il est dans la chapelle, dit-elle.

Puis elle s'éloigna en appelant Conrad.

Il y avait quelque chose à propos de sa voix… « *Conrad! Frère Conrad!* » Une voix semblable à celle du novice dans les bois. Il pouvait presque entendre la voix crier « *Ces gens-là ne craignent pas Dieu.* » Et le son de trompette de l'ange vengeur, juste avant que Zefferino n'agonise. Il n'avait jamais interrogé Conrad à propos de l'ange. Après que son prisonnier eut été transfiguré par sa vision dans la cellule, Zefferino avait réalisé que l'homme vivait à un niveau spirituel plus élevé que le sien. Le gardien n'était pas de ceux qui cherchent à approfondir les mystères sacrés.

Les autres finirent rapidement leur repas du matin, laissant Zefferino seul à la table, dans l'immense hall. Autour de lui, les serviteurs ramassaient les bols et les coupes vides. La bouillie de flocons d'avoine gargouillait dans son estomac. Les deux copistes allaient bientôt entreprendre leur journée de travail. Peut-être Conrad s'était-il rendu à la loggia pour les aider, maintenant qu'il avait retrouvé la santé.

Tête baissée, Zefferino grimpa les marches de l'escalier. Il ne trouva que le scribe Jacopone. Il regarda le copiste utiliser son couteau pour découper une page dans un épais parchemin et l'étendre sur le lutrin. Jacopone saisit le parchemin et examina le fragile matériel. Il avait entendu parler de ce « papier ». Celui-ci était peu coûteux et plus commode si on le comparait au parchemin, mais il était peu probable qu'il puisse résister à l'humidité d'une bibliothèque de monastère. Il vit qu'un trou avait été fait dans ce *rotolo*. Il plaça son petit doigt dans la perforation.

– Il y a une histoire reliée à cette perforation, frère, dit Jacopone. Le manuscrit a sauvé la vie de notre hôtesse par une nuit sombre. Un frère assassin lui aurait déchiré les entrailles avec sa pique si ce n'avait été ce parchemin qu'elle avait attaché contre sa poitrine. Je rappelle encore aujourd'hui à la dame de louer Dieu pour les écrits du frère Léon.

Zefferino serra le parchemin entre ses mains.

– Un frère ? Pourquoi un frère voudrait-il assassiner quelqu'un de si généreux pour la confrérie ?

– Si vous l'aviez vue cette nuit-là, vous ne la qualifieriez pas de généreuse envers les frères : elle se battait comme un lion et a tué elle-même un des hommes de la bande, bien qu'ils aient tué un des nôtres aussi. Pour une raison que j'ignore, les frères voulaient enlever Conrad. Ils nous ont surpris dans les bois à la tombée de la nuit.

Zefferino ferma son œil valide. Il entendit à nouveau les bruits effrayants de cette nuit, les cris tout autour de lui, suivis par le son de trompette et le feu qui se dirigeait vers son visage.

– Vous y étiez aussi ? demanda-t-il.

– J'y étais, mais je suis arrivé presque trop tard pour les aider. J'ai mis le feu aux vêtements de leur chef et le reste de la bande s'est dispersé.

Le manuscrit tomba avec un bruit sourd et se déroula à demi à travers la pièce. Jacopone sauta de son tabouret et l'attrapa avant qu'il ne se déroule complètement.

– Attention, frère ! Vous allez bien ?

Zefferino glissa ses mains dans ses manches et inclina la tête. Sa gorge se serra et il dit finalement d'une voix rauque :

– *Angelus Domini*, l'ange du Seigneur. *Vous !*

Le balcon de bois trembla légèrement. Amata grimpa les marches, suivie de Salimbene.

– Le frère Conrad est parti, dit-elle à Zefferino. Il a dit que vous pourriez le trouver à l'hôpital des lépreux, si vous souhaitiez le suivre.

Elle se tourna vers Jacopone, le visage rouge d'excitation.

– Le messager a été envoyé par le sieur Orfeo. Il dit qu'il arrivera demain et qu'il espère apporter de bonnes nouvelles.

Jacopone et Salimbene poussèrent des cris de joie.

– Je savais qu'il ne pouvait demeurer éloigné pendant longtemps, *madonna*, dit Salimbene.

Incapable de réprimer son sourire, Amata se tourna vers Zefferino.

– Je vous présente mes excuses, frère, pour notre démonstration de réjouissance. Mes camarades savent à quel point ce message est important pour moi, dit-elle en jetant un regard à la note dans sa main. Toutefois, je m'inquiète du fait que le frère Conrad vive parmi ces lépreux répugnants. Savez-vous pourquoi il est allé à cet endroit ?

– Pour respecter un vœu qu'il a fait, *madonna*.

– Avez-vous l'intention de le rejoindre ? Je peux demander à la cuisinière de vous préparer de la nourriture pour le voyage. Conrad doit être parti sans avoir mangé.

Le rejoindre ? Rejoindre l'homme qui l'avait abandonné au milieu de ses ennemis ? Zefferino brandit une main devant son œil, repoussant des images de flammes.

– Avec votre permission, *madonna*, j'aimerais demeurer ici une nuit de plus. Au matin, je retournerai au Sacré Couvent.

❧

Au moment de s'endormir ce soir-là, c'est à Conrad et non à Orfeo qu'Amata consacra ses dernières pensées. Elle considérait toujours le frère comme le seul homme qui l'ait aimée sans condition, ne demandant rien en retour. Même si elle avait tenté de son mieux de cacher son aversion le jour de son retour, elle éprouvait du chagrin pour son ami. Elle ne verrait plus jamais ses yeux gris scintillants. Et qu'arriverait-il s'il attrapait la lèpre à l'hôpital, malgré la pureté de son cœur ? Elle murmura une prière pour qu'il demeure en bonne santé mais, curieusement, elle invoqua Donna Giacoma plutôt que Dieu. Puis, elle se replia sur le côté et dormit profondément jusqu'à ce qu'un cri la réveille au milieu de la nuit.

La servante Gabriella lui empoignait le bras, la tirant presque hors du lit et de son sommeil profond.

– Habillez-vous rapidement, *madonna*. Il y a un feu dans la cour.

Se mouvant dans un brouillard de sommeil et de fumée, Amata, drapée dans sa cape, quitta sa chambre en courant. Qu'est-ce qui pouvait avoir déclenché un incendie au cœur de l'été, alors que tous les foyers, sauf celui de la cuisine, étaient propres et inutilisés ? Quelqu'un devait avoir oublié d'éteindre une chandelle. En approchant du cloître, elle recula d'un pas devant la lueur des flammes qui dansaient comme un lever de soleil diabolique sur les colonnes et les murs de pierre. Serviteurs et hôtes prenaient de l'eau dans la fontaine au centre de la cour pendant que d'autres faisaient des allers-retours entre l'incendie et le puits public le plus proche.

Elle se frotta les yeux et, de sous une arche du cloître, elle promena son regard dans la cour. Elle eut un haut-le-cœur et se mordit le pouce pour s'empêcher de crier. Elle vit avec horreur que la partie du balcon de bois sur laquelle se trouvaient les écritoires était au centre de la conflagration.

Une énorme boule de feu avait envahi les marches menant à la section sud. Les hommes qui combattaient l'incendie grimpaient à grandes enjambées les marches du côté nord avec leurs seaux, et le long des balcons latéraux, en tentant d'empêcher que le feu ne se répande, mais les pupitres étaient déjà carbonisés. Amata tenta de repérer à travers les flammes le cabinet où elle avait rangé le manuscrit de Léon et les copies en cours. Alors qu'elle regardait, le balcon sud s'effondra, entraînant avec lui une partie de la loggia est en projetant des morceaux de poutres enflammées dans la cour. Amata aperçut une partie d'un lutrin dans les débris, et son cœur se serra.

Tout est perdu!

Les murs de pierre et les toits de tuiles pourraient résister aux flammes, les menuisiers pourraient reconstruire la loggia, mais la chronique de Léon était disparue à jamais. Elle se couvrit le visage de ses mains. Elle avait manqué à la parole qu'elle avait donnée à Conrad!

La bataille pour épargner le reste de sa maison se poursuivit jusqu'à l'aube. Le gardien de nuit avait réveillé les voisins d'Amata et tous se mirent à la tâche, formant des brigades qui s'éloignaient dans toutes les directions à partir de l'entrée principale. Des hommes costauds transportaient à deux les plus lourds baquets d'eau. Pendant ce temps, Amata aidait les femmes à éteindre les étincelles qui tombaient çà et là pour empêcher que le feu ne se propage. Elle courut d'un côté et de l'autre dans la cour et sur les trottoirs du cloître jusqu'à ce qu'elle sente que ses poumons allaient exploser à cause de la fumée, de la chaleur et de la fatigue, pendant que la foule qui s'était rassemblée à l'intérieur et à l'extérieur de sa maison devenait plus nombreuse et plus bruyante.

Finalement, peu après que la cloche de l'église eut sonné prime, Maestro Roberto vint la voir pour lui annoncer qu'ils avaient finalement éteint les flammes. Étourdie, elle marcha avec lui jusqu'au centre de la cour et parcourut du regard les pierres et les arches noircies. Dans le périmètre du cloître, rien de ce qui était fait de bois, pas même les cadres de portes, n'avait été épargné par le feu. Jacopone était assis parmi les cendres sur le banc de pierre où elle avait parlé avec Conrad le soir de son retour. Il tenait sa tête entre ses mains et marmonnait à voix haute, même si personne ne se tenait près de lui. Pio la rejoignit, le corps couvert de suie.

– Pio a sauvé les gens de votre maison, Amatina, dit l'intendant. Il a été le premier à sentir la fumée et nous a tous réveillés.

Amata posa sa main sur la poitrine du jeune homme.

– Que Dieu te bénisse, murmura-t-elle.

Elle regarda autour d'elle les autres membres de sa maisonnée qui éteignaient les derniers tisons ou rassemblaient les débris en tas loin des murs. Ni le frère Salimbene ni le compagnon de Conrad ne travaillaient avec eux.

– Les frères sont-ils sains et saufs? demanda-t-elle.

– Je ne les ai pas vus, répondit Roberto.

– J'ai aperçu votre scribe au début de l'incendie, dit Pio. Il a été le premier à atteindre la loggia. Il doit avoir senti la fumée lui aussi. Après avoir réveillé les autres, je suis revenu ici en courant et je l'ai vu qui se précipitait déjà dans l'escalier nord. J'ai cru qu'il cherchait des contenants d'eau et je lui ai crié d'aller à la cuisine, mais je ne l'ai plus vu par la suite.

Jacopone leur cria d'une voix forte :

– *Angelus Domini*. Le frère borgne l'avait prédit.

– Un ange? demanda Amata en haussant les sourcils et en regardant Roberto.

Il haussa également les épaules.

– Je m'occupe des choses matérielles, *madonna*. Je laisse au sieur Jacopone le soin de découvrir les causes de tels événements.

D'un air las, ils entrèrent dans la maison. Une note de trompette unique, mélancolique, jaillit du coin où était assis Jacopone. Amata se retourna au moment même où l'homme la dépassait en courant. Il parcourut le corridor à grandes enjambées jusqu'à la porte d'entrée.

– Cousin! lui cria Amata, mais le pénitent avait déjà disparu.

XL

Un lépreux accroupi au soleil près de la porte l'aperçut en premier. La créature fit sonner sa cloche avant que Conrad n'atteigne le bas du sentier qui descendait de la forêt et séparait les deux plus longs bâtiments de l'hôpital. Alertés par le bruit, d'autres spectres en tuniques brunes émergèrent de leurs cellules – des femmes et des enfants du pavillon de gauche et des hommes de celui de droite – et commencèrent à parler dans un étrange charabia. Conrad s'arrêta net sur le sentier. Il n'aurait pas été davantage horrifié s'il avait vu les cadavres sortir d'un cimetière. Une fois de plus, Léon l'avait entraîné au cœur de ses peurs les plus profondes. Il ferma les yeux et pria pour que Dieu lui donne la persévérance nécessaire. *Servite pauperes Christi,* murmura-t-il pour lui-même.

Le quartier des lépreux était flanqué de deux bâtiments plus petits. Conrad devina qu'ils abritaient les moines et les nonnes de l'ordre des Crucigeri, qui prenaient soin des malades. Un des moines sortit la tête par une des fenêtres ouvertes. Une autre silhouette, celle d'un homme grand et mince à la peau brunâtre et vêtu de la longue robe rouge et de la coiffure d'un médecin, émergea de l'édifice et grimpa le sentier à sa rencontre. Les glapissements des lépreux ne cessèrent qu'au moment de l'apparition du médecin.

– Bonjour, frère.

D'une voix rauque, l'homme se présenta sous le nom de Matteus Anglicus, Mathieu l'Anglais.

– Que la paix de Dieu soit avec vous, répliqua Conrad. Je suis venu offrir mes services.

Matteus le scruta des pieds à la tête, mais ne détourna pas le regard comme l'avaient fait les hommes d'Orfeo. Il avait certainement vu sa part de visages grotesques à cet endroit et regardait Conrad de la même façon qu'il l'aurait fait pour un nouveau patient.

– Et qu'est-ce qui vous pousse à venir travailler ici ?

– L'imitation de mon maître, saint François, et un vœu solennel.

– Relevez la frange de votre bure, dit Matteus.

Conrad s'exécuta pendant que le médecin faisait la moue.

– Comme je m'y attendais. Vous devrez attendre ici pendant que j'irai vous chercher une paire de sandales. Règle numéro un : aucun membre de mon personnel ne marche pieds nus dans l'enceinte de l'hôpital.

– Je n'ai pas porté de sandales depuis mon investiture, objecta Conrad. Je violerais mon vœu de pauvreté.

– Alors vous devez décider lequel de vos vœux solennels vous avez l'intention de respecter, dit Matteus. Si vous voulez travailler ici, vous devrez commencer par considérer mes ordres comme la volonté de Dieu en ce lieu. Je laisse les moines s'occuper de l'orientation spirituelle des patients, et les moines me laissent m'occuper de leurs besoins physiques. Si vous voulez soulager votre conscience, je vous promets de respecter votre vœu de pauvreté. Et je vous donnerai les sandales les plus inconfortables que je puisse trouver.

Conrad acquiesça à contrecœur et le médecin sourit.

– Alors, je vous souhaite la bienvenue, frère, dit-il. Puisque vous venez de quitter le donjon du monastère, je suis persuadé que vous êtes un homme bon.

Conrad bégaya :

– Ccccomment…

Matteus montra du doigt l'œil de Conrad.

– Vous avez été torturé. Vos cheveux sont blancs, mais votre peau est pâle comme celle d'une jeune fille, une peau qui n'a pas vu le soleil depuis longtemps. Votre barbe n'a pas été rasée depuis quelques années. Vos chevilles n'ont pas de poils et portent les marques de frottement des entraves. De plus, vous portez la bure en lambeaux des frères spirituels et marchez pieds nus, ce qui était en soi un motif suffisant d'emprisonnement pendant le règne de Bonaventure.

– Vous êtes donc au courant de la division…

– J'ai songé un jour à devenir membre de votre Ordre, mais j'ai préféré ma robe rouge à votre bure grise. Il y a soixante ans, le pape Honorius a interdit l'étude de la médecine aux prêtres ; en conséquence, j'ai choisi de ne jamais devenir prêtre.

Conrad suivit Matteus jusqu'à l'enceinte et attendit à cet endroit que le médecin aille chercher les sandales. Une brise légère rafraîchissait son front, mais portait également l'odeur écœurante de la chair putréfiée jusqu'à ses narines. Il résista à l'envie de couvrir son nez avec sa manche. Il venait de pénétrer dans le monde des morts vivants et il savait que l'odeur nauséabonde de la chair putréfiée collait aux créatures squelettiques qui continuaient à l'observer des fenêtres de leurs cellules. Le visage de l'homme le plus près de lui, celui qui avait prévenu les autres de son arrivée, affichait les lèvres épaisses et les protubérances bleuâtres de quelqu'un qui venait de contracter la maladie. Mais le nez aplati laissait deviner que le cartilage qui le façonnait avait déjà commencé à se décomposer. Conrad se força à regarder les autres. Heureusement, plusieurs d'entre eux cachaient leurs visages derrière des voiles. Mais, chez les malades les plus atteints, Conrad vit des cratères remplis de pus où se trouvaient jadis des yeux, des cavités pourrissantes à la place du nez et de la bouche, des amas de chair déformée tenant lieu de mentons, des oreilles pendantes dépassant de beaucoup la taille d'oreilles normales, des mains dépourvues de doigts, des bras sans mains, des torses enflés ou ratatinés, des peaux parsemées de cicatrices ou de lésions suppurantes. Les lépreux regardaient avec indifférence, bien que quelques femmes détournassent honteusement leur visage. Et quelques enfants qui étaient accroupis près d'elles ressemblaient à des nains âgés et semblaient tout aussi apathiques alors qu'ils dévisageaient Conrad avec le sérieux d'un adulte.

Ce spectacle horrible le maintenait dans un état de fascination macabre. Le frère se demanda s'il ne voyait pas en ce moment l'image de son propre avenir inéluctable, son corps ravagé par la maladie aux dernières étapes de la décomposition. Il avait hâte que Matteus revienne et ne se détendit que lorsque le médecin lui apporta les sandales. La vue des lépreux l'avait désorienté. Les sandales auxquelles il était peu habitué ajoutaient encore à cette sensation d'étrangeté en privant ses pieds de sensations. Il ne pouvait plus sentir les cailloux dans la poussière, non plus que la poussière elle-même ou les brins d'herbe. Seulement le cuir. Toute la surface de l'enceinte semblait recouverte de cuir.

– La première fois qu'on les voit de près est toujours la plus éprouvante, dit Matteus en conduisant Conrad dans une chambre de la petite maison située derrière le dortoir des lépreux. Vous pouvez attendre dans ma cellule pendant que nous nettoyons un endroit pour vous.

La chambre encombrée du médecin contrastait avec l'esprit analytique de l'homme. La cellule contenait un lit étroit dans le coin le plus éloigné de la porte, une petite table et deux tabourets sous l'unique fenêtre, et une longue table de travail rectangulaire qui occupait le centre de la pièce. Sur la petite table reposaient un crâne et un sablier, et sur le mur adjacent pendait un crucifix peint à la main, des éléments qui rappelaient aux patients de Matteus la nature éphémère de la vie et le salut futur. La grande table était couverte de bouts de chandelles, de flasques d'urine, de piluliers, d'aludels, d'un alambic, d'un mortier et d'un pilon, ainsi que d'une pile de manuscrits reliés. Un livre ouvert sur la table avait été souillé par un cercle coloré, peut-être une tache d'urine. Conrad se souvint d'avoir lu quelque chose à ce propos dans un texte sur l'uroscopie à Paris : si le fluide de la personne malade était rouge et épais, cette personne avait une humeur sanguine ; s'il était rouge et clair, elle était constamment en colère. Chaque teinte – pourpre, vert, bleu, noir – correspondait à une maladie.

Des flacons de poudre portant des étiquettes qui sym- bolisaient les éléments métalliques, une cruche contenant des mandragores narcotiques, et des épices médicinales – cannelle, cubèbe et macis – s'étalaient sur le manteau de la cheminée. Une étagère près du lit du médecin contenait davantage de volumes qu'en avait vu Conrad ailleurs que dans une bibliothèque de monastère.

– Ne restez pas là, bouche bée, frère, dit Matteus en faisant un large geste de la main. Je remercie Constantin l'Africain pour ces livres. Après avoir voyagé dans tout l'Orient la majeure partie de sa vie, il est finalement devenu moine et s'est installé au mont Cassin. Il a consacré le reste de sa vie cloîtrée à la traduction de textes médicaux pour nous, les étudiants de Salerne. On y trouve tout autant des textes des maîtres grecs en arabe que des œuvres de Sarrasins. C'est ainsi que Galène est devenu notre bible (si vous me permettez la comparaison), et que nous avons appris par cœur les dix livres du Pantegni d'Ali ibn al-Abbas.

Conrad examina les livres avec des sentiments mitigés. Il était à la fois ébahi par leur nombre et gêné de sa curiosité d'érudit. Saint François n'aurait pas approuvé ! Plus que ne le faisait la pièce dans son ensemble, le caractère ordonné des étagères illustrait l'esprit logique que Conrad avait remarqué plus tôt : les légendaires Grecs Galène et Aristote sur l'étagère supérieure, les philosophes-médecins sarrasins en dessous. Il trouva quatre des quarante-deux textes d'Hermès Trismégiste, le *Theatrum sanitatis* d'Aboul Asan, un traité sur l'hydrophobie canine, le *Canon de la médecine* d'Avicenne et, sur la tablette suivante, les œuvres du rabbin Maïmonide et de ses compatriotes espagnols, Avenzoar et Averroès.

La tablette du bas semblait contenir les écrits des maîtres de Matteus à Salerne : un de Trotula de Salerno, et une pharmacopée, *Antidotorium*, d'un certain Praepositus de la même école. Ce dernier traité était maintenu à la verticale par une pile de travaux sur l'usage médical des herbes, notamment le *De virtutibus herbarum* de Platearius. Pourquoi, se demanda Conrad, les auteurs chrétiens occupaient-ils la tablette la plus basse ?

Il ouvrit le *Methodus medendo* de Galène et fronça les sourcils en voyant le dessin de la page frontispice : un Esculape païen tenant un caducée ailé, flanqué de ses filles Hygie et Panacée.

– Un bon chrétien pourrait trouver plusieurs défauts à cette collection, dit-il. Je préférerais voir les saints jumeaux Cosmos et Damien ou saint Antoine Abbé sur cette page. Ils symbolisent aussi la croyance dans le pouvoir guérisseur de Notre-Seigneur.

Matteus haussa les épaules.

– Croyez-moi, frère, je troquerais volontiers ces médecins contre des médecins de notre propre foi, mais j'en connais très peu à l'exception de mes enseignants à Salerne. Malheureusement, notre Sainte Mère l'Église s'entête à considérer le corps comme une malédiction et la maladie comme un châtiment divin. J'ai entendu un jour un pénitent à Assise qui, poétiquement, implorait le ciel pour qu'il contracte une maladie : « *O Signor, per cortesia, manname las malsania !* » Il aurait été heureux d'attraper n'importe quoi – fièvres quartes ou tierces, hydropisie, maux de dents, maux d'estomac, crises. Je vous le demande, que puis-je faire avec mon art de guérisseur pour contrer une telle attitude ?

Conrad replaça le Galène sur l'étagère et éclata de rire.

– Je pense connaître ce pénitent. Vous serez heureux d'apprendre qu'il est maintenant en meilleure santé qu'il ne l'a été depuis des années.

– De bonnes nouvelles, en effet. J'espère que ça ne représente pas un trop lourd fardeau pour lui.

Conrad frotta de la paume sa joue hirsute.

– Dites-moi, quelle est à *votre* avis l'origine de la maladie si ce n'est un châtiment pour la nature malfaisante de l'homme ou la volonté de Dieu de mettre à l'épreuve sa force d'âme ?

– Vous faites référence à Job.

– Un exemple parmi d'autres, oui, dit Conrad. Ou, puisque nous nous trouvons dans cet hôpital, on pourrait mentionner Bartolo, le lépreux de San Gimignano. Il supportait son sort avec une résignation si joyeuse que les gens l'appelaient le Job de Toscane.

Le médecin réfléchit un moment avant de répondre.

– En vérité, ni moi ni aucun de mes confrères ne peut dire avec certitude d'où proviennent les maladies. Comme nous aimons le dire, Galène prétend que « non » et Hippocrate prétend que « oui ». Les docteurs ne s'entendent pas et personne ne peut décider qui a raison.

Tout en parlant, Matteus fouillait dans une pile de manuscrits sur sa table de travail. Il en retira finalement un mince traité relié.

– Allez près de la fenêtre et lisez ce document, dit-il. Il est très bref et a été rédigé par un de mes compatriotes, Bartholomée l'Anglais. Il se trouve aussi qu'il a été novice au sein de votre Ordre. Veuillez l'étudier jusqu'à ce que votre cellule soit prête. Vous y trouverez des renseignements de base sur le travail que vous devrez accomplir ici.

Après le départ de Matteus, Conrad approcha le livre de son visage. Il n'avait pas essayé de lire depuis qu'il avait perdu son œil. Il tenait le parchemin plus près de la lumière de la fenêtre, tentant de rendre les lettres et les mots plus clairs en plissant son œil valide.

Le frère Bartholomée traitait d'abord des causes de la lèpre, en commençant par les nourritures qui surchauffaient le sang ou qui étaient susceptibles de le corrompre : le poivre, l'ail, la chair de chiens malades, le poisson et le porc mal fumés, et les pains de moindre qualité faits d'orge ou de seigle contaminés. Il poursuivait en décrivant, avec trop de détails aux yeux de Conrad, la nature contagieuse de la maladie : comment les personnes trop confiantes pouvaient la contracter en faisant œuvre de chair avec une femme qui avait couché avec un lépreux, comment un enfant alimenté au sein d'une nourrice lépreuse suçait la mort au téton de la femme, comment la maladie pouvait même être transmise à la naissance. Le parchemin tremblait dans la main de Conrad alors qu'il lisait le paragraphe sur la dernière cause de la lèpre : « Même le souffle ou le regard d'un lépreux peuvent transmettre la maladie. » D'après Bartholomée, Conrad pourrait déjà être porteur de la maladie, même si la plupart des yeux qui s'étaient tournés vers lui sur le sentier étaient aveugles. Il ravala son dégoût devant la liste de Bartholomée. Le frère dépassait les limites de la modestie. Quoi qu'il en soit, ceux qui contractaient la lèpre en faisant l'œuvre de chair recevaient *de toute façon* une punition méritée pour leurs péchés. Ni Bartholomée ni Matteus ne pourraient le convaincre du contraire. Quant au caractère héréditaire de la maladie, les Saintes Écritures n'affirmaient-elles pas : « Les pères ont mangé du raisin vert et les dents des fils en sont agacées. » Ainsi, même dans cet exemple, le lépreux a payé le prix de l'iniquité de son aïeul. Bartholomée admettait ce fait alors qu'il abordait, un peu plus loin, le traitement des lépreux : « Il est très difficile de guérir la lèpre sans recourir à Dieu » – chose évidente, puisque Dieu avait au départ infligé la maladie.

Mais Bartholomée offrait au médecin plusieurs choix qui n'avaient rien à voir avec la spiritualité : les saignées (pourvu que le lépreux soit assez robuste) ; la purge des vers et des ulcères ; les médicaments à l'intérieur du corps, et les plâtres et onguents à l'extérieur. Le frère concluait ainsi son traité : « Le *meilleur* remède pour soulager ou dissimuler la lèpre est une vipère rouge au ventre blanc, à la condition qu'on lui retire le venin et qu'on lui coupe la tête et la queue. Le corps, qu'on laissera tremper dans un bol de sangsues, doit ensuite être mangé. »

Conrad replaçait le traité au moment même où Matteus revenait. Il sentit remonter à la surface son ancien esprit querelleur mais, alors que trois ans auparavant il aurait contredit ce Bartholomée, aujourd'hui, il retint sa langue. Dieu l'avait envoyé ici pour qu'il apprenne. Il devait poser des questions et écouter, et non argumenter.

– Votre expérience confirme-t-elle les hypothèses de votre compatriote ? demanda-t-il.

Matteus prit le traité et le regarda rapidement, sa tête s'inclinant de droite à gauche pendant qu'il lisait.

– C'est le régime alimentaire, dit-il finalement en tapant du doigt la couverture du traité. Nous ne servons que des viandes fraîches ici. Et à cette époque de l'année, quand les fruits et les légumes sont disponibles, nous réussissons à obtenir des guérisons complètes.

Sa réponse étonna Conrad.

– Je pensais que seul un miracle pouvait guérir la lèpre.

– Dans mon pays, j'ai entendu parler de guérisons miraculeuses, en particulier au tombeau de Thomas de Canterbury. Un puits situé dans la crypte du saint contient de l'eau bénite mêlée à une goutte de son sang, et plusieurs affirment avoir été guéris en la buvant. Mais ici, je ne peux expliquer les réussites que par le régime alimentaire.

– Mais dans ce cas, pourquoi tous vos patients ne sont-ils pas guéris ?

Matteus sourit.

– Vous avez l'esprit alerte, frère. Peut-être ferons-nous de vous un médecin également. Et c'est là une bonne question, dit-il en parcourant du doigt le manuscrit de Bartholomée jusqu'à ce qu'il trouve une référence à la lèpre. Le mot *lepra*, ou « écailleux », tel que les Grecs l'utilisent, décrit n'importe quelle maladie qui entraîne un écaillement de la peau. Plusieurs malades ainsi atteints viennent ici, des gens qui ont été chassés de leur maison et ont perdu leur gagne-pain à cause des déclarations de quelque prêtre qui ne connaît rien à la médecine et ne sait pas que le sang des lépreux émet un grincement quand on le frotte entre les mains ou qu'il flotte dans un bol d'eau claire, ni ne reconnaît les symptômes que sont la perte de sensation dans les doigts et les orteils ou la teinte cuivrée de la peau.

Il poursuivit sur l'aspect de la guérison :

– Certaines de ces maladies de la peau *sont* réellement guérissables, et j'ai pu renvoyer plusieurs patients dans leurs familles. Mais, d'après mon expérience, il n'existe pas de remède à ce que j'appelle la « vraie lèpre », et que les Grecs appelaient *elephantiasis* à cause de l'épaississement et de l'aspect rugueux de la peau. J'ai essayé les purges et la vénésection et une douzaine d'autres remèdes que suggéraient divers auteurs. J'ai même essayé les cures animales.

– En faisant ingérer à vos patients de la chair de vipère ?

– La vipère rouge et blanche est une créature rare dans cette partie du monde. Mais, selon la recette d'Avenzoar, j'ai enduit les lésions des lépreux avec du bézoard tiré des yeux de cerf. Les traitements traditionnels des blessures par l'application de la chaleur d'un chat ou d'un chien agonisant n'ont pas réussi non plus.

Matteus, soudainement découragé, enleva sa coiffe et se laissa tomber sur le tabouret devant Conrad.

Conrad étudia plus attentivement le visage rougeaud de son compagnon, les sourcils minces, une légère bosse décolorée sur le front, une enflure du lobe de l'oreille qu'il n'avait pas remarquée plus tôt. Le médecin eut un sourire amer.

— Oui. Ce sera bientôt mon tour, dit-il sur un ton qui montrait qu'il avait déjà accepté l'inévitable.

— Alors, la maladie est *réellement* contagieuse, comme l'affirme Bartholomée.

— Apparemment, bien que j'aie vécu ici sans présenter aucun symptôme pendant quinze ans. Parmi les Crucigeri qui me prêtent main-forte, certains travaillent pendant quelques années seulement avant de contracter la lèpre. Vous devriez vous en préoccuper si vous demeurez avec nous pendant longtemps. Malgré cela, une vieille nonne vit ici depuis vingt-deux ans sans qu'aucun symptôme se soit encore manifesté.

— Alors, comment la maladie se répand-elle ?

— J'aimerais le savoir. J'ai tenté de suivre les indices donnés par Bartholomée. Par exemple, j'ai eu des conversations très *confidentielles* avec les personnes mariées avant qu'elles n'arrivent ici. La plupart d'entre elles continuaient d'avoir des contacts intimes avec leurs époux ou leurs femmes, même après que les premiers symptômes furent apparus et, habituel-lement, l'autre personne ne contractait pas la maladie. Il y avait des exceptions dans les cas où les personnes continuaient d'embrasser leurs partenaires, même après que des cloques furent apparues autour des lèvres.

Matteus haussa les épaules.

— Je vois que ma franchise vous perturbe, frère, mais j'essaie de répondre au moins en partie à votre question. Le médecin se préoccupe du comportement physique humain ; le corps n'est rien de plus que la tablette sur laquelle nous écrivons. Comme je l'ai dit plus tôt, je laisse les jugements moraux aux prêtres.

— De toute façon, poursuivit-il, j'en suis venu à croire que la bouche représente la partie la plus infectieuse du corps d'un lépreux. C'est pourquoi mon personnel porte des sandales. Pour protéger leurs pieds des crachats de nos patients.

Conrad promena ses doigts dans sa barbe. Il imaginait François, Léon et les autres frères des premiers temps travaillant parmi les lépreux dans ce même hôpital, quelque soixante ans auparavant : pieds nus, jeûnant et subsistant grâce à la plus misérable nourriture et embrassant même ces malheureux sur la bouche en signe d'humilité. Pourtant, il n'avait jamais entendu parler d'un seul cas où leur manque de précaution avait causé la lèpre – bien qu'ils aient certainement joui de la protection particulière de Dieu dans le cadre de leur saint service. Conrad conclut que les théories de Matteus constituaient tout au plus des conjectures. Malgré cela, il remua avec reconnaissance ses orteils dans ses sandales usées.

❧

Orfeo regardait la loggia en ruine ainsi que les planches et les poutres calcinées entassées dans la cour d'Amata.

– Ce n'est pas le meilleur contexte pour t'annoncer ma nouvelle, dit-il avec sympathie. Mais je suis content que tout le monde soit sain et sauf, Amatina.

La femme prit Orfeo par le bras et appuya sa joue contre son épaule..

– La loggia n'a pas d'importance, dit-elle. Je l'aurai fait reconstruire avant l'hiver. C'est la perte du manuscrit de Léon qui m'attriste.

– Rien de ce que vous auriez pu faire n'aurait empêché que cela se produise. Le frère Conrad comprendra. Il y verra la volonté de Dieu. Et c'est de cela qu'il s'agit.

Elle eut un sourire sombre.

– Je suis réellement heureuse que tu sois revenu, Orfeo. J'avais presque perdu espoir de te revoir.

– Je croyais que tu ne *voulais* pas me voir. La prochaine fois que tu parleras à ton ami, tu pourras le remercier de m'avoir remis sur la bonne voie. Je suppose que le frère Conrad ne te l'a pas dit, mais je venais tout juste de terminer le chargement des charrettes du sieur Domenico et m'apprêtais à partir pour la Flandre quand il m'a interpellé.

– Non, je ne le savais pas. Conrad n'est pas venu ici depuis qu'il t'a parlé. Domenico était-il contrarié par ce retard ? Vous aurez du mal à atteindre la Flandre avant les premières neiges, maintenant.

– Il n'est plus mon employeur, dit Orfeo en frappant du pied un morceau de bois calciné qui aboutit sur la pile, près de la fontaine.

– Orfeo ! Non ! Comment vivras-tu ?

Son visage s'illumina d'un large sourire.

– C'est ce que je suis venu te dire. Le sieur Domenico est un vieil homme fatigué de tant d'années dans le commerce. Je lui ai offert d'acheter ses marchandises et ses charrettes, ses bœufs et tout le reste, même son entrepôt et son emplacement sur le marché. Et il a accepté. Bien sûr, je n'avais pas toute la somme nécessaire, mais mon frère Piccardo a accepté de partager les frais et de devenir mon partenaire.

– Piccardo ferait concurrence à ses frères?

– Oui, s'il peut ainsi devenir autonome. Quand notre père est mort, Piccardo a reçu une somme d'argent, mais c'est Dante qui a hérité de l'entreprise familiale puisqu'il était le plus âgé. Depuis ce jour, Piccardo avait du mal à travailler sous les ordres de Dante.

– De toute façon, continua-t-il, nous emprunterons le reste de la somme à un prêteur sur gages. Si nous avons un peu de chance et faisons de bonnes affaires, nous rembourserons toute la somme en quelques années. Et voici le meilleur: Piccardo accepte de faire la plupart des voyages. Je vais diriger l'entrepôt et notre étalage sur le marché et tenir les livres ici, à Assise.

Il se tourna vers elle, dégageant doucement de son bras la main d'Amata. Il prit ses deux mains dans les siennes et la regarda dans les yeux. Pendant un moment, la cour, les murs de pierre noircis, même les contours de son corps et de son visage s'embrouillèrent alors qu'elle croisait son regard. Elle ne voyait que le feu qui brûlait au centre de ses pupilles.

– Nous pouvons nous marier maintenant, Amatina, commencer notre famille, si tu acceptes de m'épouser. C'est toi que je veux et que j'aime. L'argent n'est pas si important pour moi. Le fait d'être ensemble suffira; le reste viendra avec le temps et le dur labeur.

Amata dégagea ses mains.

– Et tu te contenteras des plaisirs de la vie au foyer?

– Je peux seulement te jurer que je ferai tous les efforts nécessaires.

– Je ne peux rien te demander de plus.

Elle n'hésita qu'un instant avant de lui sauter dans les bras.

– Orfeo. Tu dois savoir que je te veux plus que tout au monde. C'est ce que je voulais t'entendre dire le soir où nous nous sommes séparés.

Orfeo la serra vigoureusement contre sa poitrine.

– Tu dois comprendre que je peux parfois être lent d'esprit. Il faut bien m'expliquer les choses. Promets-moi d'être indulgente à mon égard à l'avenir.

Amata enfouit son visage dans les chauds replis de la tunique d'Orfeo, jusqu'à ce qu'elle sente ses bras se détendre. Elle réalisa qu'il regardait quelque chose ou quelqu'un par-dessus son épaule. Elle se retourna et vit Pio qui se tenait debout d'un air embarrassé à l'extrémité de la cour. Derrière lui, dans l'obscurité du cloître, les servantes se remirent soudainement à frotter et à dépoussiérer.

– Le repas est presque prêt, *madonna*, dit-il.

– Pio, nous allons nous marier ! laissa tomber Orfeo.

Le jeune homme souriait d'une oreille à l'autre en regardant tour à tour Orfeo et Amata. Étrangement, sa réaction la décevait. Peut-être s'attendait-elle à une attitude plus triste de la part de quelqu'un qui était épris d'elle depuis si longtemps.

– Avec votre permission, *madonna*, lui dit Pio en faisant une brève révérence, je veux me marier aussi.

– Toi, Pio ? Mais avec qui ?

Elle regarda le groupe de servantes et vit que tous les yeux s'étaient tournés vers Gabriella. Le rouge monta immédia-tement aux joues de la jeune fille et tout le groupe disparut en riant dans le hall principal, suivi de près par un Pio tout aussi embarrassé. Puis Amata se souvint que, la nuit de l'incendie, elle s'était fait réveiller par Gabriella, alors que Pio avait été le premier à réveiller les hommes. Comment ne l'avait-elle pas remarqué ? Donna Giacoma aurait certainement eu l'intuition de cette idylle.

Elle murmura à Orfeo :

– C'est une bonne chose que je ne sache pas tout ce qui se passe dans ma maison la nuit. Je pense que mon laxisme, ou mon ignorance, a contribué à épargner ma maison et à sauver des vies.

Elle prit la main tendue d'Orfeo et son pas retrouva son entrain habituel pendant qu'ils se dirigeaient vers le grand hall.

– À propos de l'argent… J'avais seulement besoin d'être certaine, Orfeo. Nous n'avons pas réellement besoin de recourir à un prêteur sur gages. Et, si besoin est, je travaillerai à tes côtés avec autant d'ardeur que n'importe quel homme. Aussi, j'espère que nous pourrons *parfois* voyager ensemble. Nous savons tous deux qu'il y a encore de l'eau salée qui court dans tes veines. Et je n'ai toujours pas vu le lever de soleil et les vitraux dans la cathédrale de Lyon…

XLI

Après le déjeuner, le matin suivant, Matteus vint chercher Conrad.

– Accompagnez-moi pendant mes tournées d'aujourd'hui, frère, dit-il. Je vous présenterai vos patients et vous expliquerai vos tâches.

À la demande du médecin, Conrad remplit un seau d'eau dans une citerne et le suivit dans l'espace ouvert qui séparait le réfectoire du dortoir des hommes. Matteus frappa doucement à la porte de la chambre du premier homme, un parmi plusieurs qui étaient trop malades pour assister aux repas communautaires.

– C'est la cellule du vieux Silvano. Premièrement, nous le lavons et nettoyons sa chambre, puis nous le nourrissons, expliqua-t-il.

Conrad concentra son attention sur le crucifix cloué à la porte de la cellule, se raidissant contre la misère qu'il savait devoir affronter de l'autre côté. Une odeur nauséabonde s'échappa de la pièce quand Matteus ouvrit la porte. Le goût amer du gruau à demi digéré remonta à la gorge de Conrad.

Une silhouette se tenait recroquevillée sur une chaise de bois dans un coin – une créature aveugle et âgée, tapie dans sa bure de grosse toile trop grande pour son corps. Matteus fit signe à Conrad de se placer de l'autre côté de la chaise pendant qu'il criait au lépreux :

– Une autre journée ensoleillée, Silvano. Nous allons aérer votre chambre et vous amener prendre l'air aussi.

Ils soulevèrent le vieil homme dans sa chaise et le transportèrent à l'extérieur en le plaçant de façon à ce que les rayons du soleil réchauffent son dos.

– Voici le frère Conrad, poursuivit le médecin d'une voix forte. Il s'occupera de vous à l'avenir.

Matteus enroula une couverture autour du lépreux pendant que Conrad replaçait les draps, tachés de sang séché et de pus, qui recouvraient la paillasse de Silvano. Il versa de l'eau sur le plancher et commença à frotter.

Quand il eut terminé, Matteus secoua doucement le vieillard.

– Nous vous donnerons un bain sous peu, dit-il.

Silvano, qui commençait à reprendre vie au soleil, fit pour la première fois un signe d'assentiment. Le médecin envoya Conrad chercher de l'eau chaude à la cuisine pendant qu'il continuait sa tournée en envoyant dans la cour les moins faibles de ses patients.

Conrad remplit son seau avec l'eau d'un grand chaudron qui chauffait dans la cuisine. Il ramena l'eau propre dans la cellule de Silvano où Matteus lui demanda de retirer le voile du lépreux et de desserrer sa bure. À son grand soulagement, Conrad réussit à garder son repas dans son estomac alors qu'il nettoyait le corps et le visage en décomposition de Silvano. Plutôt que de provoquer chez lui un haut-le-cœur comme il l'avait craint, il éprouva, à la vue des lésions de l'homme, un élan de pitié et de compassion. Des larmes lui montèrent aux yeux pendant qu'il tordait son chiffon au-dessus du seau fumant.

Matteus observait avec attention pendant que le frère remplaçait le tissu sur les plaies de Silvano, drainant autant qu'il le pouvait le fluide jaunâtre. Finalement, Conrad frotta le vieil homme avec une serviette et enroula des bandes de tissu autour de ses mains et de ses pieds. Il résista à l'envie d'embrasser le vieillard, comme l'aurait fait saint François. L'avertissement que lui avait servi Matteus la veille avait donné le résultat escompté.

– Que la paix de Dieu soit avec vous, sieur Silvano, dit-il plutôt.

Le lépreux agita faiblement la main en guise de réponse.

– Il vous remercie, dit Matteus.

– Il ne peut pas parler?

L'homme fit un geste en direction de sa bouche ouverte et ce n'est qu'à ce moment que Conrad remarqua le chicot desséché à l'endroit où aurait dû se trouver sa langue.

Alors qu'ils se dirigeaient vers la cellule suivante, Matteus posa la main sur l'épaule du frère.

– Comment vous sentez-vous ?

– Honteux. Hier encore, je les voyais comme des pêcheurs qui méritaient leur sort. Comme le disait saint François, ce sont vraiment les pauvres du Christ.

– Vous commencez à comprendre, et c'est tout ce qui importe maintenant. Vous ferez beaucoup de bien ici.

Le patient suivant, un homme beaucoup plus jeune que Silvano, étonna Conrad. Son corps n'affichait pratiquement aucune lésion – seulement une plaque desséchée dans son dos, plissée comme les pétales d'un œillet. Toutefois, ses doigts s'étaient repliés sur eux-mêmes comme des serres ; son pouce reposait, inutile, contre sa paume, et une pellicule laiteuse, constellée de grains semblables à de la craie, recouvrait la cornée de ses yeux. En nettoyant la plaque séchée, Conrad lança un regard interrogateur en direction de Matteus.

– Même parmi les vrais lépreux, on trouve plusieurs formes de la maladie. Certains n'ont aucune lésion, d'autre en ont une seule ou plusieurs. Leur couleur varie du rose pâle, comme celui-ci, jusqu'au rouge foncé. Elles peuvent apparaître n'importe où sur le corps. Mais même si cette plaque est sèche pour le moment, elle est complètement engourdie. Il ne pourrait sentir votre eau-même si elle était bouillante. Cette partie de sa chair est morte à jamais.

Matteus parlait du lépreux d'une manière décontractée, comme s'il se trouvait dans une autre pièce. L'homme, quant à lui, regardait droit devant et semblait ne s'intéresser aucunement à leur conversation. Conrad y voyait la même lassitude qui l'avait effrayé la veille, quand il imaginait avoir pénétré dans le monde des morts vivants. Quand il eut terminé, il bénit le lépreux comme il l'avait fait pour Silvano, mais ce patient réagit encore moins que le vieil homme. Un sourire sans joie aux lèvres, Matteus frotta doucement le crâne chauve du lépreux avant de partir.

– J'ai vu plusieurs cas semblables au sien, dit-il une fois à l'extérieur. J'appelle ces lépreux des *cas limites*. Comme cet homme, ils ne présentent qu'une seule lésion, bien qu'elle soit moins sèche que la sienne. Et bien que les sensations soient amoindries à cet endroit, ils continuent de ressentir de la douleur. Leurs lésions sont de forme ovale, souvent avec un centre saillant et un rebord distinctement palpable.

Matteus secoua la tête, puis ajouta :

– La maladie est si complexe que je doute de jamais pouvoir la comprendre complètement.

Conrad retourna chercher de l'eau propre à la cuisine, essayant de retenir les explications de Matteus. Il avait beaucoup d'informations à digérer. Sur le sentier, il croisa plusieurs Crucigeri qui transportaient également de l'eau. Il avait fait la connaissance des cinq moines et des trois nonnes ce matin. Concentrés sur leur tâche du moment, ils l'accueillaient maintenant avec des hochements de tête courtois.

Ces religieux avaient une attitude fort sombre comparativement à celle des moines noirs de Dom Vittorio – peut-être parce qu'ils évoluaient dans un monde moins éloigné du Jugement dernier, ou peut-être parce que leur travail leur donnait peu de raisons de sourire. Conrad admirait leur silence et le fait qu'ils consacrent leurs vies à ces exclus. Il se sentirait à l'aise s'il devait travailler pour toujours parmi ces hommes – et même ces femmes, des créatures modestes et tout aussi dévouées.

Heureusement, même s'il n'était pas médecin, Dieu l'avait placé ici, dans ce contexte précis, parce que Matteus pouvait maintenant entrevoir la fin de sa propre démarche. Toutefois, il écarta rapidement cette idée, la jugeant trop orgueilleuse et la considérant comme une réaction exagérée aux louanges qu'avait formulées Matteus plus tôt. *La vanité s'éloigne à cheval et revient à pied*, se rappela-t-il. Il ne possédait pas le savoir particulier d'un bon médecin, non plus qu'il partageait le lien particulier qui existait entre Matteus et ses patients. De plus, au fond de son cœur, il continuait à croire que c'était la volonté de Dieu, et non les efforts de l'homme, qui déterminait qui allait mourir et qui allait guérir – une conviction que, de toute évidence, le médecin de Salerne ne partageait pas.

❧

Après un mois, Conrad s'était complètement intégré aux Crucigeri, exécutant ses tâches dans une paisible routine. Il conversait presque chaque jour avec Matteus et travaillait souvent à ses côtés après avoir fini de prendre soin des lépreux qui avaient été confiés à sa garde. L'ancien ermite avait beaucoup appris au sujet de ses patients et des multiples facettes de leur maladie, mais rien qui aurait pu l'aider à comprendre pourquoi Léon l'avait orienté vers l'hôpital.

Bien que les soirées d'été fussent devenues plus fraîches, les après-midi demeuraient suffisamment chauds et ensoleillés pour que les patients restent à l'extérieur. Un après-midi, Conrad aperçut le vêtement rouge du médecin dans l'allée des cellules et il s'empressa de le rejoindre avec son seau d'eau chaude. Matteus venait d'installer un de ses patients à l'extérieur de sa cellule.

– Comment allez-vous aujourd'hui, Mentore? demanda-t-il.

Le visage impassible, le lépreux leva les bras et fit glisser ses manches. Sa peau affichait de nombreuses lésions, mais Conrad remarqua qu'elles étaient, en grande partie, couvertes d'une croûte gris-pourpre. Les nodules sur son visage semblaient en voie de guérison également. C'était la première fois que Conrad voyait un quelconque signe d'amélioration chez un patient. Peut-être Mentore était-il atteint d'une de ces maladies de la peau que Matteus avait mentionnées. Conrad scruta les yeux du médecin, y cherchant une lueur d'espoir, mais il n'y vit qu'une profonde tristesse.

– Êtes-vous prêt? lui demanda-t-il d'une voix douce.

Le lépreux inclina la tête en signe d'assentiment.

– Je vais vous envoyer un prêtre qui entendra votre confession et vous administrera les sacrements, dit Matteus en faisant signe à Conrad de s'approcher.

– Prenez particulièrement soin de lui aujourd'hui, dit-il. Vous le préparez à rencontrer son Sauveur.

– Mais ses lésions semblent en voie de guérison, dit Conrad. Sa peau n'a jamais semblé en aussi bon état!

– Quelques-unes de ses lésions auront même disparu d'ici demain, répondit Matteus. C'est le signe d'une mort imminente que tous ici ont fini par reconnaître. Ils espèrent ce moment, sinon avec joie, du moins avec soulagement.

Le visage et les yeux de Mentore demeuraient complètement impassibles. Si l'homme éprouvait une quelconque émotion, il n'en révélait aucun signe. Conrad se souvint de la conversation qu'il avait eue avec Jacopone sur la route d'Assise au sujet de la poésie et de l'expérience humaine, et de la respiration intermittente des mourants. Pourtant, cet homme condamné était tranquillement assis sur son tabouret et respirait de manière assez régulière, stoïque comme un changeur de monnaie devant sa balance.

Conrad trempa sa serviette dans l'eau chaude et se mit à laver une main de l'homme. Une phrase de la lettre de Léon lui revint à l'esprit: *Les ongles du lépreux mort sont incrustés de vérité*. Avec ce qui lui parut être une curiosité presque morbide, il souleva l'autre bras du lépreux, mais les deux mains se terminaient par des moignons à la jointure des doigts. Il devrait attendre un autre moment pour trouver la signification de la phrase de Léon. Ce Mentore n'avait plus de doigts, et encore moins d'*ongles*. Il en était de même de ses pieds dont il ne restait que des nœuds tordus en guise d'orteils.

❦

Cette nuit-là, Conrad, dérangé par des sons qui ressemblaient à des hurlements de loups, dormit mal. Alors qu'il s'éveillait progressivement dans l'obscurité, il réalisa que les hurlements provenaient du quartier des lépreux. *Mentore doit être décédé*, pensa-t-il. Un cognement à sa porte et la voix de Matteus qui lui demandait de se rendre à la chapelle confirmèrent sa supposition.

Le médecin tenait une torche à la main, car le ciel s'était ennuagé pendant la nuit, voilant la lune. Une pluie fine tombait lorsqu'ils traversèrent la cour.

Les moines avaient déjà transporté le cadavre dans la chapelle, où il gisait, étendu sur une table entourée de chandelles, dans la nef. De chaque côté du chœur, les Crucigeri récitaient à l'unisson des psaumes pénitentiels. Les lépreux qui pouvaient marcher s'étaient rassemblés à l'arrière de la chapelle.

Conrad joignit les mains et suivit Matteus jusqu'au corps du lépreux. Il voulait ajouter sa propre bénédiction aux prières rituelles de la communauté. Comme Matteus l'avait prédit, les tubercules avaient complètement disparu sur le visage de Mentore. En fait, sa peau auparavant marbrée luisait, aussi blanche que la chandelle posée près de sa tête.

L'attention de Conrad fut attirée par les bras du lépreux, qui reposaient sur sa poitrine. Les lésions sur le dos des mains de Mentore s'étaient complètement asséchées et luisaient comme des pointes de lance noircies dans la lumière de la torche. Les doigts tremblants, Conrad souleva une des mains et la retourna. Il s'était également formé une croûte dure et noire sur la lésion de la paume. Conrad manipulait la plaie du bout des doigts et le membre entier bougeait d'un seul mouvement. Il replaça doucement le bras du lépreux dans sa position originale.

Posant une main sur le rebord de la table, il s'agenouilla et fixa, à l'extrémité de la nef, l'image du Christ crucifié au-dessus de l'autel. Son cœur se remplit d'une paix qu'il n'avait pas connue depuis le jour où Amata était arrivée à sa hutte. Toutes les tensions et l'anxiété des trente-quatre derniers mois s'évanouissaient et il éprouva une immense sérénité.

Il comprenait finalement! Comme Giancarlo di Margherita, il avait touché l'ongle avec sa propre main – *l'ongle du lépreux mort!*

❧

Conrad était assis dans la chambre de Matteus après les funérailles.

– Il y a deux autres choses que je dois savoir, dit-il. Ces symptômes de la lèpre peuvent-ils se manifester soudainement, disons dans une période de quarante jours?

Il s'inclina vers l'avant, laissant reposer ses coudes sur la table du médecin. Il tenait entre ses mains tous les éléments de l'énigme, mais il ne lui manquait que quelques confirmations pour les lier entre eux. La tapisserie que Léon avait tissée pour lui pourrait faire disparaître à jamais toute la vénération dont saint François était l'objet. Malgré ce fait, aux yeux de Conrad, le véritable récit de l'apparition des stigmates était plus merveilleux et plus noble que le mythe, tout comme la vérité sur la folle jeunesse de François surpassait la version aseptisée de Bonaventure.

– Normalement, ces symptômes n'apparaissent que lentement, sur une longue période, dit Matteus. Mais j'ai connu des cas où les lésions survenaient *du jour au lendemain*, dans une explosion de spasmes déchirants. Dans des cas semblables, l'inflammation recouvre le dos des mains et le haut des pieds. Les mains, surtout, deviennent chaudes et enflées, et extrêmement douloureuses.

Le médecin passa son doigt sur les veines qui striaient le haut de sa main, pour montrer la zone affectée.

– Ce stade aigu peut durer de quelques jours à quelques semaines avant que l'insensibilité ne s'installe. À mesure que l'inflammation diminue, les jointures et les tendons se contractent; ils conservent la position qu'ils avaient au repos pendant le stade aigu, comme les doigts repliés que vous avez observés chez certains de nos patients.

– Et les yeux?

467

En entendant la question, Matteus inclina la tête en signe d'approbation.

– Vous êtes un fin observateur, frère. En effet, cette forme aiguë de lèpre attaque d'abord les mains et les pieds, mais aussi les yeux. D'habitude, le patient devient aveugle : premièrement parce qu'elle dessèche les iris et, deuxièmement, parce qu'elle provoque une paralysie de tout le visage et rend le patient incapable de protéger ses yeux contre les rayons du soleil en fermant ses paupières. C'est pour cette raison que nous assoyons nos patients le dos au soleil.

Conrad inclina la tête en manipulant sa barbe blanche.

– Tout ce que Léon a écrit est vrai.

Une impression de vide s'insinua dans son calme intérieur, un sentiment semblable à la dépression, semblable à ce que Rosanna lui avait dit avoir vécu après son accouchement ou encore, semblable au sentiment que peut éprouver un artiste à la fin d'un long projet.

– Frère ?

L'inquiétude dans la voix de Matteus ramena Conrad à la réalité du moment. Il éprouvait tout à coup le besoin impérieux de partager toutes ses conclusions avec le médecin, tous les événements et toutes les découvertes de sa quête qui avait duré presque trois ans. Un laïc érudit, se sentant moins menacé par ses conclusions que ne le serait un disciple de saint François, l'écouterait sans doute avec plus de patience et de sympathie que ses frères religieux.

Les paroles qui pourraient modifier à tout jamais l'histoire de l'Ordre commencèrent à sourdre dans cette pièce poussiéreuse au cœur de la vallée isolée qui abritait la léproserie. Conrad parla de l'amour de François envers les lépreux, du mont de l'Alverne et des hymnes qu'avait dictés le saint à cet endroit, de la cécité qui avait commencé à se manifester sur la montagne, de la manière dont Donna Giacoma avait décrit le saint au moment de sa mort, de la peau laiteuse et de la blessure semblable à une rose sur son flanc, de la façon dont Élie s'était emparé du corps de François et l'avait caché, et de la façon dont les ministres généraux avaient modifié les récits de sa vie. Puis, il confia au médecin le contenu de la lettre de Léon et sa propre quête pour en comprendre la signification. Cette signification lui semblait maintenant évidente : le *pauper Christi*, le lépreux que servait Léon, était nul autre que le *petit homme pauvre* d'Assise, *Il Poverello di Cristo*.

Matteus, fasciné, écoutait en silence pendant que Conrad démêlait son écheveau.

– Et votre saint François, demanda-t-il finalement, a-t-il jamais reconnu lui-même l'existence des stigmates ? N'a-t-il jamais déclaré, comme saint Paul, *ego stigmata Domini Jesu Christi in corpore meo porto*, « je porte en mon corps les marques du Seigneur Jésus » ?

– Il a seulement dit : « Mon secret m'appartient. » Pourtant, sa joie sur le mont de l'Alverne est entièrement plausible. Dans sa grande humilité, il cherchait constamment à se rabaisser. Il aurait davantage remercié le séraphin de lui avoir transmis la lèpre que les stigmates, convaincu qu'il aurait été de mériter la première et d'être indigne des seconds. Après l'épisode du mont de l'Alverne, il pouvait réellement affirmer, comme son Seigneur crucifié, « *Mais moi, je suis un ver, et non point un homme.* » Il pouvait partager l'humiliation du Christ sans partager la gloire de Ses blessures.

– Mais acceptez-vous le fait qu'il ait vu un ange, demanda Matteus, même s'il était peut-être déjà aveugle à ce moment ?

Malgré sa propre interprétation des événements, Conrad se sentit blessé par le scepticisme qu'il perçut dans la voix du médecin.

– Même un aveugle peut voir grâce à sa vision intérieure, dit-il.

Après un moment d'hésitation, il ajouta doucement :

– Il m'est arrivé quelque chose de semblable dans l'obscurité totale de ma cellule de prison.

Matteus l'étudia en silence pendant un instant.

– Bien sûr, dit-il finalement. Pardonnez-moi, frère. Je regarde un tel phénomène sous l'angle de la médecine. Par exemple, d'un point de vue strictement médical, je ne serais pas surpris d'apprendre qu'un homme ayant jeûné pendant quarante jours en méditant sur l'archange Michel et sur la Sainte Croix voie apparaître devant lui un séraphin portant les stigmates du Christ. Personnellement, je trouve que l'expérience spirituelle de saint François sur la montagne avait plus d'importance que ses manifestations physiques.

– Pourquoi ? demanda Conrad.

– Quand un empereur récompense un soldat pour son courage avec quelques cadeaux de valeur, les gens applaudissent cet homme. Pourtant, l'objet n'est qu'un symbole du courage dont le soldat a fait preuve.

Il posa la main sur sa robe.

– Mes patients regardent mon vêtement rouge avec un respect mêlé d'admiration. Pourtant, ce vêtement ne signifierait rien sans les années d'études qu'il symbolise. Comprenez-vous où je veux en venir ?

– Vous dites que ce qui est arrivé *physiquement* à François sur le mont de l'Alverne n'a pas d'importance ? Que la spiritualité qui a engendré les manifestations physiques importait davantage ?

– Oui, à mes yeux de chrétien sincère. Ses réalisations spirituelles, que je peux moi-même tenter de surpasser, m'inspirent davantage qu'un stigmate que je ne pourrai jamais comprendre ou même imaginer.

Conrad regarda de nouveau le petit nodule au front de Matteus.

– Pourtant, il se peut qu'un jour vous soyez aussi marqué par ces blessures plus humbles.

– Oui, c'est possible. Et, à partir de maintenant, j'aurai recours à cette pensée pour dissiper les quelques regrets que je pourrais avoir.

Matteus tapota la table, se demandant s'il devait en dire plus. Finalement, il regarda Conrad et ajouta :

– Pour des raisons essentiellement physiques, je n'ai jamais cru, de toute façon, à l'histoire des stigmates de saint François.

Réagissant au regard surpris de Conrad, il montra les paumes de ses mains.

– Quand j'étudiais l'anatomie, j'ai réalisé que Notre-Seigneur ne pouvait pas avoir eu les paumes percées lorsque les Romains l'ont cloué à la croix. La chair de ses mains n'aurait pu supporter son poids pendant trois heures sans se déchirer.

Avec son pouce gauche, Matteus pressa les tendons de son poignet droit.

– C'est ici qu'ils ont dû planter le clou pour pouvoir soutenir son corps. Malgré cela, d'après ce que j'ai entendu, les blessures de saint François seraient apparues dans ses paumes. Je me suis toujours demandé, aussi, s'il avait réellement été marqué des blessures de la crucifixion, pourquoi ne présentait-il pas également les lacérations de la couronne d'épines sur sa tête. Et qu'en est-il des quarante coups de fouet que Jésus a reçus sur le dos ? Je n'ai pas entendu parler de telles marques sur le dos du saint.

– Et n'avez-vous jamais exprimé ces doutes ? demanda Conrad.

Matteus éclata de rire.

– Vous devez être un personnage assez particulier pour poser une telle question en sortant vous-même du cachot. Avez-vous entendu parler du frère prêcheur Thomas d'Aversa?

Conrad secoua la tête.

– Il faisait des sermons à Naples, alors que j'étudiais à Salerne. D'après la légende, il avait un jour aspergé publiquement d'eau bénite des stigmates. Pour cette raison, le pape lui a interdit de prêcher pendant sept ans, ce qui, pour un dominicain, équivaut à se faire interdire de vivre dans la pauvreté. Ce frère Thomas est actuellement l'inquisiteur de Naples. Il se décharge de sa frustration – qu'il impute à saint François – sur vos frères spirituels en les assassinant lentement et joyeusement au moyen de diverses tortures lancinantes. Ce qui me ramène à votre question. Non, frère, je n'ai jamais exprimé mes doutes, et je n'en ai pas non plus l'intention. Je n'ai jamais été le genre d'homme qui rame contre le courant.

Matteus eut ce sourire pincé qui le caractérisait.

– Et vous? Que prévoyez-vous faire de votre nouveau savoir?

Conrad grogna en s'étirant.

– Je vais expliquer tout cela au frère Jérôme d'Ascoli, notre nouveau ministre général. Je pense que Dieu m'a volontairement caché la vérité jusqu'à maintenant. Jusqu'à ce que Bonaventure meure. Jérôme est un homme honnête et équitable. Il fera ce qui est bien.

Matteus siffla doucement en se levant de table.

– Vous aspirez vraiment au martyre, n'est-ce pas?

Il se rendit jusqu'à la porte et regarda dans la direction du soleil levant.

– Je serais désolé de vous perdre si tôt, dit-il par-dessus son épaule.

– Je suis heureux ici, dit Conrad. Avec la permission de mon supérieur, je reviendrai ici avec joie.

Matteus pointa le doigt à travers la brume en direction de l'ouest.

– Regardez. L'Arche d'Alliance.

Conrad suivit des yeux la direction qu'il indiquait et vit un double arc-en-ciel au-dessus des arbres.

– Comment avez-vous appelé cela?

– C'est un jeu de mots, frère. Le signe en forme d'arche de la promesse que Dieu a faite à Noé.

– Mais vous l'avez comparé à l'Arche d'Alliance, le saint des saints où les Hébreux conservaient les tablettes des dix commandements.

Matteus émit un faible ricanement.

– N'y voyez aucune interprétation profonde, frère.

Conrad écarta la remarque d'un geste de la main.

– Je comprends ce que vous voulez dire. Mais mon esprit s'est déjà engagé sur une voie différente, mon ami. Que Dieu vous bénisse, Matteus. Vous m'avez dit où était enterré saint François.

XLII

Conrad attendait Jérôme d'Ascoli dans la pénombre de l'église inférieure de la basilique. Par prudence, il avait demandé au ministre général de le rencontrer à l'extérieur du monastère. Il appréciait la fraîcheur des carreaux sous ses pieds nus de nouveau libérés des sandales. Plus jamais, espérait-il, ils n'auraient à endurer le froid d'une prison souterraine.

Comme c'était le jour du Seigneur, le muraliste et son apprenti avaient pris congé. Leurs échafaudages déserts surplombaient le coin nord-est de l'abside. En attendant le ministre général, Conrad prit plaisir à examiner la fresque terminée de la Madone et de saint François. Sans la présence gênante du peintre, il pouvait étudier de plus près la ressemblance entre la représentation de l'artiste et l'apparence réelle de saint François. Les lèvres et les oreilles du saint paraissaient plus épaisses qu'au moment où il avait vu la fresque pour la première fois, et son regard fixé sur l'éternité lui rappela celui des patients aveugles de Matteus. Le visage du saint exprimait la même imperturbabilité qu'il avait remarquée chez les lépreux.

Conrad songea que la similitude avec les lépreux découlait sûrement de sa vision diminuée ou du faible éclairage que diffusait l'unique lampe à huile sur le maître-autel. Comme l'artiste Cimabue n'avait jamais vu François de son vivant, le personnage qu'il avait peint était tiré de son imagination. Mais par ailleurs, le Saint-Esprit n'aurait-il pas guidé son pinceau dans la réalisation d'une telle œuvre sacrée ?

Il entendit fermer une porte à l'arrière de la nef. Un frère s'approcha d'un pas vigoureux dans la semi-obscurité et s'arrêta près du maître-autel.

– Frère Conrad! l'accueillit Jérôme sur un ton joyeux. Je ne m'attendais pas à vous revoir si tôt.

Ses yeux pâles brillaient dans la lueur de la lampe.

– Je ne m'attendais pas non plus à revenir si tôt, mais j'ai appris quelque chose d'extrêmement important à San Salvatore, quelque chose de suffisamment important pour que je vienne immédiatement vous en parler.

– Ici, dans l'église? Pourquoi pas à mon bureau?

Conrad, qui hésitait à admettre son manque de confiance, même envers ce bon ministre général, marmonna finalement:

– Je ne voulais pas subir le sort du messager porteur d'une mauvaise nouvelle.

Jérôme fronça les sourcils.

– Et quelle est cette nouvelle, frère?

Conrad pointa son index en direction de la représentation du saint sur la fresque. Peut-être pourrait-il arracher un aveu au ministre général en allant droit au but.

– *Francesco Lebbroso*, François le Lépreux. Il semble y avoir un élément de vérité dans cette appellation, ne croyez-vous pas?

Tout en parlant, Conrad étudiait le visage de Jérôme, essayant d'y déceler la moindre réaction. Les yeux bleus fixèrent la direction qu'il avait indiquée, mais il n'y vit aucun signe de compréhension.

Conrad poursuivit en se servant des mots qu'il avait appris au cours du mois passé en compagnie de Matteus:

– Le médecin de la léproserie aurait probablement diagnostiqué chez lui la «lèpre lépromateuse limitrophe», qui se distingue par une seule lésion de forme ovale et de couleur rosée sur le côté, ainsi que par une diminution de la vision et des croûtes maculaires aux mains et aux pieds.

Les yeux de Jérôme se rétrécirent.

– Aaah! Je comprends où vous voulez en venir, frère Conrad, dit-il de sa voix chantante. La question que je me pose, c'est «pourquoi?». Avez-vous, alors que vous gisiez enchaîné dans votre cellule pendant ces trois années, ourdi un complot mensonger, approuvé par tous les premiers camarades de saint François et peut-être à l'instigation de notre maître lui-même? Votre visite à la léproserie a-t-elle alimenté quelque idée qui avait déjà germé dans votre imagination? Vous n'êtes pas le premier à mettre en doute les stigmates, mais je dois admettre que je suis étonné d'entendre de tels propos de votre part. Vous êtes sans doute le premier à qualifier saint François de lépreux.

– S'il vous plaît, veuillez écouter ce que j'ai à dire, frère Jérôme.

Le ministre général soupira, ses yeux reflétant une tristesse et une sympathie habituellement réservées aux esprits dérangés. *J'avais tant de projets pour vous*, semblait-il dire, *mais je n'avais jamais imaginé que votre esprit serait devenu si perturbé.* Quoi qu'il en soit, il fit signe à Conrad de poursuivre.

Conrad prit une profonde inspiration et se lança une fois de plus dans le récit de son pèlerinage. Tandis qu'il guidait pas à pas Jérôme sur la même route qu'il venait de suivre avec Matteus Anglicus, le ministre général écoutait, les bras repliés sur sa poitrine. À un moment, il joignit ses mains délicates derrière son dos et se mit à faire les cent pas entre la fresque et le maître-autel en jetant de temps en temps un regard sur la peinture. Son visage demeura impassible quand le frère eut terminé son récit.

– Le frère Illuminato ne vous a-t-il pas expliqué tout cela quand vous êtes entré en fonction? demanda Conrad. Cela ne fait-il pas partie des traditions secrètes transmises d'un ministre général à l'autre? Quand j'étais en prison, j'ai eu l'impression que le frère Jean de Parme le savait. Il l'a laissé entendre sans toutefois l'admettre ouvertement.

– Il n'y avait aucun secret rattaché à la fonction, dit Jérôme. Ni vous ni moi ne saurons jamais avec certitude si Élie avait sciemment engendré un tel mythe il y a cinq décennies. L'évêque Illuminato le sait peut-être, mais il ne m'a jamais communiqué un tel secret. Par ailleurs, même si votre théorie est vraie, je peux encore approuver la décision du frère Élie. J'aurais peut-être agi de cette façon dans les mêmes circonstances.

– Mais alors, vous auriez encouragé la diffusion d'un mensonge. Pourquoi avoir fait une telle chose? fit Conrad en crispant les poings à l'intérieur de ses manches. Saint François n'aurait jamais approuvé une telle supercherie.

Jérôme s'arrêta et étudia le personnage au visage imperturbable dans la fresque. Puis il se retourna vers Conrad.

– Au moment de sa retraite sur le mont de l'Alverne, saint François avait déjà abandonné la direction de l'Ordre à son vicaire désigné, Élie. Il a consacré les dernières années de sa vie à la contemplation, se laissant sombrer dans une sainte folie et confiant à Élie le soin de s'occuper de l'aspect pratique d'une organisation en plein essor.

– Malgré cela, poursuivit-il, François demeurait la figure de proue, le saint qui avait inspiré les jeunes hommes et les jeunes femmes à se défaire de leurs biens matériels et à se joindre à nous, celui qui avait convaincu les princes et les prélats de régler leurs querelles et les laïcs de renoncer à leurs habitudes pécheresses. Élie pouvait-il permettre que ce symbole se terre dans une léproserie, même s'il connaissait la raison de la transformation physique de son maître ? Pouvait-il laisser le monde soupçonner que notre saint fondateur aurait commis un péché si terrible que Dieu l'aurait châtié en lui infligeant la lèpre ? Croyez-moi, frère, saint François aurait fait beaucoup moins de bien en devenant un second Job qu'il ne l'a fait en devenant le second Christ. Plus que tout autre, Élie comprenait les aspects pratiques de la situation. C'est pourquoi, quand le pape en vint à souhaiter qu'on érige un monument afin de vénérer convenablement saint François, il ne put trouver personne d'aussi qualifié qu'Élie pour construire cette basilique, un projet que lui reprochent tant vos amis chez les frères spirituels. Élie amassa l'argent et termina sa tâche avec une rapidité incroyable. Pourtant, une fois son œuvre achevée, l'inscription qu'il fit apposer sur l'édifice était fort humble : *Frater Elias peccator*, Frère Élie, pécheur.

Jérôme prit entre ses mains la longue barbe de Conrad comme l'aurait fait un enfant offrant un bouquet et le fixa d'un air affectueux.

– Vous êtes arrivé cinquante ans trop tard avec votre hypothèse, frère. Si Léon avait vraiment voulu que le monde connaisse la maladie de François, il l'aurait annoncée à cette époque. Il a plutôt choisi de vous laisser cette responsabilité. Songez également que les gens croiront ce qu'ils voudront. À mon avis, vous découvrirez que les stigmates de Notre-Seigneur ont beaucoup plus d'attrait aux yeux des gens que votre *Francesco Lebbroso*.

La dernière phrase du ministre général se répercuta tout au long de la nef comme une déclaration irrévocable. Alors qu'il relâchait petit à petit la barbe de Conrad, l'obscurité silencieuse de l'église se referma autour de l'autel où les deux hommes se tenaient. Conrad imagina les esprits des premiers compagnons de François se levant de leurs tombes dans la chapelle, en rangs serrés, l'exhortant à continuer d'essayer, à faire éclater la vérité au grand jour.

– Mais nous pouvons le prouver, dit-il. Nous pouvons exhumer sa dépouille. Le médecin de San Salvatore m'a affirmé qu'en examinant le squelette il pourrait dire si François a souffert de cette maladie.

– Et comment proposez-vous de faire cela ? Personne n'a jamais vu les reliques depuis qu'Élie les a cachées.

– L'endroit où se trouve le cercueil a été gravé sur l'anneau de fonction que vous portez.

Jérôme parut un instant surpris. Ses lèvres s'écartèrent légèrement, puis se fermèrent de nouveau. Il porta l'anneau à sa bouche, soupira et tourna les talons. Conrad le suivit jusqu'à la lampe à huile devant laquelle Jérôme tint le lapis-lazuli. La pierre brillait d'une manière plus douce que les carreaux sous leurs pieds.

– Elle est fort égratignée. L'évêque Illuminato m'avait offert de la faire polir, dit le ministre avec un sourire empreint d'ironie. Son insistance à faire effacer la gravure *tend à* confirmer votre histoire.

– Cela n'a rien d'étonnant ! Il veut emporter ce secret dans la tombe ! s'exclama Conrad, mais on retrouve la même inscription ici, sur la pierre de l'autel. Je l'ai remarquée par hasard un jour.

Il conduisit Jérôme de l'autre côté de l'autel où se trouvait l'inscription. Il souleva la nappe de l'autel et parcourut du bout des doigts les sillons de l'arche double, la silhouette avec des cercles concentriques sur les épaules – les cercles qui, il le comprenait maintenant, représentaient la tête du saint et le halo qui l'entourait. Et qu'est-ce que le cercle plus grand entourant la silhouette pouvait représenter d'autre que son sarcophage ?

Les yeux de Jérôme s'agrandirent dans la faible lumière.

– L'anneau comportait effectivement un dessin semblable.

– Je crois que les deux arches représentent les tabernacles sur les maîtres-autels des églises supérieure et inférieure, dit Conrad. Ils contiennent le saint des saints, le corps consacré de Notre-Seigneur, comme l'Arche d'origine contenait les tables de la loi données à Moïse. Ce personnage avec le halo enfermé dans la crypte sous l'arche inférieure est saint François. Nous sommes en ce moment même au-dessus de sa tombe.

Jérôme réfléchit un moment, mais ne sembla pas convaincu.

– Je suppose que c'est possible. Mais il me faudrait des preuves beaucoup plus crédibles que votre interprétation fantaisiste de ce dessin pour que je démolisse l'autel et commence à creuser.

– Mais vous devez faire *quelque chose*, dit Conrad d'un ton désespéré. Vous pourriez forcer l'évêque Illuminato à admettre la vérité. Nous devons divulguer la vérité sur les légendes.

Conrad éprouva un double sentiment de doute et d'apitoiement sur lui. N'avait-il rien appris au cours de ces trois dernières années ? Avait-il sacrifié en vain sa sérénité, sa jeunesse et la moitié de sa vue ?

– Je ne suis même pas convaincu de la nécessité d'une telle mesure, répliqua Jérôme. À moins que l'évêque Illuminato ne corrobore votre histoire.

Il joignit de nouveau les mains derrière son dos et marcha lentement autour de l'autel en examinant les carreaux et la base de l'autel comme s'il les voyait pour la première fois.

– Voici ce que je vais faire, frère Conrad, dit-il en revenant à son point de départ. Je veux que vous ne disiez mot à quiconque de toutes vos trouvailles d'ici à la fête des Saints Stigmates, dans deux semaines. Comme c'est également le cinquantième anniversaire du jour où saint François a reçu les stigmates, toute la chrétienté sera présente, y compris le pape Grégoire, si sa santé le permet. Nous préparons cet événement depuis des mois et nous ne voulons pas compliquer les choses en ce moment. Pouvez-vous me faire cette promesse ? Ou dois-je vous ordonner de demeurer silencieux pendant deux semaines ?

– Pourquoi ne pas tout simplement me condamner au silence perpétuel, comme l'a fait Élie avec le frère Léon ?

Jérôme saisit Conrad par les épaules et lui dit d'un ton catégorique :

– Parce que, franchement, j'ai tendance à vous croire ; parce que je sais que vous avez souffert en essayant de découvrir la vérité de Léon ; et, surtout, parce que je préférerais que vous gardiez le silence de votre propre volonté.

Deux semaines. Le ministre général était-il sincère ? S'agissait-il d'une trêve jusqu'à ce que Jérôme trouve un moyen de le réduire au silence pour toujours ?

Conrad réfléchit. Il hésitait à aborder des questions d'ordre privé et spirituel, mais la situation semblait maintenant l'exiger. Il parla finalement d'une voix embarrassée :

– J'ai eu une vision du frère Léon, la nuit où j'ai reçu son message. Il réitérait l'ordre qu'il m'avait donné dans la lettre de découvrir la vérité derrière les légendes. Mais il n'était pas venu seul. Saint François était apparu à ses côtés, comme pour ajouter son autorité personnelle aux exhortations de Léon.

– Et qu'a-t-il dit ?

Conrad inclina la tête.

– Rien. Il n'a pas dit un mot, bien que j'aie ressenti un élan d'amour infini émanant de lui.

– Et voilà sans doute l'origine de votre problème. « Celui que le Seigneur aime, il le discipline. » De toute façon, je vous donne ma parole que nous reparlerons de tout cela après la cérémonie de commémoration.

– Ici ?

– Si vous le souhaitez, ou dans mon bureau. Vous n'avez rien à craindre de ma part. Je ne suis pas un tyran. Je ne vous ferai pas couper la langue ni arracher l'œil qu'il vous reste si vous persistez dans vos convictions. Mais j'ai besoin de deux semaines. Qu'en dites-vous ? Pouvez-vous m'accorder ces deux semaines ?

Conrad joignit les mains et s'inclina devant son supérieur.

– En vertu d'une obéissance forcée, *non*. Mais par respect pour vous, *oui*. Vous pouvez compter sur mon silence pendant deux semaines.

Il fit une génuflexion devant le tabernacle doré de l'autel, inclina la tête vers les précieuses reliques qu'il savait maintenant être cachées sous l'autel, et s'éloigna dans l'obscurité de la nef.

❧

L'odeur de bois brûlé flottait encore dans la ruelle à l'extérieur de la maison d'Amata. C'était, pensa Conrad, davantage l'odeur d'un matin d'hiver que celle d'un après-midi de septembre. Quand Maestro Roberto lui ouvrit la porte, les yeux tristes de l'intendant firent comprendre qu'un grave événement était survenu pendant son absence. Plutôt que de laisser cette tâche à sa maîtresse, Roberto conduisit directement le frère dans la cour et lui montra les ruines de la loggia. Pendant ce temps, Pio courait trouver Amata qui rejoignit les deux hommes près de la fontaine.

Sans mot dire, Conrad secoua la tête en apercevant la structure calcinée d'un écritoire parmi les décombres. L'odeur de destruction était aussi repoussante pour son esprit que pour ses narines. Peu à peu, il réalisa la présence de la femme à ses côtés. Il craignait de poser la question évidente, en particulier après qu'il se fut retrouvé dans une impasse avec le ministre général en ce qui concernait l'autre tâche que lui avait confiée Léon.

– Nous n'avons trouvé aucune trace du parchemin, dit Amata.

Celui que le Seigneur aime, il le discipline, se répéta Conrad.

– Comment cela est-il arrivé ? demanda-t-il.

Les épaules d'Amata s'affaissèrent.

– Jacopone en accusait un ange.

– Seul un serviteur de l'ange déchu, Lucifer, aurait causé de tels dommages.

– Jacopone a dit « *angelus Domini* ». Vous savez comment ses pensées s'égarent parfois.

– Je devrais lui parler, fit Conrad.

– Il est parti, frère, interrompit Roberto. Il a perdu le nord. Il est retombé dans sa folie.

– Et qu'en est-il du frère Salimbene et du frère Zefferino ?

Amata secoua la tête.

– Ils sont disparus pendant l'incendie, mais Pio a vu Salimbene courir le long de la loggia au début de l'incendie.

Conrad tira mollement sur sa barbe, essayant de recréer la scène dans sa tête. Le chroniqueur bedonnant n'était pas le genre d'homme à risquer sa vie, non plus qu'à « courir » où que ce soit. Il y avait peut-être là une lueur d'espoir.

– Salimbene ne se serait pas enfui s'il y avait eu la moindre possibilité de récupérer la chronique de Léon, dit le frère. Pour un tel manuscrit, l'homme risquerait *volontiers* sa vie. Il pourrait même aller jusqu'à voler ce manuscrit pour combler ce qu'il savait être une lacune dans l'histoire de l'Ordre. À mon avis, il s'est sauvé avec le manuscrit.

Tout en réfléchissant, Conrad frappait du poing la paume de son autre main.

– Il pourrait même avoir provoqué l'incendie pour couvrir un vol délibéré.

– En un sens, j'espère que vous avez raison, dit Amata. Nous saurions au moins que le manuscrit existe encore quelque part.

– Il se trouverait sans doute dans une des armoires du frère Lodovico. L'Ordre est trop attaché à son passé pour détruire toute trace des écrits de Léon.

Il plissa son œil valide en regardant le mur noirci qui avait jadis soutenu le scriptorium d'Amata.

– Ce n'est pas encore le moment, dit-il finalement. Quand le temps sera venu, Notre-Seigneur fera apparaître la chronique au grand jour.

Sa propre remarque lui donna à réfléchir. Il se surprit à se demander si la même idée pouvait s'appliquer à la lèpre de François? Peut-être n'était-ce pas le désir de Dieu qu'il annonce maintenant sa découverte. Peut-être Jérôme lui avait-il demandé ce délai pour cette raison, lui accordant les deux prochaines semaines pour se réconcilier avec ce fait.

– J'ai une autre nouvelle à vous apprendre, dit Amata sur un ton hésitant. Conrad lut dans ses yeux qu'il s'agissait d'une bonne nouvelle.

– Ton marchand est passé par ici, dit-il avec un sourire.

– Encore mieux, dit Amata. Nous avons publié les bans à l'église, le deuxième dimanche passé. Nous voulons que vous présidiez à notre mariage, car c'est vous qui nous avez réconciliés.

Conrad compta sur ses doigts.

– Les bans doivent être publiés deux autres fois. La dernière fois, ce sera le dimanche avant…

– Avant la fête des Saints Stigmates en l'honneur de l'oncle d'Orfeo, termina Amata. Nous avons déjà réalisé cela. Orfeo pense qu'il est de bon augure que notre mariage coïncide avec la célébration de la plus grande distinction de son oncle François. Il a dit que nous pourrions imaginer que les décorations et la cérémonie nous étaient destinées. Et saint François bénira sûrement notre mariage en nous souhaitant d'avoir de nombreux enfants.

Conrad ne souriait plus, mais il garda ses doutes pour lui. C'était la première mise à l'épreuve de sa promesse au ministre général. Il inclina simplement la tête.

– Ce sera donc la veille de la fête des Saints Stigmates.

Dans sa joie, Amata ne remarqua pas son changement d'humeur.

– Merci, Conrad, dit-elle. Alors voilà qui est arrangé.

Tout sourire, elle se tourna immédiatement vers son intendant.

– Maestro Roberto, nous allons préparer le festin pour cette soirée. Et je veux que vous envoyiez immédiatement un courrier chez l'oncle Guido au Coldimezzo, et je dois acheter des *panni franceschi* pour ma robe. Nous avons si peu de temps.

Elle prit Roberto par le coude, l'entraînant pratiquement de force hors de la cour et criant par-dessus son épaule:

– J'espère aussi avoir une surprise pour vous au moment de la noce, Conrad.

Le frère étendit les bras en prenant un air interrogateur, mais elle éclata de rire.

– Ce ne sera pas une surprise si je vous la dévoile maintenant, cria-t-elle avant qu'elle et l'intendant ne disparaissent.

Quand ils furent partis, Conrad s'approcha d'un amas de débris. Il se pencha et en tira un fragment de parchemin calciné. Il pouvait à peine lire les quelques mots couverts de suie, rédigés par Jacopone, mais il plia le parchemin et le glissa dans sa bure. Comme Amata, il espérait que la chronique était intacte et se trouvait en sécurité – même si elle lui serait pour toujours inaccessible – au Sacré Couvent. Autrement, ce morceau de manuscrit représentait le seul témoignage des cinq décennies d'indignation de Léon.

XLIII

Les derniers jours précédant le mariage, et la solennité de la cérémonie elle-même, passèrent comme dans un rêve aux yeux d'Amata. L'atmosphère qui régnait au sein du défilé conduisant les nouveaux mariés à leur banquet de noce changea immédiatement à la sortie de l'église. Le frère Conrad s'excusa, prétextant qu'il avait prévu passer la nuit à la Portioncule.

– Je serais inutile dans le rôle de la cinquième roue du chariot à votre banquet, expliqua-t-il à Amata.

Libéré de toute influence religieuse, un des invités au mariage entonna une chanson en l'honneur de l'ancien dieu romain du mariage :

– *Hymen, O Hymenae, Hymen…*

et ajouta des invocations à Vénus et au chérubin,

– *Quand la flèche de Cupidon te transperce…*

Lorsqu'ils furent de nouveau installés dans le grand hall de la maison d'Amata et d'Orfeo, le vin se mit à couler à flots. Apparemment, l'oncle Guido avait apporté du Coldimezzo son cellier tout entier. Les serviteurs se mêlaient aux charretiers, aux marchands et aux invités de la noblesse, et la fête dégénéra rapidement en bacchanale. Amata, heureuse comme un poisson dans l'eau devant cette scène de célébration – les couples dansant, blottis l'un contre l'autre sur des bancs, murmurant et rougissant –, prédit à Orfeo que plusieurs autres propositions de mariage seraient faites avant la fin de la soirée.

Un de ces couples tenta en vain de s'éloigner sans attirer l'attention. Les amoureux cherchaient l'intimité de la pièce du deuxième étage, même si, à cause de l'incendie, ils ne pouvaient l'atteindre que par une échelle. La femme s'agrippait au haut de l'échelle pendant que plusieurs hommes ivres tentaient de retenir son compagnon sur les premiers barreaux, laissant l'homme arrêté à mi-chemin entre le paradis et l'enfer. Il réussit finalement à atteindre la pièce et les invités poussèrent des cris de joie quand il tira l'échelle et la plaça derrière lui. Profitant du chaos, Orfeo murmura à Amata que c'était le moment parfait pour s'évader *eux aussi.*

La journée avait été particulièrement douce pour la mi-septembre, et aucune brise n'agitait les rideaux de leur lit à baldaquin. Amata remarqua avec plaisir qu'ils n'auraient nul besoin de couverture ce soir-là pour couvrir leur nudité. Suffisamment faible pour cacher de quelconques imperfections, mais assez brillante pour mettre en relief les douces rondeurs d'une femme ou le muscle de l'épaule d'un homme, la lumière orangée qui émanait de l'unique chandelle convenait parfaitement aux amoureux. L'odeur aromatique du chèvrefeuille se répandait dans la pièce par les volets de la fenêtre.

Elle délia la corde dorée qui serrait à la taille sa robe blanche et enleva le voile de ses cheveux. Orfeo la regardait d'un air gourmand tenant toujours son gobelet de vin, pendant qu'elle secouait ses boucles noires et faisait glisser sa robe par-dessus sa tête. Encore à demi empêtrée dans son vêtement, elle dit d'une voix aussi décontractée que possible :

– Te souviens-tu, mon amour, de l'histoire des nouveaux mariés qui, dans l'Ancien Testament, avaient passé leurs trois premières nuits en prière ? Peut-être que nous pourrions…

Elle regretta de ne pas avoir attendu d'être débarrassée de sa robe, car elle ne put voir l'expression sur son visage. Elle l'entendit tout de même s'étouffer avec sa gorgée de vin. Orfeo pointa un doigt accusateur dans sa direction, mais ne dit rien par crainte de s'étouffer de nouveau. Elle sourit par-dessus son épaule, se déhanchant de manière invitante tandis qu'elle se glissait entre les rideaux du lit.

Il retira ses bottes et sa ceinture puis la rejoignit, mais il portait toujours sa tunique de mariage.

– Orfeo, pourquoi ne te déshabilles-tu pas ? fit-elle d'une voix plaintive.

Les yeux sombres du jeune homme brillèrent dans l'obscurité.

– Tu devras mériter cette tunique, comme la femme d'un chef nomade, dit-il.

Il avait décidé de la faire attendre parce qu'elle l'avait taquiné. Il fit courir un doigt sur ses seins, puis autour d'un mamelon.

– As-tu déjà entendu l'histoire du bouffon Karim?

– Mon amour, ce n'est pas le moment de raconter une histoire.

– Je te promets que tu ne t'en plaindras pas. Je vais ponctuer chaque phrase d'un baiser… ou d'un autre plaisir.

Il attisa lentement la flamme du désir de la jeune femme pendant qu'il lui racontait comment un certain sultan avait récompensé Karim de sa brillante folie en lui offrant un vêtement aux couleurs de l'arc-en-ciel, un vêtement que la femme d'un chef avait décidé qu'elle devait s'approprier quand elle avait vu l'homme s'approcher à une certaine distance. « Soyez prudente, l'avait averti sa servante, Karim n'est pas aussi idiot qu'il le semble. » Mais la femme cupide se moqua de sa servante et invita le bouffon dans sa tente. Après avoir mangé et bu abondamment, Karim déclara qu'il ne céderait le vêtement que contre un acte d'amour, car la beauté de la femme éveillait chez lui un désir différent.

Maintenant, le corps d'Amata était envahi d'un désir que ne faisait qu'amplifier la rosée d'amour qui jaillissait littéralement de sa porte d'Astarté[1]. Tout son être frissonnait avant même qu'Orfeo ne la pénètre. Pendant un moment de plaisir incommensurable, il se tut, jusqu'à ce que le corps entier de la jeune femme entre en éruption et qu'il la ramène tranquillement, haletante et tremblante, à leur point de départ.

– Maintenant, enlève cette maudite tunique! dit-elle.

– C'est exactement ce que la femme du nomade a dit à Karim, répliqua-t-il. « Mais non, dit le bouffon, ce moment était pour vous, parce que je vous aime plus que toute autre femme. Cette fois, ce sera pour la robe. »

Son membre avait conservé toute sa rigidité. Quand elle commença à émettre de petits cris involontaires, Orfeo accéléra progressivement ses mouvements, jusqu'à ce qu'il s'effondre finalement sur la poitrine de la femme dans un long cri. Amata l'enlaça, heureuse de lui avoir plu également.

– La robe? dit-elle.

Le souffle court, Orfeo murmura:

– Cette fois-ci, c'était pour moi. Je te promets que, maintenant, ce sera pour la robe.

---

1. Déesse grecque de la Fécondité.

Étonnamment, son énergie masculine n'avait pas diminué. Le matin venu, elle devrait lui demander comment il avait fait, car d'après son expérience limitée des hommes, il avait physiquement accompli l'impossible. Toutefois, elle ne voulait pas l'interrompre maintenant, dans son état de surexcitation, sinon pour dire :

– Tu enlèves d'abord la tunique !

– Encore une fois, c'est exactement ce qu'a dit la femme du nomade, fit-il en éclatant de rire et en glissant finalement la tunique par-dessus sa tête pendant qu'elle l'aidait frénétiquement et lançait le vêtement entre les rideaux.

La poitrine, les épaules et le dos d'Orfeo étaient si musclés qu'Amata pouvait à peine l'entourer de ses bras. *Tous les hommes devraient passer cinq ans à ramer sur une galère*, se dit-elle avec amusement avant que des vagues d'extase chassent à nouveau toute pensée, traversant et retraversant son corps pendant qu'Orfeo transformait ce moment en une véritable éternité.

– Avec moi, viens avec moi, plaida-t-elle.

– C'est ce que je vais faire, répliqua-t-il d'une voix douce, mais pour le moment, mon plaisir est de te donner du plaisir.

Elle se laissa aller complètement, ballottée par les sensations, jusqu'à ce qu'elle croie qu'elle ne pouvait plus supporter cette douce douleur. La respiration d'Orfeo se fit de plus en plus profonde alors qu'il aspirait l'air, geignant comme si lui aussi était sur le point de se briser, et cette fois, ils s'effondrèrent ensemble.

Ils demeurèrent étendus pendant un long moment, puis Amata pressa doucement ses mains contre son ventre, certaine que cet instant d'extase mutuelle avait miraculeusement engendré une vie nouvelle en son sein – un secret qu'elle désirait garder pour elle jusqu'à ce qu'elle soit tout à fait sûre. Finalement, Orfeo se souleva sur les coudes et commença à écarter doucement ses cheveux de son front humide pendant qu'il la regardait en souriant. La tendresse de ce geste l'excitait presque autant que la sensation physique.

Quand elle eut repris son souffle, Amata éclata d'un rire triomphal.

– Maintenant la tunique m'appartient !

– Toi aussi, tu sous-estimes Karim, dit-il doucement. Il se retourna et s'assit au bord du matelas en écartant les rideaux. « *Il fait chaud. J'ai soif* », dit Karim à la femme après qu'elle eut échangé une des robes de son mari contre la sienne.

Orfeo se leva et prit son gobelet de vin.

– Karim prit le bol d'eau qu'elle lui offrit et s'assit sur le sol à l'extérieur pendant qu'il buvait. Au loin, Karim reconnut le mari qui chevauchait vers la tente, mais avant qu'il n'arrive…

Le gobelet glissa de la main d'Orfeo et éclata en morceaux sur le plancher.

– Oh! Orfeo, fais attention! dit Amata, mais il se contenta de sourire d'un air espiègle.

– … Karim brisa son bol de la même façon et commença à pleurer. Le chef descendit de son cheval et lui demanda ce qui l'avait rendu si triste. Karim lui expliqua comment, parce qu'il avait brisé ce simple bol de terre cuite, la femme du chef lui avait pris la belle robe que lui avait donnée le sultan. Le chef se précipita dans la tente, furieux que sa femme eût traité le simple d'esprit de si mauvaise manière, car à ses yeux, l'hospitalité était un devoir sacré. Il jura de battre la femme si elle ne lui redonnait pas la robe immédiatement.

– Et elle?…

– Et elle, dans sa sagesse, redonna la robe et garda le silence.

– Peu importe, dit Amata. Karim pourrait avoir engendré quelque chose en aimant si bien la femme du nomade. Il a probablement perturbé ses rêves pendant des années par la suite.

Amata devait elle aussi se débarrasser de son propre cauchemar. Pendant qu'Orfeo se reposait près d'elle, elle recommença à raconter l'histoire de l'ermite Rustico et de la jeune Alibech, le récit qu'elle avait entrepris de relater à Enrico le soir de la bataille dans la forêt. Elle raconta de nouveau comment l'anachorète avait surestimé son pouvoir de résister à la beauté de la jeune fille, et comment il lui avait finalement enseigné la façon de se débarrasser du démon. À ce moment, Orfeo interrompit son récit en se mettant à jouer activement le rôle de l'ermite. Mais au moment même où Amata l'enlaçait, une partie de son esprit s'attristait au souvenir du malheureux Rico qui n'avait jamais eu la chance de connaître un bonheur comme le leur. Peut-être réussirait-elle finalement, avec l'aide d'Orfeo, à éloigner ce fantôme à tout jamais.

Quand Orfeo se tourna finalement sur le dos, épuisé, Amata grimpa sur lui, et se plaça à califourchon sur ses hanches, imaginant que ses genoux ceinturaient un taureau musclé.

– Rustico, se lamenta-t-elle, pourquoi perdons-nous notre temps à nous reposer quand nous pourrions renvoyer le démon en enfer ?

Orfeo la regarda sous ses paupières lourdes.

– Je pensais bien que tu voudrais finir ton histoire.

Elle détecta un soupçon d'inquiétude dans ce regard, et c'était tout ce dont elle avait besoin pour continuer son récit.

– C'est un récit sans fin, l'avertit-elle. Au début, Alibech songea que l'enfer devait être un endroit extrêmement désagréable, car le diable de Rustico la faisait terriblement souffrir. Mais plus elle exécutait ce geste de dévotion, plus elle y prenait plaisir. *En vérité*, pensa-t-elle, *le Seigneur n'avait-il pas dit : « Car mon joug est aisé et mon fardeau est léger »* ? Elle se demanda pourquoi toutes les femmes ne quittaient pas la ville pour aller plaire à Dieu dans les endroits reculés.

Amata se mit à masser la poitrine et les épaules d'Orfeo, un air triste sur le visage.

– Mais hélas, plus elle devenait impatiente de recevoir et de retenir le démon de Rustico, plus le démon lui échappait, et elle commença à grommeler : « Frère, je suis venue ici pour servir Dieu et non pour demeurer oisive. » L'ermite, qui ne se nourrissait que de racines et d'eau et n'avait pas la force de combler toutes ses demandes, lui expliqua qu'il devait également s'occuper de son jardin et que le démon ne méritait d'être jeté en enfer que lorsque, dans son orgueil, il relevait la tête. Le jeune homme réalisa finalement, à sa grande surprise, qu'il faudrait de nombreux démons pour tempérer tout à fait l'enfer d'Alibech et, bien qu'il la ravît promptement, elle était rarement satisfaite, et chaque occasion ne la rendait que plus insatiable.

La chandelle s'était maintenant éteinte. Orfeo poussa un rire dans l'obscurité. Amata prit sa tête entre ses mains et il se releva sur les avant-bras, la jeune femme toujours assise à califourchon sur lui, et il pressa ses lèvres sur son sein. *Mon Dieu, je ne finirai jamais l'histoire*, pensa-t-elle tout en appréciant l'idée de la poursuivre nuit après nuit. Après tout, elle lui avait dit que c'était une histoire sans fin.

Elle fit de son mieux pour poursuivre son récit plus rapidement.

– Pendant que cette lutte continuait entre l'enfer d'Alibech et le démon de Rustico en raison du désir excessif de l'une et du manque de puissance de l'autre…

Mais elle dut s'interrompre, car le démon d'Orfeo prenait encore d'assaut *son* enfer, soulevait ses hanches sous elle et refusait de courber l'échine jusqu'aux premières lueurs du jour.

Dans la lueur pâle de l'aube, Amata bénit silencieusement les courtisanes d'Acre et de Venise, ou qui que ce soit qui avait enseigné à Orfeo les innombrables et subtils secrets de l'amour et lui avait inspiré la patience et l'endurance nécessaires pour les mettre en pratique. Pour la première fois, dans les bras de cet homme qui sentait la mer et le Levant, les cols de montagne enneigés et les bazars exotiques, elle réalisa le plein potentiel sexuel de son corps, le plaisir pour lequel elle comprenait maintenant qu'elle était née.

Des larmes de joie perlèrent aux yeux d'Amata.

– Je suis si heureuse, murmura-t-elle du fond de son cœur, et elle pensa : *Je suis si contente de ne pas t'avoir tué.*

Elle blottit sa tête contre l'épaule d'Orfeo, caressant son ventre, jusqu'à ce qu'un coup brutal se répercute à travers la porte de la chambre.

– *Scusami signore, signora*. La procession de saint François va commencer. Vous m'aviez dit de vous prévenir.

Des pas timides s'éloignèrent le long du corridor alors qu'un concert de trompettes résonnait au loin.

Amata songea à quel point elle avait aimé entendre ce « *signora* ».

❧

Les torches de résine firent entendre toute la nuit leurs sifflements dans le bois entourant la Portioncule. Conrad sortit au petit matin et regarda le spectacle alors que des centaines d'autres torches descendaient la colline vers la minuscule chapelle. Les membres des guildes étaient venus en masse et déroulaient les bannières de leurs divers métiers au son des trompettes au moment où le soleil apparaissait au sommet du mont Subasio.

Conrad, l'amoureux de la solitude, qui passait volontairement inaperçu dans sa bure grise, se retrouva soudainement plongé dans un tourbillon de couleurs. En compagnie des autres frères qui s'étaient rassemblés à la chapelle, il suivit le long de la colline les chevaliers et les gardes civils derrière qui venaient les membres des guildes avec leurs fanions, entourés par le clergé – de pauvres prêtres de campagne dépenaillés en soutanes noires et surplis blancs usés, des évêques et des cardinaux à l'avant avec leurs habits somptueux – et, en tête du défilé, le pape Grégoire lui-même.

Aussitôt qu'ils eurent entrepris leur marche, une multitude de citoyens s'étaient précipités à leur rencontre aux portes de la ville. Dans leur enthousiasme, ils avaient brisé les branches basses des oliviers qui bordaient le sentier, à l'endroit même où Conrad s'était arrêté trois ans auparavant. Le vert pâle des feuilles agitées par le vent contrastait avec les couleurs des bannières. Les membres de la Compagnia di San Stefano, un groupe de flagellants d'Assise, entonnèrent un hymne aux stigmates de saint François :

– *Sia laudata San Francesco,*
Quel caparve en crocefisso,
Como redentore …
Béni soit saint François
Qui est apparu crucifié
Comme le Rédempteur…

Les cavaliers tentaient de contrôler leurs montures énervées par les torches et les cris. Une forte odeur de crottin de cheval émanant du sentier poussiéreux avertit Conrad de regarder où il mettait ses pieds nus. La couleur du ciel sans nuages passa du gris au pourpre et à l'indigo puis à un bleu lumineux pendant l'heure que prit la procession pour atteindre les murs de la ville et la Porta San Pietro. Ici, la foule se sépara, les frères et les prélats poursuivant leur chemin jusqu'à l'église inférieure de la basilique, alors que la populace envahissait l'église supérieure et débordait sur la Piazza di San Francesco.

Conrad s'éloigna des deux groupes pour se placer à l'extrémité sud-est de la grand-place, d'où il pourrait observer le spectacle dans son ensemble.

On avait invité quelques citoyens importants à la cérémonie principale qui avait lieu dans l'église inférieure : des dirigeants de haut rang et des bienfaiteurs d'Assise. Conrad aperçut Orfeo et Amata dans ce groupe et remarqua les yeux troubles de l'homme ainsi que les bâillements de son épouse. Il réalisa qu'Amata avait probablement payé la tombe de Donna Giacoma. De plus, son époux était un parent du saint de même qu'un ami personnel du pape.

Orfeo discutait avec un jeune homme légèrement plus grand et plus mince que lui, probablement son frère Piccardo qui s'était associé à son entreprise. Pendant ce temps, Amata était accroupie près d'un brancard porté par quatre serviteurs.

Conrad crut reconnaître un des serviteurs, mais il ne se fiait ni à sa vision ni à sa mémoire pour deviner l'identité de l'homme à cette distance. La personne étendue sur le brancard avait déployé sur son corps une couverture de voyage, mais la guimpe qu'elle portait laissait deviner qu'il s'agissait d'une femme. Amata semblait connaître la malade, qui s'était sans doute rendue ce jour-là à la basilique dans l'espoir d'une guérison miraculeuse. Conrad se mordilla la lèvre inférieure en réalisant l'ampleur de la crédulité populaire qui s'exprimait tout autour de lui, contrarié de savoir que seuls lui et Jérôme comprenaient la supercherie sur laquelle se fondaient les espoirs de la femme.

Amata se redressa et scruta des yeux les frères qui entraient en file dans l'église. Conrad suivit son regard. Il pensa reconnaître Zefferino à ses mouvements saccadés, bien que le frère se tînt le dos courbé et la tête inclinée sous son capuchon. Il réalisait qu'il avait commis une erreur en enjoignant à son geôlier de quitter le donjon du Sacré Couvent: son compagnon temporaire s'était encore davantage renfermé sur lui-même. Il vit aussi le jeune Ubertin, qui l'avait averti du danger deux ans plus tôt. Le jeune homme semblait chanter avec ferveur, mais Conrad remarqua que ses yeux se promenaient sur la foule, curieux comme toujours. L'ermite se demanda si certains frères spirituels prendraient le risque d'entrer dans l'église ou s'ils allaient célébrer ce jour solennel ailleurs, en sécurité dans leurs grottes et leurs huttes ainsi que dans des lieux de réunions secrets dans les montagnes. De toute évidence, aucun des frères présents n'était un amoureux de la pauvreté en guenilles ni affamé.

Puis Conrad aperçut l'homme qu'il souhaitait le plus voir. Le frère Salimbene, les bras repliés sur son ventre proéminent, avait été jumelé, dans la procession, au frère Lodovico. Soudain saisi d'un besoin urgent de leur parler du manuscrit de Léon, et sans tenir compte de la cérémonie en cours, il se dirigea à grands pas vers l'église inférieure. Le fait de les attraper à l'extérieur du monastère pourrait représenter sa seule chance de savoir avec certitude si la chronique existait toujours ou si elle avait été détruite dans l'incendie. Bien qu'il voulût faire confiance à Jérôme, le souvenir de ses deux années au fond d'un cachot était encore trop présent à son esprit; il savait qu'il lui faudrait des années avant de pouvoir entrer à nouveau dans le Sacré Couvent, si même il y parvenait un jour.

Il avait presque atteint la procession lorsqu'un garde civil lui bloqua le chemin. L'homme tenait sa pique à l'horizontale et refoula Conrad et ceux qui l'entouraient contre le mur pour dégager une allée à travers la petite place.

– Laissez passer le doge de Venise! cria le garde.

L'enthousiasme de la foule se calma jusqu'à devenir un murmure alors qu'un homme de la noblesse, somptueusement vêtu, descendait de sa litière. L'homme inclina la tête d'un côté et de l'autre, acceptant l'hommage que lui rendaient les spectateurs. Il s'était éloigné de plusieurs pas en direction de l'église quand le concert de voix reprit derrière Conrad.

La procession des frères s'était avancée également. Pressé de toutes parts par les gens, Conrad se sentit soudain le souffle court. Salimbene devrait attendre. Il s'était de nouveau engagé sur les marches en cherchant un endroit où il y avait moins de spectateurs quand il entendit la voix d'Amata derrière lui.

– Vous voilà, frère Conrad! criait-elle. Venez dîner à la maison ce soir.

– Si je le peux, cria-t-il à son tour. Je dois d'abord parler au frère Jérôme.

– Vous *devez* venir, hurla-t-elle en faisant un geste en direction de la femme sur le brancard.

Mais Conrad se trouva entraîné par la foule en haut des marches avant d'avoir pu comprendre le reste de ses paroles. Il lui indiqua par des signes qu'il ne l'entendait pas. Elle joignit les mains d'un air de supplication et il lui signala que, oui, il allait essayer de s'y rendre.

Il réussit à revenir à l'endroit qu'il avait occupé en arrivant sur la piazza, où la foule était moins dense. Maestro Roberto, en compagnie du comte Guido et de sa petite-fille, fendit la foule pour se diriger vers lui. L'intendant souriait d'une oreille à l'autre et fit un grand geste de la main pour montrer la foule qui l'entourait.

– Avez-vous déjà vu un pareil spectacle, frère?

Conrad avait suivi des yeux les gestes de l'homme. La majorité des gens faisait face à la basilique, certains d'entre eux pleuraient, se frappaient la poitrine et levaient les bras vers les cieux. D'autres riaient et étreignaient leurs voisins. Conrad entendit deux hommes se présenter mutuellement des excuses et se demander pardon pour les blessures passées. Quelques-uns se tenaient calmement debout et priaient, les yeux fermés. Comme toujours, des vendeurs parcouraient la foule, offrant des pâtés à la viande et des pâtisseries à ceux dont la dévotion exigeait également une nourriture concrète. Un homme se tenait agenouillé à la lisière de la foule. Sa tête était inclinée et son corps, entièrement recouvert d'un lourd manteau noir malgré la chaleur du matin. La taille de l'homme, son aspect sombre et ses larges épaules rappelèrent à Conrad le pénitent Jacopone et sa vénération malsaine pour le prépuce du Christ. Pourtant, en quoi Jacopone était-il différent de ces personnes vénérant des stigmates qui n'avaient jamais existé?

Conrad éprouvait diverses émotions: de la tristesse devant la crédulité générale dont il était témoin, de l'émerveillement devant l'enthousiasme de la foule, de l'indignation envers la prolifération, tout autour de lui, de l'ancien mensonge d'Élie. *Les gens aiment les bons miracles, et plus ils sont fantastiques, plus ils y croient*, se dit-il. Il se souvint de sa conversation avec Amata sur la colline à l'extérieur de Gubbio, de la description qu'il lui avait faite des équipes qui grimpaient le mont Ingino avec leurs lourds piédestaux.

– Le gagnant et le perdant n'ont pas d'importance, avait-il dit à la jeune fille. Les gens simples ont besoin d'images simples et non de sermons ou de tracts pour nourrir leur piété.

Les images comme celle d'un humble saint portant sur le corps les blessures du Christ! Comme ses paroles le rongeaient maintenant! Que les blessures soient réelles ou non, Conrad devait admettre, en regardant autour de lui, que beaucoup de gens y croyaient. Les stigmates de saint François enflammaient les imaginations et renforçaient le zèle religieux des croyants de toutes les classes, même si ce n'était que pour cette seule journée de commémoration. Avait-il le droit, ou le devoir, d'ébranler une telle foi – même s'il avait eu le pouvoir de convaincre un de ces dévots fanatiques de le croire?

L'homme agenouillé se redressa et regarda d'un air absent par-dessus la foule, les yeux rouges d'avoir pleuré, sa chevelure formant une masse ébouriffée. Il priait, ignorant le chaos autour de lui, même lorsque Teresina, qui l'avait aperçu également, se précipita vers lui en tirant sur sa cape et en criant:

– *Papa*! Te voilà! Nous t'avons cherché partout!

XLIV

L a célébration publique des stigmates se poursuivit tard dans l'après-midi et Conrad dut attendre jusqu'après les vêpres pour obtenir son audience. Mais, quand il pénétra dans la sacristie de l'église supérieure où Jérôme avait accepté de le rencontrer, le frère se trouva plutôt devant un homme grand en soutane blanche et calotte noire. Il se tenait debout devant une fenêtre, les mains jointes derrière le dos. Les anneaux qui brillaient à ses doigts minces témoignaient de ses hautes fonctions.

L'homme d'Église se retourna méthodiquement. Sa peau cireuse s'étirait comme du vieux vélin sur ses pommettes proéminentes. Des poches mauves pendaient sous ses yeux aux paupières lourdes qui étudièrent Conrad pendant un bref moment d'embarras.

– Soyez le bienvenu, frère, dit-il finalement d'un ton cérémonieux qui contrastait avec le sifflement de sa respiration. Votre ministre général a exaucé notre souhait de rencontrer le frère dont la curiosité l'avait mené en prison. Les éloges d'Orfeo di Bernardone à votre endroit ont piqué notre curiosité.

Conrad s'agenouilla sur le plancher de pierre et inclina la tête.

– Je vous dois la vie, Votre Sainteté.

Il conserva cette posture humble jusqu'à ce qu'il sente la douce pression de mains sur sa tête pendant que le pape marmonnait une bénédiction en latin. Puis, Grégoire lui posa les mains sur les épaules et lui ordonna de se lever.

– Le frère Jérôme n'a pu se joindre à nous. Il se prépare pour son voyage avec le doge, qui retourne à Venise demain, dit le pontife en indiquant au frère une chaise devant la sienne.

Voyez-vous, *nous* avons encore davantage besoin de son sens du commandement que votre Ordre. Nous lui avons demandé de retourner à Byzance pour s'occuper des derniers détails de la réunification de l'Église.

Conrad se demanda dans quelle mesure, exactement, Jérôme avait parlé de lui au pape. Le ministre général avait-il, en échange de son acceptation d'entreprendre la mission en Orient, demandé à la plus haute autorité de l'Église de l'empêcher de divulguer le fait que saint François était lépreux?

– L'unité entre les membres du corps mystique du Christ représente une bénédiction de Dieu, poursuivit Grégoire, et en particulier l'unité entre les frères. Le frère Jérôme nous a parlé de son projet de vous utiliser comme intermédiaire pour combler le fossé au sein de votre Ordre – lorsque, bien sûr, vous aurez retrouvé votre santé. C'est une tâche noble et importante. Il devra se fier davantage qu'il le supposait aux frères comme vous, maintenant que nous avons sollicité ses services pour nos propres fins. En mon nom et au nom de l'Église, nous nous considérons fort bien récompensés de vous avoir libéré.

Le pontife scruta le visage de Conrad, mais celui-ci s'efforça de demeurer impassible. Il ne s'était pas encore remis de sa surprise. Il voulait également attendre, pour réagir, que Grégoire ait exposé toute sa proposition.

– Le frère Jérôme éprouve beaucoup de sympathie pour vos frères spirituels. Il a grandi à Ascoli, dans les Marches où ils se terrent. Quoi qu'il en soit, il comprend que ces frères modérés et d'esprit pratique soient mieux en mesure de réaliser le projet de réforme de l'Église de saint François – de briser les barrières entre les prêtres et le peuple – que les membres plus zélés de l'Ordre. Je pense que votre Ordre devrait moins mettre l'accent sur la pauvreté et davantage sur la simplicité, moins sur l'ascétisme et davantage sur l'austérité. La nuance est subtile, mais elle réconfortera beaucoup plus de fidèles que les pratiques strictes de vos amis.

Le pape montra du doigt la bure de Conrad.

– Par exemple, nous préférerions voir un frère portant un vêtement de bon tissu épais qui durera des années et empêchera son esprit d'être distrait dans une basilique glaciale, que de le voir porter des guenilles. Nous espérons que vous en viendrez à la même conclusion après y avoir réfléchi.

Grégoire se leva et marcha de nouveau jusqu'à la fenêtre en tournant le dos à Conrad qui effleura les manches reprisées de son vêtement. Il avait déjà eu cette conversation avec Donna Giacoma et il sentit la colère monter en lui.

– Le frère Jérôme, ajouta Grégoire, nous dit que vous seriez heureux d'œuvrer à la léproserie, mais nous croyons que Dieu vous a réservé un rôle plus noble. Nous avons suggéré à votre ministre général que vous passiez quelque temps en retraite au monastère du mont de l'Alverne pour y méditer sur l'objectif plus vaste de la vie de saint François ainsi que sur sa mission en ce qui concerne l'Église dans son ensemble et *tous* les fidèles.

Ah ! ils souhaitent me réduire au silence.

– Pourquoi le mont de l'Alverne ? demanda-t-il avec une feinte ignorance, sachant que c'était l'endroit où s'étaient manifestées les lésions de François.

Grégoire et Jérôme se sont-ils moqués de moi ?

– La vérité ne demeure-t-elle pas la même partout ? demanda-t-il, maintenant certain que le pape savait à quelle vérité il faisait allusion.

Le dos du pontife se raidit.

– « *Quid est veritas ?* » avait demandé Pilate à Notre-Seigneur. Qu'est la vérité ? Malheureusement pour l'humanité tout entière, il n'a pas attendu la réponse de Jésus. Toute l'humanité aurait adoré entendre *cette* réponse. Nous avons deux fois votre âge, frère Conrad, et avons consacré plusieurs de ces années à la lecture de chroniques et de récits soi-disant exacts. Nous avons observé que la plume des scribes pouvait coucher sur le papier des vérités uniformes et variables aussi facilement que les marteaux des armuriers façonnent les épées.

– Mais j'ai absolument raison en ce qui concerne la lèpre de saint François.

Grégoire tourna la tête, son visage empreint de tristesse, comme pour souligner le fait que Conrad avait fait preuve d'indiscrétion en parlant de manière si directe. De toute évidence, le pape préférait aborder cette question de façon indirecte.

– Un jour, un homme sage imagina que Dieu lui tendait de Sa main droite toute la vérité de l'univers. Dans Sa main gauche, le Créateur ne tenait que la recherche active de la vérité, y compris le fait que l'homme allait toujours errer dans cette quête. Il dit à l'homme sage : « Choisis ! » L'homme prit humblement la main gauche de Dieu et dit : « Père divin, donnez-moi celle-ci, car la vérité absolue n'appartient qu'à Vous. »

La voix du pape claqua comme un fouet lorsqu'il ajouta :

– Vous avez sûrement remarqué aujourd'hui sur la grand-place que la vérité à laquelle vous vous accrochez n'est pas si simple ni si absolue. Votre vérité serait comme une lance enfoncée au cœur de la foi du peuple.

Conrad inclina la tête. Fort de ses convictions, il avait dépassé les limites qu'il s'était données. Il devait au souverain pontife une allégeance totale, de même que sa reconnaissance.

– Pardonnez-moi, Saint-Père, pour mon orgueil, dit-il.

Il ferma son œil valide tout en songeant que son cœur allait éclater tellement y régnaient le chaos et la confusion. Il poursuivit d'une voix basse :

– J'en suis venu à la même conclusion que Votre Sainteté en observant la foule et j'éprouverais des regrets éternels si je faisais obstacle à la dévotion du peuple. Ce n'est sûrement pas le temps de faire une telle révélation, me suis-je dit. Pourtant, par égard pour cette même vérité, ne devrions-nous pas au moins rédiger une note dans quelque chronique pour ceux qui viendront après nous ?

– Non, dit Grégoire en posant doucement mais fermement sa main sur l'épaule du frère. Non, mon fils.

Conrad, surpris de cette soudaine tendresse, leva de nouveau les yeux vers le pontife.

– Mais nous vous sommes redevables, poursuivit Grégoire, pour les souffrances que vous avez endurées, et parce que… parce que, tout simplement, nous sommes d'accord avec le frère Jérôme sur le fait que vous avez probablement raison. Votre découverte ne devrait subir qu'une mort… une mort temporaire. Au moment où Dieu le souhaitera, Il pourra la ressusciter aussi facilement qu'Il a ressuscité Son fils. Voici donc notre compromis : un frère vous accompagnera jusqu'au mont de l'Alverne et, par son entremise, vous pourrez commencer la tradition *orale* de votre *Francesco Lebbroso*. Orale et non écrite. Vous ne ferez rien de plus et laisserez le reste entre les mains de Dieu.

– Et puis-je choisir mon compagnon ?

– À la condition que votre ministre général appuie votre choix, acquiesça le pape.

Que Dieu m'accorde ce souhait ! pensa Conrad. Une lueur d'espoir avait surgi en lui. Il en éprouva un calme inattendu, un sentiment de réconfort en songeant qu'un jour un frère exposerait finalement la vérité sur la supercherie d'Élie. Il sentit se renforcer sa détermination, mais il n'était pas nécessaire d'en faire part au pape.

– Si le frère Jérôme était ici, je lui demanderais aussi de me libérer pour cette soirée afin que je puisse aller faire mes adieux à Orfeo et à sa nouvelle épouse. J'ai promis de me joindre à eux pour le repas de ce soir.

– Je n'y vois aucun inconvénient, frère. Et, s'il vous plaît, transmettez-lui également mes félicitations, car j'ai beaucoup d'affection pour lui.

Grégoire s'arrêta un moment, sourit et demanda :

– Quand viendrez-vous chercher votre compagnon ?

– S'il pouvait me rencontrer à la Porta di Murorupto, après tierce, demain matin…

Le pontife inclina la tête en signe d'assentiment et accepta de transmettre la requête, puis accompagna Conrad à la porte principale de la basilique. Et c'est ainsi que le dilemme qui avait tourmenté Conrad depuis sa rencontre avec le frère Jérôme se résolut avec l'irrévocabilité et l'infaillibilité d'un décret pontifical.

Pendant que Conrad rencontrait le pape, la Piazza di San Francesco s'était vidée alors que la foule se dispersait pour le repas du soir. Un chien solitaire qui fourrageait parmi les restes qu'avaient laissés les pèlerins sur les pavés vint renifler aux pieds du frère. L'animal le suivit jusqu'à l'extrémité de la place et Conrad songea une fois de plus qu'il aimerait se retrouver parmi ses créatures de la forêt et croire que les événements des trois dernières années n'étaient jamais survenus. Il gratta la tête du chien en éprouvant un soudain désir de voir Chiara, le cerf domestiqué qui broutait à l'extérieur de sa hutte. Puis, il chassa l'animal vers la piazza et poursuivit seul son chemin.

&

Il ne restait qu'à régler la question de l'existence – ou de l'endroit où pouvait se trouver – la chronique de Léon. Conrad avait espéré poser la question au frère Jérôme mais, comme le ministre général partait pour Venise, il avait raté l'occasion de lui parler. Et il savait que même s'il réussissait à affronter le frère Salimbene ou le bibliothécaire à propos du manuscrit, il n'obtiendrait pas une réponse honnête. Il en serait encore réduit à arracher les planches d'une armoire en pleine nuit comme un voleur, une expérience qu'il espérait ne jamais revivre. Mais son compagnon de route vers le mont de l'Alverne pourrait peut-être, au moment où il lui transmettrait l'histoire de la lèpre de François, reprendre aussi l'histoire de Léon.

En arpentant les rues familières en direction de la maison d'Amata, Conrad réalisa que cette soudaine tournure des événements l'avait soulagé. Pendant trois ans, le poids du message de Léon avait pesé sur son âme comme une neige dense et l'avait presque poussée à son point de rupture. Mais l'autorité de Grégoire avait fait disparaître ce fardeau, lui permettant de se redresser. Le joug de l'obéissance aveugle portait en lui la même libération que l'irresponsabilité juvénile. La disparition du manuscrit de Léon représentait un autre fardeau qu'il remettait maintenant volontiers entre les mains de Dieu. Il sentit monter en lui la hâte de se retrouver sur le mont de l'Alverne où il pourrait se débarrasser de ces fardeaux.

En arrivant chez Amata, il trouva la maisonnée rassemblée dans le grand hall. Le repas était déjà commencé. À la table des serviteurs étaient assis les quatre hommes qui avaient transporté le brancard à l'extérieur de l'église inférieure ce matin. Il reconnaissait maintenant celui dont l'allure lui avait semblé familière : c'était le serviteur de Rosanna, celui qui lui apportait chaque semaine de la nourriture à sa hutte sur la montagne.

Conrad se précipita vers la table réservée à la famille et aux invités spéciaux, mais Rosanna ne s'y trouvait pas. Ses épaules s'affaissèrent. Il reconnut cette déception, car il l'avait déjà éprouvée le matin où il était parti pour le monastère alors que Rosanna n'avait pu lui faire ses adieux.

Amata croisa son regard et lui fit signe de venir s'asseoir entre elle et le comte Guido. Le comte accueillit chaleureusement le frère et lui fit une place sur le banc pendant qu'Amata faisait signe à un aide-cuisinier d'apporter une autre assiette. L'esprit encore grouillant du souvenir de son ermitage, Conrad se rappela à cet instant l'adolescente à la langue acérée qui lançait un après l'autre des raisins dans sa bouche pendant qu'elle le sermonnait dans sa hutte. La jeune femme mature près de lui représentait un hommage vivant à la sagesse et à la patience de Donna Giacoma.

– Je vous avais promis une surprise, Conrad! dit-elle. J'ai invité *monna* Rosanna à Assise pour la fête de François, même si je ne savais pas à ce moment qu'elle était malade. Nous espérons, grâce à l'intercession de saint François, que sa santé s'améliorera pendant son séjour ici.

– Est-elle gravement malade? demanda Conrad.

Le visage d'Amata s'assombrit.

– *Oui.* Le médecin pense qu'elle ne survivra pas à moins d'un miracle. Trop de grossesses difficiles. La bénédiction et la malédiction de notre sexe.

Elle parvint à esquisser un sourire en songeant que, pendant l'année à venir, sa propre vie pourrait être suspendue entre l'émerveillement et le péril mortel de la grossesse et de l'accouchement.

Conrad enfouit son visage dans ses mains et serra les dents. *La compagne la plus chère de son enfance obligée de souffrir parce que son époux se comportait comme un étalon en rut!* Il ne s'était pas passé une année depuis son mariage sans qu'elle porte un enfant. Pourtant, si fâché et impuissant qu'il se sentît, une partie de lui devait admettre que Rosanna et Quinto n'avaient que suivi la directive de la Bible qui disait: «Allez et multipliez-vous.» La vie de Rosanna aurait-elle été différente si elle avait épousé un homme comme lui?

Amata prit une gorgée de vin. Elle posa sa main sur le bras de Conrad et dit:

– Elle ne cesse de vous demander depuis son arrivée.

Le frère avait commencé à se lever avant même que le serviteur n'apporte la nourriture, mais la main d'Amata se resserra sur son bras.

– Elle se repose confortablement, Conrad. Prenez d'abord votre repas et parlez-nous de vos projets. Nous espérons que vous resterez quelque temps avec nous. Jacopone tirerait profit de votre compagnie également.

Elle fit un signe de tête en direction d'un banc de bois sous une des tapisseries du hall. Teresina avait terminé son repas et s'était assise près de son père, la tête contre son épaule, et tenait son immense main dans les siennes. Le pénitent hochait mollement la tête.

La rechute de Jacopone attrista Conrad. Il couvrit son visage de sa main pendant un instant, puis se ressaisit et expliqua qu'il devait partir pour le mont de l'Alverne le lendemain matin.

– Je ne peux te donner qu'un conseil, Amatina, dit-il. Trouve à Jacopone quelque chose à rédiger. Demande ses services à titre de notaire, fais-lui écrire ses poèmes, copier des livres, n'importe quoi. Il possède la sensibilité exacerbée de l'artiste. L'écriture représente sans doute le meilleur et le seul exutoire pour ces âmes tourmentées. Il pourrait même essayer de vivre dans notre monastère de Todi. Il est connu là-bas, et il y était fort respecté avant que cette folle tristesse ne se saisisse de son esprit.

Conrad vit qu'Amata était déçue par sa réponse, mais le pape avait formulé ses exigences et, qui plus est, il devait prendre soin de son propre esprit. La compagnie de tous ces gens qu'il aimait allait lui manquer, mais il savait qu'il devait les quitter. Il se tenait à un autre carrefour et devait irrévocablement changer de direction.

Pendant qu'il buvait son bouillon, Conrad songea de nouveau à Rosanna, qu'il avait déjà quittée par deux fois – quand il était entré chez les frères et qu'il avait appris la nouvelle de ses fiançailles, et plus récemment, quand il avait abandonné son ermitage pour revenir à Assise. Maintenant, il devait selon toute apparence la laisser partir une troisième et peut-être dernière fois.

La soupe lui semblait inodore et insipide et il remarquait à peine le babillage autour de lui. Il lui revint à l'esprit un vers d'un poème populaire : *Faisant mes adieux à mes amis, je suis entré dans l'automne du mont de l'Alverne.* Il avait à peine touché son repas lorsque les serviteurs commencèrent à desservir la table.

Amata demeura à la table pendant que les autres allaient chercher leurs paillasses.

– Conrad ? fit-elle doucement. Si vous n'avez pas d'appétit, nous pouvons aller voir Rosanna maintenant. Mais avant que nous nous souhaitions bonne nuit, promettez-moi que vous ne vous en irez pas furtivement au petit matin comme vous l'avez fait quand vous êtes parti pour San Lazzaro.

– Je te le promets, Amatina.

Il s'arrêta un moment, puis ajouta :

– J'espère que Dieu dirigera encore mes pas vers ta maison un jour, mais pour l'instant je ne peux voir au-delà du mont de l'Alverne.

Il se surprit à chercher les mots qu'il savait devoir prononcer.

– Vous me manquerez tous terriblement, mais cette séparation sera plus facile en sachant que tu vis finalement en paix comme le souhaitait Giacomina, et comme nous le souhaitions tous.

Malgré cela, il soupçonnait que cette séparation ne se ferait pas aussi aisément qu'il le prétendait. Elle pourrait se révéler tout aussi déchirante que l'autre séparation à laquelle il devait maintenant faire face.

Il n'offrit aucune résistance lorsqu'elle lui prit la main et le conduisit vers la pièce dans laquelle il avait étudié ses manuscrits par le passé. Quand il s'arrêta sur le seuil, Amata lui souffla à l'oreille : « Orfeo m'attend », puis elle retourna discrètement vers le hall. Le feu qui brûlait dans un coin de la pièce laissait échapper une fumée qui montait le long de la cheminée de pierre jusqu'au plafond, comme dans le souvenir qu'il avait de cette pièce, mais la femme qui gisait sur une paillasse par terre respirait sans peine. Elle battit des paupières, puis ses yeux s'agrandirent lorsqu'elle aperçut le frère à la porte.

– C'est moi. Conrad, dit-il.

La lueur orangée du foyer se réfléchissait dans les yeux humides de la femme.

– Qu'ont-ils fait à mon ami ? Amata m'avait prévenue que tu avais beaucoup changé en prison, mais je ne m'attendais aucunement…

Conrad s'agenouilla près d'elle et posa un doigt sur les lèvres de la femme.

– On dit que Dieu traite durement ceux qu'Il aime, de la même façon que les enfants traitent leurs jouets préférés. Il doit nous aimer énormément, toi et moi, Rosanna.

Il prit sa main automatiquement, comme s'ils avaient à nouveau dix ans, et il s'étonna du caractère naturel du geste.

– Amata m'a dit que tu m'attendais.

– Je voulais obtenir tes prières pour la délivrance de mon âme et pour la protection de mon époux et de mes enfants quand je serai partie. Je sais que je vais mourir, Conrad.

Il pouvait à peine sentir la pression de ses doigts dans sa main.

– J'ai aussi une confession à te faire, ajouta-t-elle.

Conrad relâcha sa main et s'assit. Rosanna rit doucement dans la semi-obscurité.

– Non, non. Rien de si officiel. Je me suis confessée au prêtre d'Ancona avant de partir, au cas où je ne supporterais pas le voyage. Aujourd'hui, c'est une confession d'amie à ami. S'il te plaît, reprends ma main dans la tienne.

Il prit sa main, un peu embarrassé cette fois.

– Pendant toutes mes années de mariage avec le sieur Quinto, poursuivit Rosanna, j'ai été amoureuse d'un autre homme. Est-ce que cela te choque?

Conrad cessa momentanément de respirer. Si ce n'avait été l'état de faiblesse de la femme, il aurait laissé retomber sa main de nouveau. Même si elle avait qualifié cette confession d'informelle, il réagit comme un pasteur déterminé.

– L'as-tu aimé au sens charnel? demanda-t-il en craignant d'avance la réponse.

Rosanna rit une fois de plus.

– Non. Seulement dans mes rêves de petite fille – et maintenant dans mes rêves de femme mûre. Je pense que, pour avoir raté tous les indices que je lui donnais, il était sûrement le balourd le plus naïf qui ait vécu.

– Tu le connaissais même quand tu étais une fillette? Pourquoi n'as-tu pas avoué tes sentiments plutôt que de marier un étranger?

– Tu sais les filles n'ont aucunement le choix en telle matière, Conrad. J'ai déclaré mon amour pour lui à mes parents le soir où ils m'ont annoncé que j'allais être fiancée à Quinto. Je me suis mise dans une colère terrible et j'ai juré que je ne marierais… que *toi*. Pourquoi crois-tu qu'ils se sont empressés de t'envoyer chez les frères?

La paillasse bruissa alors qu'elle se tournait sur le côté avec difficulté.

– Et vois comment nous nous retrouvons aujourd'hui. Deux vieilles poupées de chiffon qui auraient dû constituer le couple le plus heureux du monde. Je sais que tu m'aimais aussi, même si ce n'était que l'amour innocent d'un jeune garçon.

La gorge serrée de Conrad l'empêcha de répondre. La lueur de la lune qui se levait éclaira un coin de la pièce à travers la fenêtre. En regardant cet unique rayon pâle, il réalisa tout à coup la solitude qu'il avait ressentie pendant toute sa vie.

– Dis-le, Conrad. Laisse-moi te faire mes adieux en paix.

Il serra sa main dans les siennes, effleurant les doigts frêles de la femme avec les siens. Il parla finalement d'une voix rauque:

– Nous savons que nos âmes ne meurent pas, Rosanna. Nous ne devons pas accorder trop d'importance à ces adieux. Nous parlerons à nouveau un jour, dans un lieu plus heureux.

– *Dis-le*, Conrad. S'il te plaît.

Il essaya de se relever, mais la main de Rosanna se resserra sur la sienne.

– *Conrad*!

Il relâcha la main de la femme et la reposa doucement sur sa poitrine.

– Dieu sait à quel point je t'aime, Rosanna. Jusqu'à cet instant même, Dieu seul savait que je n'avais *jamais* cessé. Je le réalise à l'instant, dit-il en souriant. Je suppose que cela démontre que je suis *vraiment* un balourd naïf, comme tu le disais.

Il frôla des lèvres le front humide de la femme, puis plaça les mains sous ses épaules et la releva à demi sur la paillasse. Il la tint contre sa poitrine pendant un long moment, luttant contre les larmes qui, il le savait, ne demandaient qu'à couler pendant qu'il la laisserait partir cette dernière fois. Il étendit de nouveau son corps sur le matelas et, cette fois, laissa ses lèvres frôler les siennes.

– Merci, Conrad, murmura-t-elle.

– *Addio*, Rosanna. Au revoir, mon amie.

Il se releva avec peine et marcha jusqu'à la porte. Il chancela, s'agrippant au chambranle pendant qu'il dirigeait son regard vers le ciel brillant d'étoiles.

– Je te retrouverai là-bas, dit-il.

❧

Conrad pressa le pas en suivant le sentier illuminé par la lune dans la cour d'Amata. La lumière jouait dans sa barbe blanche. Il aurait souhaité prendre racine ici, au milieu des décombres de l'incendie, engendrer de la mousse et du lichen comme un vieux chêne et être l'hôte d'un million d'insectes, et ombrager la maisonnée bienveillante d'Amata avec ses feuilles, les branches fourmillant de ses *bambinos* turbulents.

Mais il ne pouvait se permettre un tel luxe. Il avait beaucoup de chemin à parcourir. Non pas seulement pour se rendre au mont de l'Alverne, une simple halte sur sa route, mais pour atteindre le royaume de Dieu enfoui en lui, comme Jésus l'avait prêché.

Le lendemain, il allait transmettre le fardeau du message de Léon à son compagnon de route, le frère Ubertin, le représentant de la prochaine génération. Pendant toute sa quête, il n'avait pas trouvé Dieu, non plus qu'il L'avait trouvé dans la bure grise rapiécée qui recouvrait maintenant son corps frissonnant. Il savait que le Père céleste se trouvait bien au-delà de tous les désirs humains, au-delà d'un morceau de parchemin calciné dans sa poche et de l'âme pure de l'Ordre qu'il représentait, au-delà même de l'immense basilique édifiée en l'honneur de François, bien au-delà de toute *chose* que Conrad pourrait nommer ou même imaginer, au-delà de sa *conception* la plus brillante sur Dieu, une conception qui n'était qu'une invention.

Il éprouva la certitude que le chemin qui menait à Dieu s'évanouirait dans le mystère, peut-être dans le pur néant, qui ne serait sûrement pas un *endroit*, non plus qu'un lieu vide – nulle part ailleurs que dans l'amour. L'apôtre inspiré par l'Esprit saint l'avait deviné : « *Dieu est Amour.* »

Et là, au cœur même de l'Amour originel, il savait qu'il reverrait Rosanna.

ÉPILOGUE

Après son séjour sur le mont de l'Alverne, le frère Conrad da Offida acquit une célébrité en tant que prêcheur itinérant et visionnaire. Pour toujours dévoué à la cause de la faction spirituelle de son Ordre, il mourut au monastère de Santa Croce à Bastia en 1306 et fut par la suite béatifié. Un de ses contemporains, le frère Angelo Clareno, attesta que Conrad avait porté la même tunique pendant cinquante ans, une sorte d'hommage à l'entêtement de l'homme et à la résistance du tissu. Seize ans après sa mort, un groupe de Pérugins volèrent les ossements bénis de Conrad et les gardèrent dans leur propre ville.

Ubertin de Casale devint le dirigeant des frères spirituels à la fin des années 1200. Dans son livre intitulé *Arbor Vitae* (*L'arbre de la vie*), il mentionne le manuscrit perdu de Léon. Ubertin cita les extraits du manuscrit que le frère Conrad avait copiés pour lui, mais fut qualifié de menteur pour n'avoir pu produire le texte même. On ne l'a jamais retrouvé.

En 1294, le cardinal Benedetto Gaetani était élu pape sous le nom de Boniface VIII. Il allait plonger la papauté dans la plus longue et la pire crise de son histoire. Si l'on admet la justesse du raisonnement de Conrad selon lequel les prophéties de l'abbé Joachim de Flore faisaient réellement allusion à l'année 1293, on pourrait logiquement affirmer que Boniface représentait le début de l'Abomination de la désolation que prédisait la vision de l'abbé.

Jacopone de Todi intégra l'ordre des franciscains en 1278. Il devint, lui aussi, un personnage marquant parmi les frères spirituels. Ses *Louanges* poétiques, écrites dans la langue vernaculaire, lui valurent l'amour du peuple et le mépris d'un poète concurrent, Dante Alighieri. Comme Jacopone dénonçait à grands cris la corruption au sein de l'Église, le pape Boniface VIII le fit incarcérer dans le donjon pontifical. Mais c'est là une autre histoire.

L'année où son père s'était joint aux franciscains, Teresina, devenue adolescente, quitta Assise pour la Sicile, en compagnie d'Orfeo, d'Amata et de leurs quatre enfants. À Palerme, Orfeo fonda un avant-poste, faisant du commerce dans tout le Levant quelques années à peine avant les Vêpres siciliennes – et c'est là encore une autre histoire.

Le 14 avril 1482, le pape Sixte IV canonisait l'ancien ministre général, le frère Bonaventure. En 1588, le pape Sixte V proclama en outre que le saint était un docteur de l'Église et devait porter le titre spécifique de docteur séraphique.

En 1818, une équipe de travailleurs qui creusait dans la crypte sous l'église inférieure de la basilique Saint-François découvrit la dépouille du saint – 550 ans après sa disparition. On n'a jamais effectué de tests sur les reliques pour y trouver des indices de la lèpre.